내신

다:품

고등 지구과학 I

STRUCTURE 구성과 특징

핵심 개념

시험 대비에 꼭 필요한 개념들만 엄선하여 이해하기 쉽도록 정리하였습니다.

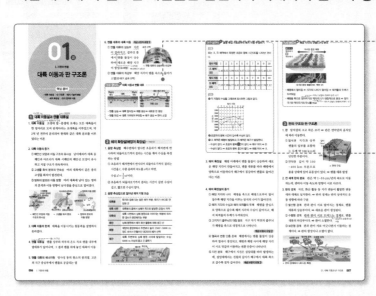

자료 클리닉

시험 문제에 반드시 활용되는 핵심 자료들을 뽑아 중요 포인트를 짚었습니다.

탐구 클리닉

시험 문제에 단골 소재로 쓰이는 필수 탐구를 엄선해 실험 과정과 결론, 꼭 알아야 할 포인트를 정리했습니다.

단계별 문제 구성

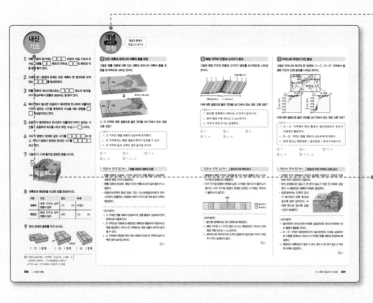

개념 브릿지 유형

과학 공부에서 개념을 이해하고도 문제 풀이에 적용이 안 되는 경우가 많습니다. 이를 극복할 수 있도록 각 단원의 핵심 문제의 풀이에 개념이 어떻게 적용되는지를 확실히 연습합니다.

내신 기초

중요 그림과 필수 개념을 완벽히 암기할 수 있도록 다양한 구성으로 제시하였습니다.

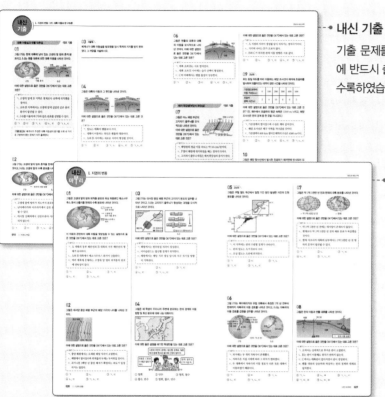

내신 기출

기출 문제를 완벽 검토하여 학교 시험
에 반드시 출제되는 문제들로 엄선하여
수록하였습니다.

내신 마무리

각 대단원의 마무리 학습으로, 정제되
고 수준 높은 문제들로만 구성하여 단
원을 완벽히 정복할 수 있도록 구성하
였습니다.

모든 문제에 대해 자세하고 친절한 해설을 제공하였습니다.

**정답과
해설**

해설 클리닉

대표 유형, 중요 문제에 대해 문제 풀이에
꼭 필요한 단계별 접근 방법을 제시하였
습니다.

문제 속 자료

문제에 제시된 자료를 완벽히 분석하여
깊이 있는 내용까지도 함께 제시했습니다.

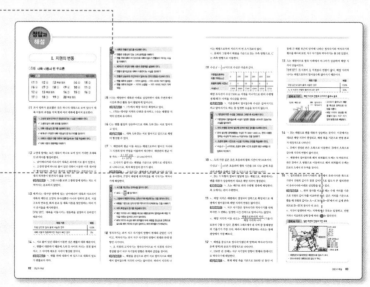

CONTENTS 차례

I 지권의 변동

01 대륙 이동과 판 구조론 ·············· 006

02 판의 운동과 플룸 구조론 ·············· 014

03 변동대와 화성암 ·············· 022

II 지구의 역사

04 퇴적 구조와 지질 구조 ·············· 032

05 지사 해석 방법과 지층의 연령 ·············· 040

06 지질 시대의 환경과 생물 ·············· 048

III 대기와 해양의 변화

07 기압과 날씨 변화 ·············· 060

08 태풍과 우리나라의 주요 악기상 ·············· 068

09 해수의 성질 ·············· 076

대기와 해양의 상호 작용

10 해양의 표층 순환과 심층 순환 ································· 088

11 엘니뇨와 남방 진동 ································· 096

12 기후 변화 ································· 102

별과 외계 행성계

13 별의 물리량과 H-R도 ································· 114

14 별의 진화와 별의 내부 구조 ································· 122

15 외계 행성계 탐사 ································· 130

외부 은하와 우주 팽창

16 외부 은하의 종류와 특징 ································· 140

17 빅뱅 우주론과 암흑 에너지 ································· 146

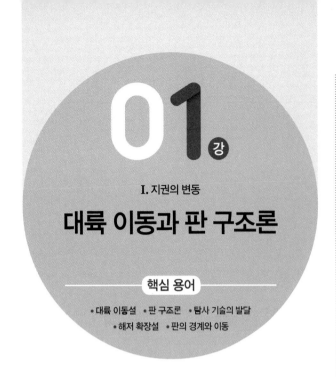

01. 강

I. 지권의 변동

대륙 이동과 판 구조론

핵심 용어

- 대륙 이동설 • 판 구조론 • 탐사 기술의 발달
- 해저 확장설 • 판의 경계와 이동

1912년 ─┐   ┌─ 1928년

1 대륙 이동설과 맨틀 대류설

1. 대륙 이동설 └─ 베게너가 주장 ─┘ 고생대 말~중생대 초에는 모든 대륙들이 한 덩어리로 모여 판게아라는 초대륙을 이루었으며, 약 2억 년 전부터 분리되어 현재와 같은 대륙 분포를 이루었다는 이론

2. 대륙 이동의 증거

① **해안선 모양과 지질 구조의 유사성** 남아메리카 대륙 동해안과 아프리카 대륙 서해안의 해안선 모양이 유사하고 지질 구조가 연속적이다.

② **고생물 화석 분포의 연속성** 여러 대륙에서 같은 종의 고생물 화석이 발견된다.

③ **빙하의 분포와 이동 방향** 여러 대륙에 남아 있는 빙하의 흔적과 이동 방향이 남극점을 중심으로 멀어졌다.

▲ 해안선 모양과 지질   ▲ 고생물 화석 분포   ▲ 빙하의 분포와
구조의 유사성   이동 방향

3. 대륙 이동의 한계 대륙을 이동시키는 원동력을 설명하지 못하였다.

└─────── 홈스가 주장, 1928년
4. 맨틀 대류설 맨틀 상부와 하부의 온도 차로 맨틀 내부에 열대류가 일어나며, 그 결과 맨틀 위에 놓인 대륙이 이동

5. 맨틀 대류의 에너지원 방사성 동위 원소의 붕괴열, 고온의 지구 중심부에서 맨틀로 공급되는 열

---

6. 맨틀 대류와 대륙 이동 　개념 브릿지 유형 **1**

① 맨틀 대류의 상승부 ┃지각┃이 갈라지고, 갈라진 틈에서 맨틀 물질이 상승하여 새로운 해양 지각이 생성(예 해령) ── 그 사이에 바다(해양)가 생긴다.

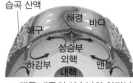

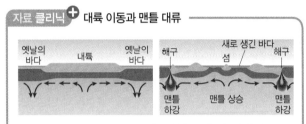
▲ 맨틀 대류의 상승부와 하강부

② 맨틀 대류의 하강부 ┃해양 지각┃이 맨틀 속으로 들어가 소멸(예 해구, 습곡 산맥)

자료 클리닉 ➕ 대륙 이동과 맨틀 대류

- 맨틀 상승 ➡ 대륙 멀어짐 ➡ 해령 생성 ➡ 새로운 판 생성
- 맨틀 하강 ➡ 대륙 가까워져 부딪힘 ➡ 해구 생성 ➡ 판이 소멸

---

2 해저 확장설(해양저 확장설) ── 1961년

1. 음향 측심법 해수면에서 발사한 초음파가 해저면에 반사하여 되돌아오기까지 걸리는 시간을 재어 수심을 측정하는 방법

① 초음파가 해저면에서 반사되어 되돌아오기까지 걸리는 시간을 t, 수중 음파의 속도를 v라고 하면,

수심 $d = \dfrac{1}{2}vt$이다.

② 초음파가 되돌아오기까지 걸리는 시간이 길면 수심이 깊고, 짧으면 수심이 얕다.

2. 음향 측심법으로 알아낸 해저 지형 모습

대륙붕	육지와 접해 있는 얕은 해저 부분, 육지가 바다로 연장된 곳
대륙 사면	대륙붕의 끝에서 심해저 쪽으로 발달한 급경사 지역
대륙대	대륙 사면에서 심해 평원으로 이어지는 부분에 위치한 경사가 완만해지는 부분
해산	심해 평원에서 해저 화산 활동에 의해 생긴 산
해령	대양의 중앙부에서 주변보다 높이 2500~3000 m 정도 솟아서 만들어진 대규모의 해저 산맥
해구	대륙 주변부와 심해 평원 사이에 발달하는 수심 6000 m 이상의 좁고 긴 골짜기

과정

표는 A, B 해역에서 측정한 초음파 왕복 시간(초)을 나타낸 것이다.

탐사 지점	1	2	3	4	5	6	7	8	9	10
A 해역 (초)	5.46	5.61	4.99	4.81	4.67	4.33	4.45	5.10	5.40	5.53
탐사 지점	1	2	3	4	5	6	7	8	9	10
B 해역 (초)	7.15	7.99	6.77	6.41	5.07	9.96	6.13	7.62	7.76	7.12

결과

❶ 각 지점의 수심을 그래프에 표시하면 그림과 같다.

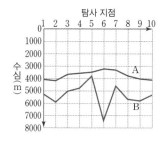

❷ 초음파의 왕복 시간이 길수록 수심이 깊다.

❸ A 해역은 해령이 발달하고, B 해역은 해구가 발달한다.
- 수심이 깊다. ➡ 초음파 왕복 시간이 길다. ➡ 해구 위치 ➡ B
- 수심이 얕다. ➡ 초음파 왕복 시간이 짧다. ➡ 해령 위치 ➡ A

3. 해저 확장설 해령 아래에서 맨틀 물질이 상승하여 새로운 해양 지각이 만들어지고, 맨틀 대류를 따라 해령에서 양쪽으로 이동하다가 해구에서 침강하여 맨틀로 들어간다는 이론

4. 해저 확장설의 증거

① 해양 지각의 나이 해령을 축으로 해령으로부터 멀어질수록 해양 지각을 이루는 암석의 나이가 많아진다.

② 해저 지각의 수심과 해저 퇴적물의 두께 해령을 중심으로 양쪽으로 갈수록 해저 지각의 수심이 깊어지고, 해저 퇴적물의 두께가 두꺼워진다.

③ 고지자기 줄무늬의 대칭 분포 지구 자기 역전의 줄무늬가 해령을 축으로 대칭적으로 나타난다.

개념 브릿지 유형 **2**

④ 열곡과 변환 단층 존재 해령에서는 맨틀 물질이 상승하여 열곡이 생성되고, 해령과 해령 사이에 해양 지각이 서로 엇갈려 이동하는 변환 단층이 나타난다.

⑤ 지진 분포 해구에서 지진은 섭입대를 따라 발생하는데, 섭입대에서는 진원의 깊이가 해구에서 대륙 쪽으로 갈수록 점차 깊어진다. 개념 브릿지 유형 **3**

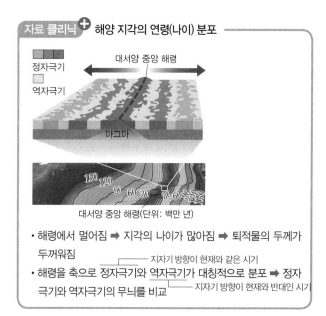

정자극기
역자극기

대서양 중앙 해령(단위: 백만 년)

- 해령에서 멀어짐 ➡ 지각의 나이가 많아짐 ➡ 퇴적물의 두께가 두꺼워짐 ┌─ 지자기 방향이 현재와 같은 시기
- 해령을 축으로 정자극기와 역자극기가 대칭적으로 분포 ➡ 정자극기와 역자극기의 무늬를 비교 ┌─ 지자기 방향이 현재와 반대인 시기

3 판의 구조와 판 구조론

1. 판 암석권의 크고 작은 조각 ➡ 판은 연약권의 움직임에 따라 이동한다.

① 암석권 지각과 상부 맨틀의 일부를 포함하는 두께 약 100 km의 단단한 부분이다.

② 연약권 깊이 약 100 ~400 km 부분으로 용융 상태에 있어 유동성이 있다. ➡ 맨틀 대류 발생

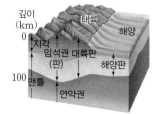

▲ 판의 구조

2. 전 세계 판의 분포 판은 약 1~10 cm/년의 속도로 이동하는데, 판마다 이동 속도와 방향이 서로 다르다.

3. 판의 경계 지진, 화산 활동 등 지각 변동이 활발한 변동대와 대체로 일치한다. ➡ 판의 경계는 판의 상대적인 운동 방향에 따라 구분

① 발산형 경계 판과 판이 서로 멀어지는 경계로, 맨틀 대류의 상승부이다. ➡ 새로운 판이 생성된다.

② 수렴형 경계 판과 판이 서로 모여드는 경계로, 맨틀 대류의 하강부이다. ➡ 판이 소멸한다. ┌─ 섭입형과 충돌형으로 구분

③ 보존형 경계 판과 판이 서로 어긋나면서 이동하는 경계이다. ➡ 판의 생성이나 소멸이 없다.

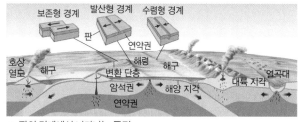

▲ 판의 경계에서 나타나는 특징

내신 기초

1 대륙 이동의 증거에는 ☐☐☐ 모양과 지질 구조의 유사성, 고생물 ☐☐ 분포의 연속성, ☐☐의 분포와 이동 방향 등이 있다.

2 고생대 말~중생대 초에는 모든 대륙이 한 덩어리로 모여 있는 ☐☐☐를 형성하였다.

3 맨틀 대류의 에너지원으로는 ☐☐☐ 원소의 붕괴열, 지구 중심부에서 맨틀로 공급되는 열 등이 있다.

4 해수면에서 발사한 초음파가 해저면에 반사하여 되돌아오기까지 걸리는 시간을 측정하여 수심을 재는 방법을 ☐☐ 측심법이라고 한다.

5 초음파가 해저면에서 반사되어 되돌아오기까지 걸리는 시간을 t, 초음파의 속도를 v라고 하면, 수심 $d = ☐vt$이다.

6 지자기 방향이 현재와 같은 시기를 ☐☐☐☐라 하고, 지자기 방향이 현재와 반대인 시기를 ☐☐☐☐라고 한다.

7 그림의 ㉠, ㉡에 들어갈 알맞은 말을 쓰시오.

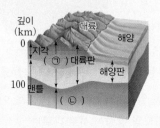

8 대륙판과 해양판을 비교한 표를 완성하시오.

구분	구성	밀도	두께
대륙판	대륙 지각과 상부 맨틀의 일부	(㉠)다	두껍다
해양판	해양 지각과 상부 맨틀의 일부	크다	(㉡)다

9 판의 경계의 종류를 각각 쓰시오.

(㉠)경계　　(㉡)경계　　(㉢)경계

🔑 **1** 해안선, 화석, 빙하 **2** 판게아 **3** 방사성 **4** 음향 **5** $\frac{1}{2}$
6 정자극기, 역자극기 **7** ㉠ 암석권(판), ㉡ 연약권
8 ㉠작, ㉡얇 **9** ㉠보존형, ㉡발산형, ㉢수렴형

개념 브릿지 유형

> 개념과 문제의 연결고리 찾기!!

1 인도 대륙과 유라시아 대륙의 충돌 과정

그림은 맨틀 대류에 의한 인도 대륙과 유라시아 대륙의 충돌 과정을 모식적으로 나타낸 것이다.

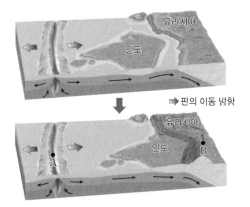

A, B 지역에 대한 설명으로 옳은 것만을 〈보기〉에서 있는 대로 고른 것은?

┤보기├
ㄱ. A 지역은 맨틀 대류의 상승부에 위치한다.
ㄴ. B 지역에서는 해양 생물의 화석이 발견될 수 있다.
ㄷ. B 지역의 습곡 산맥은 점차 높아질 것이다.

① ㄱ　　　　② ㄷ　　　　③ ㄱ, ㄴ
④ ㄴ, ㄷ　　　⑤ ㄱ, ㄴ, ㄷ

개념으로 문제 접근하기 맨틀 대류와 대륙의 이동

- 맨틀 대류의 상승부: 지각이 갈라지고 맨틀 물질이 상승하여 새로운 해양 지각이 생성된다.
- 맨틀 대류의 하강부: 해양 지각이 맨틀 속으로 밀려 들어가 소멸한다.
- 히말라야산맥의 형성 과정: 인도-오스트레일리아판과 유라시아판이 충돌하는 과정에서 해저 지각이 융기해 습곡 산맥이 형성된다.

| 보기 분석 |
ㄱ. A 지역은 맨틀 대류의 상승부이다. 맨틀 물질이 상승하여 판이 양쪽으로 이동해 간다.
ㄴ. B 지역으로 이동해 온 해양판은 대륙판과 충돌하여 히말라야산맥을 형성한다. 따라서 B 지역에서는 해양 생물의 화석이 발견될 수 있다.
ㄷ. A 지역에서 확장한 판이 계속 이동해 오므로 B 지역의 습곡 산맥은 점차 높아질 것이다.

🔑 ⑤

2 해양 지각의 연령과 고지자기 분포

그림은 해양 지각의 연령과 고지자기 분포를 모식적으로 나타낸 것이다.

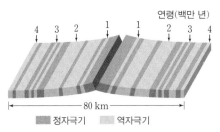

이에 대한 설명으로 옳은 것만을 〈보기〉에서 있는 대로 고른 것은?

| 보기 |

ㄱ. 발산형 경계에서 나타나는 고지자기 분포이다.

ㄴ. 판의 평균 이동 속도는 2 cm/년이다.

ㄷ. 지자기 역전 주기는 일정하다.

① ㄱ   ② ㄴ   ③ ㄷ

④ ㄱ, ㄴ   ⑤ ㄴ, ㄷ

3 우리나라 주변의 지진 분포

그림은 우리나라 부근의 판 경계와 A—A′, B—B′ 지역에서 발생한 지진의 진원 분포를 나타낸 것이다.

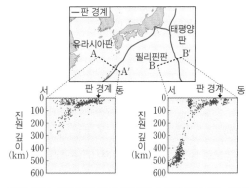

이에 대한 설명으로 옳은 것만을 〈보기〉에서 있는 대로 고른 것은?

| 보기 |

ㄱ. A—A′ 지역에서 화산 활동은 필리핀판보다 유라시아판에서 활발하다.

ㄴ. B—B′ 지역은 맨틀 대류의 상승부에 위치한다.

ㄷ. 판의 밀도는 태평양판 > 필리핀판 > 유라시아판이다.

① ㄱ   ② ㄴ   ③ ㄱ, ㄷ

④ ㄴ, ㄷ   ⑤ ㄱ, ㄴ, ㄷ

개념으로 문제 접근하기 정자극기와 역자극기

- 해령에서 해양 지각이 생성될 때 지각 속의 광물이 당시 지구 자기장의 방향으로 배열된다.
- 지구 자기장 방향이 현재와 같은 시기에는 정자극기 줄무늬가 생기고, 지구 자기장 방향이 현재와 반대인 시기에는 역자극기 줄무늬가 생긴다.

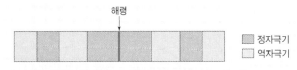

| 보기 분석 |

ㄱ. 발산형 경계에서는 판이 양쪽으로 확장된다.

ㄴ. 해양 지각은 4×10^6년 동안 40 km 확장되었다. 따라서 판의 평균 이동 속도는 1 cm/년이다.

ㄷ. 정자극기와 역자극기의 간격이 일정하지 않으므로 지자기 역전 주기 역시 일정하지 않다.

답 ①

개념으로 문제 접근하기 섭입대 주변 지역의 진원 깊이

- 진원은 지구 내부에서 지진이 발생한 지점이고, 진앙은 진원 바로 위의 지표면의 지점이다.
- 판의 경계에서는 밀도가 큰 판이 밀도가 작은 판 아래로 섭입한다. ➡ 해양판은 대륙판 아래로 섭입한다.
- 섭입대에서는 진원의 깊이가 해구에서 대륙 쪽으로 갈수록 점차 깊어진다. ➡ 대륙 쪽으로 갈수록 심발 지진이 발생한다.

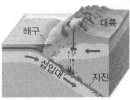

| 보기 분석 |

ㄱ. 필리핀판이 유라시아판 아래로 섭입하므로 유라시아판에서 화산 활동이 활발할 것이다.

ㄴ. B—B′ 지역은 태평양판(B′)이 필리핀판(B) 아래로 섭입하므로 수렴형 경계이다. 따라서 이 지역은 맨틀 대류의 하강부에 해당한다.

ㄷ. 해양판이 대륙판보다 밀도가 크다. 밀도가 큰 판이 밀도가 작은 판 아래로 섭입한다.

답 ③

1 대륙 이동설과 맨틀 대류설

대표 기출

01

그림 (가)는 현재 대륙에 남아 있는 고생대 말 빙하 흔적 분포이고, (나)는 맨틀 대류에 의한 대륙 이동을 나타낸 것이다.

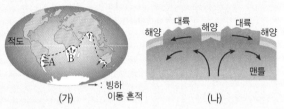

이에 대한 설명으로 옳은 것만을 〈보기〉에서 있는 대로 고른 것은?

┤ 보기 ├

ㄱ. 고생대 말에 B 지역은 현재보다 남쪽에 위치했을 것이다.

ㄴ. A와 B 지역에서는 고생대 말에 살았던 같은 종의 화석이 발견될 수 있다.

ㄷ. (나)를 이용하여 (가)와 같은 분포를 설명할 수 있다.

① ㄱ ② ㄷ ③ ㄱ, ㄴ ④ ㄴ, ㄷ ⑤ ㄱ, ㄴ, ㄷ

> **기출 포인트** 베게너가 주장한 대륙 이동설의 증거를 크게 네 가지로 구분하여 묻는 문제가 자주 출제된다.

02

그림 (가)는 고생대 말의 빙하 흔적을 현재의 수륙 분포에 나타낸 것이고, (나)는 고생대 말의 수륙 분포를 나타낸 것이다.

이에 대한 설명으로 옳은 것만을 〈보기〉에서 있는 대로 고른 것은?

┤ 보기 ├

ㄱ. 고생대 말에 빙하가 적도까지 분포하였다.

ㄴ. 남아메리카와 아프리카에서 같은 종류의 화석이 발견될 수 있다.

ㄷ. 대서양 심해저에서 선캄브리아 시대의 퇴적층이 발견되지 않는다.

① ㄱ ② ㄷ ③ ㄱ, ㄴ ④ ㄴ, ㄷ ⑤ ㄱ, ㄴ, ㄷ

03 서술형

베게너가 대륙 이동설을 발표했을 당시 학계의 지지를 받지 못하였다. 그 까닭을 서술하시오.

_____

_____

04

그림은 대륙의 이동과 그 원인을 나타낸 것이다.

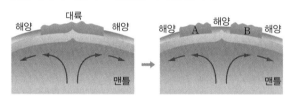

이에 대한 설명으로 옳은 것만을 〈보기〉에서 있는 대로 고른 것은?

┤ 보기 ├

ㄱ. 밀도는 대륙이 맨틀보다 크다.

ㄴ. 대륙이 이동하는 원인은 맨틀의 대류이다.

ㄷ. A와 B 사이에는 새로운 지각이 형성될 것이다.

① ㄱ ② ㄷ ③ ㄱ, ㄴ ④ ㄴ, ㄷ ⑤ ㄱ, ㄴ, ㄷ

05

그림 (가)와 (나)는 지각과 맨틀의 이동 방향을 나타낸 것이다.

이에 대한 설명으로 옳은 것만을 〈보기〉에서 있는 대로 고른 것은?

┤ 보기 ├

ㄱ. (가)에서 해양 지각은 소멸하고 있다.

ㄴ. (나)는 대서양 지역의 단면과 유사하다.

ㄷ. 대륙 주변부의 지진은 (가)보다 (나)에서 더 활발하다.

① ㄱ ② ㄷ ③ ㄱ, ㄴ ④ ㄴ, ㄷ ⑤ ㄱ, ㄴ, ㄷ

06

그림은 맨틀의 대류와 대륙의 이동을 모식적으로 나타낸 것이다. 이에 대한 설명으로 옳은 것만을 〈보기〉에서 있는 대로 고른 것은?

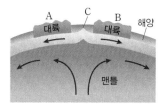

┤보기├
ㄱ. 대륙 A와 B는 서로 멀어진다.
ㄴ. 대륙 A와 B 사이에는 습곡 산맥이 형성된다.
ㄷ. C의 아래에서는 맨틀 물질이 상승한다.

① ㄱ ② ㄴ ③ ㄷ ④ ㄱ, ㄷ ⑤ ㄴ, ㄷ

2 해저 확장설(해양저 확장설)   대표 기출

07

그림은 어느 해령 부근의 고지자기 줄무늬를 모식적으로 나타낸 것이다. 이에 대한 설명으로 옳은 것만을 〈보기〉에서 있는 대로 고른 것은?

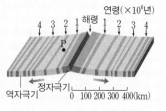

┤보기├
ㄱ. 해양판의 평균 이동 속도는 약 10 cm/년이다.
ㄴ. P점이 해령에 위치하였을 때는 정자극기이다.
ㄷ. 고지자기 줄무늬 대칭은 해저 확장설의 증거가 된다.

① ㄱ ② ㄴ ③ ㄱ, ㄷ ④ ㄴ, ㄷ ⑤ ㄱ, ㄴ, ㄷ

기출 포인트 고지자기 줄무늬 자료에서 정자극기와 역자극기의 분포를 해석하고 판의 이동 속도를 묻는 문제가 자주 출제된다.

08

그림은 어느 해령 부근의 고지자기 분포와 세 지점 A~C의 위치를 나타낸 것이다.

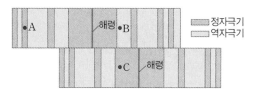

이에 대한 설명으로 옳은 것만을 〈보기〉에서 있는 대로 고른 것은?

┤보기├
ㄱ. A 지점의 지각이 생성될 당시 지자기는 정자극기이다.
ㄴ. 지각의 나이는 B가 A보다 많다.
ㄷ. B와 C가 위치한 판의 이동 방향은 서로 같다.

① ㄱ ② ㄴ ③ ㄱ, ㄷ ④ ㄴ, ㄷ ⑤ ㄱ, ㄴ, ㄷ

09 고난도

표는 동일 위도를 따라 이동하는 해양 조사선이 해저에 초음파를 발사하여 되돌아오는 데까지 걸린 시간을 나타낸 것이다.

기준점으로부터 이동 거리(km)	0	100	200	300	400	500
초음파 왕복 시간(s)	2	4	10	6	6	5

이에 대한 설명으로 옳은 것만을 〈보기〉에서 있는 대로 고른 것은? (단, 해수에서 초음파의 평균 속력은 1500 m/s이고, 해양 조사선은 판의 경계 중 한 곳을 지나갔다.)

┤보기├
ㄱ. 기준점에서 멀어질수록 수심은 계속 깊어진다.
ㄴ. 해양 조사선은 해구 지역을 지나갔을 것이다.
ㄷ. 기준점에서 400 km 떨어진 해역의 수심은 4500 m이다.

① ㄱ ② ㄴ ③ ㄱ, ㄷ ④ ㄴ, ㄷ ⑤ ㄱ, ㄴ, ㄷ

10

그림은 해양 탐사선에서 발사한 초음파가 해저면에 반사되어 되돌아오기까지 걸리는 시간을 나타낸 것이다.

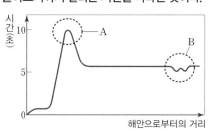

이에 대한 설명으로 옳은 것만을 〈보기〉에서 있는 대로 고른 것은? (단, 해수 중에서 초음파의 속력은 약 1500 m/s이다.)

┤보기├
ㄱ. A에서는 판이 발산할 것이다.
ㄴ. A의 가장 깊은 곳의 수심은 약 7500 m이다.
ㄷ. B의 평균 수심은 약 3750 m로, 새로운 해양 지각이 생성된다.

① ㄱ ② ㄴ ③ ㄱ, ㄴ ④ ㄴ, ㄷ ⑤ ㄱ, ㄴ, ㄷ

11

그림은 여러 해저에서 관측한 지구 자기의 분포를 해령으로부터의 거리와 해양 지각의 나이에 따라 나타낸 것이다.

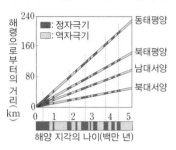

이에 대한 설명으로 옳은 것만을 〈보기〉에서 있는 대로 고른 것은?

| 보기 |
ㄱ. 지구 자기장의 역전 주기는 일정하다.
ㄴ. 해령에서 멀어질수록 해양 지각의 연령은 많아진다.
ㄷ. 해저가 확장하는 속도는 북대서양에서 가장 빠르다.

① ㄱ   ② ㄴ   ③ ㄱ, ㄷ   ④ ㄴ, ㄷ   ⑤ ㄱ, ㄴ, ㄷ

12

그림은 과거 500만 년 동안 해령 부근의 암석에 기록된 변화를 나타낸 것이다.

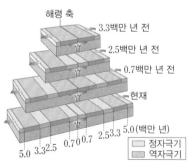

이에 대한 설명으로 옳은 것만을 〈보기〉에서 있는 대로 고른 것은? (단, 정자극기는 지구 자기장의 방향이 현재와 같았던 시기이다.)

| 보기 |
ㄱ. 해령을 중심으로 고지자기의 분포가 대칭적이다.
ㄴ. 이 기간 동안 지구 자기장의 역자극기는 4번 있었다.
ㄷ. 150만 년 전의 지구 자기장 방향은 현재와 반대였다.

① ㄱ   ② ㄴ   ③ ㄱ, ㄴ   ④ ㄱ, ㄷ   ⑤ ㄴ, ㄷ

13 서술형

그림은 해양 지각의 연령과 고지자기 줄무늬의 분포를 나타낸 것이다. A, B 지점의 연령을 비교하고, 그와 같이 생각한 까닭을 서술하시오.

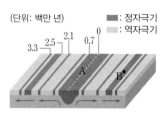

14

그림은 태평양에서 측정한 해양 지각의 연령 분포를 나타낸 것이다.
두 지점 A와 B에 대한 설명으로 옳은 것만을 〈보기〉에서 있는 대로 고른 것은?

| 보기 |
ㄱ. 해령을 중심으로 연령 분포가 대칭적으로 나타난다.
ㄴ. 판은 B에서 A 방향으로 이동한다.
ㄷ. 해저 퇴적물의 두께는 B보다 A에서 더 두꺼울 것이다.

① ㄴ   ② ㄷ   ③ ㄱ, ㄴ   ④ ㄱ, ㄷ   ⑤ ㄱ, ㄴ, ㄷ

15 고난도

그림은 최근 10여 년 동안 일본 주변에서 일어난 규모 5.0 이상인 지진의 진원과 규모, 진원 깊이를 나타낸 것이다.

이에 대한 설명으로 옳은 것만을 〈보기〉에서 있는 대로 고른 것은?

| 보기 |
ㄱ. 필리핀판이 유라시아판 아래로 섭입한다.
ㄴ. 섭입하는 판의 경사는 A—A′가 B—B′보다 크다.
ㄷ. 일본에서 측정된 규모 6.0의 지진은 우리나라에서는 더 작은 규모로 측정된다.

① ㄱ   ② ㄷ   ③ ㄱ, ㄴ   ④ ㄱ, ㄷ   ⑤ ㄴ, ㄷ

16

다음은 대륙 이동설, 맨틀 대류설, 해양저 확장설을 내용의 일부와 함께 순서 없이 나타낸 것이다.

> (가) 해령을 중심으로 해양저가 확장된다.
> (나) 방사성 동위 원소 붕괴열로 맨틀이 대류한다.
> (다) 판게아가 분리 이동하여 현재와 같은 대륙 분포를 이루게 되었다.

이에 대한 설명으로 옳은 것은?

① (가)는 맨틀 대류설이다.
② (가)는 해저 탐사 기술의 발전으로 더욱 지지되었다.
③ (나)에서 제시한 증거로는 고지자기 연구가 있다.
④ (다)는 지구 겉 부분이 여러 판으로 이루어져 있다고 주장한다.
⑤ (가) → (나) → (다)의 시간 순으로 주장되었다.

---

3 판의 구조와 판 구조론　　　대표 기출

17

그림은 맨틀 대류에 의한 판의 운동을 나타낸 것이다.

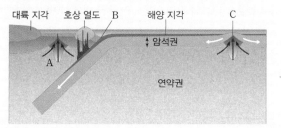

이에 대한 설명으로 옳은 것만을 〈보기〉에서 있는 대로 고른 것은?

> ┤ 보기 ├
> ㄱ. A에서는 맨틀 물질이 상승하여 판이 생성된다.
> ㄴ. B에서 생성된 판은 C쪽으로 확장된다.
> ㄷ. B에서 대륙 쪽으로 갈수록 진원의 깊이가 얕아진다.

① ㄱ　　② ㄴ　　③ ㄷ　　④ ㄱ, ㄴ　　⑤ ㄴ, ㄷ

기출 포인트 판의 이동으로 판의 경계를 구분하고, 각 경계에서 나타나는 지형을 묻는 문제가 자주 출제된다.

18

그림은 전 세계 판의 분포와 이동 방향을 나타낸 것이다.

이에 대한 설명으로 옳은 것만을 〈보기〉에서 있는 대로 고른 것은?

> ┤ 보기 ├
> ㄱ. 태평양판은 유라시아판 아래로 섭입한다.
> ㄴ. 판의 이동 방향과 속력은 어느 판에서나 같다.
> ㄷ. 앞으로 대서양은 점차 넓어질 것이다.

① ㄱ　　② ㄴ　　③ ㄱ, ㄷ　　④ ㄴ, ㄷ　　⑤ ㄱ, ㄴ, ㄷ

19

그림은 판의 구조를 나타낸 것이다.

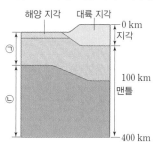

이에 대한 설명으로 옳은 것만을 〈보기〉에서 있는 대로 고른 것은?

> ┤ 보기 ├
> ㄱ. ㉠은 암석권이다.
> ㄴ. 맨틀 대류는 ㉠보다 ㉡에서 활발하다.
> ㄷ. 해양판은 대륙판보다 두께가 두껍다.

① ㄱ　　② ㄷ　　③ ㄱ, ㄴ　　④ ㄴ, ㄷ　　⑤ ㄱ, ㄴ, ㄷ

20 서술형

그림은 주요 판의 경계와 상대적인 이동 방향을 나타낸 것이다.

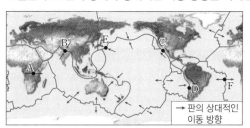

A~F 지역을 판의 경계 유형에 따라 각각 구분하시오.

02강

I. 지권의 변동

판의 운동과 플룸 구조론

핵심 용어

• 지자기 북극 • 대륙 분포 변화 • 상부 맨틀의 운동
• 플룸 운동 • 지구 내부 움직임

1 지구 자기장과 복각

1. 지구 자기장 지구 자기력이 미치는 공간

① 지리상 북극 지구 자전축과 북반구의 지표면이 만나는 지점

② 지자기 북극(자북극) 막대자석의 S극 방향의 축과 지표가 만나는 지점

2. 편각과 복각

① 편각 지구 표면의 한 지점의 수평면 위에서 진북과 자북이 이루는 각 — 지리상 북극 방향
② 복각 나침반의 자침이 수평면과 이루는 각 — 나침반 자침의 N극이 가리키는 방향

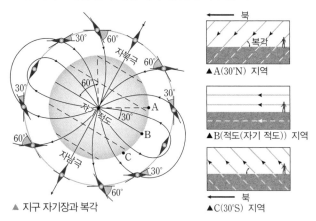

▲ 지구 자기장과 복각

2 고지자기와 대륙의 이동

1. 고지자기와 잔류 자기 개념 브릿지 유형 **1**

① 고지자기 마그마가 식어서 굳을 때나 퇴적물이 쌓일 때 기록된 과거의 지구 자기장

② 잔류 자기 암석에 기록된 과거 지구 자기장의 방향 ➡ 지구 자기장의 세기와 방향이 변해도 잔류 자기의 방향은 생성 당시의 방향 그대로 남아 있다.

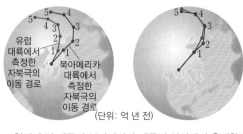

(단위: 억 년 전)

• 현재 유럽 대륙과 북아메리카 대륙의 암석에서 측정한 자북극의 이동 경로가 두 갈래로 나타난다.

• 자북극의 이동 경로를 일치시켜 보면 대륙이 모여 있게 된다.

➡ 같은 시기에 지구의 자극이 2개 있을 수 없다. ➡ 본래 대륙이 하나로 붙어 있었다. ➡ 북아메리카 대륙과 유럽 대륙이 갈라져 서로 다른 방향으로 이동하였다. ➡ 대륙이 이동하였음을 알 수 있다.

2. 과거와 미래의 대륙 분포

① 지질 시대 대륙 분포의 변화 과거 대륙들은 모여서 초대륙을 형성하고 다시 분리되었다가 모이는 과정을 되풀이한다.

② 미래의 대륙 분포 변화 현재 대륙은 느리지만 끊임없이 이동하고 있다.

▲ 12억 년 전 ▲ 2억 4천만 년 전 ▲ 1억 5천만 년 전 ▲ 현재

3 판을 움직이는 상부 맨틀의 운동

1. 상부 맨틀의 대류와 판의 이동 연약권 내에서 방사성 원소의 붕괴열과 맨틀 상하부 깊이에 따른 온도 차이 등으로 상부 맨틀의 대류를 따라 연약권 위에 놓인 판이 이동한다.

① 맨틀 대류의 상승부 대륙이 갈라져 이동하면서 해령이 형성된다.

② 맨틀 대류의 하강부 해양판이 맨틀 속으로 들어가 소멸하면서 해구가 형성된다.

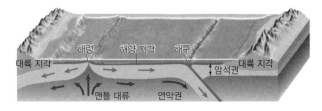

2. 맨틀 대류 외에 판을 이동시키는 힘 해령에서 판을 밀어내는 힘, 해구에서 섭입하는 판이 잡아당기는 힘, 해저면 경사에 의한 중력의 힘, 암석권과 연약권 사이에서 작용하는 힘

과정

그림 (가)는 지질 시대 동안 인도 대륙의 위치와 복각을 나타낸 것이고, (나)는 위도와 복각과의 관계를 나타낸 것이다. 표 (다)는 과거부터 현재까지 인도 대륙의 이동에 따른 위도 변화를 나타낸 것이다.

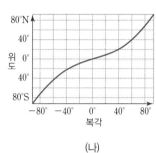

(가)　　　　　　　　　　　　(나)

(다)

시기(만 년 전)	7100	5500	3800	1000	현재
복각	−49°	−21°	6°	30°	36°
위도	30°S	11°S	3°N	16°N	20°N

결과

❶ 남반구에서는 인도 대륙이 북쪽으로 이동하면서 복각의 크기가 점점 작아진다.

❷ 북반구에서는 북쪽으로 이동하면서 복각의 크기가 점점 커진다.

• 남반구와 북반구 모두 위도가 높아진다. ➡ 복각의 크기가 커진다.

• 남반구에서 북쪽으로 이동한다. ➡ 복각의 크기가 점점 작아진다.

• 북반구에서 북쪽으로 이동한다. ➡ 복각의 크기가 점점 커진다.

4 플룸 운동

　폭 100 km 미만인 가늘고 긴 원기둥 형태

1. **플룸** 지각에서 맨틀 하부로 하강하거나 맨틀과 핵의 경계에서 지각으로 상승하는 물질과 에너지의 흐름

2. **플룸 구조론** 지구 내부의 변동이 플룸의 상승이나 하강에 의해 지배받고 있다는 이론

3. **지구 내부의 플룸 운동** 개념 브릿지 유형 **2**

① 지구에는 2~3개의 거대한 상승류가 있어 핵과 접해 있는 하부 맨틀의 물질이 지표면까지 상승한다.

② 지표면의 물질이 다시 하부 맨틀까지 하강하는 큰 대류 현상이 일어나고 있다.

4. **플룸 운동과 지진파의 속도**

① 플룸 상승류가 있는 곳 주변 맨틀보다 온도가 높으므로 지진파의 속도가 느리다.

② 플룸 하강류가 있는 곳 주변 맨틀보다 온도가 낮으므로 지진파의 속도가 빠르다.

① 해구에서 침강한 해양 지각이 용융되어 형성된 물질이 가라앉으면서 차가운 플룸이 만들어진다.

② 외핵과 맨틀의 경계부에서 형성된 뜨거운 물질이 기둥 모양으로 상승하면서 뜨거운 플룸이 만들어진다.

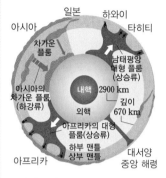

• 아시아 지역 ➡ 거대한 플룸 하강류 형성 ➡ 차가운 플룸

• 남태평양과 아프리카 지역 ➡ 거대한 플룸 상승류 형성 ➡ 뜨거운 플룸

• 대서양 중앙 해령 ➡ 플룸 상승류 형성 ➡ 뜨거운 플룸

5 열점과 하와이 열도의 생성 원리

1. **열점** 플룸 상승류가 지표면과 만나는 지점 아래에 마그마가 생성되는 곳

• 열점에서 분출하는 마그마는 외핵과 맨틀의 경계 부근에서 생성된 것이다.

• 상부 맨틀이 대류하여 판이 이동해도 열점의 위치는 변하지 않는다.

• 고정된 열점에서 오랫동안 많은 양의 마그마가 분출하면 화산섬이나 해산이 만들어진다.

• 열점에서 생성된 화산섬이나 해산은 판의 이동 방향으로 배열된다.

2. **하와이 열도의 생성 원리** 개념 브릿지 유형 **3**

① 화산 활동은 현재 열점 위에 위치한 하와이섬에서 일어난다.

② 열점은 그 위치가 고정되어 있다.

① 하와이섬에서 북서쪽으로 열도가 형성되어 있다.

② 현재 화산 활동이 일어나는 섬에서 북서쪽으로 갈수록 화산을 구성하는 암석의 나이가 나.

③ 열점에서 형성된 화산섬들이 태평양판의 이동으로 열점을 벗어나 일렬로 배열되어 있다.

• 연령이 많은 화산섬 ➡ 생성된 지 오래된 화산섬

• 화산섬과 해산의 이동 방향 ➡ 판의 이동 방향

• 화산섬과 해산은 북서쪽으로 이동 ➡ 태평양판은 북서쪽으로 이동

1 지구 자전축과 북반구 지표면이 만나는 지점을 □□ □□□이라 하고, 막대자석의 S극 방향의 축과 지표가 만나는 지점을 □□□이라고 한다.

2 나침반의 자침이 수평면과 이루는 각을 □□, 지구 표면의 한 지점의 수평면 위에서 진북과 자북이 이루는 각을 □□이라고 한다.

3 암석에 기록된 과거 지구 자기장의 방향을 □□ □□라고 한다.

4 판을 움직이는 힘은 상부 □□의 대류이다.

5 맨틀 외에 판을 움직이는 힘을 쓰시오.
   (1) □□에서 판을 밀어내는 힘
   (2) □□에서 섭입하는 판이 잡아당기는 힘
   (3) 해저면 경사에 의한 □□의 힘
   (4) 암석권과 □□□ 사이에서 작용하는 힘

6 맨틀 대류의 상승부에서는 □□이 생성되고, 맨틀 대류의 하강부에서는 □□가 생성된다.

7 지구 내부의 변동이 플룸의 상승이나 하강에 의해 지배받고 있다는 이론은 □□ 구조론이다.

8 그림의 ㉠, ㉡에 들어갈 플룸의 종류를 쓰시오.

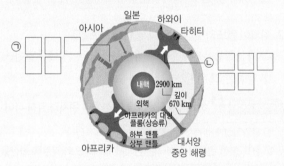

9 플룸 상승류가 지표면과 만나는 지점 아래에 마그마가 생성되는 곳을 □□이라고 한다.

10 상부 맨틀의 운동과 플룸 운동을 비교한 표의 빈칸을 채우시오.

구분	상부 맨틀의 운동	플룸 운동
활동 영역	연약권 내의 (㉠)	(㉡)과 외핵의 경계에서의 물질 상승과 하강

답 1 지리상 북극, 자북극 2 복각, 편각 3 잔류 자기 4 맨틀
5 (1) 해령 (2) 해구 (3) 중력 (4) 연약권 6 해령, 해구 7 플룸
8 ㉠ 차가운 플룸, ㉡ 뜨거운 플룸 9 열점 10 ㉠ 대류, ㉡ 맨틀

개념과 문제의 연결고리 찾기!!

1 지자기 북극과 대륙 이동

그림 (가)는 북아메리카와 유라시아 대륙에서 측정한 고지자기 북극의 이동 경로를 나타낸 것이고, (나)는 두 대륙에서 측정한 자극의 이동 경로를 일치시켰을 때 나타나는 대륙 분포를 나타낸 것이다.

······ 유라시아 대륙에서 측정한 자극의 이동 경로
─ 북아메리카 대륙에서 측정한 자극의 이동 경로
(단위: 백만 년 전)

(가)   (나)

이에 대한 설명으로 옳은 것만을 〈보기〉에서 있는 대로 고른 것은?

| 보기 |
ㄱ. 과거에 두 개의 지자기 북극이 존재했다.
ㄴ. 북아메리카 대륙에서 발견되는 습곡 산맥이 유라시아 대륙에 연속적으로 분포할 수 있다.
ㄷ. (가)와 (나)를 통해 대륙이 이동했음을 알 수 있다.

① ㄱ   ② ㄴ   ③ ㄱ, ㄷ
④ ㄴ, ㄷ   ⑤ ㄱ, ㄴ, ㄷ

| 개념으로 문제 접근하기 | 지자기 북극

• 지자기 북극은 지구 자기장의 북극 방향이다. 우리가 북극이라고 말하는 것은 지리상 북극을 의미한다.
• 현재 유라시아 대륙과 북아메리카 대륙에서 측정한 자극의 이동 경로는 서로 다르다.
• 지자기 북극은 원래 하나이므로 유라시아 대륙과 북아메리카 대륙에서 측정된 자극의 이동 경로를 합치면 흩어져 있던 대륙이 모아진다.

| 보기 분석 |
ㄱ. 과거에도 지자기 북극은 하나였다. 그림과 같이 지자기 북극이 두 개인 것처럼 보이는 것은 대륙이 이동하였기 때문이다.
ㄴ. 북아메리카 대륙과 유라시아 대륙은 과거에 붙어 있었던 적이 있으므로 두 대륙에서 연속적인 지질 구조가 분포할 수 있다.
ㄷ. 암석에 남아 있는 잔류 자기를 연구하여 과거부터 현재까지 대륙이 이동하였다는 사실을 알 수 있다.

답 ④

2 플룸 구조론

그림 (가)는 상부 맨틀의 운동을 나타낸 것이고, (나)는 지구 내부의 플룸 운동을 나타낸 것이다.

(가) (나)

이에 대한 설명으로 옳은 것만을 〈보기〉에서 있는 대로 고른 것은?

| 보기 |

ㄱ. 맨틀의 대류로 해저의 확장을 설명할 수 있다.

ㄴ. (가)와 같은 운동으로 하와이 열도 중 하와이섬에서만 화산 활동이 일어나는 것을 설명할 수 있다.

ㄷ. 판 내부의 대규모 화산 활동을 설명할 수 있는 것은 (나)와 같은 운동이다.

① ㄱ   ② ㄴ   ③ ㄱ, ㄷ

④ ㄴ, ㄷ   ⑤ ㄱ, ㄴ, ㄷ

3 열점과 판의 이동

그림은 하와이 열도의 분포와 암석의 연령을 나타낸 것이다.

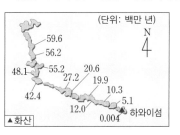

이에 대한 설명으로 옳은 것만을 〈보기〉에서 있는 대로 고른 것은?

| 보기 |

ㄱ. 하와이섬은 판의 경계로 화산 활동과 지진이 자주 발생하는 변동대이다.

ㄴ. 앞으로 생성될 화산섬은 이동해 간 하와이섬의 남동쪽에 위치할 것이다.

ㄷ. 약 4천 2백만 년 전부터 마그마를 공급하는 열점의 이동 방향이 바뀌었다.

① ㄱ   ② ㄴ   ③ ㄱ, ㄷ

④ ㄴ, ㄷ   ⑤ ㄱ, ㄴ, ㄷ

개념으로 문제 접근하기 | 플룸 구조론

- 지구에는 2~3개의 거대한 상승류가 있다.
- 핵과 접해 있는 하부 맨틀의 물질이 지표면까지 상승하고, 지표면의 물질이 다시 하부 맨틀까지 하강하는 큰 대류 현상이 일어나고 있다.
- 아시아 지역에서는 차가운 플룸이 하강하고, 남태평양, 아프리카, 대서양 중앙 해령에서는 뜨거운 플룸이 상승한다.

| 보기 분석 |

ㄱ. 해령에서 형성된 새로운 지각은 맨틀의 대류를 따라 확장된다.

ㄴ. 하와이 열도 중 하와이섬에서만 화산 활동이 일어나는 것은 판의 운동인 상부 맨틀의 대류만으로는 설명할 수 없고 판 내부의 움직임까지 이해해야 한다.

ㄷ. 맨틀의 대류는 판의 경계에서 일어나는 화산 활동을 설명할 수 있고, 판의 내부에서 일어나는 화산 활동은 설명할 수 없다. 판 내부의 대규모 화산 활동은 뜨거운 플룸의 운동으로 설명할 수 있다. ➡ 플룸 구조론으로 설명

답 ③

개념으로 문제 접근하기 | 하와이섬의 생성과 이동

- 현재 화산이 분출되는 하와이섬에서는 계속 새로운 화산섬이 생겨나고 있다.
- 하와이섬에서 북북서쪽 방향에 있는 화산섬들이 먼저 형성되었고, 약 4천 2백만 년 전을 기준으로 화산섬들의 이동 방향이 바뀌었다.

| 보기 분석 |

ㄱ. 하와이섬은 판의 내부에 위치하며 판의 경계에 해당하지 않는다.

ㄴ. 하와이섬에서는 계속 새로운 화산섬이 생겨나고 있는데, 하와이 열도의 분포를 보면 시간이 지남에 따라 화산섬들의 위치가 계속 달라진다. 현재 북서쪽 방향으로 화산섬들이 이동하므로 앞으로 생성될 화산섬은 이동해 간 하와이섬을 기준으로 할 때 남동쪽에 생기게 된다.

ㄷ. 약 4천 2백만 년 전부터 화산섬의 이동 방향이 바뀐 것은 판의 이동 방향이 바뀌었기 때문이다. 마그마를 공급하는 열점은 이동하지 않고 고정되어 있다.

답 ②

1 지구 자기장과 복각

대표 기출

01

그림은 지구 자기장의 자기력선 모습을 나타낸 것이다. 이에 대한 설명으로 옳은 것은?

① 자북극에서는 복각이 0°이다.

② 지리상 북극과 지자기 북극은 일치한다.

③ 자북극은 자석의 S극에 해당된다.

④ 복각은 자북과 진북 사이의 각이다.

⑤ 복각이 가장 작은 곳은 자북극과 자남극이다.

> **기출 포인트** 편각과 복각의 정의를 이해하고, 지구 자기장과 복각의 관계를 이해하는지를 묻는 문제가 자주 출제된다.

02

지구 자기장과 고지자기에 대한 설명으로 옳지 <u>않은</u> 것은?

① 나침반의 N극은 북쪽을 향한다.

② 나침반의 자침이 수평면과 이루는 각은 편각이다.

③ 고지자기로 과거의 대륙 분포를 유추할 수 있다.

④ 저위도일수록 복각의 크기가 대체로 작다.

⑤ 고지자기의 복각이 +90°이면, 암석의 생성 당시 위치는 자북극이었다.

03 서술형

그림 (가)~(다)는 세 지점에서 지구 자기장의 복각을 측정한 것이다. (단, 손잡이는 수평을 유지하였다.)

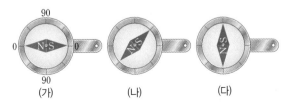

(가)~(다) 지점의 복각을 각각 쓰시오.

2 고지자기와 대륙의 이동

대표 기출

04

그림은 세 대륙에서 측정한 고지자기 북극의 이동 경로 A~C를 나타낸 것이다.

이에 대한 설명으로 옳은 것만을 〈보기〉에서 있는 대로 고른 것은?

> ┤보기├
> ㄱ. 과거에 세 대륙은 붙어 있었던 적이 있다.
> ㄴ. 과거에 지자기 북극은 세 개였다.
> ㄷ. A와 B를 통하여 북아메리카와 유라시아 대륙의 이동을 추정할 수 있다.

① ㄱ   ② ㄴ   ③ ㄱ, ㄷ

④ ㄴ, ㄷ   ⑤ ㄱ, ㄴ, ㄷ

> **기출 포인트** 고지자기 북극의 이동 경로를 나타낸 자료를 이해하는지를 묻는 문제가 자주 출제된다.

05

그림 (가)는 약 3억 년 전에 육상에 서식했던 메소사우루스 화석 분포를 나타낸 것이고, (나)는 유럽(실선)과 북아메리카(점선)에서 측정한 고지자기 북극의 위치를 연대별로 나타낸 것이다.

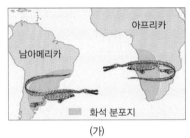

(가)

(단위: 억 년 전)
(나)

이에 대한 설명으로 옳은 것만을 〈보기〉에서 있는 대로 고른 것은?

> ┤보기├
> ㄱ. 약 3억 년 전에도 지자기 북극은 하나였다.
> ㄴ. 유럽과 북아메리카 대륙은 서로 분리되어 이동하였다.
> ㄷ. 메소사우루스가 바다를 건너 이동하여 양쪽 대륙에 서식하였다.

① ㄱ   ② ㄷ   ③ ㄱ, ㄴ

④ ㄴ, ㄷ   ⑤ ㄱ, ㄴ, ㄷ

06

그림은 고생대 말부터 현재까지의 대륙 분포를 순서 없이 나타낸 것이다.

(가)　　　　(나)　　　　(다)

이에 대한 설명으로 옳은 것만을 〈보기〉에서 있는 대로 고른 것은?

┤보기├

ㄱ. 판게아가 형성된 시기는 (가)이다.

ㄴ. 대륙 분포가 오래된 것부터 시간 순으로 배열하면 (다) → (가) → (나)이다.

ㄷ. 이 기간 동안 대서양의 크기는 확장되었다.

① ㄱ　　　　② ㄷ　　　　③ ㄱ, ㄴ

④ ㄴ, ㄷ　　　　⑤ ㄱ, ㄴ, ㄷ

07

그림은 베게너의 대륙 이동설에 의한 대륙의 이동을 나타낸 것이다.

고생대 말　　중생대 말　　신생대 말

이에 대한 설명으로 옳은 것만을 〈보기〉에서 있는 대로 고른 것은?

┤보기├

ㄱ. 대륙의 이동으로 태평양은 점점 좁아지고 있다.

ㄴ. 고생대 말 이후 해안선의 길이는 점점 길어졌다.

ㄷ. 수륙 분포 변화의 주된 원인은 맨틀의 대류이다.

① ㄱ　　　　② ㄷ　　　　③ ㄱ, ㄴ

④ ㄴ, ㄷ　　　　⑤ ㄱ, ㄴ, ㄷ

08 서술형

지자기 북극의 이동 경로로 알 수 있는 사실은 무엇인지 서술하시오.

_____

_____

3 판을 움직이는 상부 맨틀의 운동　　대표 기출

09

그림은 판의 단면과 판을 이동시키는 힘이 작용하는 지역을 나타낸 것이다.

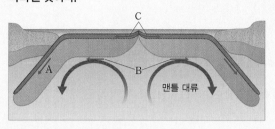

맨틀 대류

이에 대한 설명으로 옳은 것만을 〈보기〉에서 있는 대로 고른 것은?

┤보기├

ㄱ. 해양 지각의 연령은 A>C이다.

ㄴ. B에서는 맨틀 대류가 판을 싣고 가는 힘이 발생한다.

ㄷ. C에서는 판을 밀어내는 힘이 작용하여 새로운 해양 지각이 형성되고 있다.

① ㄱ　　　　② ㄷ　　　　③ ㄱ, ㄴ

④ ㄴ, ㄷ　　　　⑤ ㄱ, ㄴ, ㄷ

기출 포인트 판의 상승부와 하강부에서 형성되는 힘의 종류와 형성되는 지형을 묻는 문제가 자주 출제된다.

10

그림은 판의 경계와 주변 지형을 나타낸 것이다.

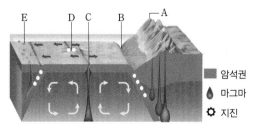

■ 암석권
🌢 마그마
✿ 지진

이에 대한 설명으로 옳지 않은 것은?

① A는 대륙판과 대륙판이 충돌해 형성된 습곡 산맥이다.

② B는 맨틀 대류가 하강하는 해구이다.

③ C에서 새로운 해양 지각이 생성된다.

④ D에서는 천발 지진만 발생한다.

⑤ E는 해구 부근에 형성된 호상 열도이다.

11

그림은 맨틀의 대류를 나타낸 것이다.

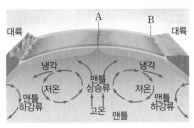

A와 B 지역에 생성되는 지형을 옳게 짝 지은 것은?

	A	B		A	B
①	해령	해구	②	변환 단층	해령
③	해구	해령	④	해령	변환 단층
⑤	습곡 산맥	해구			

4 플룸 운동 대표 기출

12

그림은 지구 내부의 플룸 운동을 나타낸 것이다.
(가) 뜨거운 플룸이 생성되는 위치와 (나) 차가운 플룸이 생성되는 위치를 옳게 짝 지은 것은?

	(가)	(나)		(가)	(나)
①	A	B	②	A	C
③	B	A	④	B	C
⑤	C	B			

> **기출 포인트** 차가운 플룸이 하강하는 지역과 뜨거운 플룸이 상승하는 지역을 구분하여 이해하는지를 묻는 문제가 자주 출제된다.

13 서술형

플룸 상승류가 있는 곳과 플룸 하강류가 있는 곳에서 지진파의 속도를 각각 비교하여 서술하시오.

_____

_____

14

플룸 구조론에 대한 설명으로 옳지 않은 것은?

① 맨틀 내부의 온도는 비교적 일정한 분포를 보인다.

② 대규모의 뜨거운 플룸은 초대륙을 분리시킬 수 있다.

③ 플룸의 상승과 하강으로 지구 내부의 변동을 설명한다.

④ 차가운 플룸은 해구로 섭입한 해양판에 의해 만들어진다.

⑤ 상부 맨틀의 운동으로 판의 이동을 알 수 있고, 플룸 운동으로 맨틀과 핵의 경계에서 발생하는 상하 운동을 알 수 있다.

15 고난도

그림 (가), (나)는 차가운 플룸이 형성되는 과정을 순서대로 나타낸 것이다.

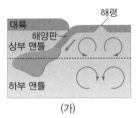 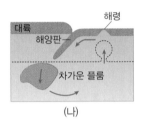

이에 대한 설명으로 옳은 것만을 〈보기〉에서 있는 대로 고른 것은?

보기
ㄱ. 차가운 플룸은 주로 해령 부근에서 생성된다.
ㄴ. (나) 지역은 뜨거운 플룸이 발생하는 지역보다 지진파의 속도가 빠르다.
ㄷ. 차가운 플룸이 맨틀 최하부에 도달하면 물질을 밀어올려 뜨거운 플룸이 생성된다.

① ㄱ ② ㄷ ③ ㄱ, ㄴ
④ ㄴ, ㄷ ⑤ ㄱ, ㄴ, ㄷ

16

그림은 섭입대 하부에서 형성된 어떤 플룸을 나타낸 것이다.
이에 대한 설명으로 옳은 것만을 〈보기〉에서 있는 대로 고른 것은?

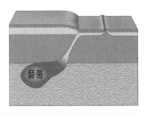

보기
ㄱ. 주변 맨틀보다 온도가 낮아 차가운 플룸이 형성되었다.
ㄴ. 플룸 위쪽에 열점이 형성된다.
ㄷ. 이러한 플룸은 주로 아시아 지역에서 침강할 것이다.

① ㄱ ② ㄴ ③ ㄱ, ㄷ
④ ㄴ, ㄷ ⑤ ㄱ, ㄴ, ㄷ

5 열점과 하와이 열도의 생성 원리 　　대표 기출

17

그림은 태평양판에서 하와이 열도의 위치와 각 섬들의 분포 및 연령을 나타낸 것이다.

이에 대한 설명으로 옳은 것만을 〈보기〉에서 있는 대로 고른 것은?

┤ 보기 ├
ㄱ. 태평양판의 이동 속도는 일정하였다.
ㄴ. 열점은 킬라우에 화산 부근 깊은 곳에 위치한다.
ㄷ. 하와이 열도를 형성한 열점은 해령에서 멀어지고 있다.

① ㄱ　　　　② ㄴ　　　　③ ㄱ, ㄷ
④ ㄴ, ㄷ　　　⑤ ㄱ, ㄴ, ㄷ

┌─────────────────────────────────┐
│ **기출 포인트**　하와이 열도의 이동을 판의 이동과 관련지어 이해하 │
│ 는지를 묻는 문제가 자주 출제된다.　　　　　　　　　　　　 │
└─────────────────────────────────┘

18

그림은 태평양판에 위치하는 하와이 열도를 이루는 화산섬과 해산의 연령 분포를 나타낸 것이다.

이에 대한 설명으로 옳은 것만을 〈보기〉에서 있는 대로 고른 것은?

┤ 보기 ├
ㄱ. 열점은 E 지점 아래에 위치할 것이다.
ㄴ. C 부근을 경계로 판의 이동 방향이 바뀌었다.
ㄷ. 태평양판은 E에서 A 방향으로 이동했을 것이다.

① ㄱ　　　　② ㄴ　　　　③ ㄱ, ㄷ
④ ㄴ, ㄷ　　　⑤ ㄱ, ㄴ, ㄷ

[19 ~ 20] 그림은 하와이 열도를 이루는 섬들의 위치와 암석의 나이를 나타낸 것이다.

19

이에 대한 설명으로 옳지 않은 것은?

① 하와이섬 아래에서 뜨거운 플룸이 상승한다.
② 카우아이섬은 생성된 후 북서쪽으로 이동했다.
③ 하와이 열도를 따라 발산형 경계가 발달해 있다.
④ 하와이 열도는 카우아이섬 → 오아후섬 → 몰로카이섬 → 마우이섬 순으로 형성되었다.
⑤ 앞으로 하와이 열도를 이루는 섬들은 현재 하와이섬의 위치에서 계속 생성될 것이다.

20 　서술형

열점에서 형성된 하와이섬들은 그림과 같이 계속 이동해 간다. 화산섬이 이동하는 방향의 기준이 되는 것을 서술하시오.

21

그림 (가)는 화산 활동으로 형성된 하와이 열도의 위치와 연령을 나타낸 것이고, (나)는 판의 운동과 화산 활동이 일어나는 대표적인 지역을 나타낸 것이다.

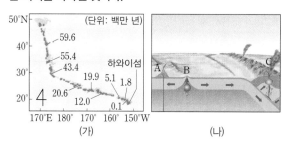

이에 대한 설명으로 옳은 것만을 〈보기〉에서 있는 대로 고른 것은?

┤ 보기 ├
ㄱ. 하와이 열도가 속한 판의 이동 방향은 대체로 북서 방향이다.
ㄴ. (나)의 A와 C는 수렴형 경계에 해당한다.
ㄷ. 하와이 열도는 (나)의 B와 같은 곳에서 만들어졌다.

① ㄱ　　　　② ㄷ　　　　③ ㄱ, ㄴ
④ ㄴ, ㄷ　　　⑤ ㄱ, ㄴ, ㄷ

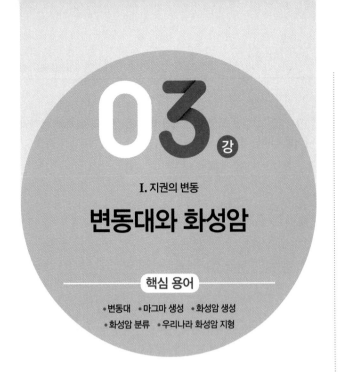

I. 지권의 변동

03강

변동대와 화성암

핵심 용어

- 변동대 · 마그마 생성 · 화성암 생성
- 화성암 분류 · 우리나라 화성암 지형

1 마그마의 성질에 따른 화산의 형태

1. 화산의 분출 형태나 화산체의 모양 마그마의 성질에 따라 다르게 나타난다. 〔개념 브릿지 유형 1〕

종류	현무암질 마그마	안산암질 마그마	유문암질 마그마
SiO_2 함량	52 % 이하	52 ～ 63 %	63 % 이상
온도	높다	←———→	낮다
점성	작다	←———→	크다
화산체 경사	완만하다	←———→	급하다
유동성	크다	←———→	작다
화산의 형태	용암 대지, 순상 화산		종상 화산

2. 화산의 형태

용암 대지	순상 화산	종상 화산
마그마가 조용히 흘러 나와 만들어진 평탄한 지형	경사가 완만한 화산체	경사가 급한 화산체

2 마그마의 생성 조건 〔개념 브릿지 유형 2〕

1. 마그마의 생성 상부 맨틀이나 지각 하부

2. 마그마의 생성 조건 마그마가 생성되는 장소의 온도가 그곳에 존재하는 암석의 용융점보다 높아야 한다.

조건	생성 과정

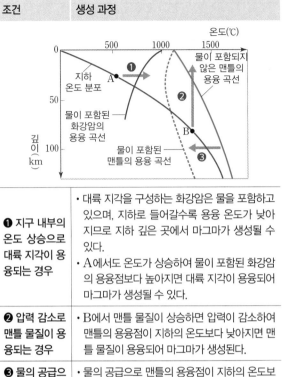

조건	생성 과정
❶ 지구 내부의 온도 상승으로 대륙 지각이 용융되는 경우	· 대륙 지각을 구성하는 화강암은 물을 포함하고 있으며, 지하로 들어갈수록 용융 온도가 낮아지므로 지하 깊은 곳에서 마그마가 생성될 수 있다. · A에서도 온도가 상승하여 물이 포함된 화강암의 용융점보다 높아지면 대륙 지각이 용융되어 마그마가 생성될 수 있다.
❷ 압력 감소로 맨틀 물질이 용융되는 경우	· B에서 맨틀 물질이 상승하면 압력이 감소하여 맨틀의 용융점이 지하의 온도보다 낮아지면 맨틀 물질이 용융되어 마그마가 생성된다.
❸ 물의 공급으로 맨틀 물질이 용융되는 경우	· 물의 공급으로 맨틀의 용융점이 지하의 온도보다 낮아지면 맨틀 물질이 용융되어 마그마가 생성된다.

3 마그마의 생성 장소와 생성 과정

1. 마그마의 생성 장소

① 발산형 경계(해령) 해령 하부에서 고온의 맨틀 물질이 상승하면 압력이 크게 낮아져 맨틀 물질이 용융된다. ➡ 현무암질 마그마 생성

② 열점 지하 깊은 곳에서 뜨거운 물질이 상승하면 압력이 감소한다. ➡ 현무암질 마그마 생성

③ 수렴형 경계(섭입대) 해양 지각과 해양 퇴적물이 수렴형 경계에서 섭입할 때 지각의 함수 광물에 포함된 물이 방출 ➡ 현무암질 마그마 생성 ➡ 현무암질 마그마가 상승하여 대륙 지각 하부가 용융되어 유문암질 마그마 생성, 유문암질 마그마와 현무암질 마그마가 혼합되어 안산암질 마그마 생성

2. 마그마의 생성 과정

구분	생성 과정
현무암질 마그마	맨틀 물질이 맨틀 대류나 플룸 상승류를 따라 상승하면서 압력이 감소하여 용융점이 낮아져 마그마가 생성된다.
	맨틀 물질에 물이 공급되면 용융점이 낮아져 마그마가 생성된다.
안산암질 마그마	현무암질 마그마와 유문암질 마그마가 혼합되어 생성된다.
유문암질 마그마	상승하는 현무암질 마그마에 의해 대륙 지각 하부가 가열되어 부분 용융되면서 마그마가 생성된다.

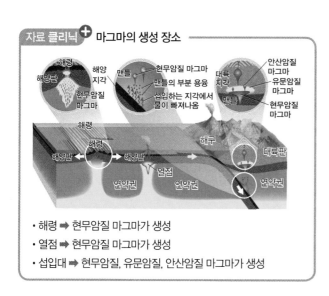

자료 클리닉 ➕ 마그마의 생성 장소

- 해령 ➡ 현무암질 마그마가 생성
- 열점 ➡ 현무암질 마그마가 생성
- 섭입대 ➡ 현무암질, 유문암질, 안산암질 마그마가 생성

---

4 화성암의 분류

1. 화학 조성(SiO₂)에 따른 분류

구분	SiO₂ 함량	생성 과정	함유 광물	비고
염기성암	52 % 이하	현무암질 마그마가 식어서 만들어진 암석	어두운색 광물의 함량이 많다.	고철질 광물을 많이 포함
중성암	52 ~ 63 %	안산암질 마그마가 식어서 만들어진 암석	—	—
산성암	63 % 이상	유문암질 마그마가 식어서 만들어진 암석	밝은색 광물의 함량이 많다.	규장질 광물을 많이 포함

2. 조직(생성된 장소, 마그마 냉각 속도)에 따른 분류

① 화산암 마그마가 지표 부근에서 빨리 냉각되었으므로 구성 광물의 크기가 작다.

② 심성암 마그마가 지하 깊은 곳에서 천천히 냉각되었으므로 구성 광물의 크기가 크다.

구분	화학 조성에 의한 분류		염기성암	중성암	산성암
조직에 의한 분류	성질	SiO₂ 함량	적음 ←52 %— 63 %→ 많음		
		색	어두운색 ← 중간 → 밝은색		
	조직	냉각 속도			
화산암	세립질 조직	빠르다	현무암	안산암	유문암
심성암	조립질 조직	느리다	반려암	섬록암	화강암

3. 우리나라의 화성암 지형

① 화산암 지형 대부분 신생대에 현무암질 마그마가 분출하여 형성된 현무암으로 이루어져 있다.

② 심성암 지형 대부분 중생대에 유문암질 마그마가 관입하여 형성된 화강암으로 이루어져 있다.

내신 기초

1 화산의 분출 ☐☐나 화산체의 ☐☐은 마그마의 성질에 따라 달라진다.

2 그림과 같은 화산의 형태를 각각 쓰시오.

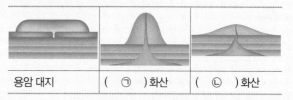

용암 대지	(㉠)화산	(㉡)화산

3 마그마의 생성 조건을 나타낸 그림에서 ❶~❸과 같이 나타나기 위한 조건을 각각 고르시오.

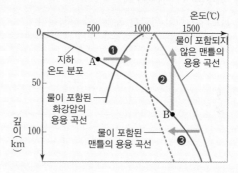

❶ 지구 내부의 온도 (상승 , 하강)으로 대륙 지각이 용융되는 경우

❷ 압력 (증가 , 감소)로 맨틀 물질이 용융되는 경우

❸ (산소 , 물)의 공급으로 맨틀 물질이 용융되는 경우

4 변동대에서 생성되는 마그마의 종류를 나타낸 다음 표를 완성하시오.

변동대	생성되는 마그마의 종류
발산형 경계	㉠ ☐☐☐☐ 마그마
수렴형 경계(섭입대)	유문암질 마그마, 안산암질 마그마, 현무암질 마그마
열점	㉡ ☐☐☐☐ 마그마

5 화산암은 마그마가 지표 부근에서 빨리 냉각된 암석으로, 구성 광물의 크기가 ☐다.

6 화성암은 화학 조성에 따라 ☐☐☐☐, 중성암, 산성암으로 분류된다.

답 **1** 형태, 모양 **2** ㉠종상, ㉡순상 **3** ❶상승, ❷감소, ❸물
4 ㉠현무암질, ㉡현무암질 **5** 작
6 염기성암

개념과 문제의
연결고리 찾기!!

1 마그마의 종류

그림은 서로 다른 두 마그마 A, B의 온도와 점성을 나타낸 것이다.

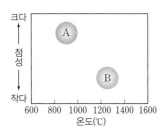

이에 대한 설명으로 옳은 것만을 〈보기〉에서 있는 대로 고른 것은?

| 보기 |
ㄱ. 유동성은 A가 B보다 작다.
ㄴ. SiO_2 함량은 A가 B보다 적다.
ㄷ. A는 B보다 경사가 완만한 화산체를 형성한다.

① ㄱ   ② ㄷ   ③ ㄱ, ㄴ
④ ㄴ, ㄷ   ⑤ ㄱ, ㄴ, ㄷ

개념으로 문제 접근하기 | 마그마의 성질

- 마그마의 특징으로 화산의 모양을 구분하기 위해서는 온도, 유동성, 점성, 휘발성 기체의 양 등을 비교한다.
  → 온도: 현무암질 마그마 > 유문암질 마그마
  → 점성: 현무암질 마그마 < 유문암질 마그마
  → 유동성: 현무암질 마그마 > 유문암질 마그마
  → 휘발성 기체의 양: 현무암질 마그마 < 유문암질 마그마
- 규산(SiO_2)은 용융점(녹는점)이 매우 낮은 물질로, 온도가 낮을수록 용암에 포함된 SiO_2 함량이 많아진다.

| 보기 분석 |
ㄱ. A는 마그마의 점성이 크고 온도가 낮은 유문암질 마그마의 성질이다. B는 마그마의 점성이 작고 온도가 높은 현무암질 마그마의 성질이다. 점성이 클수록 유동성이 작아지므로 유동성은 A가 B보다 작다.
ㄴ. 온도가 낮을수록 SiO_2 함량은 많아진다. SiO_2 함량은 A가 B보다 많다.
ㄷ. A는 B보다 점성이 크므로, A는 경사가 급한 종상 화산체를 형성한다. B는 경사가 완만한 순상 화산체를 형성하거나 용암 대지를 형성한다.

답 ①

2 지하의 온도 분포와 암석의 용융 곡선

그림 (가)는 지하의 온도 분포와 암석의 용융 곡선을 나타낸 것이고, (나)는 마그마의 생성 장소 X와 Y를 나타낸 것이다.

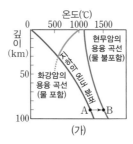 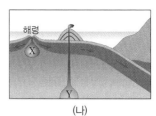

(가)   (나)

이에 대한 설명으로 옳은 것만을 〈보기〉에서 있는 대로 고른 것은?

| 보기 |
ㄱ. 20 km 깊이에서 암석의 용융 온도는 물을 포함하지 않은 현무암이 물을 포함한 화강암보다 높다.
ㄴ. X에서는 A → B와 같은 과정으로 마그마가 생성된다.
ㄷ. Y에서는 유문암질 마그마가 생성된다.

① ㄱ   ② ㄴ   ③ ㄱ, ㄷ
④ ㄴ, ㄷ   ⑤ ㄱ, ㄴ, ㄷ

개념으로 문제 접근하기 | 마그마의 생성 장소

- 해령 하부에서 고온의 맨틀 물질이 상승하면 압력이 크게 낮아져 지하에서 상승한 맨틀 물질이 용융된다. 이때 현무암질 마그마가 생성된다.
- 열점에서는 지하 깊은 곳에서 뜨거운 물질이 상승하면서 압력이 감소한다. 이때 현무암질 마그마가 생성된다.
- 섭입대에서는 현무암질 마그마가 상승하다가 대륙 지각의 온도를 높여 부분 용융되면 유문암질 마그마가 생성되고, 현무암질 마그마와 유문암질 마그마가 혼합되어 안산암질 마그마가 생성된다.

| 보기 분석 |
ㄱ. (가)를 보면 20 km 깊이에서 암석의 용융 온도는 물을 포함하지 않은 현무암이 물을 포함한 화강암보다 높다.
ㄴ. X에서 마그마의 생성은 맨틀 물질의 상승에 따른 압력 감소로 일어난다.
ㄷ. Y에서 생성되는 마그마는 맨틀이 용융한 것이므로 현무암질 마그마가 생성된다.

답 ①

1 마그마의 성질에 따른 화산의 형태 　대표 기출

01

그림 (가), (나)는 마그마의 성질이 다른 두 종류의 화산 모양을 나타낸 것이다.

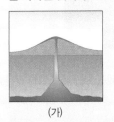 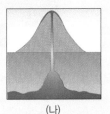

(가)　　　　　　　(나)

이에 대한 설명으로 옳은 것만을 〈보기〉에서 있는 대로 고른 것은?

┤ 보기 ├
ㄱ. SiO_2 함량은 (가) > (나)이다.
ㄴ. 마그마의 점성은 (가) < (나)이다.
ㄷ. 화산체를 만든 마그마의 온도는 (가) > (나)이다.

① ㄱ　② ㄷ　③ ㄱ, ㄴ　④ ㄴ, ㄷ　⑤ ㄱ, ㄴ, ㄷ

> **기출 포인트** 순상 화산과 종상 화산의 특징을 마그마의 성질과 관련하여 이해하는지를 묻는 문제가 자주 출제된다.

02

그림 (가)와 (나)는 서로 다른 화산 모양을 나타낸 것이다.

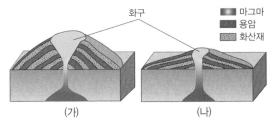

(가)　　　　　　　(나)

이에 대한 설명으로 옳은 것만을 〈보기〉에서 있는 대로 고른 것은?

┤ 보기 ├
ㄱ. 용암의 점성은 (가)가 (나)보다 크다.
ㄴ. 화산 활동은 (나)가 (가)보다 폭발적이다.
ㄷ. 경사가 완만할수록 화구 주위에 화산재가 많다.

① ㄱ　② ㄴ　③ ㄱ, ㄷ　④ ㄴ, ㄷ　⑤ ㄱ, ㄴ, ㄷ

03 　서술형

마그마의 성질에 따라 화산을 분류할 때 그 기준이 되는 것을 3가지만 쓰시오.

2 마그마의 생성 조건 　대표 기출

04 　고난도

그림은 지하의 온도 곡선과 두 암석 ㉠, ㉡의 용융 곡선을 나타낸 것이다.

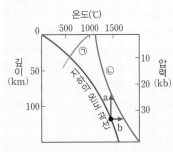

＊㉠과 ㉡ 중 하나는 현무암, 다른 하나는 물을 포함하는 화강암에 해당한다.

이에 대한 설명으로 옳은 것만을 〈보기〉에서 있는 대로 고른 것은?

┤ 보기 ├
ㄱ. 물을 포함하는 화강암의 용융 곡선은 ㉠에 해당한다.
ㄴ. 마그마는 지하 100 km보다 깊은 곳에서만 생성된다.
ㄷ. 해령 아래에서 마그마는 b 과정으로 생성된다.

① ㄱ　② ㄴ　③ ㄱ, ㄷ　④ ㄴ, ㄷ　⑤ ㄱ, ㄴ, ㄷ

> **기출 포인트** 마그마의 생성 조건을 묻는 문제가 자주 출제된다.

05

그림은 지하의 온도 분포와 맨틀의 용융 곡선을 나타낸 것이다.

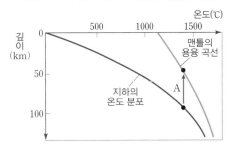

A와 같은 과정으로 마그마가 생성되었을 때 (가) 물리량의 변화와 (나) 생성되는 마그마의 종류를 옳게 짝 지은 것은?

	(가)	(나)
①	온도 상승	현무암질 마그마
②	온도 상승	안산암질 마그마
③	온도 하강	유문암질 마그마
④	압력 증가	현무암질 마그마
⑤	압력 감소	현무암질 마그마

3 마그마의 생성 장소와 생성 과정 대표 기출

06 고난도

그림 (가)는 마그마의 생성 조건을 나타낸 것이고, (나)는 ㉠~㉢에서 생성되는 마그마의 위치를 나타낸 것이다.

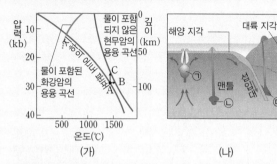

(가)　　　　　　(나)

이에 대한 설명으로 옳은 것만을 〈보기〉에서 있는 대로 고른 것은?

┤보기├
ㄱ. ㉠은 A → C 과정으로 생성되는 마그마이다.
ㄴ. 일본 열도는 ㉡에 의해 생성되었다.
ㄷ. 물에 의한 용융점 하강으로 생성되는 마그마는 ㉢이다.

① ㄱ　　　② ㄴ　　　③ ㄱ, ㄷ
④ ㄴ, ㄷ　　　⑤ ㄱ, ㄴ, ㄷ

> **기출 포인트** 현무암질 마그마, 안산암질 마그마, 유문암질 마그마의 생성 조건과 생성 위치를 이해하는지를 묻는 문제가 자주 출제된다.

07

다음은 마그마가 생성되는 장소와 그곳에서 만들어지는 ㉠~㉢ 마그마를 나타낸 것이다.

(가) 해령 ―	㉠	마그마
(나) 열점 ―	㉡	마그마
(다) 섭입대 부근 ―	㉢	마그마

이에 대한 설명으로 옳지 않은 것은?

① (가)에서는 현무암질 마그마가 생성된다.
② (나)에서는 현무암질 마그마가 생성된다.
③ (다)에서는 유문암질 마그마만 생성된다.
④ (가)에서는 맨틀 물질이 상승하면 압력이 낮아져 부분 용융되어 마그마가 만들어진다.
⑤ (나)에서는 뜨거운 물질이 상승하면서 압력이 낮아져 마그마가 만들어진다.

08

그림 (가)는 성질이 서로 다른 두 용암 A, B의 특성을 나타낸 것이고, (나)는 멀리까지 흘러가는 용암을 나타낸 것이다.

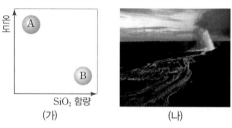

(가)　　　　　　(나)

이에 대한 설명으로 옳은 것만을 〈보기〉에서 있는 대로 고른 것은?

┤보기├
ㄱ. 용암의 유동성은 A가 B보다 크다.
ㄴ. A는 B보다 경사가 급한 화산체를 형성한다.
ㄷ. (나)의 성질은 A보다 B에 가깝다.

① ㄱ　　　② ㄴ　　　③ ㄱ, ㄷ　　　④ ㄴ, ㄷ　　　⑤ ㄱ, ㄴ, ㄷ

09

그림 (가)의 암석은 용암이 멀리 떨어진 도로까지 흘러내려와 굳은 것으로 표면에 기공이 많고 검은색을 띠고 있으며, (나)는 SiO_2 함량과 점성에 따라 용암을 구분하여 나타낸 것이다.

(가)　　　　　　(나)

이에 대한 설명으로 옳은 것만을 〈보기〉에서 있는 대로 고른 것은?

┤보기├
ㄱ. (가) 암석을 만든 용암은 순상 화산을 형성했을 것이다.
ㄴ. (나)에서 온도가 가장 높은 용암은 C이다.
ㄷ. (가)에서 분출된 용암은 (나)의 A에 해당한다.

① ㄱ　　　② ㄴ　　　③ ㄱ, ㄷ　　　④ ㄴ, ㄷ　　　⑤ ㄱ, ㄴ, ㄷ

10 서술형

지구 내부에서 마그마가 생성되는 장소를 크게 세 군데만 서술하시오.

11

그림은 지구 내부에서 마그마가 생성되는 장소를 나타낸 것이다.

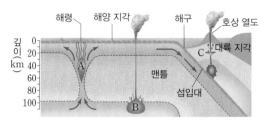

이에 대한 설명으로 옳은 것만을 〈보기〉에서 있는 대로 고른 것은?

| 보기 |
ㄱ. A는 해령으로 안산암질 마그마가 생성된다.
ㄴ. B는 열점으로 유문암질 마그마가 생성된다.
ㄷ. C는 섭입대 부근으로 유문암질 마그마가 생성된다.

① ㄱ   ② ㄴ   ③ ㄷ
④ ㄱ, ㄷ   ⑤ ㄴ, ㄷ

---

4 화성암의 분류   대표 기출

12

그림 (가), (나)는 각각 서울 북한산과 제주도 서귀포 해안의 암석을 나타낸 것이다.

(가)   (나)

이에 대한 설명으로 옳은 것만을 〈보기〉에서 있는 대로 고른 것은?

| 보기 |
ㄱ. (가)는 (나)보다 조립질 암석이다.
ㄴ. (가)는 유문암질 마그마, (나)는 현무암질 마그마가 굳어 형성되었다.
ㄷ. (가)는 (나)보다 지하 깊은 곳에서 생성되었다.

① ㄱ   ② ㄷ   ③ ㄱ, ㄴ
④ ㄴ, ㄷ   ⑤ ㄱ, ㄴ, ㄷ

기출 포인트 화강암과 현무암을 이루는 마그마의 특징을 비교하여 묻는 문제가 자주 출제된다.

13

그림은 화성암을 구성하는 주요 광물의 부피비를 나타낸 것이다.

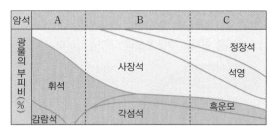

화성암 A∼C에 대한 설명으로 옳은 것은?

① 색은 A가 C보다 밝다.
② SiO_2 함량은 A가 C보다 많다.
③ 암석의 밀도는 A가 C보다 작다.
④ 현무암은 B에 해당하는 화산암이다.
⑤ 무색 광물의 함량이 많은 암석은 C에 속한다.

14 서술형

화강암과 비교했을 때 현무암의 유색 광물의 양과 SiO_2 함량을 비교하여 서술하시오.

15

표는 화성암 A∼C를 화학 조성과 조직에 따라 분류한 것이다.

구분	SiO_2 함량	조직	주요 구성 광물
A	48 %	세립질	사장석, 휘석, 감람석
B	56 %	세립질	사장석, 휘석, 각섬석
C	70 %	조립질	석영, 정장석, 사장석, 흑운모

이에 대한 설명으로 옳은 것만을 〈보기〉에서 있는 대로 고른 것은?

| 보기 |
ㄱ. A는 현무암질 마그마가 식어서 만들어진 염기성암이다.
ㄴ. B는 안산암질 마그마가 식어서 만들어진 중성암이다.
ㄷ. 밝은색 광물의 함량은 B가 C보다 많다.

① ㄱ   ② ㄷ   ③ ㄱ, ㄴ
④ ㄴ, ㄷ   ⑤ ㄱ, ㄴ, ㄷ

01

그림은 고생대 말의 빙하 퇴적층 분포와 육상 파충류인 메소사우루스 화석 산출지를 현재의 수륙 분포에 나타낸 것이다.

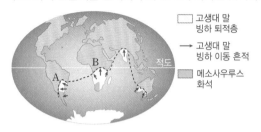

이 자료와 관련하여 대륙 이동을 뒷받침할 수 있는 설명으로 옳은 것만을 〈보기〉에서 있는 대로 고른 것은?

┤ 보기 ├
ㄱ. A 대륙의 동부 해안선과 B 대륙의 서부 해안선의 형태가 유사하다.
ㄴ. A와 B 대륙에서 메소사우루스 화석이 산출된다.
ㄷ. 여러 대륙에 존재하는 고생대 말 빙하 퇴적층의 분포에 연속성이 있다.

① ㄱ   ② ㄴ   ③ ㄱ, ㄷ
④ ㄴ, ㄷ   ⑤ ㄱ, ㄴ, ㄷ

02

그림은 대서양 중앙 해령 부근의 해양 지각의 나이를 나타낸 것이다.

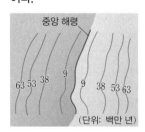

이에 대한 설명으로 옳은 것만을 〈보기〉에서 있는 대로 고른 것은?

┤ 보기 ├
ㄱ. 중앙 해령에서는 오래된 해양 지각이 소멸한다.
ㄴ. 해령에서 멀어질수록 퇴적물의 두께는 두꺼워질 것이다.
ㄷ. 과거 6천 3백만 년 동안 해저가 확장되는 속도가 일정하지는 않았다.

① ㄱ   ② ㄴ   ③ ㄱ, ㄷ
④ ㄴ, ㄷ   ⑤ ㄱ, ㄴ, ㄷ

03

그림 (가)는 대서양 중앙 해령 부근의 고지자기 분포의 일부를 나타낸 것이고, (나)는 고지자기 줄무늬가 형성되는 과정을 모식적으로 나타낸 것이다.

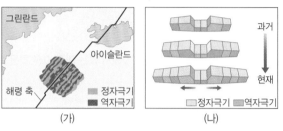

이에 대한 설명으로 옳은 것만을 〈보기〉에서 있는 대로 고른 것은?

┤ 보기 ├
ㄱ. 해령에서는 현무암질 지각이 생성된다.
ㄴ. 아이슬란드는 발산형 경계가 위치한다.
ㄷ. 해령에서는 해양 지각 생성 당시의 지구 자기장 방향이 기록된다.

① ㄱ   ② ㄴ   ③ ㄱ, ㄷ
④ ㄴ, ㄷ   ⑤ ㄱ, ㄴ, ㄷ

04

그림은 세 학생이 우리나라 주변에 분포하는 판의 경계와 이동 방향 및 화산 분포에 대해 나눈 대화이다.

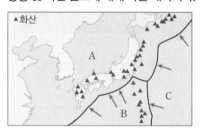

이에 대한 옳은 설명을 얘기한 학생만을 있는 대로 고른 것은?

① 영희   ② 민수   ③ 영희, 철수
④ 철수, 민수   ⑤ 영희, 철수, 민수

05 고난도

그림은 쿠릴 열도 부근에서 일정 기간 동안 발생한 지진의 진원 분포를 나타낸 것이다.

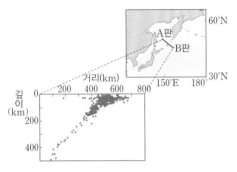

이에 대한 설명으로 옳은 것만을 〈보기〉에서 있는 대로 고른 것은?

┤ 보기 ├
ㄱ. 이 지역에는 판의 수렴형 경계가 나타난다.
ㄴ. 판의 밀도는 A가 B보다 크다.
ㄷ. 호상 열도는 A판에 위치한다.

① ㄱ   ② ㄷ   ③ ㄱ, ㄴ
④ ㄱ, ㄷ   ⑤ ㄱ, ㄴ, ㄷ

06

그림 (가)는 북아메리카와 유럽 대륙에서 측정한 5억 년 전부터 현재까지 자북극의 이동 경로를 나타낸 것이고, (나)는 자북극의 이동 경로를 겹쳤을 경우를 나타낸 것이다.

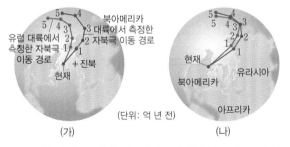

(가)   (나)

이에 대한 설명으로 옳은 것만을 〈보기〉에서 있는 대로 고른 것은?

┤ 보기 ├
ㄱ. 과거에는 두 개의 자북극이 존재했다.
ㄴ. 자북극은 지질 시대에 따라 그 위치가 변하였다.
ㄷ. 두 대륙에서 자북극의 이동 경로가 다른 것은 대륙이 이동하였기 때문이다.

① ㄱ   ② ㄷ   ③ ㄱ, ㄴ
④ ㄴ, ㄷ   ⑤ ㄱ, ㄴ, ㄷ

07

그림은 약 2억 5천만 년 전과 현재의 대륙 분포를 나타낸 것이다.

▲ 약 2억 5천만 년 전   ▲ 현재

이에 대한 설명으로 옳은 것만을 〈보기〉에서 있는 대로 고른 것은?

┤ 보기 ├
ㄱ. 약 2억 5천만 년 전에는 대서양이 존재하지 않았다.
ㄴ. 현재보다 약 2억 5천만 년 전의 해류 분포가 복잡했을 것이다.
ㄷ. 현재 아프리카 대륙의 남부에서는 2억 5천만 년 전 빙하의 흔적이 발견될 수 있다.

① ㄱ   ② ㄴ   ③ ㄱ, ㄷ
④ ㄴ, ㄷ   ⑤ ㄱ, ㄴ, ㄷ

08

그림은 판의 이동과 맨틀 대류를 나타낸 것이다.

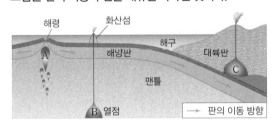

이에 대한 설명으로 옳은 것만을 〈보기〉에서 있는 대로 고른 것은?

┤ 보기 ├
ㄱ. A에서는 상대적으로 무거운 판이 소멸된다.
ㄴ. B는 판이 이동해도 위치가 변하지 않는다.
ㄷ. C에서는 대륙판이 갈라지면서 판이 생성된다.
ㄹ. 맨틀 대류의 상승부와 하강부는 판의 경계와 대체로 일치한다.

① ㄱ, ㄴ   ② ㄴ, ㄹ   ③ ㄱ, ㄴ, ㄷ
④ ㄱ, ㄷ, ㄹ   ⑤ ㄴ, ㄷ, ㄹ

09

그림은 플룸 구조론을 모식적으로 나타낸 것이다.

이에 대한 설명으로 옳은 것만을 〈보기〉에서 있는 대로 고른 것은?

┤보기├
ㄱ. A는 B보다 온도가 낮다.
ㄴ. A는 섭입한 판의 물질이 가라앉아 생성된다.
ㄷ. A가 맨틀과 외핵의 경계에 도달하면 B가 생성된다.

① ㄱ 　　② ㄴ 　　③ ㄱ, ㄷ
④ ㄴ, ㄷ 　　⑤ ㄱ, ㄴ, ㄷ

10

그림은 하와이 열도를 이루는 섬 A~E의 분포와 화산섬의 생성 시기를 나타낸 것이다.

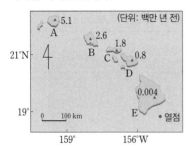

이에 대한 설명으로 옳은 것만을 〈보기〉에서 있는 대로 고른 것은?

┤보기├
ㄱ. 화산섬은 E → D → C → B → A 순으로 생성되었다.
ㄴ. E의 남동쪽에 있는 열점에서는 뜨거운 플룸이 상승할 것이다.
ㄷ. 최근 80만 년 동안 태평양판의 평균 이동 속도는 5.1~2.6백만 년 전보다 느리다.

① ㄱ 　　② ㄴ 　　③ ㄱ, ㄷ
④ ㄴ, ㄷ 　　⑤ ㄱ, ㄴ, ㄷ

11

그림은 열점에서 마그마가 분출하여 생성된 하와이 열도를 나타낸 것이다.

이에 대한 설명으로 옳은 것만을 〈보기〉에서 있는 대로 고른 것은?

┤보기├
ㄱ. A 위치부터 마그마를 공급하는 열점의 이동 방향이 바뀌었다.
ㄴ. 화산섬은 A → B → C 순으로 형성되었고, 태평양판 은 C → B → A 방향으로 이동하였다.
ㄷ. C의 지하에는 뜨거운 플룸이 존재한다.

① ㄱ 　　② ㄷ 　　③ ㄱ, ㄴ
④ ㄴ, ㄷ 　　⑤ ㄱ, ㄴ, ㄷ

12 고난도

그림은 지구 내부의 깊이에 따른 온도 분포와 화강암, 맨틀의 용융 곡선을 나타낸 것이다.

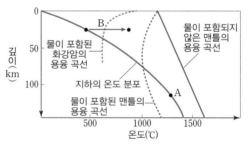

이에 대한 설명으로 옳은 것만을 〈보기〉에서 있는 대로 고른 것은?

┤보기├
ㄱ. 깊이가 깊어질수록 지하의 온도는 감소한다.
ㄴ. B 과정의 예로는 해령 아래에서 만들어지는 마그마가 있다.
ㄷ. A 지점의 암석은 온도가 상승하거나 압력이 감소하면 마그마가 생성될 수 있다.

① ㄱ 　　② ㄷ 　　③ ㄱ, ㄴ
④ ㄴ, ㄷ 　　⑤ ㄱ, ㄴ, ㄷ

13

그림은 서로 다른 장소에서 생성된 마그마 A, B, C의 위치를 나타낸 것이다.

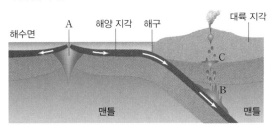

이에 대한 설명으로 옳은 것만을 〈보기〉에서 있는 대로 고른 것은?

┤ 보기 ├
ㄱ. A는 주로 유문암질 마그마이다.
ㄴ. 마그마의 생성 온도는 A가 C보다 높다.
ㄷ. B는 물에 의한 암석의 용융점 하강으로 생성된다.

① ㄱ   ② ㄷ   ③ ㄱ, ㄴ
④ ㄴ, ㄷ   ⑤ ㄱ, ㄴ, ㄷ

14 서술형

해령, 열점, 섭입대에서 생성되는 마그마의 종류를 각각 서술하시오.

―――――――――――――――――――――――

―――――――――――――――――――――――

15

그림 (가)는 화산 활동이 일어나는 지역 A와 B를 나타낸 것이고, (나)와 (다)는 성질이 다른 두 용암에 의한 화산의 분출 모습을 나타낸 것이다.

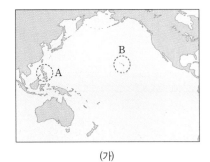

(가)

(나)

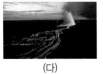

(다)

이에 대한 설명으로 옳은 것만을 〈보기〉에서 있는 대로 고른 것은?

┤ 보기 ├
ㄱ. 수렴형 경계 부근에 위치한 지역은 A이다.
ㄴ. 용암의 점성은 (나)가 (다)보다 크다.
ㄷ. B 지역의 화산은 주로 (나)의 형태로 나타난다.

① ㄱ   ② ㄷ   ③ ㄱ, ㄴ
④ ㄴ, ㄷ   ⑤ ㄱ, ㄴ, ㄷ

16

그림 (가)는 깊이에 따른 지하의 온도 분포와 암석의 용융 곡선을 나타낸 것이고, (나)는 해령 부근의 단면을 나타낸 것이다.

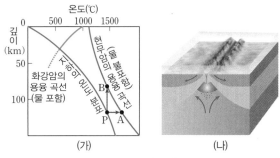

이에 대한 설명으로 옳은 것만을 〈보기〉에서 있는 대로 고른 것은?

┤ 보기 ├
ㄱ. 물을 포함한 화강암은 압력이 커질수록 용융점이 높아진다.
ㄴ. 현무암질 마그마는 유문암질 마그마보다 높은 온도에서 생성된다.
ㄷ. 해령 하부의 마그마는 (가)의 P → A 과정으로 생성된다.

① ㄱ   ② ㄴ   ③ ㄷ
④ ㄱ, ㄷ   ⑤ ㄴ, ㄷ

17

그림 (가)는 북아메리카의 세인트헬렌스 화산이 분출하는 모습을 나타낸 것이고, (나)는 서로 다른 종류의 용암 A, B의 성질을 나타낸 것이다.

(가)

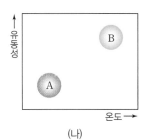

(나)

이에 대한 설명으로 옳은 것만을 〈보기〉에서 있는 대로 고른 것은?

┤ 보기 ├
ㄱ. (가)에서 화산 가스의 대부분은 수증기이다.
ㄴ. (나)에서 용암 속에 포함된 SiO_2 함량은 A가 B보다 적다.
ㄷ. (가)에서 분출된 용암은 (나)의 A보다 B에 가깝다.

① ㄱ   ② ㄷ   ③ ㄱ, ㄴ
④ ㄴ, ㄷ   ⑤ ㄱ, ㄴ, ㄷ

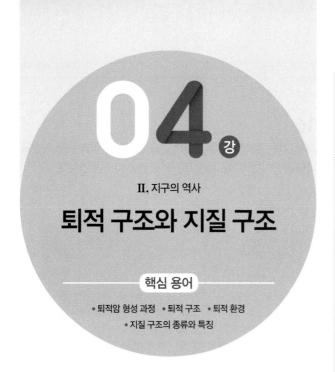

04강

퇴적 구조와 지질 구조

핵심 용어

- 퇴적암 형성 과정 • 퇴적 구조 • 퇴적 환경
- 지질 구조의 종류와 특징

1 퇴적암의 생성과 종류

1. 퇴적암 퇴적물이 쌓이고 다져져 굳어진 암석

2. 퇴적암의 생성 과정 풍화 작용 ➡ 침식, 운반 작용 ➡ 퇴적 작용 ➡ 속성 작용 ➡ 퇴적암
└─ 퇴적물이 쌓인 후 퇴적암이 되기까지의 모든 과정
① 다짐 작용(압축 작용) 퇴적물이 쌓이면서 퇴적물의 무게로 아랫부분의 퇴적물이 압력을 받아 퇴적물 사이의 간격이 좁아지는 과정
② 교결 작용 퇴적물 속의 수분이나 지하수에 녹아 있던
└─ 탄산 칼슘, 규산염 광물, 산화 철 등
성분이 침전되면서 퇴적물 입자 사이의 간격을 메우고 입자들을 서로 붙여주는 과정

자료 클리닉 ➕ 다짐 작용과 교결 작용

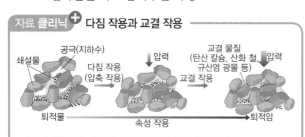

- 다짐 작용으로 퇴적물 사이에 있던 물이 빠져나간다.
  ➡ 입자들의 공극이 줄어든다.
  ➡ 퇴적물이 치밀하고 단단해지며 밀도가 증가한다.
- 교결 작용으로 퇴적물 입자들이 서로 접착되고 굳어져 암석이 형성된다.

3. 퇴적암의 종류 [개념 브릿지 유형 1]

① **쇄설성 퇴적암** 암석이 풍화, 침식 작용을 받아 생긴 쇄설성 퇴적물이나 화산 쇄설물이 쌓여 생성
예 자갈·모래·점토 → 역암, 모래·점토 → 사암, 점토 → 세일, 화산재 → 응회암

② **화학적 퇴적암** 호수나 바다 등에서 물에 녹아 있던 물질이 화학적으로 침전되거나 물이 증발하면서 침전되어 생성
예 탄산 칼슘($CaCO_3$) → 석회암, 규질 → 처트, 염화 나트륨($NaCl$) → 암염

③ **유기적 퇴적암** 동식물이나 미생물의 유해가 쌓여 생성
예 식물체 → 석탄, 석회질 생물체 → 석회암, 규질 생물체 → 처트

2 퇴적 구조와 퇴적 환경

1. 퇴적 구조 퇴적암에 나타나는 특징적인 구조
① 퇴적 구조로 알 수 있는 사실 퇴적 당시의 환경, 지층의 상하 관계와 역전 여부
② 퇴적 구조의 종류와 특징 [개념 브릿지 유형 2]

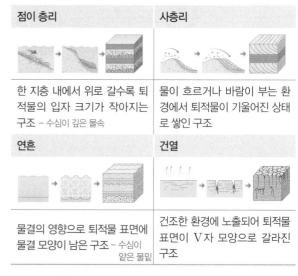

점이 층리	사층리
한 지층 내에서 위로 갈수록 퇴적물의 입자 크기가 작아지는 구조 – 수심이 깊은 물속	물이 흐르거나 바람이 부는 환경에서 퇴적물이 기울어진 상태로 쌓인 구조
연흔	**건열**
물결의 영향으로 퇴적물 표면에 물결 모양이 남은 구조 – 수심이 얕은 물밑	건조한 환경에 노출되어 퇴적물 표면이 V자 모양으로 갈라진 구조

자료 클리닉 ➕ 지층의 역전 여부 판단

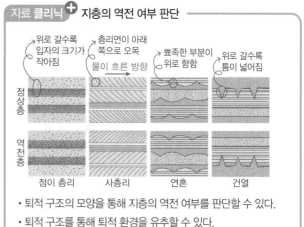

- 퇴적 구조의 모양을 통해 지층의 역전 여부를 판단할 수 있다.
- 퇴적 구조를 통해 퇴적 환경을 유추할 수 있다.

2. 퇴적 환경 육상 환경(하천, 호수, 사막, 범람원, 선상지), 연안 환경(삼각주, 해빈, 사주, 강 하구), 해양 환경(대륙붕, 대륙 사면, 대륙대, 심해저)으로 구분한다.

3 습곡과 단층

1. **습곡** 지층이 양쪽에서 미는 횡압력을 받아 휘어진 지질 구조

  ① **형성 과정** 비교적 온도가 높은 지하 깊은 곳에서 힘을 받는 지층은 끊어지기보다 휘어지기가 쉬워 습곡이 형성된다.

  ② **구조**

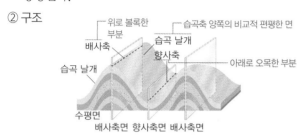

  ③ **습곡의 종류** 개념 브릿지 유형 **3**

정습곡	경사 습곡	횡와 습곡

습곡축면이 수평면에 대해 거의 수직인 습곡	습곡축면이 수직에서 기울어진 습곡	습곡축면이 거의 수평으로 누운 습곡

2. **단층** 암석에 힘이 작용하여 암석이 끊어지고, 끊어진 면을 경계로 양쪽의 암석이 상대적으로 다른 방향으로 이동하여 어긋나는 지질 구조

  ① **형성 과정** 습곡 작용이 일어나는 깊이보다 온도가 낮은 지표 근처에서 횡압력이나 장력 또는 중력을 받은 지층이 끊어지면서 형성된다.

  ② **구조**

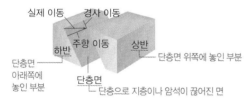

  ③ **단층의 종류**

정단층	역단층	주향 이동 단층
장력이 작용하여 상반이 아래로 이동한 단층	횡압력이 작용하여 상반이 위로 이동한 단층	수평 방향으로 힘이 작용하여 지층이 수평으로 이동한 단층

4 부정합

1. **부정합** 상하 지층 사이에 큰 시간 차이가 있는 불연속적인 두 지층의 관계

2. **부정합의 형성 과정** 퇴적 ➡ 융기 ➡ 풍화, 침식 ➡ 침강 및 퇴적

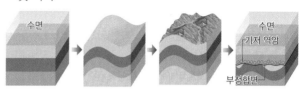

  ① 지층의 융기와 침강 사이 기간에 새로운 지층의 퇴적이 일어나지 않고 기존의 지층이 침식되면서 부정합이 형성된다.

  ② 지층 침강 후 새로운 지층이 쌓이면서 기저 역암이 형성된다. ➡ 기저 역암은 부정합 판단의 근거가 된다.

  ③ **부정합의 종류** 개념 브릿지 유형 **3**

평행 부정합	경사 부정합	난정합
• 부정합면을 경계로 상하 지층이 나란한 부정합 • 대부분 조륙 운동을 받은 지층에서 나타난다.	• 부정합면 아래 지층이 경사져 있는 부정합 • 대부분 조산 운동을 받은 지층에서 나타난다.	• 지하에서 형성된 심성암이나 변성암이 지표까지 융기하여 침식되고 그 위에 지층이 퇴적되어 생긴 부정합

5 절리, 관입, 포획

1. **절리** 암석 내에 형성된 틈이나 균열

  ① **형성 과정** 암석에 힘이 가해지거나 온도가 변하여 부피가 수축할 때 형성된다.

  ② **절리의 종류** 개념 브릿지 유형 **3**

주상 절리	판상 절리
• 다각형(4∼6각형) 기둥 모양의 절리 • 화산암에서 잘 나타난다. • 지표로 분출한 용암이 중심 방향으로 빠르게 식는 과정에서 수축하여 생성된다.	• 얇은 판 모양의 절리 • 심성암에서 잘 나타난다. • 지하 깊은 곳의 암석이 융기할 때 암석을 누르는 압력이 감소하면서 팽창하여 생성된다.

2. **관입** 지하에서 마그마가 지층 사이를 뚫고 들어가 화성암으로 굳어진 구조

3. **포획** 마그마가 관입할 때 주위의 암석이나 지층의 조각이 떨어져 나와 마그마에 포함되어 굳은 구조

1 퇴적암은 풍화 작용 ➡ ☐☐, 운반 작용 ➡ 퇴적 작용 ➡ ☐☐ 작용 ➡ 퇴적암의 순으로 생성된다.

2 퇴적물 사이에 있던 물이 빠져나가고 압력을 받아 퇴적물 사이 간격이 좁아지는 과정을 ☐☐ 작용(압축 작용)이라 하고, 퇴적물 입자들이 서로 접착되고 굳어져 암석으로 형성되는 과정을 ☐☐ 작용이라고 한다.

3 그림과 같은 퇴적 구조를 각각 쓰시오.

⊙ ☐☐ ⓛ ☐☐ ⓒ ☐☐ ☐☐ ☐☐ ☐☐ ⓔ ☐☐ ☐☐

4 지층이 양쪽에서 미는 횡압력을 받아 휘어진 지질 구조를 ☐☐이라 하고, 암석에 힘이 작용하여 암석이 끊어지고 어긋난 지질 구조를 ☐☐이라고 한다.

5 그림과 같은 단층 구조를 각각 쓰시오.

하반 상반 하반 상반

⊙ ☐☐☐ ⓛ ☐☐☐

6 상하 지층 사이에 큰 시간 차이가 있는 불연속적인 두 지층 사이의 관계를 ☐☐☐이라고 한다.

7 다음 설명에 해당하는 부정합의 종류를 각각 쓰시오.
(1) 부정합면 아래 지층이 경사져 있는 부정합이다.
(2) 부정합면을 경계로 상하 지층이 나란한 부정합이다.

8 암석 내에 형성된 틈이나 균열을 ☐☐라고 한다. 모양에 따라 기둥 모양의 ☐☐ 절리와 얇은 판 모양의 ☐☐ 절리로 구분한다.

답 1 침식, 속성 **2** 다짐, 교결 **3** ⊙ 연흔, ⓛ 건열, ⓒ 점이 층리, ⓔ 사층리
4 습곡, 단층 **5** ⊙ 역단층, ⓛ 정단층 **6** 부정합
7 (1) 경사 부정합 (2) 평행 부정합 **8** 절리, 주상, 판상

개념과 문제의 연결고리 찾기!!

1 퇴적암이 생성되는 과정

그림은 퇴적암이 생성되는 주요 과정을 나타낸 것이다.

생물권	생물의 유해나 분비물	A	
수권	침전물이나 증발 잔류물	B	퇴적암
암권	풍화·침식으로 생성된 쇄설물	C	

이에 대한 설명으로 옳은 것만을 〈보기〉에서 있는 대로 고른 것은?

┤ 보기 ├
ㄱ. 석회암은 주로 A와 B 과정에 의해서 생성된다.
ㄴ. 암염은 B 과정에 의해서 생성된다.
ㄷ. C 과정에 의해서 생성된 퇴적암은 입자의 크기와 종류에 따라 분류된다.

① ㄱ   ② ㄴ   ③ ㄱ, ㄷ
④ ㄴ, ㄷ   ⑤ ㄱ, ㄴ, ㄷ

개념으로 문제 접근하기 퇴적암의 분류

• 유기적 퇴적암: 생물의 유해나 분비물이 쌓여 형성된 퇴적암
  예 석탄, 처트, 석회암 등
• 화학적 퇴적암: 물속의 침전물이나 증발 잔류물이 가라앉아 만들어진 퇴적암
  예 암염, 석고, 처트, 석회암 등
• 쇄설성 퇴적암: 풍화·침식으로 생성된 쇄설물이 쌓여 굳어진 퇴적암 ➡ 입자의 크기와 종류에 따라 구분
  예 역암, 사암, 셰일, 응회암 등

| 보기 분석 |
ㄱ. 석회암은 해수에 녹아 있는 탄산 이온이 해양 생물에 흡수되었다가 생물의 유해나 분비물이 퇴적되어 형성되거나, 해수에 녹아 있는 탄산 이온이 칼슘 이온과 결합하고 침전되어 형성된다.
ㄴ. 암염은 해수에 녹아 있는 나트륨 이온과 염화 이온이 결합하여 해수의 증발이 일어날 때 잔류물이 가라앉아 형성된다.
ㄷ. 지표에 노출된 암석은 풍화, 침식 작용으로 자갈, 모래, 점토 등의 쇄설물이 되어 다른 곳으로 운반되고, 퇴적되어 쇄설성 퇴적암으로 된다. 이때 퇴적물의 입자 크기에 따라 주로 자갈이 퇴적되어 생성되는 역암, 주로 모래가 퇴적되어 생성되는 사암, 점토가 퇴적되어 생성되는 셰일 등으로 분류된다.

답 ⑤

2 퇴적 구조

그림은 어느 지역의 지질 단면도에 퇴적 구조를 함께 표시한 것이다.

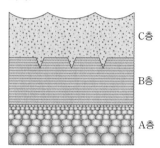

이에 대한 설명으로 옳은 것만을 〈보기〉에서 있는 대로 고른 것은?

┤보기├
ㄱ. A층의 퇴적 구조로부터 퇴적될 당시의 물이 흐른 방향을 알 수 있다.
ㄴ. B층의 퇴적 구조는 점토질 퇴적물에서 잘 형성된다.
ㄷ. C층의 퇴적 구조는 수심이 얕은 곳에서 잘 형성된다.

① ㄱ   ② ㄷ   ③ ㄱ, ㄴ
④ ㄴ, ㄷ   ⑤ ㄱ, ㄴ, ㄷ

개념으로 문제 접근하기 │ 퇴적 구조와 퇴적 환경

• 퇴적 구조: 표면에 물결 자국이 보이는 C층은 연흔, 표면에 갈라짐 현상이 보이는 B층은 건열, 위로 갈수록 퇴적물의 입자가 작아지는 A층은 점이 층리이다.
• 퇴적 환경: 이 지역은 처음에 깊은 호수나 바다에서 퇴적되었고 이후 융기하여 건조한 시기에 수면 밖으로 노출되었다. 최근에는 다시 침강하여 수심이 얕은 물밑에서 퇴적이 이루어졌다.

| 보기 분석 |
ㄱ. A층에서는 점이 층리가 나타난다. A층이 퇴적될 당시 환경은 수심이 깊은 물속이었다. 점이 층리로 퇴적 당시 물이 흐른 방향을 알 수는 없다.
ㄴ. B층에서는 건열이 나타난다. 건열은 퇴적 도중에 지층이 수면 위로 노출될 때 만들어진다. 특히 알갱이가 작은 점토질 퇴적물의 공극 속 물이 증발할 때 잘 형성된다.
ㄷ. C층에서는 연흔이 나타난다. 연흔은 수심이 얕은 물밑에서 물의 흐름에 의해 표면에 물결 자국이 나타나는 퇴적 구조이다.

답 ④

3 지질 구조

그림 (가)~(다)는 서로 다른 지질 구조를 나타낸 것이다.

 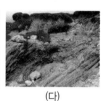

(가)　　　　(나)　　　　(다)

이에 대한 설명으로 옳은 것만을 〈보기〉에서 있는 대로 고른 것은?

┤보기├
ㄱ. (가)는 단층 구조가 발달되어 있다.
ㄴ. (나)는 횡압력에 의해 형성되었다.
ㄷ. (다)는 퇴적이 중단된 시기가 있었다.

① ㄱ   ② ㄴ   ③ ㄱ, ㄷ
④ ㄴ, ㄷ   ⑤ ㄱ, ㄴ, ㄷ

개념으로 문제 접근하기 │ 주상 절리와 판상 절리

• 암석에 힘이 가해지거나 온도 변화 등으로 부피가 변하면 암석이 갈라지거나 쪼개져 틈이 생기는데 이 틈을 절리라고 한다.

주상 절리	판상 절리
	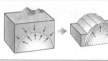
• 지표로 분출한 용암이 중심 방향으로 빠르게 식는 과정에서 수축하여 생성된다.	• 지하 깊은 곳에 있는 암석이 융기할 때 암석을 누르는 압력이 감소하면서 팽창하여 생성된다.

| 보기 분석 |
ㄱ. (가)는 암석 내에 틈이나 균열이 형성된 절리가 발달되어 있다.
➡ 주상 절리가 발달
ㄴ. (나)는 지층이 휘어져 있는 습곡이 발달되어 있다. 습곡은 양쪽에서 미는 횡압력이 작용할 때 형성된다.
ㄷ. (다)에서 아랫부분 지층은 층리가 기울어져 있고, 윗부분 지층은 층리가 수평으로 나타난다. 따라서 두 지층의 관계는 경사 부정합이다. (다)는 퇴적이 연속적으로 이루어지지 않고 중단된 시기가 있었다.
주변으로부터 힘을 받아 기울어진 지층이 융기, 침식, 침강의 과정을 거쳐 퇴적물이 쌓이면 경사 부정합이 형성된다.

답 ④

1 퇴적암의 생성과 종류
대표 기출

01

그림은 퇴적암을 쇄설성, 유기적, 화학적 퇴적암으로 분류하고, 그 예를 나타낸 것이다.

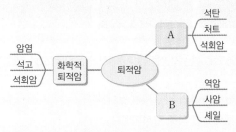

이에 대한 설명으로 옳은 것만을 〈보기〉에서 있는 대로 고른 것은?

┤보기├
ㄱ. A는 유기적 퇴적암이다.
ㄴ. 응회암은 B의 예이다.
ㄷ. 암염은 해수가 증발하여 침전된 물질이 굳어져 만들어질 수 있다.

① ㄱ　　　　② ㄴ　　　　③ ㄱ, ㄷ
④ ㄴ, ㄷ　　　⑤ ㄱ, ㄴ, ㄷ

> **기출 포인트 |** 퇴적암을 생성 과정에 따라 분류하고 각각의 종류를 설명할 수 있는지를 묻는 문제가 자주 출제된다.

02

표는 퇴적암 A, B, C의 생성 원인을 나타낸 것이다.

퇴적암	생성 원인
A	화산 쇄설물의 퇴적
B	해수의 증발에 의한 염류의 침전
C	생물체 유해의 퇴적

이에 대한 설명으로 옳은 것만을 〈보기〉에서 있는 대로 고른 것은?

┤보기├
ㄱ. A는 석회암이다.
ㄴ. B는 건조한 환경에서 형성되었다.
ㄷ. C에서 화석이 발견될 수 있다.

① ㄱ　　　　② ㄷ　　　　③ ㄱ, ㄴ
④ ㄴ, ㄷ　　　⑤ ㄱ, ㄴ, ㄷ

03 서술형

그림은 퇴적물이 쌓인 후 퇴적암이 되기까지의 과정을 나타낸 것이다. 퇴적물이 A와 B 과정을 받게 되면 공극과 밀도는 어떻게 변하는지 서술하시오.

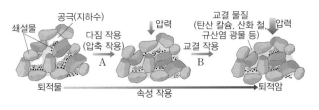

2 퇴적 구조와 퇴적 환경
대표 기출

04

그림 (가)~(다)는 퇴적 구조를 나타낸 것이다.

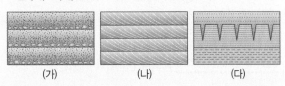

(가)　　　　　(나)　　　　　(다)

이에 대한 설명으로 옳은 것만을 〈보기〉에서 있는 대로 고른 것은?

┤보기├
ㄱ. (가)는 점이 층리이다.
ㄴ. (나)에서는 퇴적물의 공급 방향을 알 수 있다.
ㄷ. (다)에서는 역전된 지층이 발견된다.

① ㄱ　② ㄷ　③ ㄱ, ㄴ　④ ㄴ, ㄷ　⑤ ㄱ, ㄴ, ㄷ

> **기출 포인트 |** 점이 층리, 사층리, 연흔, 건열의 퇴적 구조를 비교하고 각각의 생성 과정을 이해하는지를 묻는 문제가 자주 출제된다.

05

퇴적 구조와 퇴적 환경에 대한 설명으로 옳지 <u>않은</u> 것은?
① 점이 층리로부터 퇴적물이 공급된 방향을 알 수 있다.
② 사층리로부터 과거 물이나 바람의 방향을 유추할 수 있다.
③ 연흔은 얕은 물밑에서 물결 모양으로 형성된다.
④ 건열은 과거 건조한 대기에 노출된 적이 있다.
⑤ 퇴적 구조를 조사하면 지층의 역전 여부를 알 수 있다.

[06~07] 그림은 사층리와 건열이 나타나는 지층의 단면을 나타낸 것이다.

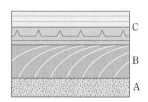

06 고난도

이에 대한 설명으로 옳은 것만을 〈보기〉에서 있는 대로 고른 것은?

┤ 보기 ├
ㄱ. A가 가장 오래 전에 형성되었다.
ㄴ. B에서 퇴적 당시 퇴적물의 이동 방향을 알 수 있다.
ㄷ. C가 형성되는 동안 건조한 시기가 있었다.

① ㄱ   ② ㄷ   ③ ㄱ, ㄴ
④ ㄴ, ㄷ   ⑤ ㄱ, ㄴ, ㄷ

07 서술형

지층 B와 지층 C의 퇴적 구조가 형성되는 퇴적 환경을 간단히 서술하시오.

_____

_____

_____

08

그림 (가)~(다)는 여러 가지 퇴적 구조를 나타낸 것이다.

(가) 건열   (나) 연흔   (다) 사층리

이에 대한 설명으로 옳은 것만을 〈보기〉에서 있는 대로 고른 것은?

┤ 보기 ├
ㄱ. (가)는 깊은 바다 환경에서 형성된다.
ㄴ. (나)는 습곡 작용으로 형성된다.
ㄷ. (다)는 퇴적 당시 퇴적물의 이동 방향을 알 수 있다.

① ㄱ   ② ㄷ   ③ ㄱ, ㄴ
④ ㄴ, ㄷ   ⑤ ㄱ, ㄴ, ㄷ

3 습곡과 단층   대표 기출

09

그림 (가)~(다)는 여러 가지 지질 구조를 나타낸 것이다.

(가) 습곡   (나) 역단층   (다) 정단층

이에 대한 설명으로 옳은 것만을 〈보기〉에서 있는 대로 고른 것은?

┤ 보기 ├
ㄱ. (가)에서는 배사와 향사 구조가 나타난다.
ㄴ. (다)는 상반이 하반 아래로 내려간 단층이다.
ㄷ. (가)와 (나)는 모두 횡압력을 받아 형성되었다.

① ㄱ   ② ㄷ   ③ ㄱ, ㄴ   ④ ㄴ, ㄷ   ⑤ ㄱ, ㄴ, ㄷ

> 기출 포인트 | 습곡과 단층에 작용하는 힘의 방향을 비교하고 각 지질 구조의 특징을 이해하는지를 묻는 문제가 자주 출제된다.

10

그림 (가)~(다)는 서로 다른 종류의 습곡을 나타낸 것이다.

(가)   (나)   (다)

이에 대한 설명으로 옳은 것만을 〈보기〉에서 있는 대로 고른 것은?

┤ 보기 ├
ㄱ. (가)에서 A는 배사, B는 향사이다.
ㄴ. (나)는 습곡축면이 기울어져 있다.
ㄷ. (가)는 정습곡, (나)는 횡와 습곡, (다)는 경사 습곡이나.

① ㄱ   ② ㄴ   ③ ㄷ   ④ ㄱ, ㄴ   ⑤ ㄴ, ㄷ

11

지질 구조에 대한 설명으로 옳지 않은 것은?

① 지층이 힘을 받아 휘어진 것을 습곡이라고 한다.
② 지층이 힘을 받아 끊어진 것을 단층이라고 한다.
③ 습곡과 역단층에 작용한 힘의 방향은 서로 다르다.
④ 지층이 시간적 단절 없이 연속적으로 쌓인 것을 정합이라고 한다.
⑤ 지층에 남아 있는 지질 구조는 과거 지각 변동의 흔적을 나타낸다.

12

그림 (가)~(다)는 우리나라에서 관찰한 지질 및 퇴적 구조를 나타낸 것이다.

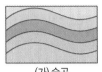 

(가) 습곡　　　(나) 건열　　　(다) 연흔

이에 대한 설명으로 옳은 것만을 〈보기〉에서 있는 대로 고른 것은?

┤ 보기 ├
ㄱ. (가)는 횡압력을 받았다.
ㄴ. (다)는 높은 열과 압력을 받아 형성되었다.
ㄷ. (나)와 (다)를 이용하여 지층의 상하 관계를 판단할 수 있다.

① ㄱ　② ㄴ　③ ㄱ, ㄷ　④ ㄴ, ㄷ　⑤ ㄱ, ㄴ, ㄷ

13

그림 (가)와 (나)는 서로 다른 지질 구조를 나타낸 것이다.

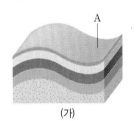 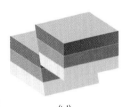

(가)　　　　　　(나)

이에 대한 설명으로 옳은 것만을 〈보기〉에서 있는 대로 고른 것은?

┤ 보기 ├
ㄱ. (가)의 A는 향사에 해당한다.
ㄴ. (나)에서 상반은 단층면을 따라 위로 이동하였다.
ㄷ. (가)와 (나)는 판의 발산형 경계에서 잘 형성된다.

① ㄱ　② ㄷ　③ ㄱ, ㄴ　④ ㄴ, ㄷ　⑤ ㄱ, ㄴ, ㄷ

14

그림은 어느 지역의 지질 구조를 모식적으로 나타낸 것이다.
이에 대한 설명으로 옳은 것만을 〈보기〉에서 있는 대로 고른 것은?

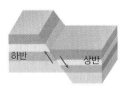

하반　　상반

┤ 보기 ├
ㄱ. 상반은 단층면을 따라 위로 올라갔다.
ㄴ. 장력에 의해 형성되었다.
ㄷ. 이 지질 구조는 정단층이다.

① ㄱ　② ㄴ　③ ㄱ, ㄷ　④ ㄴ, ㄷ　⑤ ㄱ, ㄴ, ㄷ

15

그림은 어느 지역의 지질 단면도를 나타낸 것이다.

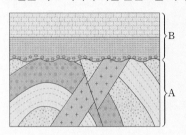

이에 대한 설명으로 옳은 것만을 〈보기〉에서 있는 대로 고른 것은?

┤ 보기 ├
ㄱ. A층의 단층은 횡압력을 받아 형성되었다.
ㄴ. A층과 B층 사이에는 퇴적되는 중간에 긴 시간적 단절이 있었다.
ㄷ. A층에서 배사 구조가 관찰된다.

① ㄱ　　② ㄷ　　③ ㄱ, ㄴ
④ ㄴ, ㄷ　⑤ ㄱ, ㄴ, ㄷ

기출 포인트 | 부정합이 나타난 지질 구조를 제시하고 단면도를 해석할 수 있는지를 묻는 문제가 자주 출제된다.

16 서술형

그림 (가)와 (나)는 서로 다른 종류의 부정합이 생성되는 과정을 나타낸 것이다.

해수면
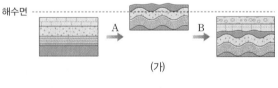
(가)

해수면
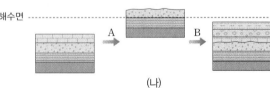
(나)

(1) (가), (나)와 같은 과정으로 형성되는 부정합의 종류를 각각 쓰시오.

_____

(2) 부정합이 형성될 때 일어나는 A, B 과정을 각각 쓰시오.

_____

17

그림은 어느 지역의 지질 단면도를 나타낸 것이다. 이 지역에서 일어난 지각 변동에 대한 설명으로 옳은 것은?

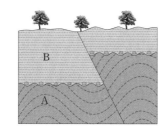

① 이 지역에는 장력이 작용하였다.

② 단층이 생긴 후 습곡 작용을 받았다.

③ A와 B는 연속적으로 퇴적되었다.

④ 역단층이 발견된다.

⑤ 지층은 퇴적된 이후로 지표로 융기한 적이 없었다.

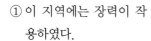

5 절리, 관입, 포획   대표 기출

18

그림은 어느 지역의 지질 단면도를 나타낸 것이다.
이에 대한 설명으로 옳은 것만을 〈보기〉에서 있는 대로 고른 것은?

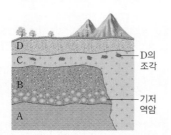

┤ 보기 ├

ㄱ. 지층 A와 B 사이에는 기저 역암층이 나타난다.

ㄴ. C에서 D의 조각이 발견되는 것으로 보아 용암이 지표로 분출하여 생긴 화산암일 것이다.

ㄷ. 지층 A가 가장 먼저 형성되었고 지층 D가 가장 나중에 생성되었다.

① ㄱ   ② ㄴ   ③ ㄱ, ㄷ

④ ㄴ, ㄷ   ⑤ ㄱ, ㄴ, ㄷ

기출 포인트 | 지질 구조를 제시하고 관입과 포획의 차이를 구분할 수 있는지를 묻는 문제가 자주 출제된다.

19   서술형

위 그림에서 지층이 생성된 순서를 A～D를 사용하여 나열하시오.

20

그림은 어느 지역의 지질 단면도를 나타낸 것이다.
이에 대한 설명으로 옳은 것만을 〈보기〉에서 있는 대로 고른 것은?

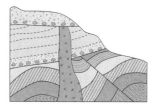

┤ 보기 ├

ㄱ. 지층에 횡압력이 작용한 적이 있다.

ㄴ. 이 지층에서는 습곡, 역단층, 부정합을 볼 수 있다.

ㄷ. 단층 형성 후 마그마의 관입이 있었을 것이다.

① ㄱ   ② ㄴ   ③ ㄱ, ㄷ   ④ ㄴ, ㄷ   ⑤ ㄱ, ㄴ, ㄷ

21   고난도

그림은 두 지역 (가)와 (나)의 지질 단면도를 나타낸 것이다.

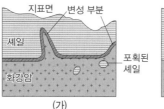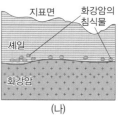

(가)   (나)

이에 대한 설명으로 옳은 것만을 〈보기〉에서 있는 대로 고른 것은? (단, 두 지역에서 화강암의 생성 시기는 같다.)

┤ 보기 ├

ㄱ. (가)에서 포획된 셰일은 화강암보다 먼저 생성되었다.

ㄴ. (나)에서 화강암이 셰일보다 나중에 생성되었다.

ㄷ. 셰일의 퇴적 시기는 (가)가 (나)보다 빠르다.

① ㄱ   ② ㄴ   ③ ㄱ, ㄷ   ④ ㄴ, ㄷ   ⑤ ㄱ, ㄴ, ㄷ

22

그림 (가)와 (나)는 생성 과정이 다른 두 지질 구조를 나타낸 것이다.

(가)   (나)

이에 대한 설명으로 옳은 것만을 〈보기〉에서 있는 대로 고른 것은?

┤ 보기 ├

ㄱ. (가)는 용암이 급격히 냉각 수축하는 과정에서 형성되었다.

ㄴ. (나)는 지층이 융기하는 과정에서 압력의 감소로 생성되었다.

ㄷ. (나)는 화산암에서 주로 관찰된다.

① ㄱ   ② ㄷ   ③ ㄱ, ㄴ   ④ ㄴ, ㄷ   ⑤ ㄱ, ㄴ, ㄷ

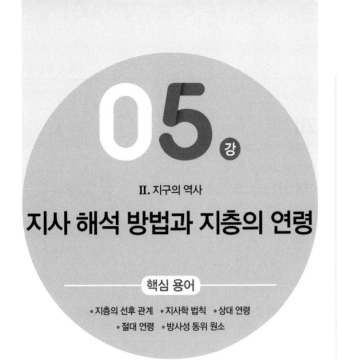

05강

II. 지구의 역사

지사 해석 방법과 지층의 연령

핵심 용어

• 지층의 선후 관계 • 지사학 법칙 • 상대 연령
• 절대 연령 • 방사성 동위 원소

1 지사학의 법칙 개념 브릿지 유형 1

1. 수평 퇴적의 법칙 퇴적물은 수평으로 퇴적된다.

① 지표면과 나란한 수평층 비교적 지각 변동을 받지 않은 지층이다.

② 지층이 기울어져 있는 경사층 퇴적물이 수평으로 퇴적된 후 지각 변동을 받아 지층이 휘어지거나 기울어졌다.

2. 지층 누중의 법칙 먼저 퇴적된 지층이 나중에 퇴적된 지층보다 아래에 위치한다.

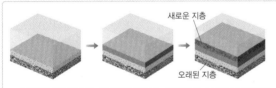

새로운 지층
오래된 지층

• 이전에 쌓였던 퇴적물 위에 새로운 퇴적물이 수평으로 쌓인다.
• 지층이 역전되지 않은 지층에서 지층 누중의 법칙을 적용할 수 있다.

3. 관입의 법칙 관입한 암석은 관입당한 암석보다 나중에 생성되었다.

① 마그마가 관입하면 고온의 열로 인해 기존 암석에 변성 작용이 일어난다.

② 변성 작용을 받은 지층은 화성암보다 먼저 생성되었다.

4. 부정합의 법칙 부정합면을 기준으로 위아래 지층 사이에는 긴 시간 간격이 있다.

① 부정합면을 경계로 상하 지층을 이루는 암석의 조성, 지질 구조, 화석의 종류 등이 다르다.

② 부정합의 생성 과정에서 나타나는 현상

• 융기로 인해 지층의 퇴적이 중단된 시기가 있다.
• 부정합면의 수만큼 해당 지역에서는 융기가 일어났다.
• 지층이 육지로 드러나려면 융기 과정을 한 번 더 거쳐야 한다.

자료 클리닉 ✚ 지사학의 법칙 해석

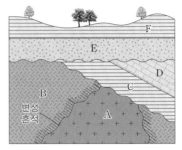

변성 흔적

• 이 지층의 선후 관계를 파악할 때는 관입의 법칙, 수평 퇴적의 법칙, 지층 누중의 법칙, 부정합의 법칙이 활용되었다.
• 지층은 B ➡ A ➡ C ➡ D ➡ E ➡ F 순으로 생성되었다.
• 이 지층에서는 최소한 3회 이상의 융기 과정이 있었다. ➡ 부정합면이 2군데 있고, 한번 더 융기를 거쳐 지표로 드러났다.

5. 동물군 천이의 법칙 퇴적 시기가 다른 지층에서 발견되는 화석의 종류와 진화 정도가 다르다.

① 오래된 지층에서 새로운 지층으로 갈수록 더 복잡하고 진화된 화석이 발견된다.

② 동물군 천이의 법칙을 이용하면 멀리 떨어져 있는 지층의 생성 시기를 비교할 수 있다.

A
A 지층에서 산출되는 화석
B
B 지층에서 산출되는 화석

2 상대 연령과 지층의 대비

1. 상대 연령 지층이나 암석의 생성 시기 및 지질학적 사건을 상대적인 선후 관계로 나타낸 것

2. 지층의 대비

(1) 암상에 의한 대비 지층을 구성하는 암석의 종류나 성분, 조직, 퇴적 구조 등을 파악하여 지층의 선후 관계를 파악하는 방법

① 비교적 가까운 거리에 있는 지층의 대비에 이용된다.

② 건층 석탄층, 응회암층과 같이 비교적 짧은 시간 동안 넓은 지역에서 동시에 퇴적되어 뚜렷한 특징을 지닌 지층

자료 클리닉 ✚ 암상에 의한 대비

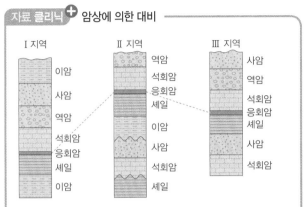

- 응회암층을 건층으로 하여 Ⅰ 지역, Ⅱ 지역, Ⅲ 지역 지층을 대비하면 10개의 지층이 있음을 알 수 있다.
- 퇴적 순서: 셰일 → 석회암 → 사암 → 이암 → 셰일 → 응회암 → 석회암 → 역암 → 사암 → 이암
- Ⅲ 지역에서 셰일과 사암 사이에 결층이 있으므로 두 층은 부정합 관계이다.

(2) 화석에 의한 대비 특정한 시기의 지층에서만 발견되는 화석을 이용하여 지층의 선후 관계를 파악하는 방법

① 가까운 거리뿐만 아니라 멀리 떨어져 있는 지층의 대비에도 이용된다. **개념 브릿지 유형 2**

② 동물군 천이의 법칙과 표준 화석을 이용한다.

자료 클리닉 ✚ 화석에 의한 대비

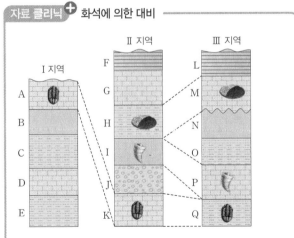

- 세 지역에서 세 종류의 화석이 특정 지층에서 발견된다. 같은 종류의 화석이 발견되는 지층은 같은 시기에 퇴적된 지층으로 추정할 수 있다.
- 가장 오래된 지층은 Ⅰ 지역의 E층이다.
- Ⅲ 지역에서 M층과 P층 사이에는 N층과 O층이 존재하지만 같은 화석이 발견되는 Ⅱ 지역에서 H층과 I층 사이에는 N층과 O층이 존재하지 않는다. 따라서 H층과 I층은 부정합 관계이다.

3 절대 연령

1. **절대 연령** 지층이나 암석의 생성 시기 및 지질학적 사건의 발생 시기를 수치로 나타낸 것

2. **절대 연령 측정** 방사성 동위 원소를 이용 **개념 브릿지 유형 3**

① 방사성 동위 원소 외부의 온도나 압력 조건에 관계없이 항상 일정한 비율로 붕괴하여 안정한 상태로 변하는 원소

② 모원소와 자원소 원래의 방사성 동위 원소를 모원소, 모원소가 붕괴하여 새로 생성된 원소를 자원소라고 한다.

③ 반감기 방사성 동위 원소가 붕괴하여 모원소의 양이 처음의 반으로 줄어드는 데 걸리는 시간

모원소	자원소	반감기	모원소	자원소	반감기
^{238}U	^{206}Pb	약 44.7억 년	^{40}K	^{40}Ar	약 12.7억 년
^{235}U	^{207}Pb	약 7.0억 년	^{87}Rb	^{87}Sr	약 492억 년
^{232}Th	^{208}Pb	약 141억 년	^{14}C	^{14}N	약 5730년

자료 클리닉 ✚ 방사성 동위 원소 붕괴 곡선

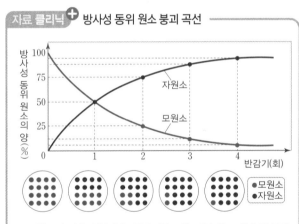

- 모원소의 처음 양을 N_0, 반감기를 n번 지난 후 모원소의 양을 N이라고 하면,

$$N = N_0 \times \left(\frac{1}{2}\right)^n \text{이다.}$$

- 모원소의 반감기를 T, 암석이나 광물의 절대 연령을 t라고 하면,

$$N = N_0 \times \left(\frac{1}{2}\right)^{\frac{t}{T}}, \left(n = \frac{t}{T}\right) \text{이다.}$$

3. **암석과 절대 연령 측정**

① 화성암 마그마에서 광물이 정출되어 화성암이 생성된 시기를 알 수 있다. ─ 방사성 동위 원소를 이용한 암석의 절대 연령 측정에 적합한 암석

② 변성암 변성 작용이 일어나 변성암이 생성된 시기를 알 수 있다.

③ 퇴적암 생성 시기가 다른 여러 퇴적물이 섞여 있어 정확한 절대 연령을 알기 어렵다.

1 다음 지사학의 법칙을 각각 쓰시오.

(1) 먼저 퇴적된 지층이 나중에 퇴적된 지층보다 아래에 위치한다.

(2) 관입한 암석은 관입당한 암석보다 나중에 생성되었다.

(3) 퇴적 시기가 다른 지층에서 발견되는 화석의 종류와 진화 정도가 다르다.

(4) 부정합면을 기준으로 위아래 지층 사이에는 긴 시간 간격이 있다.

(5) 퇴적물은 수평으로 퇴적된다.

2 그림은 어느 지역의 지질 단면도를 나타낸 것이다.

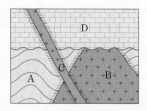

(1) 지층 A와 지층 D의 선후를 판단할 때 이용되는 지사학의 법칙을 쓰시오.

(2) 다음은 이 지역에서 일어난 지질학적 사건을 나열한 것이다. 빈칸에 들어갈 알맞은 말을 쓰시오.

> A 퇴적 → 습곡 → ( ) → 융기 → ( ) → 침강
> → D 퇴적(부정합) → ( )

3 지층의 대비에 이용되는 화석은 생존 기간이 길수록 유리하다.

(○ , ×)

4 표는 상대 연령을 이용한 지층의 대비 방법을 비교한 것이다. 빈칸에 들어갈 알맞은 말을 각각 쓰시오.

⊙ [ ][ ]에 의한 대비	ⓒ [ ][ ]에 의한 대비
지층을 구성하는 암석의 종류나 성분 등을 파악하여 지층의 선후 관계를 파악하는 방법이다.	특정한 시기의 지층에서만 발견되는 화석을 이용하여 지층의 선후 관계를 파악하는 방법이다.

5 방사성 동위 원소가 붕괴하여 모원소의 양이 처음의 반으로 줄어드는 데 걸리는 시간을 [ ][ ][ ]라고 한다.

6 퇴적암, 화성암, 변성암 중 방사성 동위 원소를 이용한 암석의 절대 연령 측정에 가장 적합한 암석을 쓰시오.

답 **1** (1) 지층 누중의 법칙 (2) 관입의 법칙 (3) 동물군 천이의 법칙 (4) 부정합의 법칙
(5) 수평 퇴적의 법칙 **2** (1) 부정합의 법칙 (2) B 관입, 침식, C 관입 **3** ×
4 ⊙ 암상, ⓒ 화석 **5** 반감기 **6** 화성암

1 지사학의 법칙

그림은 어느 지역의 지질 단면도를 나타낸 것이다.

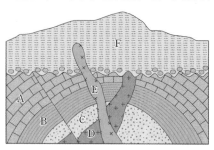

이에 대한 설명으로 옳지 <u>않은</u> 것은? (단, 지층의 역전은 없었다.)

① A는 B보다 나중에 퇴적되었다.

② 이 지역에는 역단층이 존재한다.

③ F가 퇴적된 후 E가 관입하였다.

④ D가 관입한 후 단층 활동이 일어났다.

⑤ 이 지역은 과거에 침식을 받은 적이 있다.

개념으로 문제 접근하기 | 지질 단면도를 해석하는 방법

• 그림의 지층은 다음과 같은 과정으로 생성된다.

① C, B, A 순으로 퇴적된다. ➡ 지층 누중의 법칙

② 횡압력을 받아 지층이 휘어지면서 습곡이 형성된다. ➡ 지질 구조 형성

③ D의 관입이 발생한다. ➡ 관입의 법칙

④ 장력을 받아 정단층이 형성되고, 지층 A, B, C, D가 끊어진다. ➡ 지질 구조 형성

⑤ 지층이 융기하여 A와 D가 침식되고 지층이 침강하여 F가 퇴적된다. ➡ 부정합의 법칙

⑥ 모든 지층을 관통하는 E가 관입한다. ➡ 관입의 법칙

| 보기 분석 |

① 지층의 역전이 없었으므로 지층 누중의 법칙에 의해 A는 B보다 나중에 퇴적되었다.

② 이 지역에는 상반이 아래로 내려가 있고 하반이 위로 올라간 정단층이 형성되었다.

③ E가 F를 관입하였으므로 F가 퇴적된 후 E가 관입하였다.

④ D가 단층으로 끊어져 있으므로 D가 관입한 후 단층 활동이 일어났다.

⑤ F층과 아래층이 부정합을 이루고 있으므로 이 지역은 과거에 침식을 받은 적이 있다.

답 ②

2 화석에 의한 지층 대비

그림은 세 지역 (가), (나), (다)의 지질 주상도와 각 지층에서 산출되는 화석을 나타낸 것이다.

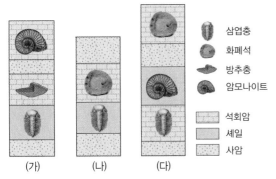

(가)　　(나)　　(다)

- 삼엽충
- 화폐석
- 방추충
- 암모나이트
- 석회암
- 셰일
- 사암

이에 대한 설명으로 옳은 것만을 〈보기〉에서 있는 대로 고른 것은?

| 보기 |
ㄱ. (나)에는 중생대에 쌓인 지층이 없다.
ㄴ. 세 지역의 셰일은 동일한 시기에 퇴적되었다.
ㄷ. 세 지역에서 화석이 산출되는 지층은 모두 바다에서 형성되었을 것이다.

① ㄱ　　　② ㄴ　　　③ ㄱ, ㄷ
④ ㄴ, ㄷ　　　⑤ ㄱ, ㄴ, ㄷ

개념으로 문제 접근하기 | 지층 대비 방법

- 암상에 의한 대비: 지층에 화석이 나타나지 않는 경우 지층을 대비할 때 기준이 되는 지층을 건층이라고 한다. 건층은 보통 응회암층, 석탄층 같이 짧은 시기 동안 넓은 영역에 분포하는 퇴적층으로 정한다.
- 화석에 의한 대비: 어떤 지층에서 삼엽충 화석이 발견되면 고생대, 암모나이트 화석이 발견되면 중생대, 화폐석 화석이 발견되면 신생대에 퇴적된 지층으로 볼 수 있다.

| 보기 분석 |
ㄱ. 화폐석은 신생대를 대표하는 표준 화석이고, 삼엽충은 고생대를 대표하는 표준 화석이다. (나)에서는 화폐석이 산출되는 석회암과 삼엽충이 산출되는 셰일 사이에 퇴적된 지층이 없다. 따라서 (나)에서는 중생대에 쌓인 지층이 없다.
ㄴ. (가)와 (나)의 셰일에서는 삼엽충 화석이 발견되므로 (가)와 (나)의 셰일은 고생대에 퇴적된 지층이다. 반면에 (다)의 셰일에서는 암모나이트 화석이 발견된다. 암모나이트는 중생대를 대표하는 표준 화석이므로 (다)의 셰일은 중생대에 퇴적된 지층이다.
ㄷ. 세 지역에서 산출되는 화석은 모두 바다에서 살았던 생물의 화석이므로 화석이 산출되는 지층은 모두 해성층이다.

답 ③

3 절대 연령

그림 (가)는 어느 지역의 지질 단면을 나타낸 것이고, (나)는 방사성 원소 X의 붕괴 곡선을 나타낸 것이다. (가)의 화성암 P와 Q에 포함된 방사성 원소 X의 양은 각각 처음의 $\frac{1}{2}$, $\frac{1}{8}$이다.

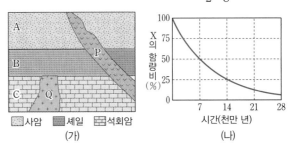

사암　셰일　석회암
(가)　　　　(나)

이에 대한 설명으로 옳은 것만을 〈보기〉에서 있는 대로 고른 것은?

| 보기 |
ㄱ. A는 신생대 지층이다.
ㄴ. B에서는 삼엽충 화석이 발견될 수 있다.
ㄷ. Q가 관입한 시기는 약 2억 1천만 년 전이다.

① ㄱ　　　② ㄷ　　　③ ㄱ, ㄴ
④ ㄴ, ㄷ　　　⑤ ㄱ, ㄴ, ㄷ

개념으로 문제 접근하기 | 그래프에서 반감기 찾기

- 반감기: 방사성 동위 원소가 붕괴하여 처음 양의 반으로 줄어드는 데 걸리는 시간 ➡ 온도나 압력 등 외부 환경의 영향을 받지 않는다.
- 반감기가 주어지지 않고 반감기 곡선 그래프만 주어진 경우 방사성 동위 원소의 반감기는 모원소의 함량이 $\frac{1}{2}$ 또는 50 % 일 때 시간 축과 만나는 값이다.

| 보기 분석 |
ㄱ. A와 B는 Q의 관입 시기와 P의 관입 시기 사이에 퇴적된 지층이다. Q와 P의 관입 시기가 각각 2억 1천만 년 전, 7천만 년 전이므로 약 6600만 년 전에 시작된 신생대 지층이 퇴적될 수 없다.
ㄴ. A와 B는 중생대에 퇴적된 지층이므로 이곳에서는 공룡 또는 암모나이트 화석이 발견될 수 있다. B에서는 삼엽충 화석이 발견될 수 없다.
ㄷ. Q에 포함된 방사성 원소 X의 양은 처음의 $\frac{1}{8}$이므로 X의 함량비는 12.5 %이다. 반감기 곡선 그래프에서 X의 함량비가 12.5 %와 만나는 가로축 값은 약 2억 1천만 년이다.

답 ②

1 지사학의 법칙 　　　　　　　　　　대표 기출

01

그림은 어느 지역의 지질 단면도를 나타낸 것이다.

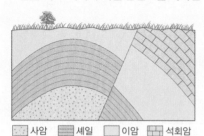

사암　　셰일　　이암　　석회암

이에 대한 설명으로 옳은 것만을 〈보기〉에서 있는 대로 고른 것은? (단, 지층의 역전은 없었다.)

┤보기├
ㄱ. 단층이 관찰된다.
ㄴ. 습곡 구조가 나타난다.
ㄷ. 사암층이 셰일층보다 먼저 형성되었다.

① ㄱ　　　　② ㄴ　　　　③ ㄱ, ㄷ
④ ㄴ, ㄷ　　　⑤ ㄱ, ㄴ, ㄷ

기출 포인트 | 지질 단면도를 해석하여 지층의 생성 과정을 설명할 수 있는지를 묻는 문제가 자주 출제된다.

[02～03] 그림은 어느 지역의 지질 단면을 나타낸 것이다.

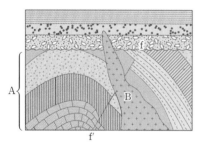

02

이에 대한 설명으로 옳은 것만을 〈보기〉에서 있는 대로 고른 것은?

┤보기├
ㄱ. A층이 퇴적된 후 오랫동안 퇴적이 중단된 적이 있다.
ㄴ. A층은 퇴적된 후 횡압력을 받았다.
ㄷ. 단층 $f-f'$는 화성암 B보다 나중에 생성되었다.

① ㄱ　　　　② ㄷ　　　　③ ㄱ, ㄴ
④ ㄴ, ㄷ　　　⑤ ㄱ, ㄴ, ㄷ

03 　서술형

이 그림과 같은 지질 단면도를 해석하는 데 이용된 지사학의 법칙을 있는 대로 서술하시오.

04 　고난도

그림은 어느 지역의 지질 단면을 나타낸 것이다.

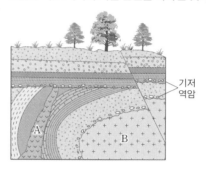

기저 역암

이에 대한 설명으로 옳은 것만을 〈보기〉에서 있는 대로 고른 것은?

┤보기├
ㄱ. 화성암 B는 A보다 먼저 관입하였다.
ㄴ. 습곡은 단층보다 먼저 형성되었다.
ㄷ. 최소한 3번의 융기가 있었다.

① ㄱ　　　　② ㄴ　　　　③ ㄱ, ㄷ
④ ㄴ, ㄷ　　　⑤ ㄱ, ㄴ, ㄷ

05

다음은 지사학의 법칙 일부를 정리한 것이다.

・(　㉠　): 먼저 쌓인 지층이 나중에 쌓인 지층보다 아래에 위치한다.
・관입의 법칙: 마그마가 기존의 암석을 관입하여 식으면 관입암이 생성된다. 따라서 (　㉡　)
・동물군 천이의 법칙: 새로운 지층으로 갈수록 더욱 진화된 동물 화석군이 발견된다.

이 자료를 보고 학생 A, B, C가 의견을 제시하였다. 제시한 의견이 옳은 학생만을 〈보기〉에서 있는 대로 고른 것은?

┤보기├
학생 A: ㉠은 '지층 누중의 법칙'이야.
학생 B: ㉡에는 '관입당한 암석이 관입암보다 먼저 생성되었다.'를 넣을 수 있어.
학생 C: 지사학의 법칙을 통해 지층의 절대 연령을 구할 수 있어.

① A　② C　③ A, B　④ B, C　⑤ A, B, C

06

지사학의 법칙에 대한 설명으로 옳지 <u>않은</u> 것은?

① 퇴적물은 수평면과 나란하게 퇴적된다.

② 지층의 역전이 일어나지 않았다면 먼저 퇴적된 지층은 나중에 퇴적된 지층보다 아래에 위치한다.

③ 오래된 지층일수록 더 진화된 화석이 발견된다.

④ 관입한 암석은 관입당한 암석보다 나중에 생성되었다.

⑤ 부정합면을 기준으로 위아래 두 지층 사이에는 퇴적이 중단된 적이 있다.

[07~09] 그림은 어느 지역의 지질 단면도를 나타낸 것이다. A, B, C, E는 퇴적암이며, D는 화강암이다. (단, 지층의 역전은 없었다.)

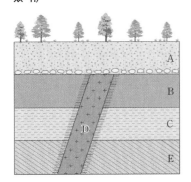

07

지층의 생성 순서로 옳은 것은?

① D−E−C−B−A   ② D−A−E−C−B

③ E−C−B−D−A   ④ E−C−B−A−D

⑤ E−C−D−B−A

08

지층 B와 C, B와 D의 생성 순서를 판단하는 데 이용된 지사학의 법칙을 〈보기〉에서 골라 각각 옳게 짝 지은 것은?

┌ 보기 ├
ㄱ. 지층 누중의 법칙   ㄴ. 동물군 천이의 법칙
ㄷ. 관입의 법칙   ㄹ. 부정합의 법칙

	B−C	B−D
①	ㄱ	ㄴ
②	ㄱ	ㄷ
③	ㄴ	ㄱ
④	ㄷ	ㄱ
⑤	ㄷ	ㄹ

09 서술형

그림의 지층에서는 최소 몇 회의 융기 과정이 있었는지 쓰고, 그와 같이 생각한 까닭을 서술하시오.

_____

_____

10

그림은 어느 지역의 지질 단면도를 나타낸 것이다.

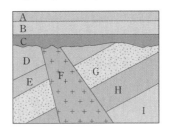

이에 대한 설명으로 옳지 <u>않은</u> 것은? (단, 지층의 역전은 없었다.)

① 지층 I의 퇴적이 가장 먼저 일어났다.

② 지층의 퇴적이 중단된 시기가 있었다.

③ 부정합이 형성된 후 화성암 F가 관입하였다.

④ 이 지질 단면도를 해석할 때 동물군 천이의 법칙은 이용하지 않았다.

⑤ 지층이 기울어져 있는 경사층이 발견된다.

11

그림은 부정합이 형성된 어느 지역의 지질 단면도를 나타낸 것이다.

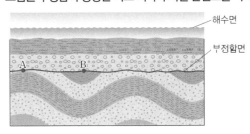

이에 대한 옳은 설명을 얘기한 학생만을 있는 대로 고른 것은? (단, 지층은 역전되지 않았다.)

① 철수   ② 민수   ③ 영희, 철수

④ 영희, 민수   ⑤ 영희, 철수, 민수

2 상대 연령과 지층의 대비

대표 기출

12

그림은 인접한 서로 다른 지역의 지질 단면도를 나타낸 것이다.

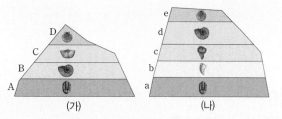

이에 대한 설명으로 옳은 것만을 〈보기〉에서 있는 대로 고른 것은?

┤ 보기 ├

ㄱ. (가)에서 지층 A와 B는 부정합 관계이다.

ㄴ. 지층 B는 지층 c보다 먼저 퇴적되었다.

ㄷ. (가)와 (나) 지역에서 지층들이 모두 퇴적되는 데 걸린 시간은 (나)가 (가)보다 훨씬 길다.

① ㄱ   ② ㄷ   ③ ㄱ, ㄴ

④ ㄴ, ㄷ   ⑤ ㄱ, ㄴ, ㄷ

기출 포인트 | 동일한 화석 분포를 이용하여 멀리 떨어진 지층의 상대적인 연령을 비교할 수 있는지를 묻는 문제가 자주 출제된다.

13

그림은 인접한 세 지역의 지층 단면과 지층에서 산출되는 화석을 나타낸 것이다.

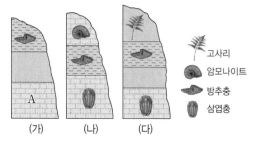

고사리
암모나이트
방추충
삼엽충

(가)   (나)   (다)

이에 대한 설명으로 옳은 것만을 〈보기〉에서 있는 대로 고른 것은?

┤ 보기 ├

ㄱ. A층에서는 암모나이트 화석이 산출될 수 있다.

ㄴ. (나)에서 부정합이 발견된다.

ㄷ. (다)에는 육지에서 퇴적된 지층이 존재한다.

① ㄱ   ② ㄴ   ③ ㄱ, ㄷ

④ ㄴ, ㄷ   ⑤ ㄱ, ㄴ, ㄷ

14

그림은 인접한 두 지역의 지질 단면과 지층에서 발견되는 화석을 나타낸 것이다.

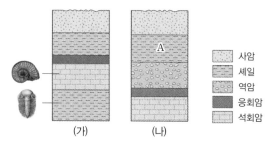

사암
셰일
역암
응회암
석회암

(가)   (나)

이에 대한 설명으로 옳은 것만을 〈보기〉에서 있는 대로 고른 것은? (단, 두 지역에서 지층의 역전은 없었다.)

┤ 보기 ├

ㄱ. (가) 지역은 과거에 퇴적이 중단된 시기가 있었다.

ㄴ. A에서는 삼엽충 화석이 발견될 수 있다.

ㄷ. 두 지역 모두 화산 활동의 영향을 받았다.

① ㄱ   ② ㄴ   ③ ㄱ, ㄷ

④ ㄴ, ㄷ   ⑤ ㄱ, ㄴ, ㄷ

15

지층의 대비에 대한 설명으로 옳지 <u>않은</u> 것은?

① 지층이나 암석의 시간적인 선후 관계를 밝히는 것이다.

② 암상에 의한 대비는 주로 암석의 종류나 성분, 조직, 퇴적 구조 등을 이용한다.

③ 암상에 의한 대비는 비교적 먼 거리에 있는 지층의 대비에 이용된다.

④ 건층으로는 석탄층이나 응회암층이 주로 이용된다.

⑤ 화석에 의한 대비에는 주로 표준 화석이 이용된다.

16 서술형

지층의 선후 관계를 파악하는 방법에는 암상에 의한 대비와 화석에 의한 대비가 있다.

(1) 비교적 가까운 거리에 있는 지층을 비교할 때 이용하는 방법을 쓰시오.

(2) 동물군 천이의 법칙과 표준 화석을 이용하여 지층을 비교하는 방법을 쓰시오.

3 절대 연령

대표 기출

17

그림 (가)는 어느 지역의 지질 단면도를 나타낸 것이고, (나)는 방사성 원소 X의 붕괴 곡선을 나타낸 것이다. (가)의 화성암 P와 Q에 포함된 방사성 원소 X의 양은 각각 암석이 생성될 당시의 25 %, 50 %이다.

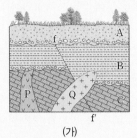 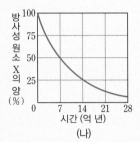

(가)   (나)

이에 대한 설명으로 옳은 것만을 〈보기〉에서 있는 대로 고른 것은?

┤ 보기 ├
ㄱ. 화성암 Q는 지층 B보다 먼저 생성되었다.
ㄴ. 이 지역은 최소한 3회 이상 융기했다.
ㄷ. 단층 $f-f'$는 고생대에 형성된 것이다.

① ㄱ   ② ㄴ   ③ ㄷ
④ ㄱ, ㄴ   ⑤ ㄱ, ㄷ

기출 포인트 ┃ 방사성 동위 원소의 반감기를 이용하여 암석의 절대 연령을 구할 수 있는지를 묻는 문제가 자주 출제된다.

18

그림 (가)~(다)는 방사성 원소의 붕괴에 따른 모원소 X와 자원소 Y의 개수를 나타낸 것이다.

● X ○ Y

  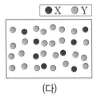

(가)   (나)   (다)

이에 대한 설명으로 옳은 것만을 〈보기〉에서 있는 대로 고른 것은?

┤ 보기 ├
ㄱ. (가) → (나)의 시간 간격과 (나) → (다)의 시간 간격은 서로 같다.
ㄴ. (다)는 반감기가 1번 지난 후의 모습이다.
ㄷ. (다)에서 모원소는 최초의 25 %로 감소했다.

① ㄱ   ② ㄴ   ③ ㄷ
④ ㄱ, ㄷ   ⑤ ㄴ, ㄷ

19 고난도

그림 (가)와 (나)는 방사성 동위 원소 ㉠과 ㉡의 붕괴 곡선을 각각 나타낸 것이다.

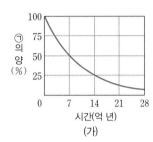 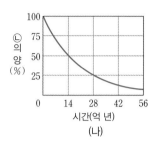

(가)   (나)

이에 대한 설명으로 옳은 것만을 〈보기〉에서 있는 대로 고른 것은?

┤ 보기 ├
ㄱ. 암석이 생성되어 14억 년이 지나면 ㉠의 양은 처음의 $\frac{1}{4}$로 줄어든다.
ㄴ. ㉡의 반감기는 28억 년이다.
ㄷ. ㉠의 반감기는 ㉡의 2배이다.

① ㄱ   ② ㄷ   ③ ㄱ, ㄴ
④ ㄴ, ㄷ   ⑤ ㄱ, ㄴ, ㄷ

20

그림 (가)는 어느 지역의 지질 단면도를 나타낸 것이고, (나)는 방사성 원소 X의 붕괴 곡선을 나타낸 것이다. 그림 (가)의 A와 C에 포함된 방사성 원소 X의 양은 각각 처음의 $\frac{1}{8}$, $\frac{1}{4}$이다.

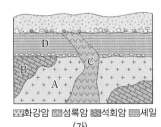 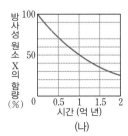

화강암 ▨섬록암 ▨석회암 ▨셰일
(가)   (나)

이에 대한 설명으로 옳은 것만을 〈보기〉에서 있는 대로 고른 것은?

┤ 보기 ├
ㄱ. A의 절대 연령은 2억 년이다.
ㄴ. B와 D는 부정합 관계이다.
ㄷ. D에서 화폐석 화석이 산출될 수 있다.

① ㄱ   ② ㄴ   ③ ㄱ, ㄷ
④ ㄴ, ㄷ   ⑤ ㄱ, ㄴ, ㄷ

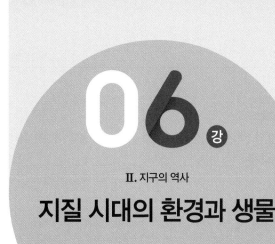

II. 지구의 역사

지질 시대의 환경과 생물

핵심 용어

- 지질 시대 구분 • 지질 시대 생물 • 기후 변화
- 표준 화석 • 시상 화석 • 생물 대멸종

1 표준 화석과 시상 화석

1. 화석 과거 지질 시대에 살았던 생물의 유해나 활동 흔적이 지층 속에 보존되어 있는 것

2. 화석의 생성 조건

- 생물의 개체 수가 많아야 한다.
- 생물체에 단단한 부분이 있어야 한다.
- 생물체가 박테리아로 분해되기 전에 땅속에 빨리 매몰되어야 한다.
- 퇴적암이 생성된 후 심한 지각 변동이나 변성 작용을 받지 않아야 한다.

3. 표준 화석과 시상 화석 [개념 브릿지 유형 1]

표준 화석	시상 화석
특정 시기에 출현하여 번성하다가 멸종된 생물의 화석	특정한 환경에서만 번성하는 생물의 화석
• 지리적으로 넓게 분포해야 한다. • 개체 수가 많아야 한다. • 생존 기간이 짧아야 한다.	• 지리적으로 좁게 분포해야 한다. • 특정한 환경에서만 분포한다. • 생존 기간이 길어야 한다.
지층이 생성된 시기를 판단하는 근거로 이용되거나 지층의 대비에 이용된다.	생물이 살던 당시의 기후나 자연 환경을 추정하는 데 이용된다.
삼엽충(고생대), 공룡(중생대), 매머드(신생대)	산호(수심이 얕은 따뜻한 바다) 고사리(따뜻하고 습한 육지)

자료 클리닉 ✚ 화석의 조건

- 표준 화석: 생존 기간이 짧고 분포 면적이 넓다.
- 시상 화석: 생존 기간이 길고 분포 면적이 좁다.

2 지질 시대 구분

1. 고기후 연구 방법

(1) 산소 동위 원소비$\left(\dfrac{^{18}O}{^{16}O}\right)$ 연구 빙하를 구성하는 물 분자, 유공충과 같은 화석, 석회 동굴의 석순 등에 포함된 산소 동위 원소비$\left(\dfrac{^{18}O}{^{16}O}\right)$를 연구하여 과거의 기후를 알 수 있다.

(2) 빙하 코어 연구

① 결정 사이에 포함된 공기 방울 분석 빙하 형성 당시의 대기 조성을 알 수 있다.

② 빙하에 포함된 꽃가루 분석 식물의 종류나 번성했던 식물을 통해 과거의 기온을 알 수 있다.

(3) 생물체 연구

① 나무의 나이테 연구 나이테의 폭과 밀도를 조사하여 기온과 강수량의 변화를 알 수 있다.

② 산호의 성장률 연구 수온이 높을수록 산호의 성장 속도가 빠르므로 과거의 수온을 알 수 있다.

자료 클리닉 ✚ 고기후 연구 방법 조사하기

[과정] 표는 지질 시대의 기후 변화를 연구하는 다양한 방법 중 일부를 나타낸 것이다.

빙하 코어 연구	석회 동굴의 석순
• 눈 결정 사이에 과거의 대기 성분이 포함되어 있다. • 물 분자의 산소 동위 원소비 $\left(\dfrac{^{18}O}{^{16}O}\right)$를 측정한다.	• 석순의 성장 속도는 동굴의 습도와 강수량의 영향을 받는다. • 석순에 포함된 탄소 방사성 동위 원소를 이용한다.
꽃가루 화석	나무의 나이테
• 기온에 따라 서식하는 식물이 달라지므로 지층에 퇴적되는 꽃가루의 종류도 달라진다.	• 나무의 생장률은 기온과 강수량에 따라 달라진다. • 생장률에 따라 나이테의 간격이 달라진다.

[결과]

❶ 기온이 높을 때는 대기 중의 수증기 및 빙하의 산소 동위 원소비 $\left(\dfrac{^{18}O}{^{16}O}\right)$가 높아지고, 해양 생물의 산소 동위 원소비 $\left(\dfrac{^{18}O}{^{16}O}\right)$는 낮아진다.

❷ 석순의 생성 이후 방사성 탄소의 양은 계속 감소하므로 남아 있는 방사성 탄소의 양을 알면 석순의 생성 시기를 알아낼 수 있다.

❸ 기온이 높아지면 침엽수보다 활엽수의 꽃가루가 많아지고, 나무는 생장이 활발해져 나이테 사이의 간격이 넓어진다.

2. 지질 시대 지구가 탄생한 약 46억 년 전~현재

① 구분 기준 고생물의 출현과 멸종, 지각 변동, 기후 변화 등 → 상대적으로 최근에 생존했던 화석이나 지각 변동의 흔적이 많이 남아 있으므로 현재와 가까운 지질 시대가 더 세분화되어 있다.

② 구분 단위 누대 → 대 → 기

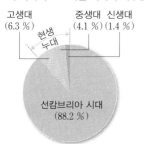

자료 클리닉 + 지질 시대의 상대적 길이

- 지구가 약 46억 년 전에 탄생하였고 고생대가 약 5.41억 년 전부터 시작되므로 지질 시대의 대부분은 선캄브리아 시대이다.

고생대 (6.3 %) 중생대 (4.1 %) 신생대 (1.4 %)
현생
누대
선캄브리아 시대 (88.2 %)

- 선캄브리아 시대 → 고생대 → 중생대 → 신생대로 올수록 지질 시대의 길이가 짧아진다. ➡ 신생대가 가장 짧다.

3 지질 시대의 환경과 생물 개념 브릿지 유형 2

1. 선캄브리아 시대

환경	오존층 형성 이전 시기로 지표까지 강한 자외선이 도달하여 대부분의 생물이 바다에 서식	
번성한 생물	• 화석이 거의 발견되지 않는다. ➡ 지각 변동을 받아 대부분의 화석이 변형되거나 소실되었다.	
	시생 누대	남세균 출현
	원생 누대	다세포 생물 출현

2. 고생대

환경	• 오존층 형성으로 자외선 차단 ➡ 육상 생물 등장 • 고생대 말기에 판게아 형성 ➡ 판의 충돌로 여러 차례 조산 운동이 발생	

▲ 고생대 말

기후	대체로 온난하다가 후기에 빙하기	
번성한 생물	해양 무척추동물(삼엽충), 양서류, 양치식물 번성	
	캄브리아기	삼엽충, 완족류 등
	오르도비스기	두족류, 필석류 등
	실루리아기	갑주어 번성, 육상 식물 출현
	데본기	어류 번성, 양서류 출현
	석탄기	양서류 번성, 파충류 출현, 양치식물 번성(석탄층 형성)
	페름기	겉씨식물 출현, 생물의 대멸종

3. 중생대

환경	트라이아스기 말부터 판게아 분리 ➡ 다양한 생물 서식지 형성	
기후	빙하기가 없는 온난한 기후 지속	

번성한 생물	파충류(공룡), 암모나이트, 겉씨식물 번성	
	트라이아스기	암모나이트, 파충류, 겉씨식물 번성, 말기에 포유류 출현
	쥐라기	육지에서 파충류(공룡) 번성, 말기에 시조새 출현
	백악기	속씨식물 출현, 말기에 생물의 대멸종

4. 신생대

환경	오늘날과 비슷한 수륙 분포 형성, 히말라야산맥 형성	
기후	팔레오기와 네오기는 대체로 온난 제4기부터 빙하기와 간빙기가 반복	
번성한 생물	포유류, 화폐석, 속씨식물 번성	
	팔레오기, 네오기	겉씨식물 쇠퇴, 속씨식물 번성, 조류 출현, 포유류 번성, 화폐석 출현 및 멸종
	제4기	대형 포유류(매머드) 번성, 인류의 조상 출현

5. 생물 대멸종 짧은 시간에 일어난 많은 생물들의 대규모 멸종 개념 브릿지 유형 3

① 원인 전 지구적으로 나타난 급격한 환경 변화

② 지질 시대 동안 총 5번의 대멸종이 있었다. ➡ 생물이 가장 많이 멸종한 대멸종 시기는 고생대 페름기 말에 일어났던 대멸종이다.

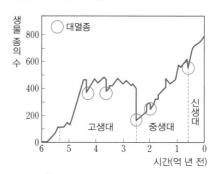

자료 클리닉 + 지질 시대 중 대륙 이동과 수륙 분포

고생대 말   중생대   신생대   현재

- 고생대 말 판게아가 형성되면서 지구에 존재하는 해안선의 길이가 짧아졌다. 생물이 살기 적합한 해안 지역과 얕은 수심의 해역이 감소하여 많은 생물이 멸종하였고, 고생대 말 생물 다양성이 감소하였다.
- 판게아는 중생대에 이르러 아메리카 대륙과 아프리카 대륙, 유라시아 대륙 등으로 분리된다. 대서양이 형성되고 인도 대륙이 북상하면서 인도양이 형성된다.
- 신생대에는 인도 대륙이 유라시아 대륙과 충돌하면서 히말라야 산맥이 형성된다.

1 과거 지질 시대에 살았던 생물의 유해나 흔적이 지층 속에 보존되어 있는 것을 ☐☐이라고 한다.

2 화석의 생성 조건 중 옳은 것은 ○, 옳지 <u>않은</u> 것은 ×를 하시오.
(1) 생물의 개체 수가 적어야 한다. ( )
(2) 생물체에 단단한 부분이 있어야 한다. ( )
(3) 심한 지각 변동이나 변성 작용을 받지 않아야 한다. ( )

3 표는 표준 화석과 시상 화석의 예를 나타낸 것이다. 각각 어떤 화석인지 쓰시오.

㉠ ☐☐ 화석	㉡ ☐☐ 화석
삼엽충(고생대), 공룡(중생대), 매머드(신생대)	산호(수심이 얕은 따뜻한 바다) 고사리(따뜻하고 습한 육지)

4 지구가 탄생한 약 46억 년 전부터 현재까지의 기간을 ☐☐☐☐라고 하는데, 크게 선캄브리아 시대, 고생대, 중생대, 신생대의 4개의 대로 구분한다.

5 그림은 지질 시대의 길이를 상대적으로 나타낸 것이다. A~D 시대를 각각 쓰시오.

지질 시대의 길이

6 다음에 해당하는 지질 시대를 각각 쓰시오.
(1) 오존층 형성으로 자외선이 차단되어 육상 생물이 등장하였다.
(2) 삼엽충이 번성한 시기였다.
(3) 대체로 빙하기가 없는 온난한 기후가 지속되었다.
(4) 오랜 기간 동안 지각 변동을 받아 현재 남아 있는 화석이 거의 없다.
(5) 인류의 조상이 출현하였다.

7 지질 시대 동안 총 5번의 생물 대멸종이 있었는데, 고생대 ☐☐☐ 말에 가장 대규모의 생물 대멸종이 일어났다.

답 1 화석 **2** (1)× (2)○ (3)○ **3** ㉠표준, ㉡시상 **4** 지질 시대
5 A: 고생대, B: 중생대, C: 신생대, D: 선캄브리아 시대 **6** (1)고생대 (2)고생대
(3)중생대 (4)선캄브리아 시대 (5)신생대 **7** 페름기

---

1 표준 화석과 시상 화석

표는 서로 다른 지역의 지층 A~D에서 산출되는 화석을 나타낸 것이다.

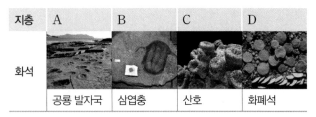

지층	A	B	C	D
화석	공룡 발자국	삼엽충	산호	화폐석

이에 대한 설명으로 옳은 것만을 〈보기〉에서 있는 대로 고른 것은?

┤보기├
ㄱ. A~D 중 가장 오래된 지층은 D이다.
ㄴ. A 지층에서는 암모나이트 화석이 함께 산출된다.
ㄷ. C는 따뜻하고 얕은 바다 환경에서 퇴적된 지층이다.

① ㄱ ② ㄴ ③ ㄷ
④ ㄱ, ㄴ ⑤ ㄴ, ㄷ

개념으로 문제 접근하기 │ 화석의 조건

• 표준 화석은 지질 시대의 구분과 지층 대비에 이용한다. 특정 생물의 화석이 표준 화석으로 이용되기 위해서는 지리적으로 넓게 분포해야 하며, 개체 수가 많고 생존 기간이 짧아야 한다.
• 시상 화석은 환경 변화에 민감하여 특정한 환경에서만 번성한 생물 화석이다. 지리적으로 좁게 분포해야 하고 생존 기간이 길어야 한다.

│보기 분석│
ㄱ. A는 중생대, B는 고생대, D는 신생대에 형성된 지층이며, C는 퇴적된 시기를 알 수 없다. 따라서 D는 A와 B보다 나중에 생성되었다.
ㄴ. A 지층에서 공룡 발자국 화석이 산출되므로 A 지층은 중생대 육지에서 형성되었다. 암모나이트는 공룡과 같은 중생대를 대표하는 표준 화석이지만, 바다에서 살았던 생물이므로 바다에서 퇴적된 지층에서 산출될 수 있다. 따라서 육지에서 형성된 A 지층에서 암모나이트 화석이 함께 산출될 수 없다.
ㄷ. 산호는 지금까지도 생존해 있는 생물로 따뜻하고 얕은 바다에서 서식하고 있다. 과거에 살았던 산호도 동일한 환경에서 살았을 것으로 예측할 수 있으며 산호가 발견되는 지층 또한 같은 환경에서 퇴적되었을 것이다.

답 ③

2 지질 시대 동안 기온과 생물계의 변화

그림은 지질 시대의 평균 기온 변화와 생물계의 번성 순서를 나타낸 것이다.

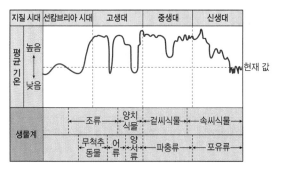

이에 대한 설명으로 옳은 것만을 〈보기〉에서 있는 대로 고른 것은?

보기
ㄱ. 신생대 말기에는 빙하기와 간빙기가 반복되었다.
ㄴ. 겉씨식물이 번성한 시대는 현재보다 온난하였다.
ㄷ. 오존층은 양서류가 번성하기 이전에 형성되었다.

① ㄱ
② ㄷ
③ ㄱ, ㄴ
④ ㄴ, ㄷ
⑤ ㄱ, ㄴ, ㄷ

3 생물 속의 수 변화

그림은 현생 이언 동안 생물 속의 수 변화를 나타낸 것이다.

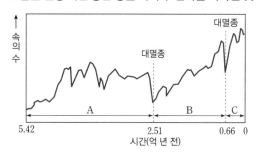

이에 대한 설명으로 옳은 것만을 〈보기〉에서 있는 대로 고른 것은?

보기
ㄱ. A 시기 말에 최초의 육상 식물이 출현하였다.
ㄴ. B 시기 말 생물 속의 급격한 감소는 초대륙 형성과 관련이 있다.
ㄷ. C 시기 표준 화석으로 화폐석과 매머드가 있다.

① ㄱ
② ㄷ
③ ㄱ, ㄴ
④ ㄴ, ㄷ
⑤ ㄱ, ㄴ, ㄷ

개념으로 문제 접근하기 | 지질 시대 동안 기온 변화

- 고생대: 대체로 온난한 기후였으나 말기에 빙하기가 있었다.
- 중생대: 온난한 기후가 지속되었으며 빙하기가 없었다.
- 신생대: 초기에는 온난했으나 점차 기온이 하강하여 제4기에는 빙하기와 간빙기가 여러 차례 나타났다.

| 보기 분석 |
ㄱ. 그래프를 보면 신생대 말기의 평균 기온이 현재 값을 기준으로 상승과 하강을 반복하였음을 알 수 있다. 이를 통해 신생대 말기에는 빙하기와 간빙기가 반복되었음을 알 수 있다.
ㄴ. 겉씨식물이 번성한 시기는 중생대이다. 중생대에는 현재보다 기온이 높은 온난한 시기가 지속되었다.
ㄷ. 최초의 생물은 자외선으로부터 보호받을 수 있는 물속에서 탄생하였다. 이후 오존층이 형성되기 전까지 모든 생물은 물속에서 살았으며 오존층이 생성되어 지표로 들어오는 자외선이 차단되자 육상 식물과 양서류를 포함한 육상 생물이 나타나기 시작하였다.

답 ⑤

개념으로 문제 접근하기 | 지질 시대 동안 생물 수의 변화

- 생물 수 변화: 현생 이언 동안 생물 속의 수는 대체로 증가하는 추세를 보이며, 약 2억 5100만 년 전과 약 6600만 년 전에 생물 속의 수가 크게 감소하는 대멸종이 일어났다.
- 멸종 생물: 약 2억 5100만 년 전에 발생한 대멸종으로 삼엽충을 비롯한 대부분의 해양 생물이 멸종하였고 약 6600만 년 전에 발생한 대멸종으로 공룡을 포함한 대형 파충류 등이 멸종하였다.

| 보기 분석 |
생물 속의 수가 크게 감소한 시기를 기준으로 지질 시대를 구분한다. A 시기는 고생대, B 시기는 중생대, C 시기는 신생대이다.
ㄱ. A 시기는 고생대이다. 최초의 육상 식물은 고생대 중기에 출현하였다.
ㄴ. B 시기는 중생대이다. 중생대 말 생물 속의 급격한 감소 원인으로 가장 유력한 가설은 운석 충돌설이다.
ㄷ. C 시기는 신생대이다. 화폐석과 매머드는 신생대의 대표적인 표준 화석이다.

답 ②

1 표준 화석과 시상 화석 　　　　대표 기출

01

그림은 표준 화석과 시상 화석을 생존 기간과 분포 면적에 따라 A, B로 구분하여 순서 없이 나타낸 것이다.

이에 대한 설명으로 옳은 것만을 〈보기〉에서 있는 대로 고른 것은?

┤ 보기 ├
ㄱ. A는 시상 화석, B는 표준 화석을 나타낸다.
ㄴ. A의 예로는 삼엽충, 암모나이트가 있다.
ㄷ. 지층의 대비에는 A가 B보다 적합하다.

① ㄱ 　　　　② ㄷ 　　　　③ ㄱ, ㄴ
④ ㄴ, ㄷ 　　　　⑤ ㄱ, ㄴ, ㄷ

기출 포인트 | 표준 화석과 시상 화석을 구분하는 기준을 아는지를 묻는 문제가 자주 출제된다.

02

그림 (가)~(다)는 암모나이트, 삼엽충, 고사리 화석을 순서 없이 나타낸 것이다.

(가) 　　　　(나) 　　　　(다)

이에 대한 설명으로 옳은 것만을 〈보기〉에서 있는 대로 고른 것은?

┤ 보기 ├
ㄱ. (가)는 (다)보다 먼저 생성되었다.
ㄴ. (나)가 발견된 지층은 한랭 건조한 지역에서 형성되었다.
ㄷ. (다)가 번성했던 지질 시대의 기후는 대체로 온난하였다.

① ㄴ 　　　　② ㄷ 　　　　③ ㄱ, ㄴ
④ ㄱ, ㄷ 　　　　⑤ ㄱ, ㄴ, ㄷ

03

그림 (가)~(다)는 지질 시대의 화석을 나타낸 것이다.

(가) 화폐석 　　　(나) 삼엽충 　　　(다) 암모나이트

이에 대한 설명으로 옳은 것만을 〈보기〉에서 있는 대로 고른 것은?

┤ 보기 ├
ㄱ. 생존 시기별로 나열하면 (가) → (나) → (다) 순으로 오래되었다.
ㄴ. (가)와 (나)는 표준 화석이고, (다)는 시상 화석이다.
ㄷ. 모두 바다에서 퇴적된 지층에서 발견된다.

① ㄱ 　　　　② ㄷ 　　　　③ ㄱ, ㄴ
④ ㄴ, ㄷ 　　　　⑤ ㄱ, ㄴ, ㄷ

04

화석의 형성에 대한 설명으로 옳지 <u>않은</u> 것은?

① 주로 변성암에서 발견된다.
② 생물체가 서식을 위해 판 구멍도 화석에 해당한다.
③ 단단한 부분이 있을수록 화석으로 남기에 유리하다.
④ 표준 화석으로는 생물의 번성 시기를, 시상 화석으로는 생물의 생활 환경을 알 수 있다.
⑤ 생물체가 죽은 후 빠르게 매몰될수록 화석 생성에 유리하다.

05

표는 어느 지역에서 발견되는 두 지층 A와 B의 특징을 나타낸 것이다.

구분	지층 A	지층 B
특징	• 석회암층 • 삼엽충 화석 발견	• 셰일층 • 공룡알 화석 발견

이에 대한 설명으로 옳은 것만을 〈보기〉에서 있는 대로 고른 것은?

┤ 보기 ├
ㄱ. 지층 A가 지층 B보다 먼저 형성되었다.
ㄴ. 지층 A에서는 고사리 화석이 발견될 수 있다.
ㄷ. 지층 B가 퇴적된 시기에는 빙하기가 있었다.

① ㄱ 　　　　② ㄷ 　　　　③ ㄱ, ㄴ
④ ㄴ, ㄷ 　　　　⑤ ㄱ, ㄴ, ㄷ

2 지질 시대 구분　　　　　　　대표 기출

06

그림은 지구가 탄생한 약 46억 년 전부터 현재까지의 지질 시대의 기간을 상대적으로 나타낸 것이다.

이에 대한 설명으로 옳은 것만을 〈보기〉에서 있는 대로 고른 것은?

┤ 보기 ├
ㄱ. 해양 무척추동물이 번성한 시기는 C이다.
ㄴ. A 시기에는 오존층이 형성되었다.
ㄷ. B 시기에는 삼엽충, 공룡, 매머드가 차례대로 번성하였다.

① ㄱ　　　　　② ㄴ　　　　　③ ㄱ, ㄷ
④ ㄴ, ㄷ　　　　⑤ ㄱ, ㄴ, ㄷ

기출 포인트 | 지질 시대의 상대적인 길이를 비교하고 각 지질 시대의 특징을 설명할 수 있는지를 묻는 문제가 자주 출제된다.

07

그림은 중생대를 A, B, C로 기(紀) 수준까지 구분하여 나타낸 것이다.

(단위: 억 년 전)

대	중생대		
기	A	B	C

2.52　　　　2.01　　　　1.45　　　　0.66

이에 대한 설명으로 옳은 것만을 〈보기〉에서 있는 대로 고른 것은?

┤ 보기 ├
ㄱ. A 시기는 트라이아스기이다.
ㄴ. 생물의 대멸종은 B 시기 말에 일어났다.
ㄷ. C 시기에는 빙하기가 있었다.

① ㄱ　　　　　② ㄴ　　　　　③ ㄱ, ㄷ
④ ㄴ, ㄷ　　　　⑤ ㄱ, ㄴ, ㄷ

08　서술형

선캄브리아 시대는 전체 지질 시대 중 약 88 % 이상을 차지할 정도로 길지만, 다른 지질 시대에 비해 자세히 구분되지 않는다. 그 까닭은 무엇인지 서술하시오.

_____

_____

09

그림은 고생대를 기(紀) 수준으로 구분한 것이다.

이에 대한 설명으로 옳은 것만을 〈보기〉에서 있는 대로 고른 것은?

┤ 보기 ├
ㄱ. A 시기에는 빙하기가 있었다.
ㄴ. B 시기 말에 생물 대멸종이 있었다.
ㄷ. A는 고생대 초기이고, B는 고생대 말기이다.

① ㄱ　　　　　② ㄴ　　　　　③ ㄱ, ㄷ
④ ㄴ, ㄷ　　　　⑤ ㄱ, ㄴ, ㄷ

10

과거의 기후 변화를 연구하는 데 이용되는 방법이 아닌 것은?
① 나무 나이테의 간격을 조사한다.
② 퇴적물 속의 꽃가루를 분석한다.
③ 빙하 얼음 속의 공기 방울을 분석한다.
④ 지진파의 종류와 이동 속도를 조사한다.
⑤ 지층 속에 포함된 화석의 종류를 조사한다.

11

지질 시대를 구분하는 기준이 되는 표준 화석만을 〈보기〉에서 있는 대로 고른 것은?

┤ 보기 ├
ㄱ. 암모나이트　　　　　ㄴ. 고사리
ㄷ. 산호　　　　　　　　ㄹ. 화폐석

① ㄱ, ㄴ　　　　② ㄱ, ㄹ　　　　③ ㄴ, ㄷ
④ ㄴ, ㄹ　　　　⑤ ㄷ, ㄹ

3 지질 시대의 환경과 생물 대표 기출

12

그림은 지질 시대를 특징에 따라 구분하는 과정을 나타낸 것이다.

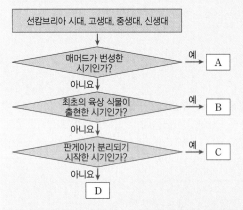

이에 대한 설명으로 옳은 것만을 〈보기〉에서 있는 대로 고른 것은?

┤보기├
ㄱ. A는 중생대, B는 신생대, C는 고생대이다.
ㄴ. A 시기에는 속씨식물, B 시기에는 양치식물, C 시기에는 겉씨식물이 각각 번성하였다.
ㄷ. 지질 시대의 길이는 D가 가장 길다.

① ㄱ   ② ㄴ   ③ ㄱ, ㄷ
④ ㄴ, ㄷ   ⑤ ㄱ, ㄴ, ㄷ

기출 포인트 | 각 지질 시대별 환경과 번성했던 생물의 특징을 비교할 수 있는지를 묻는 문제가 자주 출제된다.

13

표는 A, B 두 지역에 분포하는 화석 및 암석을 나타낸 것이다.

구분	A	B
화석	삼엽충, 필석	공룡 발자국, 민물조개
암석	석회암, 셰일	사암, 셰일

이에 대한 설명으로 옳은 것만을 〈보기〉에서 있는 대로 고른 것은?

┤보기├
ㄱ. A 지역의 지층이 퇴적될 당시에는 단풍나무와 같은 속씨식물이 번성하였다.
ㄴ. B 지역에서는 암모나이트 화석이 발견된다.
ㄷ. 고생대에 A 지역은 해수면보다 아래에 위치했다.

① ㄱ   ② ㄷ   ③ ㄱ, ㄴ   ④ ㄴ, ㄷ   ⑤ ㄱ, ㄴ, ㄷ

14

그림은 현생 이언 동안 해양 무척추동물과 육상 식물의 과의 수 변화를 나타낸 것이다.

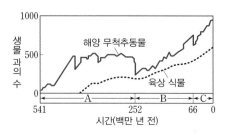

이에 대한 설명으로 옳은 것만을 〈보기〉에서 있는 대로 고른 것은?

┤보기├
ㄱ. 육상 식물이 해양 무척추동물보다 먼저 출현하였다.
ㄴ. 해양 무척추동물의 과의 수는 A 시기 말이 B 시기 말보다 적었다.
ㄷ. C 시기에는 화폐석이 번성하였다.

① ㄱ   ② ㄷ   ③ ㄱ, ㄴ
④ ㄴ, ㄷ   ⑤ ㄱ, ㄴ, ㄷ

15 고난도

그림은 현생 이언에 생존했던 생물 종의 수와 생물 A, B, C의 생존 시기를 나타낸 것이다.

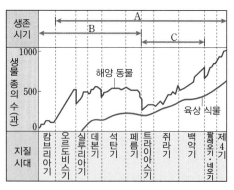

이에 대한 설명으로 옳은 것만을 〈보기〉에서 있는 대로 고른 것은?

┤보기├
ㄱ. 판게아의 형성은 페름기 말 생물 종의 수를 감소시켰다.
ㄴ. A~C 중 중생대의 표준 화석으로 적합한 생물은 C이다.
ㄷ. 지질 시대의 구분 기준으로는 육상 식물보다 해양 동물 종의 수 변화가 더 적합하다.

① ㄱ   ② ㄷ   ③ ㄱ, ㄴ
④ ㄴ, ㄷ   ⑤ ㄱ, ㄴ, ㄷ

16

그림은 지질 시대 생물의 생존 기간에 따른 번성 정도를 나타낸 것이다.

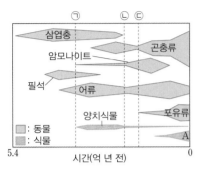

5.4   시간(억 년 전)   0

이에 대한 설명으로 옳은 것만을 〈보기〉에서 있는 대로 고른 것은?

┤보기├
ㄱ. A는 겉씨식물이다.
ㄴ. 삼엽충이 멸종한 ⓒ을 기준으로 고생대와 중생대가 구분된다.
ㄷ. 삼엽충 화석과 매머드 화석은 같은 지층에서 발견될 수 없다.

① ㄱ   ② ㄷ   ③ ㄱ, ㄴ
④ ㄴ, ㄷ   ⑤ ㄱ, ㄴ, ㄷ

17

그림은 현생 이언의 어느 시기 동안 대륙이 이동한 모습을 시간 순으로 나타낸 것이고, 표는 주요 지질학적 사건을 시간 순서 없이 나타낸 것이다.

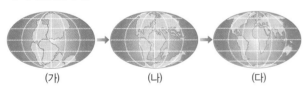

(가)   (나)   (다)

구분	내용
A	육상 식물의 출현
B	히말라야산맥의 형성
C	공룡의 번성

이에 대한 설명으로 옳은 것만을 〈보기〉에서 있는 대로 고른 것은?

┤보기├
ㄱ. (가)는 고생대 말 ~ 중생대 초에 존재한 판게아의 모습이다.
ㄴ. B 사건은 (나)와 (다) 시기 사이에 일어났다.
ㄷ. 사건이 일어난 순서는 A → C → B이다.

① ㄱ   ② ㄷ   ③ ㄱ, ㄴ
④ ㄴ, ㄷ   ⑤ ㄱ, ㄴ, ㄷ

18 서술형

지질 시대에는 크게 다섯 번의 대멸종이 일어났다. 지질 시대를 구분하는 대멸종이 일어난 시기를 기(紀) 단위의 시대를 기준으로 서술하시오.

19

그림 (가)와 (나)는 서로 다른 지질 시대의 수륙 분포를 나타낸 것이다.

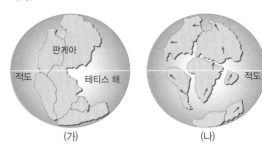

(가)   (나)

수륙 분포가 (가)에서 (나)로 변하는 동안 지구상에서 일어난 변화에 대한 설명으로 옳은 것만을 〈보기〉에서 있는 대로 고른 것은?

┤보기├
ㄱ. 대서양이 형성되기 시작했다.
ㄴ. 해안선의 길이가 길어졌다.
ㄷ. 해류의 분포가 단순해졌다.

① ㄱ   ② ㄷ   ③ ㄱ, ㄴ
④ ㄴ, ㄷ   ⑤ ㄱ, ㄴ, ㄷ

20

그림은 현생 이언 동안 지구의 평균 강수량과 평균 기온을 시간에 따라 나타낸 것이다.

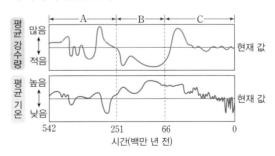

시간(백만 년 전)

이에 대한 설명으로 옳은 것만을 〈보기〉에서 있는 대로 고른 것은?

┤보기├
ㄱ. A에 가장 긴 빙하기가 있었다.
ㄴ. B는 현재보다 온난하였다.
ㄷ. C에 속씨식물이 번성하였다.

① ㄱ   ② ㄴ   ③ ㄱ, ㄷ
④ ㄴ, ㄷ   ⑤ ㄱ, ㄴ, ㄷ

01

그림은 퇴적물이 쌓여 퇴적암이 형성되는 과정을 나타낸 것이다.

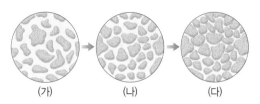

(가)　(나)　(다)

이에 대한 설명으로 옳은 것만을 〈보기〉에서 있는 대로 고른 것은?

┤ 보기 ├
ㄱ. (가) → (나) → (다)로 갈수록 공극은 감소한다.
ㄴ. (나) → (다) 과정에서는 교결 물질이 퇴적물을 접착시킨다.
ㄷ. 사암은 위와 같은 과정으로 만들어진다.

① ㄱ　　　② ㄷ　　　③ ㄱ, ㄴ
④ ㄴ, ㄷ　　　⑤ ㄱ, ㄴ, ㄷ

02

그림 (가)와 (나)는 서로 다른 퇴적 구조의 형성 과정을 나타낸 것이다.

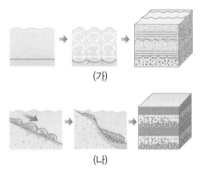

(가)

(나)

이에 대한 설명으로 옳은 것만을 〈보기〉에서 있는 대로 고른 것은?

┤ 보기 ├
ㄱ. (가)는 수심이 얕은 물밑에서 형성되었다.
ㄴ. (나)는 과거에 물이 흘렀던 방향이나 바람이 불었던 방향을 알려준다.
ㄷ. (가)와 (나)로부터 지층의 상하를 판단할 수 있다.

① ㄱ　　　② ㄴ　　　③ ㄱ, ㄷ
④ ㄴ, ㄷ　　　⑤ ㄱ, ㄴ, ㄷ

03

그림은 서로 다른 퇴적 구조를 나타낸 것이다.

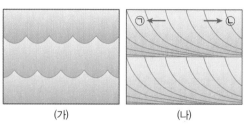

(가)　　　(나)

이에 대한 설명으로 옳은 것만을 〈보기〉에서 있는 대로 고른 것은?

┤ 보기 ├
ㄱ. (가)는 연흔이다.
ㄴ. (가)와 (나)는 모두 역전되었다.
ㄷ. (나)의 퇴적물 이동 방향은 ㉠이다.

① ㄱ　　　② ㄴ　　　③ ㄱ, ㄷ
④ ㄴ, ㄷ　　　⑤ ㄱ, ㄴ, ㄷ

04

그림 (가)~(라)는 여러 지질 구조를 나타낸 것이다.

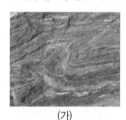 

(가)　　　(나)

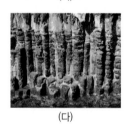 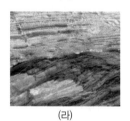

(다)　　　(라)

이에 대한 설명으로 옳은 것만을 〈보기〉에서 있는 대로 고른 것은?

┤ 보기 ├
ㄱ. (가)의 지층은 횡압력을 받았다.
ㄴ. (나)는 장력을 받아 형성된다.
ㄷ. (다)는 기둥 모양으로 생성된 판상 절리이다.
ㄹ. (라)는 침식 작용만 계속 받아 형성된다.

① ㄱ, ㄴ　　　② ㄱ, ㄷ　　　③ ㄴ, ㄷ
④ ㄴ, ㄹ　　　⑤ ㄷ, ㄹ

05

그림은 우리나라의 대표적인 퇴적 지형 A, B의 위치와 두 지역의 지질학적 특징을 간단히 정리한 것이다.

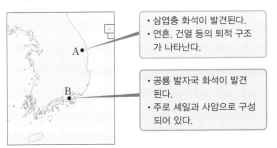

- 삼엽충 화석이 발견된다.
- 연흔, 건열 등의 퇴적 구조가 나타난다.

- 공룡 발자국 화석이 발견된다.
- 주로 셰일과 사암으로 구성되어 있다.

이에 대한 설명으로 옳은 것만을 〈보기〉에서 있는 대로 고른 것은?

┤ 보기 ├
ㄱ. A 지역은 과거에 건조한 환경이었던 때가 있었다.
ㄴ. B 지역은 주로 쇄설성 퇴적물이 퇴적되었다.
ㄷ. A 지역의 지층이 B 지역의 지층보다 먼저 형성되었다.

① ㄱ ② ㄴ ③ ㄱ, ㄷ
④ ㄴ, ㄷ ⑤ ㄱ, ㄴ, ㄷ

06

그림은 서로 다른 종류의 부정합이 형성되는 과정을 나타낸 것이다.

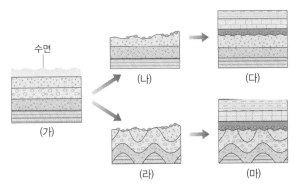

(가) (나) (다) (라) (마)
수면

이에 대한 설명으로 옳은 것만을 〈보기〉에서 있는 대로 고른 것은?

┤ 보기 ├
ㄱ. (가), (나), (라)에서 침식 작용이 일어난다.
ㄴ. (나) → (다)에서 평행 부정합이 형성된다.
ㄷ. (라) → (마)에서 난정합이 형성된다.

① ㄱ ② ㄴ ③ ㄱ, ㄷ
④ ㄴ, ㄷ ⑤ ㄱ, ㄴ, ㄷ

07 고난도

그림 (가)와 (나)는 두 지역의 지질 단면도를 나타낸 것이다.

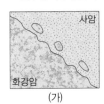 

사암 사암
화강암 화강암
(가) (나)

이에 대한 설명으로 옳은 것만을 〈보기〉에서 있는 대로 고른 것은?

┤ 보기 ├
ㄱ. (가) 지역은 용암이 분출한 것으로 화강암이 먼저 형성되었다.
ㄴ. (나) 지역은 마그마가 관입한 것으로 사암이 먼저 형성되었다.
ㄷ. 사암에 마그마의 열로 변성 작용이 일어날 수 있는 곳은 (가) 지역이다.

① ㄱ ② ㄴ ③ ㄱ, ㄷ
④ ㄴ, ㄷ ⑤ ㄱ, ㄴ, ㄷ

08

그림 (가)와 (나)는 어느 두 지역의 지층 및 화성암을 나타낸 것이다.

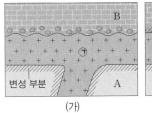 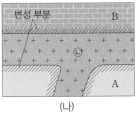

B 변성 부분 B
변성 부분 A A
(가) (나)

이에 대한 설명으로 옳은 것만을 〈보기〉에서 있는 대로 고른 것은? (단, ㉠은 용암이 분출되어 형성되었다.)

┤ 보기 ├
ㄱ. (가)에서 마그마는 지층 A와 B 사이를 관입하였다.
ㄴ. (나)에서 ㉡은 B보다 먼저 생성되었다.
ㄷ. 마그마의 냉각 속도는 ㉡보다 ㉠이 빨랐다.

① ㄱ ② ㄷ ③ ㄱ, ㄴ
④ ㄴ, ㄷ ⑤ ㄱ, ㄴ, ㄷ

09

그림 (가)와 (나)는 인접한 서로 다른 두 지역의 지층 및 산출되는 화석을 나타낸 것이다.

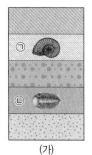
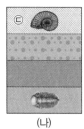

(가)   (나)

이에 대한 설명으로 옳은 것만을 〈보기〉에서 있는 대로 고른 것은? (단, 두 지역에서 다른 퇴적 과정은 일어나지 않았다.)

┤ 보기 ├
ㄱ. (가)의 ㉠과 (나)의 ㉢은 같은 지질 시대에 퇴적되었다.
ㄴ. (가)에서 지층 ㉡이 퇴적된 이후 퇴적이 중단된 시기가 있었다.
ㄷ. (가)가 (나)보다 퇴적 기간이 길다.

① ㄱ   ② ㄷ   ③ ㄱ, ㄴ
④ ㄴ, ㄷ   ⑤ ㄱ, ㄴ, ㄷ

10

그림은 (가)~(다) 세 지역의 지층과 산출되는 표준 화석을 기호로 나타낸 것이다.

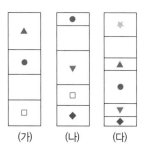

(가)   (나)   (다)

이에 대한 설명으로 옳은 것만을 〈보기〉에서 있는 대로 고른 것은? (단, 이 지역에서 지층의 역전은 일어나지 않았다.)

┤ 보기 ├
ㄱ. 가장 오래된 표준 화석은 ◆이다.
ㄴ. 가장 퇴적 기간이 긴 지역은 (다)이다.
ㄷ. □ 화석이 (다) 지역에서 발견되지 않는 것으로 보아 (다) 지역은 수면 위로 융기한 적이 있었다.

① ㄱ   ② ㄷ   ③ ㄱ, ㄴ
④ ㄴ, ㄷ   ⑤ ㄱ, ㄴ, ㄷ

11

그림은 어떤 방사성 동위 원소의 붕괴 곡선을 나타낸 것이다.

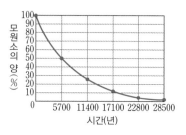

이에 대한 설명으로 옳은 것만을 〈보기〉에서 있는 대로 고른 것은?

┤ 보기 ├
ㄱ. 반감기는 5700년이다.
ㄴ. 시간이 지남에 따라 모원소의 양은 늘어나고 자원소의 양은 줄어든다.
ㄷ. 이 방사성 원소를 이용한 절대 연령 측정은 생성 시기가 오래될수록 유리하다.

① ㄱ   ② ㄷ   ③ ㄱ, ㄴ
④ ㄴ, ㄷ   ⑤ ㄱ, ㄴ, ㄷ

12 고난도

그림 (가)는 어느 지역의 지질 단면도를 나타낸 것이고, (나)는 방사성 원소 X의 붕괴 곡선을 나타낸 것이다. 화성암 P와 Q에 포함된 방사성 원소 X의 양은 각각 처음 양의 $\frac{1}{2}$과 $\frac{1}{4}$이다.

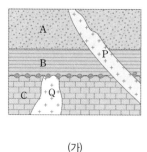
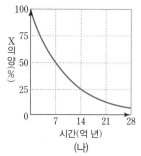

(가)   (나)

이에 대한 설명으로 옳은 것만을 〈보기〉에서 있는 대로 고른 것은?

┤ 보기 ├
ㄱ. 암석 Q는 지층 C가 형성된 이후에 관입하였다.
ㄴ. 지층 A는 21~14억 년 전 사이에 퇴적되었다.
ㄷ. 방사성 원소 X의 반감기는 7억 년이다.

① ㄱ   ② ㄴ   ③ ㄱ, ㄷ
④ ㄴ, ㄷ   ⑤ ㄱ, ㄴ, ㄷ

13

그림은 지구에서 일어난 주요 사건을 시간 순서대로 나타낸 것이다.

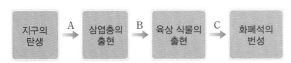

이에 대한 설명으로 옳은 것만을 〈보기〉에서 있는 대로 고른 것은?

┌ 보기 ┐
ㄱ. A → B → C로 갈수록 차지하는 지질 시대가 길다.
ㄴ. A 기간 중 남세균의 광합성으로 대기 중 산소 농도가 증가하였다.
ㄷ. 육상 식물이 출현한 것은 B 시기에 오존층이 형성되었기 때문이다.

① ㄱ ② ㄷ ③ ㄱ, ㄴ ④ ㄴ, ㄷ ⑤ ㄱ, ㄴ, ㄷ

14

그림은 고생대 말, 중생대, 신생대의 수륙 분포를 순서 없이 나타낸 것이다.

(가)   (나)   (다)

이에 대한 설명으로 옳은 것만을 〈보기〉에서 있는 대로 고른 것은?

┌ 보기 ┐
ㄱ. 수륙 분포는 (나) → (다) → (가) 순으로 변화하였다.
ㄴ. (나) 시기에 생물의 대멸종이 일어났다.
ㄷ. (다) 시기에 히말라야산맥이 형성되었다.

① ㄱ ② ㄷ ③ ㄱ, ㄴ ④ ㄴ, ㄷ ⑤ ㄱ, ㄴ, ㄷ

15 서술형

다음은 어느 지질 시대의 특징을 정리한 것이다.

• 오늘날과 비슷한 수륙 분포를 이루었다.
• 겉씨식물이 쇠퇴하였고, 속씨식물이 번성하였다.
• 매머드와 같은 대형 포유류가 번성하였다.

(1) 어느 지질 시대인지 쓰시오.

(2) 이 지질 시대의 기후 특징을 서술하시오.

16

그림 (가)는 현생 누대 동안 나타난 생물 과의 멸종 비율을 나타낸 것이고, (나)는 어느 화석의 모습을 나타낸 것이다.

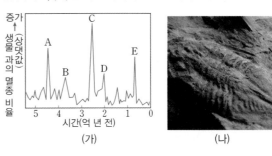

(가)   (나)

이에 대한 설명으로 옳은 것만을 〈보기〉에서 있는 대로 고른 것은?

┌ 보기 ┐
ㄱ. A, B, C는 고생대에 일어난 생물 대멸종이다.
ㄴ. (나)의 생물은 C와 D 시기 사이에 번성하였다.
ㄷ. E는 중생대 말에 일어났다.

① ㄱ ② ㄴ ③ ㄱ, ㄷ ④ ㄴ, ㄷ ⑤ ㄱ, ㄴ, ㄷ

17

그림은 현생 누대 동안의 지구 평균 기온 변화를 나타낸 것이다.

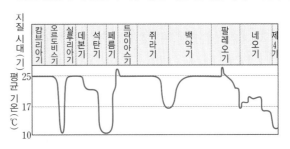

이에 대한 설명으로 옳은 것만을 〈보기〉에서 있는 대로 고른 것은?

┌ 보기 ┐
ㄱ. 고생대 초기보다 말기의 기온이 더 낮았다.
ㄴ. 중생대에는 한 번의 빙하기가 있었다.
ㄷ. 신생대에는 여러 차례의 빙하기와 간빙기가 있었다.

① ㄱ ② ㄴ ③ ㄱ, ㄷ ④ ㄴ, ㄷ ⑤ ㄱ, ㄴ, ㄷ

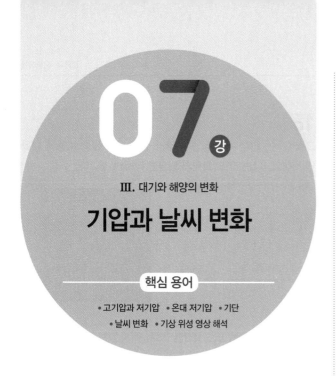

07강

III. 대기와 해양의 변화

기압과 날씨 변화

핵심 용어

• 고기압과 저기압 • 온대 저기압 • 기단
• 날씨 변화 • 기상 위성 영상 해석

1 고기압과 저기압

1. 고기압 주변보다 기압이 높은 곳
① 공기가 하강하면 단열 압축이 일어나 기온이 높아지고
수중기의 응결이 일어나지 않아 날씨가 맑다.
② 중심부에 하강 기류가 발생한다.

2. 저기압 주변보다 기압이 낮은 곳
① 공기가 상승하면 단열 팽창이 일어나 기온이 낮아지고
수중기의 응결이 일어나 구름이 형성된다.
② 날씨가 흐려지고 강수 현상이 나타나기도 한다.
③ 중심에 상승 기류가 발생한다.

자료 클리닉 ➕ **고기압과 저기압에서 지상 공기 이동(북반구)**

• 고기압 중심에서는 바깥쪽으로 공기가 시계 방향으로 회전하며
발산한다.
• 저기압 바깥쪽에서는 중심으로 공기가 시계 반대 방향으로 회전
하며 수렴한다.

3. 이동성 고기압 중위도에서 편서풍의 영향을 받아 동쪽으
로 이동하는 고기압 → 정체성 고기압에서 분리되어 생
성되거나 온대 저기압 전·후면에서 발달한다. 이동하지 않고 한 곳에
머무르는 고기압
_{고기압 중심부가 거의 이동하지 않고 한 곳에 머무르는 고기압}
① 이동성 고기압이 다가오는 2~3일 간은 맑다가 고기압
이 지나가면 뒤이어 다가오는 저기압이나 기압골의 영
향으로 흐려진다.
② 다른 이동성 고기압이 다가오면 날씨가 반복된다.

2 기단과 전선

1. 기단 기온과 습도 등 성질이 거의 비슷한 공기 덩어리
➡ 공기 덩어리가 넓은 지역에 오랫동안 머무르면 기온과
습도가 지표와 비슷해지면서 기단을 형성한다.

(1) 우리나라 주변의 기단

▲ 우리나라 주변의 기단

기단	성질	계절	영향
양쯔강 기단	온난 건조	봄, 가을	황사
오호츠크해 기단	한랭 다습	초여름	장마
북태평양 기단	고온 다습	여름	장마, 무더위
적도 기단			태풍
시베리아 기단	한랭 건조	겨울	한파, 강풍

(2) **기단의 변질** 기단이 발원지에서 다른 지역으로 이동
하면 지표면의 영향으로 기단의 성질이 변하고 날씨
변화로 이어진다.
① **따뜻한 기단이 한랭한 바다를 통과할 때** 기단이 한랭한
바다를 통과하는 동안 열을 빼앗겨 안정해진다.

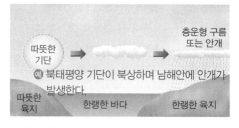

• 층운형 구름이 발달한다.
• 약한 이슬비가 내리거나 안개가 발생한다.
② **차고 건조한 기단이 따뜻한 바다를 통과할 때** 기단이 따
뜻한 바다를 통과하는 동안 열과 수중기를 공급받아
불안정해진다.

• 적운형 구름이 발달한다.
• 해안 지역에 폭설이나 강한 소나기가 내린다.

2. **전선** 전선면과 지표면이 만나는 경계선
　① **한랭 전선** 밀도가 큰 찬 공기가 밀도가 작은 따뜻한 공기 아래를 파고들면서 밀어 올린다.
　② **온난 전선** 밀도가 작은 따뜻한 공기가 밀도가 큰 찬 공기 위로 타고 오른다.
　③ **정체 전선** 두 기단의 세력이 비슷하여 한 곳에 오래 머무르는 전선이다.
　④ **폐색 전선** 이동 속도가 빠른 한랭 전선이 온난 전선을 따라가 겹쳐진 전선이다.

자료 클리닉➕ 한랭 전선과 온난 전선

구분	한랭 전선	온난 전선
전선면 기울기	급하다	완만하다
생성 구름	적운형 구름	층운형 구름
강수 형태	전선 후면 좁은 지역에 소나기	전선 전면 넓은 지역에 이슬비
이동 속도	빠르다	느리다
전선 통과 후	기온 하강	기온 상승

3 온대 저기압과 날씨

1. **온대 저기압** 중위도 온대 지방에서 전선을 동반하여 발달하는 저기압
　① **구조** 남서쪽에 한랭 전선, 남동쪽에 온난 전선을 동반한다.
　② **이동** 편서풍의 영향으로 서쪽에서 동쪽으로 이동한다.
2. **온대 저기압의 일생** 발생, 발달, 소멸까지 보통 5~7일이 걸린다.
　① 중위도 지역에서 찬 공기와 따뜻한 공기가 만나 정체 전선이 형성된다.
　② 남북 간의 기온 차로 파동이 발생하고 시계 반대 방향의 회전이 발생한다.
　③ 저기압 중심의 남서쪽에 한랭 전선, 남동쪽에 온난 전선이 형성된다.
　④ 한랭 전선이 온난 전선보다 빠르므로 중심부터 폐색 전선이 형성된다.
　⑤ 폐색 전선이 발달하며 온대 저기압의 강도가 점차 약해진다.
　⑥ 따뜻한 공기가 찬 공기 위로 올라가고, 온대 저기압이 소멸된다.

3. **온대 저기압 주변의 날씨** 　개념 브릿지 유형 1

기온 분포	전선의 남쪽에는 따뜻한 기단, 전선의 북쪽에는 찬 기단이 있다.
구름 분포	한랭 전선의 뒤쪽 좁은 영역에 적운형 구름이 분포하고, 온난 전선의 앞쪽 넓은 영역에 층운형 구름이 분포한다.
강수 형태	한랭 전선의 뒤에서 강한 소나기성 비가 내리고, 온난 전선의 앞에서 약한 비가 내린다.
바람 분포	온난 전선의 앞쪽은 남동풍, 두 전선 사이는 남서풍, 한랭 전선의 뒤쪽은 북서풍이 분다.
기압 분포	한랭 전선과 온난 전선이 만나고 있는 저기압 중심에서 가장 기압이 낮고, 중심에서 멀어질수록 기압이 높아진다.

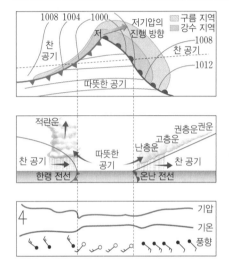

4 기상 위성 영상 해석 　개념 브릿지 유형 2, 3

1. **가시 영상** 구름이 반사하는 태양 복사 에너지 중 가시광선 영역의 에너지를 나타낸다.
　① 구름이 두꺼울수록 햇빛을 더 많이 반사한다. → 두꺼운 구름은 밝게, 얇은 구름은 흐리게 나타난다.
　② 태양이 없으면 구름에서 반사되는 가시광선이 없기 때문에 밤에는 영상 자료를 얻을 수 없다.

2. **적외 영상** 구름이 방출하는 적외선 영역의 에너지를 나타낸다.
　① 온도가 낮을수록 더 밝게 표시된다. → 고도가 높은 구름은 밝게, 고도가 낮은 구름은 흐리게 나타난다.
　② 구름에서 직접 방출되는 에너지이므로 태양이 없는 밤에도 관측이 가능하다.

3. **레이더 영상** 강수 입자에 부딪혀 되돌아오는 반사파를 분석하여 영상으로 나타낸다. → 강수 지역의 위치와 이동 경향, 강수량을 파악할 수 있다.

내신 기초

1 주위보다 기압이 높은 곳을 ☐☐☐, 주위보다 기압이 낮은 곳을 ☐☐☐☐이라고 한다.

2 고기압과 저기압 중심에서 생성되는 공기의 흐름을 각각 쓰시오.

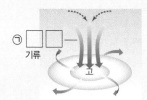 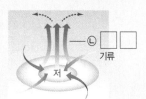

☐ ☐☐ 기류   ☐ ☐☐ 기류

3 기온과 습도 등 성질이 거의 비슷한 공기 덩어리를 ☐☐이라고 하는데, 대륙에서 형성된 기단은 ☐☐하고, 해양에서 형성된 기단은 ☐☐하다.

4 표는 우리나라 주변에 영향을 주는 기단을 나타낸 것이다. 각 기단의 이름을 쓰시오.

기단		성질	계절
㉠ ☐☐☐ 기단		온난 건조	봄, 가을
㉡ ☐☐☐☐ 기단		한랭 다습	초여름
㉢ ☐☐☐ 기단		고온 다습	여름
㉣ ☐☐☐ 기단		한랭 건조	겨울

5 밀도가 큰 찬 공기가 밀도가 작은 따뜻한 공기 아래로 파고들면서 밀어 올릴 때 ☐☐ 전선이 생기고, 밀도가 작은 따뜻한 공기가 밀도가 큰 찬 공기 위로 타고 오를 때 ☐☐ 전선이 생긴다.

6 한랭 전선과 온난 전선이 통과한 후의 기온과 기압 변화를 쓰시오.

구분		한랭 전선	온난 전선
전선 통과 후	기온	하강	㉠ ☐☐
	기압	㉡ ☐☐	하강

7 다음 설명에 해당하는 기상 위성 영상을 각각 쓰시오.
(1) 구름이 반사하는 태양 복사 에너지 중 가시광선 영역의 에너지를 나타낸다.
(2) 강수 입자에 부딪혀 되돌아오는 반사파를 분석하여 영상으로 나타낸다.
(3) 구름이 방출하는 적외선 영역의 에너지를 나타낸다.

📘 **1** 고기압, 저기압 **2** ㉠ 하강, ㉡ 상승 **3** 기단, 건조, 습윤
4 ㉠ 양쯔강, ㉡ 오호츠크해, ㉢ 북태평양, ㉣ 시베리아 **5** 한랭, 온난
6 ㉠ 상승, ㉡ 상승 **7** (1) 가시 영상 (2) 레이더 영상 (3) 적외 영상

개념 브릿지 유형

💬 개념과 문제의 연결고리 찾기!!

1 온대 저기압과 일기도

그림 (가)와 (나)는 우리나라 주변을 온대 저기압이 통과할 때 12시간 간격으로 작성된 일기도를 순서 없이 나타낸 것이다.

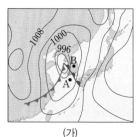 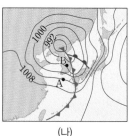

(가)   (나)

이에 대한 설명으로 옳은 것만을 〈보기〉에서 있는 대로 고른 것은?

┤ 보기 ├
ㄱ. (가)는 (나)보다 먼저 작성된 일기도이다.
ㄴ. A 지역의 기온은 (나)보다 (가)일 때 높다.
ㄷ. 이 기간 동안 B 지역의 풍향은 북서풍에서 남동풍으로 변한다.

① ㄱ   ② ㄴ   ③ ㄷ
④ ㄱ, ㄴ   ⑤ ㄴ, ㄷ

개념으로 문제 접근하기 | 온대 저기압이 통과할 때 기상 변화

• (나)에서 A, B 지역의 날씨는 한랭 전선이 통과하였으므로 북서풍이 불고 기온이 낮다. 적운형 구름이 하늘을 덮고 있으며 강한 강수 현상이 나타날 수 있다.
• 온대 저기압 통과 시 저기압 중심보다 남쪽에 있는 지역의 풍향은 시계 방향인 남동풍 → 남서풍 → 북서풍으로 변한다.

| 보기 분석 |
ㄱ. 우리나라는 편서풍의 영향을 받는 위도 30°~60°에 위치하고 있다. 우리나라 주변에 있는 온대 저기압은 편서풍의 영향을 받아 서쪽에서 동쪽으로 이동하므로 온대 저기압의 위치가 더 서쪽에 있는 (가)가 (나)보다 먼저 작성된 일기도이다.
ㄴ. (가)에서 A 지역은 온난 전선이 통과하였고 한랭 전선이 통과하기 전이므로 따뜻한 공기의 영향을 받고 있다. (나)에서 A 지역은 한랭 전선이 통과하였으므로 찬 공기의 영향을 받고 있다. 따라서 A 지역의 기온은 (나)보다 (가)일 때 더 높다.
ㄷ. (가)에서 B 지역은 온대 저기압의 온난 전선 전면에 있으므로 남동풍이 불고, (나)에서 B 지역은 한랭 전선 후면에 있으므로 북서풍이 분다. 이 기간 동안 B 지역의 풍향은 남동풍에서 북서풍으로 변하였다.

📘 ④

2 일기도와 적외 영상 해석

그림은 같은 시각의 일기도와 적외 영상을 나타낸 것이다.

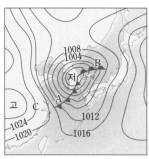

▲ 일기도

▲ 적외 영상

이에 대한 설명으로 옳은 것만을 〈보기〉에서 있는 대로 고른 것은?

┤ 보기 ├
ㄱ. A 지역에서는 강한 소나기가 내릴 것이다.
ㄴ. B 지역은 낮은 구름에서 약한 비가 내릴 것이다.
ㄷ. C 지역은 맑은 날씨가 나타날 것이다.

① ㄱ   ② ㄴ   ③ ㄱ, ㄷ
④ ㄴ, ㄷ   ⑤ ㄱ, ㄴ, ㄷ

---

3 위성 영상 분석

다음은 기상 위성 영상에 나타나는 구름의 특징에 대한 설명이고, 그림은 같은 시각에 다른 파장으로 관측한 기상 위성 영상을 나타낸 것이다.

- 적외선 영상에서는 적란운이나 권운 등 구름 상부의 고도가 높을수록 밝게 보이며, 안개와 하층운은 어둡게 보인다.
- 가시광선 영상에서는 구름 입자가 클수록, 그리고 구름 입자의 수가 많을수록 태양광의 반사가 커서 밝게 보인다.

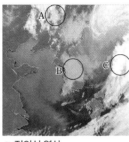

▲ 적외선 영상

▲ 가시광선 영상

이 자료에 대한 설명으로 옳은 것은?

① A 지역은 비가 내릴 가능성이 크다.
② A 지역과 B 지역에 있는 구름은 같은 종류이다.
③ B 지역이 C 지역보다 구름 상부의 고도가 높다.
④ C 지역은 적운형 구름으로 덮여 있다.
⑤ 위성 영상 자료로는 중층운을 관찰할 수 없다.

개념으로 문제 접근하기 | 위성 영상 해석

- 적외 영상에서는 높은 구름은 밝게, 낮은 구름은 흐리게 표시된다.
- 같은 시각의 가시 영상이 있다면 구름의 두께를 알 수 있고, 레이더 영상이 있다면 강수 위치와 강수량을 알 수 있다.

| 보기 분석 |
우리나라는 중위도 편서풍 지대에 있기 때문에 편서풍의 영향으로 앞으로 저기압 중심이 동해로 빠져 나가 일본을 거쳐 북태평양으로 이동할 것이다.
ㄱ. A 지역에서는 북서풍이 불고 강한 소나기가 내릴 것이다.
ㄴ. B 지역에서는 높은 구름에서 지속적으로 약한 비가 내릴 것이다.
ㄷ. C 지역에서는 서풍이 불고 맑은 날씨가 나타날 것이다.

답 ③

개념으로 문제 접근하기 | 적외 영상과 가시 영상

- 적외 영상은 물체의 온도를 탐지하여 영상으로 나타내므로 밤에도 영상 자료를 얻을 수 있다.
- 가시 영상은 물체가 반사한 햇빛을 탐지하여 영상으로 나타내므로 태양이 없는 밤에는 영상 자료를 얻을 수 없다.

| 보기 분석 |
① A 지역은 높은 구름으로 하늘이 덮여 있기 때문에 강수 현상이 나타나지 않는다.
② A 지역은 높이가 높은 구름이 있고, B 지역은 높이가 낮은 구름이 있다.
③ 적외 영상에서 더 밝게 보이는 C 지역이 B 지역보다 구름 상부의 고도가 높다.
④ C 지역은 적외 영상과 가시 영상 모두에서 밝게 보이므로 수직으로 두껍게 발달한 적운형 구름으로 덮여 있다.
⑤ 위성 영상 자료로 중층운을 관찰할 수 있다.

답 ④

1 고기압과 저기압
대표 기출

01
그림은 북반구 어느 지역에서 기압 차이로 나타나는 공기의 흐름을 나타낸 것이다.

이에 대한 설명으로 옳은 것만을 〈보기〉에서 있는 대로 고른 것은?

┤보기├
ㄱ. A는 저기압으로, 중심에 상승 기류가 있다.
ㄴ. B는 고기압으로, 맑은 날씨가 나타난다.
ㄷ. 전선은 B에서만 형성된다.

① ㄱ ② ㄴ ③ ㄱ, ㄴ ④ ㄱ, ㄷ ⑤ ㄴ, ㄷ

> **기출 포인트** 고기압과 저기압의 특징을 비교하고 중심에 생성되는 공기의 흐름을 이해하는지를 묻는 문제가 자주 출제된다.

02
그림은 북반구 지역의 등압선을 나타낸 것이다. A, B 지점에 대한 설명으로 옳은 것은?

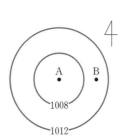

① A는 고기압이다.
② A에서는 상승 기류가 나타난다.
③ A의 공기는 중심에서 바깥쪽으로 퍼져 나간다.
④ B에서는 서풍 계열의 바람이 분다.
⑤ 기압은 A가 B보다 높다.

03 서술형
고기압과 저기압 지역의 날씨를 다음 단어를 포함시켜 서술하시오.

> 단열 압축 단열 팽창 수증기의 응결
> 공기 하강 공기 상승

_____

_____

_____

2 기단과 전선
대표 기출

04
그림 (가), (나)는 온대 저기압에서 볼 수 있는 두 전선을 나타낸 것이다.

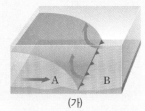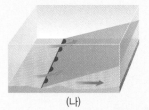
(가)   (나)

이에 대한 설명으로 옳은 것만을 〈보기〉에서 있는 대로 고른 것은?

┤보기├
ㄱ. A는 찬 공기, B는 따뜻한 공기이다.
ㄴ. (나)의 온난 전선 앞쪽에 층운형 구름이 형성된다.
ㄷ. (가)는 (나)보다 이동 속도가 빠르다.

① ㄱ   ② ㄷ   ③ ㄱ, ㄴ
④ ㄴ, ㄷ   ⑤ ㄱ, ㄴ, ㄷ

> **기출 포인트** 한랭 전선과 온난 전선의 특징을 비교하고 구름이 생성되는 위치를 이해하는지를 묻는 문제가 자주 출제된다.

05
그림은 우리나라 주변 일기도를 나타낸 것이다.
이에 대한 설명으로 옳은 것만을 〈보기〉에서 있는 대로 고른 것은?

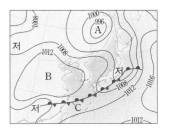

┤보기├
ㄱ. A는 저기압, B는 고기압, C는 정체 전선이다.
ㄴ. C는 이동 속도가 빠른 한랭 전선이 온난 전선을 따라가 겹쳐질 때 형성된다.
ㄷ. 우리나라는 동풍 계열의 바람이 불고 있다.

① ㄱ   ② ㄷ   ③ ㄱ, ㄴ
④ ㄴ, ㄷ   ⑤ ㄱ, ㄴ, ㄷ

06

우리나라 주변 기단에 대한 옳은 설명을 얘기한 학생만을 있는 대로 고른 것은?

봄철에는 이동성 고기압의 영향으로 날씨가 자주 변하고, 여름철 무더위의 원인은 북태평양 기단이야. 영희

가을철에는 온난 건조한 기단의 영향을 받고, 겨울철에는 대륙에서 발달한 기단의 세력이 강해져. 철수

초여름 저위도에서 발달한 고온의 두 기단이 만나 장마 현상이 일어나. 민수

① 영희　　② 철수　　③ 민수
④ 영희, 철수　　⑤ 철수, 민수

07 서술형

그림 (가), (나)는 여름철 일기도와 겨울철 일기도를 순서 없이 나타낸 것이다.

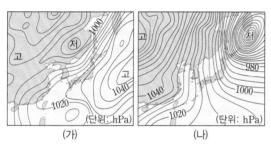

(가)　　(나)

겨울철 일기도를 고르고, 그와 같이 생각한 까닭을 서술하시오.

08

그림은 우리나라 월별 평균 기온 및 강수량과 우리나라에 영향을 주는 기단의 위치를 나타낸 것이다.

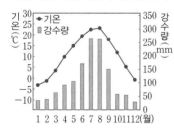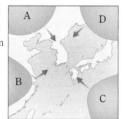

이에 대한 설명으로 옳은 것만을 〈보기〉에서 있는 대로 고른 것은?

보기
ㄱ. A 기단의 영향을 받을 때 우리나라는 기온이 낮다.
ㄴ. B 기단의 영향으로 4월과 10월에 강수량이 적다.
ㄷ. 6월과 7월에 강수의 원인이 되는 기단은 C와 D이다.

① ㄱ　　② ㄷ　　③ ㄱ, ㄴ
④ ㄴ, ㄷ　　⑤ ㄱ, ㄴ, ㄷ

---

3 온대 저기압과 날씨　　대표 기출

09

그림은 우리나라 부근에서 온대 저기압이 3일 동안 이동한 경로를 나타낸 것이다.

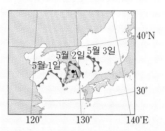

이에 대한 설명으로 옳은 것만을 〈보기〉에서 있는 대로 고른 것은?

보기
ㄱ. 온대 저기압은 편서풍의 영향을 받아 이동하였을 것이다.
ㄴ. 5월 2일과 3일 사이에 A 지역의 기온이 낮아졌다.
ㄷ. 5월 2일 A 지역에는 남동풍이 분다.

① ㄱ　　② ㄷ　　③ ㄱ, ㄴ
④ ㄴ, ㄷ　　⑤ ㄱ, ㄴ, ㄷ

기출 포인트 온대 저기압이 이동할 때 날씨 변화를 이해하고 풍향 변화를 설명할 수 있는지를 묻는 문제가 자주 출제된다.

10

그림은 온대 저기압의 일생을 순서 없이 나타낸 것이다.

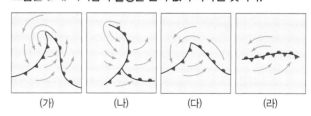

(가)　　(나)　　(다)　　(라)

온대 저기압의 일생을 순서대로 나열한 것은?

① (나) − (가) − (다) − (라)
② (나) − (라) − (다) − (가)
③ (라) − (가) − (나) − (다)
④ (라) − (다) − (가) − (나)
⑤ (라) − (다) − (나) − (가)

11 고난도

그림 (가)는 어느 날 온대 저기압이 우리나라 어느 관측소를 통과하는 동안 관측한 기온과 기압을 나타낸 것이고, (나)는 이날 6시, 12시, 18시에 관측한 풍향과 풍속을 ㉠, ㉡, ㉢으로 순서 없이 나타낸 것이다.

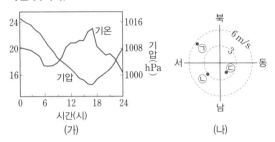

(가)   (나)

이에 대한 설명으로 옳은 것만을 〈보기〉에서 있는 대로 고른 것은?

┤ 보기 ├
ㄱ. 12시에는 북서풍(㉠)이 불었을 것이다.
ㄴ. 온난 전선이 통과하면 기온이 높아지므로 17시경에 온난 전선이 통과하였을 것이다.
ㄷ. 이 온대 저기압의 중심은 관측소의 북쪽을 통과하였다.

① ㄱ   ② ㄷ   ③ ㄱ, ㄴ
④ ㄴ, ㄷ   ⑤ ㄱ, ㄴ, ㄷ

12

그림은 우리나라 어느 계절의 일기도를 나타낸 것이다.

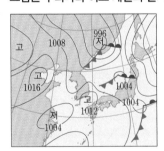

이에 대한 설명으로 옳은 것만을 〈보기〉에서 있는 대로 고른 것은?

┤ 보기 ├
ㄱ. 봄과 가을철에 나타나는 일기도이다.
ㄴ. 우리나라는 이동성 고기압의 영향을 받고 있다.
ㄷ. 편서풍의 영향을 받아 고기압과 저기압이 서쪽으로 이동할 것이다.

① ㄱ   ② ㄷ   ③ ㄱ, ㄴ
④ ㄴ, ㄷ   ⑤ ㄱ, ㄴ, ㄷ

13

그림 (가), (나)는 24시간 간격으로 작성된 우리나라 주변의 일기도를 순서 없이 나타낸 것이다.

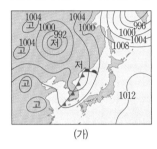 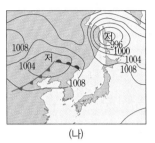

(가)   (나)

이에 대한 옳은 설명을 얘기한 학생만을 있는 대로 고른 것은?

① 영희   ② 민수   ③ 영희, 철수
④ 철수, 민수   ⑤ 영희, 철수, 민수

14

그림은 어느 날 18시에 온대 저기압과 기상 관측소 A~E의 위치를 모식적으로 나타낸 것이다.

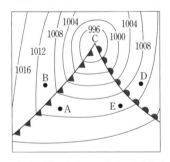

이에 대한 설명으로 옳은 것만을 〈보기〉에서 있는 대로 고른 것은?

┤ 보기 ├
ㄱ. B에서는 북서풍이 불 것이다.
ㄴ. A 관측소가 D 관측소보다 기온이 낮다.
ㄷ. E 관측소보다 C 관측소의 기압이 낮을 것이다.

① ㄱ   ② ㄴ   ③ ㄱ, ㄷ
④ ㄴ, ㄷ   ⑤ ㄱ, ㄴ, ㄷ

15

그림 (가)는 어느 날 우리나라 주변의 일기도를 나타낸 것이고, (나)는 A, B, C 중 어느 한 곳의 날씨를 일기 기호로 나타낸 것이다.

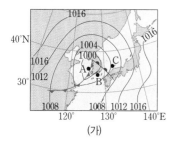
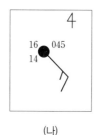

(가)   (나)

이에 대한 설명으로 옳은 것만을 〈보기〉에서 있는 대로 고른 것은?

| 보기 |
ㄱ. A 지역에서 강수 현상이 나타난다.
ㄴ. B의 기온은 16 ℃보다 높다.
ㄷ. A, B, C 중에서 기압이 가장 높은 곳은 A이다.

① ㄱ   ② ㄷ   ③ ㄱ, ㄴ
④ ㄴ, ㄷ   ⑤ ㄱ, ㄴ, ㄷ

16 고난도

그림 (가)는 어느 날 우리나라 주변의 지상 일기도를 나타낸 것이고, (나)는 이때 A, B, C 지점의 풍향과 풍속을 점(·)으로 나타낸 것이다.

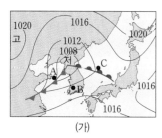
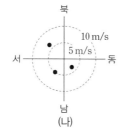

(가)   (나)

이에 대한 설명으로 옳은 것만을 〈보기〉에서 있는 대로 고른 것은?

| 보기 |
ㄱ. 기압은 B가 A보다 높다.
ㄴ. C의 풍속은 5 m/s보다 크다.
ㄷ. 온난 전선이 C를 통과하는 동안 이 지점의 풍향은 시계 반대 방향으로 바뀐다.

① ㄱ   ② ㄴ   ③ ㄱ, ㄷ
④ ㄴ, ㄷ   ⑤ ㄱ, ㄴ, ㄷ

4 기상 위성 영상 해석   대표 기출

17

그림은 같은 시각에 가시광선과 적외선으로 관측한 기상 위성 영상을 나타낸 것이다.

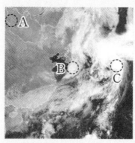

▲ 가시 영상   ▲ 적외 영상

이에 대한 설명으로 옳은 것만을 〈보기〉에서 있는 대로 고른 것은?

| 보기 |
ㄱ. A는 얇고 높은 구름이다.
ㄴ. A~C 중 강수 가능성이 가장 큰 구름은 C이다.
ㄷ. B는 C보다 구름 상부의 고도가 더 높다.

① ㄱ   ② ㄷ   ③ ㄱ, ㄴ
④ ㄴ, ㄷ   ⑤ ㄱ, ㄴ, ㄷ

> **기출 포인트** 가시 영상과 적외 영상 사진을 보고 특징을 비교하여 해석할 수 있는지를 묻는 문제가 자주 출제된다.

18

그림은 우리나라 주변의 구름 분포를 가시 영상으로 촬영한 것이다. 이에 대한 설명으로 옳은 것은?

① 밤에만 촬영할 수 있다.
② 강수량을 파악할 수 있다.
③ A에는 저기압이 위치한다.
④ 구름의 두께는 B보다 C가 더 두껍다.
⑤ 지표에서 상승 기류는 C보다 A에서 활발하다.

19 서술형

레이더 영상을 분석하여 알 수 있는 기상 요소를 서술하시오.

08강

III. 대기와 해양의 변화

태풍과 우리나라 주요 악기상

핵심 용어

• 태풍의 발생, 이동, 소멸 과정 • 태풍의 피해
• 뇌우 • 집중 호우 • 우박 • 폭설 • 황사

1 태풍의 발생과 소멸

1. 태풍 중심 부근의 최대 풍속이 17 m/s 이상인 열대 저기압

① **태풍의 에너지원** 수증기가 대기 중에서 응결하며 방출하는 숨은열(잠열)

② 전선을 동반하지 않는다.

③ 강풍과 폭우가 발생한다.

2. 태풍의 발생 과정

(가) 열대 해상에서 대기가 해수로부터 열과 수증기를 공급받는다.

(나) 상승 기류가 발생하고 수증기의 숨은열이 방출되면서 적란운이 발달한다.

(다) 지구 자전 효과로 공기의 회전이 일어나고 적란운이 태풍으로 발달한다.

(가)   (나)   (다)

3. 열대 저기압의 발생 장소 위도 5°~25° 사이의 해역

① 수온이 27 ℃ 이상인 열대 해상에서 발생 → 따뜻한 해수에서 열과 수증기를 공급받아야 하기 때문

② 북동 무역풍과 남동 무역풍의 수렴이 일어나는 저압대에서 발생 → 상승 기류가 발생하여 적란운이 형성되어야 하기 때문

③ 지구 자전 효과가 없는 적도에서는 태풍이 발생하지 못한다. → 지구 자전 효과로 공기의 회전이 일어나야 하기 때문

4. 태풍의 이동과 소멸 개념 브릿지 유형 **1**

(1) **태풍의 이동** 저위도에서는 무역풍의 영향을 받아 북서쪽으로 이동하고, 중위도에서는 편서풍의 영향을 받아 북동쪽으로 이동한다.

(2) **태풍의 소멸** 보통 일주일 정도 지속된 후 소멸한다.

① 고위도로 이동하면 주변 해역 수온이 낮아져 수증기의 공급이 적어져 태풍의 세력이 약화된다.

② 육지에 상륙하면 수증기의 공급이 적어지고 지면과의 마찰이 일어나므로 태풍의 세력이 약화된다.

③ 태풍이 약화되면 열대 저압부나 온대 저기압으로 변질되면서 소멸된다.

> **자료 클리닉 ➕ 태풍의 이동 경로**
>
>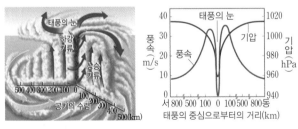
>
> • **전향점**: 무역풍의 영향을 받던 태풍이 편서풍의 영향을 받아 이동 방향이 변하는 지점이다. 전향점을 지나면 태풍의 이동 속도가 빨라진다.
>
> • 위험 반원에서는 태풍에 의한 피해가 크고, 안전 반원에서는 태풍에 의한 피해가 상대적으로 약하다.

2 태풍의 구조와 날씨

1. 태풍의 규모

① **지름** 수백 km ~ 약 2000 km

② **높이** 약 15 km

2. 태풍의 눈 태풍의 중심으로 하강 기류가 나타나며 날씨가 맑고 바람이 약하다.

① **풍속** 태풍의 눈벽에서 가장 빠르게 나타나며 태풍의 눈에서 급격하게 느려진다. 개념 브릿지 유형 **2**

② **기압** 태풍의 눈에 가까워질수록 낮아지며 태풍의 눈에서 가장 낮다.

3. 위험 반원과 안전 반원

① **위험 반원** 태풍이 이동하는 방향을 기준으로 오른쪽 영역 → 저기압성 바람의 방향과 태풍의 이동 방향이 같기 때문에 풍속이 강하다.

② 안전 반원(가항 반원) 태풍이 이동하는 방향을 기준으로 왼쪽 영역 → 저기압성 바람의 방향과 태풍의 이동 방향이 반대이기 때문에 상쇄되어 풍속이 약하다.

3 뇌우

1. 뇌우 천둥과 번개를 동반한 폭풍우로, 지속 시간이 짧은 국지적인 현상이다.

2. 뇌우의 발생 장소 강한 상승 기류가 나타나는 곳에서 발생
① 국지적으로 가열될 때 → 한여름에 자주 발생한다.
② 한랭 전선에서 찬 공기가 따뜻한 공기를 파고들어 따뜻한 공기가 빠르게 상승할 때
③ 태풍에서 상승 기류가 강한 부분 → 태풍의 눈 주변부

자료 클리닉 🞧 뇌우의 발달 단계

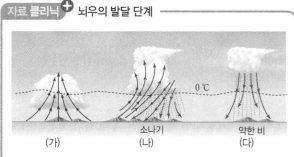

(가) 강한 상승 기류가 발생하면서 적운이 발달하고 적란운으로 성장한다. 강수 현상은 거의 없다.
(나) 상승 기류와 하강 기류가 함께 나타난다. 돌풍, 소나기, 번개, 천둥, 우박 등을 동반한다.
(다) 상승 기류는 사라지고 하강 기류만 남게 된다. 약한 비가 내리고 구름이 소멸된다.

4 집중 호우, 폭설, 한파, 강풍, 우박

1. 집중 호우 짧은 시간 동안 좁은 지역에서 많은 비가 내리는 현상으로, 수십 분~수 시간 정도 지속되고, 반지름이 10~20 km인 좁은 지역에 집중적으로 발생한다.
(1) 발생 주로 여름철에 발생한다.
　🞇 ·높은 적란운이 형성되어 강한 뇌우가 발달할 때
　　 ·초여름 장마 전선이 형성될 때
(2) 기준 강수량 한 시간에 30 mm 이상, 하루에 80 mm 이상 또는 연강수량의 10 % 이상

2. 폭설, 한파, 강풍
(1) 폭설 짧은 시간에 많은 눈이 오는 현상
① 서해안 폭설 과정 찬 시베리아 기단이 따뜻한 황해를 통과하면 황해로부터 열과 수증기를 공급받아 기단이 불안정해지고 서해안에 폭설을 내린다.
② 영동 지방 폭설 과정 동해상에 저기압성 기류가 발달하여 동풍 계열 바람이 불면 기단이 태백산맥을 타고 상승하면서 영동 지방에 폭설이 내린다.

(2) 한파 겨울철 기온이 급격하게 낮아지는 현상
　🞇 우리나라에서는 시베리아 고기압이 확장되면서 한파가 발생한다.
(3) 강풍 10분 동안의 평균 풍속이 14 m/s 이상인 바람
　🞇 강한 뇌우와 태풍의 영향을 받거나 겨울철에 발달한 시베리아 고기압의 영향을 받을 때 발생한다.

3. 우박 지상으로 얼음 덩어리가 떨어지는 강수 현상
(1) 발생 과냉각 물방울을 많이 포함하고 있는 성숙 단계의 뇌우에서 나타난다. → 주로 초여름이나 가을에 발생한다.
(2) 우박의 생성 과정

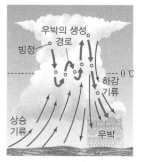

① 강한 상승 기류가 나타나는 적란운 내에서 빙정이 상승과 하강을 반복한다.
② 상승과 하강 과정에서 빙정 주위에 과냉각 물방울이 얼어붙고 빙정의 크기가 커진다.
③ 빙정이 충분히 무거워지면 상승 기류를 거슬러 지상에 우박으로 떨어진다.

5 황사

1. 황사 중국 내륙 또는 몽골 사막 지역에서 상공으로 올라간 모래 먼지가 멀리 이동하여 낙하하는 현상
① 발원지 중국 고비 사막, 내몽골 고원 등 내륙 건조 지역

② 발생 시기 양쯔강 기단의 세력이 강해지는 3월에서 5월 사이

2. 황사의 발생 과정 　개념 브릿지 유형 3
① 발생 발원지에 강한 바람이 불거나 상승 기류(저기압)가 있을 때 모래 먼지가 지표에서 3~5 km 상공까지 상승한다.
② 이동 상승한 모래 먼지가 편서풍을 타고 동쪽으로 이동한다.
③ 낙하 모래 먼지가 이동하면서 낙하하거나 하강 기류(고기압)를 받아 낙하한다. → 강한 편서풍을 타고 한반도를 지나 일본, 태평양, 북아메리카까지 날아가기도 한다.

1 태풍의 에너지원은 수증기가 대기 중에서 응결하며 방출하는 ☐☐☐(잠열)이다.

2 적도에서는 태풍이 발생하지 않는데, 지구 ☐☐ 효과가 없기 때문이다.

3 태풍은 저위도에서는 ☐☐☐☐의 영향을 받아 북서쪽으로 이동하고, 중위도에서는 ☐☐☐의 영향을 받아 북동쪽으로 이동한다.

4 태풍의 중심으로 하강 기류가 나타나며 날씨가 맑고 바람이 약한 지역을 태풍의 ☐이라고 한다.

5 그림은 태풍 진행 방향을 나타낸 것이다. ㉠, ㉡에 해당하는 영역을 각각 쓰시오.

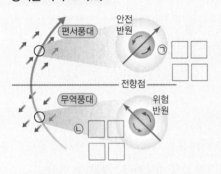

6 다음에 해당하는 기상 현상을 각각 쓰시오.

기상 현상	특징
㉠ ☐☐	천둥과 번개를 동반한 폭풍우로, 지속 시간이 짧은 국지적인 현상이다.
㉡ ☐☐ ☐☐	짧은 시간 동안 좁은 지역에서 많은 비가 내리는 현상이다.
㉢ ☐☐	지상으로 얼음 덩어리가 떨어지는 강수 현상이다.
㉣ ☐☐	중국 내륙 또는 몽골 사막 지역에서 상공으로 올라간 모래 먼지가 멀리 이동하여 낙하하는 현상이다.

7 서해안에 내리는 폭설은 찬 시베리아 기단이 따뜻한 황해를 통과하면서 황해로부터 ☐☐과 ☐☐☐를 공급받아 기단이 불안정해져서 나타난다.

8 우박은 과냉각 물방울을 많이 포함하고 있는 성숙 단계의 ☐☐에서 잘 나타난다.

답 1 숨은열 2 자전 3 무역풍, 편서풍 4 눈
5 ㉠위험 반원, ㉡안전 반원(가항 반원)
6 ㉠뇌우, ㉡집중 호우, ㉢우박, ㉣황사 7 열, 수증기 8 뇌우

개념과 문제의
연결고리 찾기!!

1 태풍의 이동 경로

그림은 2015년 7월 우리나라 주변을 통과한 태풍 찬홈의 이동 경로와 중심 기압의 변화를 나타낸 것이다.

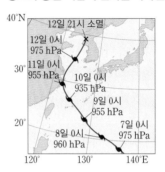

이에 대한 설명으로 옳은 것만을 〈보기〉에서 있는 대로 고른 것은?

┤ 보기 ├
ㄱ. 8일에 태풍의 이동 방향은 무역풍의 영향을 받았을 것이다.
ㄴ. 12일 0시 이후 태풍의 중심 기압은 낮아졌을 것이다.
ㄷ. 태풍이 황해를 지나는 동안 서울 지역의 풍향은 시계 방향으로 바뀌었을 것이다.

① ㄴ ② ㄷ ③ ㄱ, ㄴ
④ ㄱ, ㄷ ⑤ ㄱ, ㄴ, ㄷ

개념으로 문제 접근하기 태풍이 이동할 때 풍향 변화

• 태풍은 이동하는 방향을 기준으로 오른쪽 영역은 위험 반원, 왼쪽 영역은 안전 반원이다.
• 북반구를 기준으로 할 때 태풍의 이동 경로 오른쪽에 있는 지역의 풍향은 시계 방향으로 바뀌고, 태풍의 이동 경로 왼쪽에 있는 지역의 풍향은 시계 반대 방향으로 바뀐다.

| 보기 분석 |
ㄱ. 8일에 태풍은 위도 약 20° 부근에 위치하고 있다. 적도부터 위도 30°까지는 무역풍이 불고 있는 지역이며 태풍은 무역풍의 영향을 받아 북서쪽으로 이동하고 있다.
ㄴ. 12일 0시 이후 태풍은 한반도에 상륙했고 수증기를 공급받지 못해 태풍의 세기가 약해지다가 21시에 소멸하였다. 따라서 12일 0시 이후 태풍의 중심 기압은 높아졌을 것이다.
ㄷ. 태풍 주변의 바람은 시계 반대 방향으로 회전하며 태풍 중심으로 불어 들어간다. 따라서 서울 지역은 12일 0시에 동풍이 불고, 태풍이 황해를 지나는 동안 남동풍이 불며 소멸 직전에는 남풍이 불어 풍향이 시계 방향으로 바뀌었을 것이다.

답 ④

2 태풍의 풍속 분포

그림 (가)는 북반구 중위도에서 북상하는 어느 태풍의 단면을 나타낸 것이고, (나)는 이 태풍의 풍속과 기압 분포를 모식적으로 나타낸 것이다.

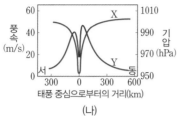

(가)　　　　　　　　(나)

이에 대한 설명으로 옳은 것만을 〈보기〉에서 있는 대로 고른 것은? (단, A와 B는 태풍 중심으로부터의 거리가 같은 지점이다.)

┤ 보기 ├
ㄱ. (나)의 X는 풍속, Y는 기압이다.
ㄴ. 풍속은 (가)의 B 지점이 A 지점보다 빠르다.
ㄷ. 태풍의 눈에서는 하강 기류가 나타난다.

① ㄱ　　　　　② ㄴ　　　　　③ ㄱ, ㄷ
④ ㄴ, ㄷ　　　　⑤ ㄱ, ㄴ, ㄷ

3 황사

그림 (가)는 황사가 발원한 2009년 어느 날 우리나라 주변의 일기도를 나타낸 것이고, (나)는 이로부터 며칠 후 우리나라의 상층 대기에 나타난 황사 모습을 나타낸 것이다.

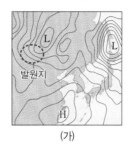

(가)　　　　　　　　(나)

이에 대한 설명으로 옳은 것만을 〈보기〉에서 있는 대로 고른 것은?

┤ 보기 ├
ㄱ. (가)의 발원지에서는 우리나라보다 강한 바람이 불었다.
ㄴ. (나)의 황사는 발원지 주변에서 상승 기류에 의해 상층으로 이동하였다.
ㄷ. (나)의 황사는 동풍 계열의 바람을 타고 이동해왔다.

① ㄱ　　　　　② ㄷ　　　　　③ ㄱ, ㄴ
④ ㄴ, ㄷ　　　　⑤ ㄱ, ㄴ, ㄷ

개념으로 문제 접근하기 ｜ 태풍이 이동할 때 풍속 변화

· 위험 반원에서는 태풍의 이동 방향과 태풍 중심으로 불어 들어가는 바람의 방향이 같아 풍속이 빠르다.
· 안전 반원에서는 태풍의 이동 방향과 태풍 중심으로 불어 들어가는 바람의 방향이 반대이기 때문에 풍속이 느리다.

| 보기 분석 |
ㄱ. 태풍은 열대 저기압으로 저기압의 한 종류이다. 태풍의 중심으로 갈수록 값이 계속 감소해 태풍의 눈에서 최소인 값을 가지는 자료(X)는 기압이다. 태풍의 중심으로 갈수록 값이 증가하다가 태풍의 눈벽에서 최대인 값을 가지고 이후 감소하는 자료(Y)는 풍속이다.
ㄴ. (나)의 풍속를 보면 풍속이 더 빠른 태풍의 동쪽 영역은 위험 반원이고, 풍속이 더 느린 서쪽 영역은 안전 반원임을 알 수 있다. 따라서 A는 안전 반원 영역, B는 위험 반원 영역이므로 풍속은 B 지점이 A 지점보다 빠르다.
ㄷ. 태풍의 눈에서는 하강 기류가 나타나므로 태풍의 중심은 (가)에서는 구름이 없고 (나)에서 풍속이 느린 곳이다.

답 ④

개념으로 문제 접근하기 ｜ 황사의 이동 방향

· 우리나라가 편서풍의 영향을 받는 지역임을 알지 못하더라도 황사의 발원지가 우리나라보다 서쪽에 위치하고 있으므로 황사가 서풍 계열의 바람을 타고 동쪽으로 이동하였음을 알 수 있다.

| 보기 분석 |
ㄱ. 일기도에서 황사 발원지 주변의 등압선 간격이 우리나라 주변의 등압선 간격보다 좁으므로 발원지에서 우리나라보다 강한 바람이 불었다. 일기도에서 등압선 사이의 간격이 좁을수록 풍속이 빠르고, 등압선 사이의 간격이 넓을수록 풍속이 느리다.
ㄴ. 황사 발원지 주변에 저기압이 위치해 있고 저기압에서 공기의 수렴이 일어나 상승 기류가 발생하므로 황사는 이곳에서 발생하는 상승 기류를 타고 상층으로 이동했다.
ㄷ. 황사는 발원지에서 우리나라까지 편서풍을 타고 동쪽으로 이동하였다. 풍향은 바람이 불어오는 방향을 가리킨다. 따라서 동풍 계열의 바람은 동쪽에서 서쪽으로 부는 바람이고, 서풍 계열의 바람은 서쪽에서 동쪽으로 부는 바람이다.

답 ③

1 태풍의 발생과 소멸

대표 기출

01

그림은 어느 해 9월에
발생한 태풍의 이동 경로
와 8일 15시에 제주에
서 관측된 날씨를 일기
기호로 나타낸 것이다.
이에 대한 설명으로 옳
은 것만을 〈보기〉에서
있는 대로 고른 것은?

┤ 보기 ├
ㄱ. 8일 15시 이후 태풍은 이동 속도가 빨라졌다.
ㄴ. 제주는 8일 15시에 15 m/s의 북풍이 불고 비가
내렸다.
ㄷ. 8일 15시 이후 부산의 풍향은 시계 반대 방향으로
변했다.

① ㄱ   ② ㄷ   ③ ㄱ, ㄴ   ④ ㄴ, ㄷ   ⑤ ㄱ, ㄴ, ㄷ

> **기출 포인트** 태풍의 이동 경로를 예상하고 각 지역에서의 풍향 변
> 화를 설명할 수 있는지를 묻는 문제가 자주 출제된다.

02

그림 (가), (나)는 우리나라를 통과한 온대 저기압과 태풍의 이동
경로를 순서 없이 나타낸 것이다.

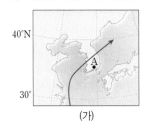
(가)

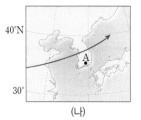
(나)

이에 대한 옳은 설명을 얘기한 학생만을 있는 대로 고른 것은?

① 영희   ② 철수   ③ 영희, 민수
④ 철수, 민수   ⑤ 영희, 철수, 민수

03

그림은 어느 태풍의 이동 경로를 나타
낸 것이다.
이에 대한 설명으로 옳은 것만을 〈보기〉
에서 있는 대로 고른 것은?

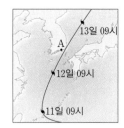

┤ 보기 ├
ㄱ. 12일 밤 A 지역은 태풍의 영향으로 해수면이 상승하
였을 것이다.
ㄴ. 11일 09시 이후 태풍은 편서풍의 영향을 받았다.
ㄷ. 12일과 13일 사이 우리나라의 육지에서는 풍향이 시
계 반대 방향으로 변했을 것이다.

① ㄱ   ② ㄴ   ③ ㄱ, ㄷ
④ ㄴ, ㄷ   ⑤ ㄱ, ㄴ, ㄷ

2 태풍의 구조와 날씨

대표 기출

04

그림 (가), (나)는 태풍이 우리나라를 지나는 동안 어느 지점
에서 관측한 기압, 풍속, 풍향의 변화를 나타낸 것이다.

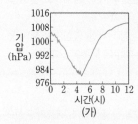
(가)

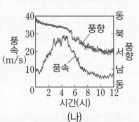
(나)

이에 대한 설명으로 옳은 것만을 〈보기〉에서 있는 대로 고른
것은?

┤ 보기 ├
ㄱ. 4~6시에 태풍의 눈이 지나갔다.
ㄴ. 관측 지점은 태풍 이동 경로의 오른쪽에 위치하였다.
ㄷ. 12시 이후 태풍의 세력은 약해졌을 것이다.

① ㄱ   ② ㄷ   ③ ㄱ, ㄴ
④ ㄴ, ㄷ   ⑤ ㄱ, ㄴ, ㄷ

> **기출 포인트** 태풍이 통과하는 동안 기압, 풍속, 풍향의 변화를 설
> 명할 수 있는지를 묻는 문제가 자주 출제된다.

05 고난도

그림 (가)는 어느 태풍의 이동 경로를 나타낸 것이고, (나)는 이 태풍의 중심 기압과 최대 풍속의 변화를 나타낸 것이다.

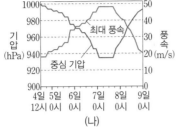

(가)　　　　(나)

이에 대한 설명으로 옳은 것만을 〈보기〉에서 있는 대로 고른 것은?

┤보기├
ㄱ. 5일에는 편서풍의 영향을 받았다.
ㄴ. 태풍 발생 이후 세력이 가장 강한 시기는 7일이었다.
ㄷ. 태풍이 남해상을 통과하는 동안 제주도의 풍향은 시계 반대 방향으로 변했다.

① ㄱ　　　② ㄴ　　　③ ㄱ, ㄷ
④ ㄴ, ㄷ　　　⑤ ㄱ, ㄴ, ㄷ

06

그림은 북반구 중위도에서 북상하는 태풍의 동서 방향 단면과 기상 요소의 변화를 나타낸 것이다.

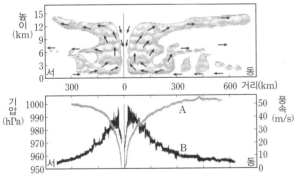

이에 대한 설명으로 옳은 것만을 〈보기〉에서 있는 대로 고른 것은?

┤보기├
ㄱ. 태풍의 눈에서는 하강 기류에 의해 단열 압축이 일어난다.
ㄴ. A는 기압, B는 풍속이다.
ㄷ. 태풍 중심에서 동쪽으로 150 km 떨어진 지점은 위험 반원에 속한다.

① ㄱ　　　② ㄴ　　　③ ㄱ, ㄷ
④ ㄴ, ㄷ　　　⑤ ㄱ, ㄴ, ㄷ

07

그림 (가)는 북반구에서 이동 중인 태풍을 나타낸 것이고, (나)는 X−Y 방향의 풍속 분포를 모식적으로 나타낸 것이다.

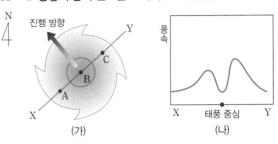

(가)　　　　(나)

이에 대한 설명으로 옳은 것만을 〈보기〉에서 있는 대로 고른 것은?

┤보기├
ㄱ. A는 위험 반원, C는 가항(안전) 반원에 속한다.
ㄴ. A∼C 중 기압이 가장 낮은 곳은 B이다.
ㄷ. C 지역의 기상을 일기 기호로 나타내면 ⟍이다.

① ㄱ　　　② ㄴ　　　③ ㄱ, ㄷ
④ ㄴ, ㄷ　　　⑤ ㄱ, ㄴ, ㄷ

[08~09] 그림은 우리나라를 향해 북상하는 태풍의 중심을 지나는 직선을 따라 지상 풍속을 측정하여 모식적으로 나타낸 것이다.

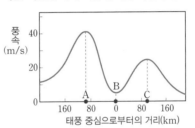

08

이에 대한 설명으로 옳은 것만을 〈보기〉에서 있는 대로 고른 것은?

┤보기├
ㄱ. A는 태풍 진행 방향의 오른쪽에 위치한다.
ㄴ. B에서 적란운이 가장 두껍게 발달한다.
ㄷ. C에서 기압이 가장 낮다.

① ㄱ　　　② ㄴ　　　③ ㄷ
④ ㄱ, ㄴ　　　⑤ ㄴ, ㄷ

09 서술형

그림의 A∼C 중에서 위험 반원 지역과 안전 반원 지역을 각각 찾으시오.

3 뇌우 　　　　　　　　　　　대표 기출

10

그림은 뇌우의 일생을 순서대로 나타낸 것이다.

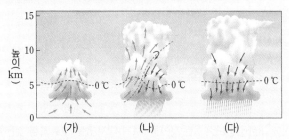

이에 대한 설명으로 옳은 것만을 〈보기〉에서 있는 대로 고른 것은?

┤보기├
- ㄱ. (가) 단계는 국지적으로 지표가 가열될 때 잘 나타난다.
- ㄴ. (나) 단계에서 돌풍과 강한 소나기가 동반될 수 있다.
- ㄷ. (다) 단계가 지나면 구름은 소멸한다.

① ㄱ 　② ㄴ 　③ ㄱ, ㄷ 　④ ㄴ, ㄷ 　⑤ ㄱ, ㄴ, ㄷ

기출 포인트 뇌우의 생성 과정을 이해하고 발달 단계를 설명할 수 있는지를 묻는 문제가 자주 출제된다.

11

그림은 뇌우의 발달 단계를 순서 없이 나타낸 것이다.

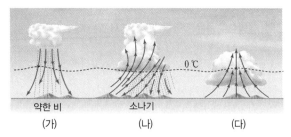

이에 대한 옳은 설명을 얘기한 학생만을 있는 대로 고른 것은?

(가)에서 강한 하강 기류로 우박이 내릴 수 있어.

(나)에서 천둥, 번개가 동반될 수 있어.

철수

영희

(다)에서 구름이 수직으로 성장해.

민수

① 영희 　② 철수 　③ 민수
④ 영희, 철수 　⑤ 철수, 민수

12

그림은 어느 날 발생한 뇌우의 모습을 나타낸 것이다.

이에 대한 설명으로 옳은 것만을 〈보기〉에서 있는 대로 고른 것은?

┤보기├
- ㄱ. 층운형 구름에서 주로 나타난다.
- ㄴ. 구름 내부에서는 상승 기류와 하강 기류가 동시에 나타난다.
- ㄷ. 그림과 같은 현상이 관측될 가능성이 높은 곳은 한랭 전선 후면이다.

① ㄱ 　　② ㄴ 　　③ ㄱ, ㄴ
④ ㄱ, ㄷ 　　⑤ ㄴ, ㄷ

4 집중 호우, 폭설, 한파, 강풍, 우박 　　대표 기출

13

그림은 우리나라 서해안에 폭설이 내리는 과정을 나타낸 것이다.

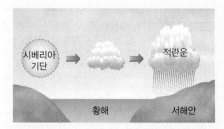

이에 대한 설명으로 옳은 것만을 〈보기〉에서 있는 대로 고른 것은?

┤보기├
- ㄱ. 찬 대륙성 기단이 황해를 통과할 때 황해로부터 수증기를 공급받는다.
- ㄴ. 시베리아 기단은 황해를 지나면서 하층이 안정해진다.
- ㄷ. 황해의 수온이 낮을수록 서해안의 강설량은 증가한다.

① ㄱ 　　② ㄷ 　　③ ㄱ, ㄴ
④ ㄴ, ㄷ 　　⑤ ㄱ, ㄴ, ㄷ

기출 포인트 우리나라에 폭설이 내리는 과정을 기단의 변질과 연관지어 설명할 수 있는지를 묻는 문제가 자주 출제된다.

14

그림은 우리나라에 폭설이 발생했을 때의 위성 영상을 나타낸 것이다. 이에 대한 설명으로 옳은 것은?

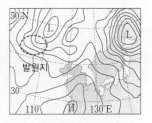

① 시베리아 기단의 영향을 직접 받았다.
② 우리나라에 온대 저기압이 지나고 있다.
③ 동해안 지역에 서풍이 불면서 폭설이 내린다.
④ 황해를 지나온 공기가 습하고 따뜻한 성질로 변하였다.
⑤ 성질이 다른 공기가 만나 상승 기류가 발달하면서 폭설이 내린 것이다.

15

겨울철 우리나라 서해안에 폭설이 내리는 과정을 다음 단어를 모두 포함하여 서술하시오.

> 시베리아 기단, 황해, 기단의 변질

16

그림은 우리나라에 한파가 발생했을 때 일기도를 나타낸 것이다.
이에 대한 설명으로 옳은 것만을 〈보기〉에서 있는 대로 고른 것은?

┤ 보기 ├
ㄱ. 시베리아 고기압의 세력이 우리나라로 확장할 때 나타나는 현상이다.
ㄴ. 한파 기간 동안에는 다른 날보다 풍속이 강하다.
ㄷ. 황해의 수온이 높다면 시베리아 기단의 성질이 변해 서해안 지역에 폭설이 내릴 수 있다.

① ㄱ ② ㄴ ③ ㄱ, ㄷ
④ ㄴ, ㄷ ⑤ ㄱ, ㄴ, ㄷ

---

5 황사 **대표 기출**

17

그림은 황사가 나타난 어느 날의 일기도를 나타낸 것이다.
이에 대한 설명으로 옳은 것만을 〈보기〉에서 있는 대로 고른 것은?

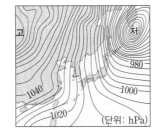

┤ 보기 ├
ㄱ. 발원지 주변으로는 하강 기류가 나타난다.
ㄴ. 황사의 이동은 편서풍의 영향을 받는다.
ㄷ. 우리나라 지상에 고기압이 형성되면 황사가 더 심해질 것이다.

① ㄱ ② ㄴ ③ ㄷ
④ ㄱ, ㄷ ⑤ ㄴ, ㄷ

기출 포인트 황사의 발생과 이동 과정을 공기의 이동과 연관지어 설명할 수 있는지를 묻는 문제가 자주 출제된다.

18 고난도

그림 (가)는 지난 40년 동안 서울과 부산에서 관측된 월별 황사 일수를 나타낸 것이고, (나)는 우리나라에 영향을 미치는 황사의 발원지를 나타낸 것이다.

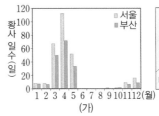 

이에 대한 설명으로 옳은 것만을 〈보기〉에서 있는 대로 고른 것은?

┤ 보기 ├
ㄱ. 봄철에는 서울보다 부산에서 황사가 더 발생하였다.
ㄴ. 황사는 지권과 기권의 상호 작용으로 발생한다.
ㄷ. 황사는 고온 다습한 기단의 세력이 강해질 때 더 자주 발생한다.

① ㄱ ② ㄴ ③ ㄷ
④ ㄱ, ㄷ ⑤ ㄴ, ㄷ

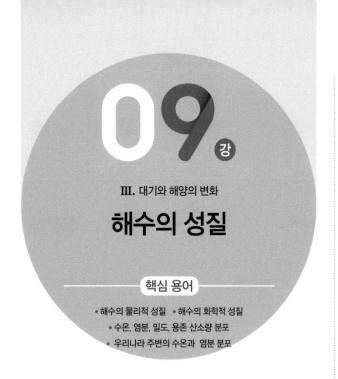

III. 대기와 해양의 변화

해수의 성질

핵심 용어

• 해수의 물리적 성질 • 해수의 화학적 성질
• 수온, 염분, 밀도, 용존 산소량 분포
• 우리나라 주변의 수온과 염분 분포

1 수온

1. 표층 수온 분포 가장 큰 영향을 주는 요인은 태양 복사 에너지양이다.

① 등온선이 대체로 위도에 나란하게 분포한다.

② 동일한 경도에서는 위도가 높아질수록 수온이 낮아진다.

➡ 고위도로 갈수록 단위 면적당 태양 복사 에너지양이 적어지므로 수온이 낮아진다.

③ 등수온선이 위도와 나란하지 않은 곳이 있다.

➡ 대양의 동쪽 가장자리는 한류의 영향으로 수온이 낮다.

➡ 대양의 서쪽 가장자리는 난류의 영향으로 수온이 높다.

2. 연직 수온 분포 수심이 깊어질수록 대체로 낮아진다.

개념 브릿지 유형 1

구분	특징
혼합층	• 표층부터 수심에 따라 수온이 일정한 층 • 바람의 영향으로 해수가 혼합된다. • 바람이 강한 지역이나 계절에 두꺼워진다.
수온 약층	• 수심이 깊어질수록 수온이 급격히 낮아지는 층 • 아래쪽에 찬 해수, 위쪽에 따뜻한 해수가 있어 매우 안정한 상태이다. • 연직 혼합이 일어나지 않아 혼합층과 심해층 사이의 물질과 열교환을 억제한다.
심해층	• 수온이 낮고 수심에 따른 수온 변화가 거의 없는 층 • 수심이 깊기 때문에 태양 복사의 영향을 거의 받지 않는다. • 위도나 계절에 관계없이 수온이 거의 일정하다.

3. 우리나라 주변 해수의 계절별 특징

① 여름 기온이 높아 표층 수온이 높고 수온 약층이 뚜렷하다.

② 겨울 바람이 강하게 불어 혼합층의 두께가 두껍다.

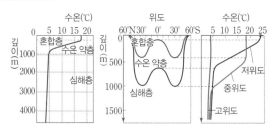

자료 클리닉 ➕ 위도별 해수의 층상 구조와 연직 수온 분포

• 열대 해역: 바람이 약하게 불기 때문에 혼합층의 두께가 얇다. 태양 복사 에너지양이 많은 곳이므로 표층 수온이 높고 수온 약층이 뚜렷하다.

• 중위도 해역: 바람이 강하게 불기 때문에 혼합층의 두께가 두껍다. 세 개의 층이 잘 구분된다.

• 고위도 해역: 태양 복사 에너지를 적게 받는 곳이므로 표층 수온이 낮고 심층까지 수온 변화가 거의 없다.

2 염분

1. 염분 해수에 녹아 있는 염류의 양

(1) 해양의 평균 염분 약 35 psu

(2) 표층 염분을 결정하는 요인 강수량, 증발량, 결빙과 해빙, 담수 유입 등

① 표층 염분 증가 강수량 감소, 증발량 증가, 결빙

② 표층 염분 감소 강수량 증가, 증발량 감소, 해빙, 하천수 유입 ┌─ 대기 대순환의 영향으로 위도별로 다르게 나타난다.

2. 표층 염분 분포 강수량과 증발량이 큰 영향을 미친다.

개념 브릿지 유형 1

(1) 표층 염분 분포는 (증발량 – 강수량) 값과 대체로 일치하며, 위도 30° 부근에서 가장 높고 적도에서 낮다.

(2) 연안 해역은 대륙에서 하천수가 유입되어 대양의 중심부보다 염분이 낮다.

자료 클리닉 ➕ (증발량 – 강수량)과 표층 염분 분포

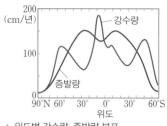

▲ 위도별 강수량, 증발량 분포

• 강수량: 적도에서 높게 나타나고, 위도 30° 부근은 고압대가 형성되어 강수량이 적다.

• 증발량: 저위도로 갈수록 대체로 높게 나타나지만 적도 부근은 위도 30° 부근보다 증발량이 적다.

• 표층 염분은 위도 30° 부근에서 가장 높고 적도에서 낮다.

▲ (증발량–강수량)과 표층 염분 분포

3 밀도와 용존 기체

1. 해수의 밀도 단위 부피당 해수의 질량

① 해수의 밀도는 수온이 낮을수록, 염분이 높을수록 크다.

② 수온 염분도(T−S도) 수온과 염분을 가로축과 세로축으로 하는 그래프에 등밀도선을 나타낸 것

> 수온과 염분을 통해 밀도를 알아낼 수 있다.

개념 브릿지 유형 2

자료 클리닉 ➕ 수온 염분도(T−S도) 해석

- 수온: C>B>A 순이다.
- 염분: B=C>A 순이다.
- 밀도: A=B>C 순이다.
- A와 B는 수온과 염분이 다르지만 밀도가 같은 해수이다.

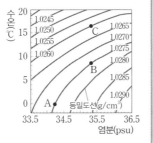

2. 해수의 밀도 분포

① 열대나 아열대 해역 수심에 따른 수온의 변화가 크므로 밀도 분포가 염분보다 수온의 영향을 크게 받는다.

➡ 해수의 밀도는 수온과 대칭적인 변화를 보인다.

② 고위도로 갈수록 태양 복사 에너지양이 감소하므로 수온은 감소한다.

➡ 표층 해수의 밀도는 대체로 증가하는 경향을 보인다.

③ 수심에 따른 수온 분포로 해양을 3개의 층으로 구분한다.

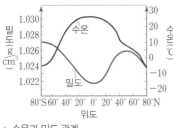

▲ 수온과 밀도 관계

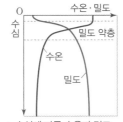

▲ 수심에 따른 수온과 밀도

3. 용손 기체 해수에 용해되어 있는 여러 기체

① 해수의 표층은 대기와 맞닿아 있어 대기 중으로 기체가 방출되기도 하고 대기에서 해수로 기체가 녹기도 한다.

② 기체의 용해도는 염분이 낮을수록, 수온이 낮을수록 증가한다.

4. 용존 산소량 해수에 용해되어 있는 산소량

① 표층에서 가장 높다.

➡ 햇빛이 깊은 수심까지 들어가지 못하기 때문에 표층에서 광합성이 많이 일어난다.

② 수심 1000 m까지 급격하게 낮아진다.

➡ 햇빛이 도달하지 못하는 깊이에서는 광합성이 일어나지 못하고, 생물의 호흡만 일어난다.

③ 수심 1000 m부터 수심이 깊어짐에 따라 증가한다.

➡ 용존 산소량이 풍부한 심층 해류가 흐른다.

5. 용존 이산화 탄소량 해수에 용해되어 있는 이산화 탄소량

① 일정한 수심까지는 용존 산소량과 대칭적 변화를 보인다.

② 수심 1000 m부터 수심이 깊어질수록 증가한다.

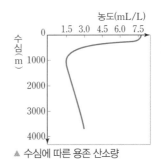

▲ 수심에 따른 용존 산소량

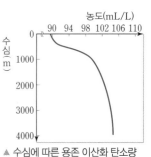

▲ 수심에 따른 용존 이산화 탄소량

4 우리나라 주변 해역의 특징 개념 브릿지 유형 3

구분	특징
표층 수온 분포	• 동해: 남북 간의 수온 변화가 크며 한류와 난류가 만나는 조경 수역이 나타난다. • 황해: 수온의 연교차가 크다. • 남해: 쿠로시오 해류의 영향으로 연중 수온이 가장 높다.
표층 염분 분포	• 여름은 겨울보다 표층 염분이 낮다. • 동해보다 황해의 표층 염분이 낮다.
표층 밀도 분포	• 수온이 높고 염분이 낮은 여름에 표층 밀도가 낮다. • 수온이 낮고 염분이 높은 겨울에 표층 밀도가 높다.
표층 용존 산소량 분포	• 용존 산소량이 낮은 쿠로시오 해류의 영향을 많이 받는 저위도와 여름에 낮게 나타난다.

자료 클리닉 ➕ 우리나라 주변의 표층 수온과 표층 염분 분포

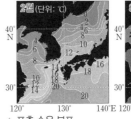
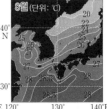

▲ 표층 수온 분포

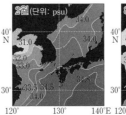
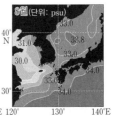

▲ 표층 염분 분포

- 동해, 황해, 남해 중 남해의 표층 수온이 가장 높다.
- 대륙의 영향을 많이 받는 황해의 표층 염분이 낮다.

내신 기초

1 표층 수온 분포에 가장 큰 영향을 미치는 요인은 ☐☐ 복사 에너지이다.

2 다음 설명 중 옳은 것은 ○, 옳지 <u>않은</u> 것은 ×를 하시오.

(1) 고위도로 갈수록 단위 면적당 태양 복사 에너지양이 많아진다. ( )

(2) 대양의 동쪽 가장자리는 한류의 영향으로 수온이 낮다. ( )

(3) 대양의 서쪽 가장자리는 난류의 영향으로 수온이 높다. ( )

3 표는 연직 수온 분포를 나타낸 것이다. 빈칸에 알맞은 말을 쓰시오.

㉠ ☐☐☐	표층부터 수심에 따라 수온이 일정한 층
㉡ ☐☐☐☐	수심이 깊어질수록 수온이 급격하게 낮아지는 층
㉢ ☐☐☐	수온이 낮고 수심에 따른 수온 변화가 거의 없는 층

4 해수의 밀도는 수온이 ☐을수록, 염분이 ☐을수록 크다.

5 그림은 수심에 따른 수온과 밀도를 나타낸 것이다. 빈칸에 들어갈 알맞은 말을 쓰시오.

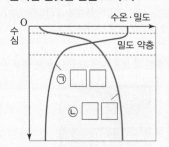

6 용존 산소량은 ☐☐에서 가장 높고, 수심 1000 m까지 급격하게 낮아진다.

7 다음은 우리나라 주변 해역의 특징을 나타낸 것이다. 동해, 남해, 황해 중 어디에 해당하는지 각각 쓰시오.

(1) 세 바다 중 수온의 연교차가 가장 크다.

(2) 한류와 난류가 만나는 조경 수역이 나타난다.

(3) 쿠로시오 해류의 영향으로 연중 수온이 가장 높다.

개념 브릿지 유형

> 개념과 문제의 연결고리 찾기!!

1 연직 수온과 연직 염분 분포

그림 (가)와 (나)는 우리나라 동해의 어느 해역에서 서로 다른 계절에 측정한 수온과 염분을 깊이에 따라 나타낸 것이다.

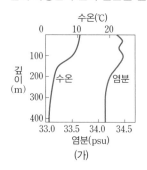 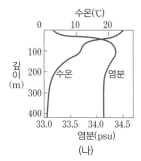

이에 대한 설명으로 옳은 것만을 〈보기〉에서 있는 대로 고른 것은?

┤ 보기 ├
ㄱ. 혼합층은 (가)가 (나)보다 두껍다.
ㄴ. (증발량 − 강수량) 값은 (가)가 (나)보다 크다.
ㄷ. 표층 해수의 밀도는 (가)가 (나)보다 크다.

① ㄱ   ② ㄴ   ③ ㄱ, ㄷ
④ ㄴ, ㄷ   ⑤ ㄱ, ㄴ, ㄷ

개념으로 문제 접근하기 | 우리나라 주변 해역의 특징

• 우리나라의 기후 특성상 1년 동안 내리는 강수량은 대부분 여름에 집중되어 있다.
• 겨울에는 시베리아 기단의 영향으로 바람이 강하다.
• (가) 시기는 겨울, (나) 시기는 여름으로 추정할 수 있다.

| 보기 분석 |

ㄱ. 혼합층은 바람의 혼합으로 표층부터 수심이 깊어지는 동안 수온이 비교적 일정하게 유지되는 구간이다. 따라서 혼합층은 약 100 m까지 수온 변화가 거의 없는 (가) 시기가 표층부터 급격하게 수온이 하강하는 (나) 시기보다 두껍다.

ㄴ. 동일한 장소에서 표층 염분이 다르게 나타날 경우 가장 크게 영향을 미치는 요소는 강수량과 증발량이다. 증발량보다 강수량이 많을수록 표층 염분은 낮아지고, 증발량보다 강수량이 적을수록 표층 염분은 높아진다. 따라서 (증발량−강수량) 값은 표층 염분이 더 높은 (가) 시기가 (나) 시기보다 크다.

ㄷ. 해수의 밀도는 주로 수온과 염분으로 결정된다. 수온이 낮을수록, 염분이 높을수록 해수의 밀도가 크다. 따라서 (가) 시기의 표층 해수 밀도가 (나) 시기의 표층 해수 밀도보다 크다.

답 ⑤

답 1 태양 **2** (1)× (2)○ (3)○ **3** ㉠ 혼합층, ㉡ 수온 약층, ㉢ 심해층
4 낮, 높 **5** ㉠ 수온, ㉡ 밀도 **6** 표층
7 (1) 황해 (2) 동해 (3) 남해

2 수온 염분도(T-S도)

그림은 어느 해역에서 측정한 깊이에 따른 수온과 염분의 분포를 나타낸 것이다.

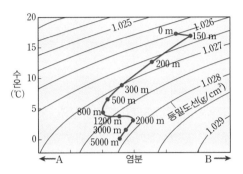

이에 대한 설명으로 옳은 것만을 〈보기〉에서 있는 대로 고른 것은?

| 보기 |

ㄱ. 염분은 B 방향으로 갈수록 높아진다.

ㄴ. 수온 약층은 깊이 800~2000 m 구간에서 뚜렷하게 나타난다.

ㄷ. 밀도 변화는 150~500 m 구간이 2000~5000 m 구간보다 크다.

① ㄱ   ② ㄴ   ③ ㄱ, ㄷ

④ ㄴ, ㄷ   ⑤ ㄱ, ㄴ, ㄷ

개념으로 문제 접근하기 | 수온-염분도 해석

- 수온－염분도에서 점과 점 사이의 거리는 위치상 거리가 아닌 수온이나 염분의 차이가 클수록 멀다. 깊이 자료는 따로 숫자로 기입되어 있으므로 이 점에 유의하면서 그래프를 해석한다.

| 보기 분석 |

ㄱ. 해수의 밀도는 수온이 낮을수록, 염분이 높을수록 크다. 그래프에서 수온은 아래로 갈수록 낮아지고, 밀도는 오른쪽 아래로 갈수록 커지므로 염분은 오른쪽인 B 방향으로 갈수록 높아진다.

ㄴ. 수온 약층은 수심이 깊어질수록 수온이 하강하는 층이므로 150~800 m 구간이 수온 약층이다. 800~2000 m 구간은 수온 변화가 거의 없으므로 심해층이다.

ㄷ. 150~500 m 구간에서 밀도는 약 1.0262 g/cm³에서 약 1.0272 g/cm³로 0.001 g/cm³ 정도 상승했지만, 2000~5000 m 구간에서 밀도는 거의 변화가 없다.

답 ③

3 우리나라 주변 바다의 물리량 분포

그림 (가), (나)는 우리나라 주변의 바다에서 여름철과 겨울철에 측정한 표층 용존 산소량의 분포를 순서 없이 나타낸 것이다.

(가)   (나)

이에 대한 설명으로 옳은 것만을 〈보기〉에서 있는 대로 고른 것은?

| 보기 |

ㄱ. (가)는 겨울철, (나)는 여름철에 해당한다.

ㄴ. (가)일 때 동일 위도에서의 용존 산소량은 동해가 황해보다 크다.

ㄷ. 용존 산소량의 연교차는 동해가 황해보다 크다.

① ㄱ   ② ㄷ   ③ ㄱ, ㄴ

④ ㄴ, ㄷ   ⑤ ㄱ, ㄴ, ㄷ

개념으로 문제 접근하기 | 우리나라 주변 해역의 지형적 특징

- 황해와 동해의 가장 큰 차이는 수심 차이이다. 동해는 수심이 매우 깊은 바다이고 황해는 동해보다 수심이 얕은 바다이다. 열용량의 차이 때문에 황해는 동해보다 수온의 연교차가 큰 편이므로 겨울철에 황해의 수온이 더 낮고 여름철에 황해의 수온이 더 높다.

| 보기 분석 |

ㄱ. 기체의 용해도는 수온이 낮을수록 증가하므로 용존 산소량은 수온이 낮은 해역에서 높게 나타난다. 따라서 표층 용존 산소량이 더 많은 (가) 시기가 표층 수온이 더 낮다. 표층 수온이 낮은 (가) 시기가 겨울철, (나) 시기가 여름철에 해당한다.

ㄴ. (가) 시기에 표층 용존 산소량은 황해＞동해＞남해 순이다.

ㄷ. 동해의 표층 용존 산소량은 겨울철에 약 6.0~6.7, 여름철에 약 5.0~5.4로, 연교차는 약 1.0~1.3이다. 황해의 표층 용존 산소량은 겨울철에 약 6.7~7.3, 여름철에 약 4.9~5.3으로 연교차는 약 1.8~2.0이다.
용존 산소량의 연교차는 황해가 동해보다 크다.

답 ①

1 수온
대표 기출

01
그림은 위도별 해수의 층상 구조와 연직 수온 분포를 나타낸 것이다.

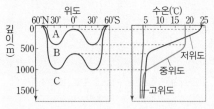

이에 대한 옳은 설명을 얘기한 학생만을 있는 대로 고른 것은?

B층에서 해수의 밀도는 수심이 깊어질수록 증가해. 철수

A층은 혼합층으로 바람이 강할수록 두꺼워져. 영희

C층의 수온은 고위도로 갈수록 높아져. 민수

① 영희   ② 철수   ③ 영희, 철수
④ 영희, 민수   ⑤ 철수, 민수

기출 포인트 해수의 연직 수온 분포를 해석할 수 있는지를 묻는 문제가 자주 출제된다.

02
그림은 2005년부터 2009년까지 2년 간격으로 동해에서 2월에 측정한 연직 수온 분포를 나타낸 것이다.

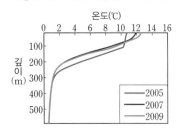

이에 대한 설명으로 옳은 것만을 〈보기〉에서 있는 대로 고른 것은?

┤ 보기 ├
ㄱ. 바람은 2007년에 가장 강하게 불었다.
ㄴ. 수온 약층은 2005년보다 2009년이 더 뚜렷하다.
ㄷ. 수심 200 m에서는 물질과 에너지 교환이 활발하다.

① ㄱ   ② ㄴ   ③ ㄱ, ㄷ   ④ ㄴ, ㄷ   ⑤ ㄱ, ㄴ, ㄷ

03
그림은 북태평양의 표층 수온 분포를 나타낸 것이다.

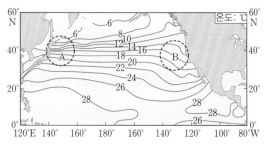

이에 대한 설명으로 옳은 것만을 〈보기〉에서 있는 대로 고른 것은?

┤ 보기 ├
ㄱ. 중위도에서 등온선은 대체로 위도와 나란하게 분포한다.
ㄴ. 표층 수온의 분포는 태양 복사 에너지의 영향을 받는다.
ㄷ. A 해역보다 B 해역에서 위도에 따른 수온 변화가 크다.

① ㄱ   ② ㄷ   ③ ㄱ, ㄴ
④ ㄴ, ㄷ   ⑤ ㄱ, ㄴ, ㄷ

04
그림은 중위도 어느 해역의 연직 수온 분포를 나타낸 것이다. 이에 대한 설명으로 옳지 <u>않은</u> 것은?

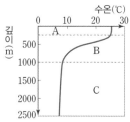

① A층의 두께는 바람의 세기와 관련이 있다.
② B층은 해수의 연직 운동이 일어나지 않는 안정한 층이다.
③ B층은 A층과 C층의 물질 교환을 차단한다.
④ A층은 태양 복사 에너지를 가장 많이 받는다.
⑤ C층은 위도와 계절에 따른 수온 변화가 크다.

05
어떤 해역의 (증발량−강수량) 값과 가장 관련 있는 해수의 성질은?

① 표층 수온   ② 표층 염분
③ 해수의 밀도   ④ 용존 산소량
⑤ 용존 이산화 탄소량

2 염분   대표 기출

06

그림 (가)는 위도에 따른 표층 수온 분포를 나타낸 것이고, (나)는 위도에 따른 연평균 강수량과 증발량의 분포를 나타낸 것이다.

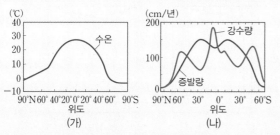

이에 대한 설명으로 옳은 것만을 〈보기〉에서 있는 대로 고른 것은?

| 보기 |

ㄱ. 적도 지역에서 표층 염분이 가장 높다.

ㄴ. 강수량이 많을수록, 증발량이 적을수록 표층 염분은 낮다.

ㄷ. 적도에서 증발량이 위도 30° 부근보다 낮은 까닭은 대기가 습하기 때문이다.

① ㄱ   ② ㄷ   ③ ㄱ, ㄴ   ④ ㄴ, ㄷ   ⑤ ㄱ, ㄴ, ㄷ

기출 포인트 위도에 따른 표층 염분 분포를 해석할 수 있는지를 묻는 문제가 자주 출제된다.

07 고난도

그림은 태평양 표층 염분의 연평균 분포를 나타낸 것이다.

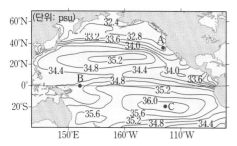

이에 대한 설명으로 옳은 것만을 〈보기〉에서 있는 대로 고른 것은?

| 보기 |

ㄱ. A는 한류의 영향을 받는다.

ㄴ. (증발량 − 강수량) 값은 B가 C보다 작다.

ㄷ. A, B, C의 해수에 녹아 있는 주요 염류의 질량비는 일정하다.

① ㄱ   ② ㄴ   ③ ㄱ, ㄷ   ④ ㄴ, ㄷ   ⑤ ㄱ, ㄴ, ㄷ

[08~09] 그림은 북반구 어느 해역의 2월과 8월의 깊이에 따른 수온과 염분의 변화를 나타낸 것이다.

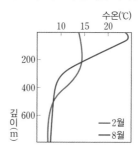
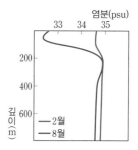

08

이에 대한 설명으로 옳은 것만을 〈보기〉에서 있는 대로 고른 것은?

| 보기 |

ㄱ. 혼합층의 두께는 바람의 세기에 따라 달라진다.

ㄴ. 여름철에는 강수가 많으므로 염분은 2월보다 8월에 더 낮게 나타난다.

ㄷ. 해수의 밀도는 수온 약층에서 깊이에 따라 급격히 감소한다.

① ㄱ   ② ㄷ   ③ ㄱ, ㄴ

④ ㄴ, ㄷ   ⑤ ㄱ, ㄴ, ㄷ

09 서술형

그림 (가), (나)를 참고하여 다음 물음에 답하시오.

(1) 2월과 8월 중 혼합층이 발달하는 계절을 쓰고, 그와 같이 생각한 까닭을 서술하시오.

(2) 2월과 8월 중 수온 약층이 잘 발달하는 계절을 쓰고, 그와 같이 생각한 까닭을 서술하시오.

10

표층 염분이 높아지는 경우는?

① 강수량이 증가한다.

② 태양의 고도가 높아져 증발량이 증가한다.

③ 육지에서 바다로 유입되는 강물의 양이 증가한다.

④ 극지방에서 해빙이 일어나 빙하 면적이 좁아진다.

⑤ (증발량 − 강수량) 값이 작아진다.

3 밀도와 용존 기체   대표 기출

11

그림은 어느 해역에서 측정한 깊이에 따른 수온과 염분을 수온 염분도에 나타낸 것이다.

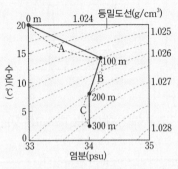

이에 대한 설명으로 옳은 것만을 〈보기〉에서 있는 대로 고른 것은?

| 보기 |

ㄱ. 해수 표면의 염분은 20 psu이다.

ㄴ. A, B, C 중 염분 변화는 구간 B에서 가장 크다.

ㄷ. 밀도 변화는 구간 B보다 구간 C에서 작다.

① ㄱ   ② ㄴ   ③ ㄷ   ④ ㄱ, ㄴ   ⑤ ㄴ, ㄷ

> **기출 포인트** 수온 염분도를 해석하여 밀도를 비교할 수 있는지를 묻는 문제가 자주 출제된다.

12

그림은 북태평양 표층 해수의 용존 산소량 분포를 나타낸 것이다.

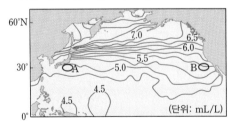

이에 대한 설명으로 옳은 것만을 〈보기〉에서 있는 대로 고른 것은?

| 보기 |

ㄱ. 용존 산소량은 고위도로 갈수록 대체로 증가한다.

ㄴ. 표층 수온은 A 해역이 B 해역보다 높을 것이다.

ㄷ. 쿠로시오 해류의 세력이 강해지면 A 해역의 용존 산소량은 증가할 것이다.

① ㄱ   ② ㄷ   ③ ㄱ, ㄴ   ④ ㄴ, ㄷ   ⑤ ㄱ, ㄴ, ㄷ

13

그림 (가)는 저위도, 중위도, 고위도 해역에서 깊이에 따른 수온을 나타낸 것이고, (나)는 깊이에 따른 용존 산소(O_2)와 이산화 탄소(CO_2)의 농도를 나타낸 것이다.

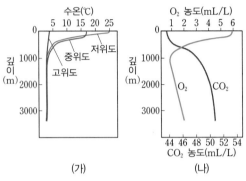

(가)   (나)

이에 대한 설명으로 옳은 것만을 〈보기〉에서 있는 대로 고른 것은?

| 보기 |

ㄱ. 수온 약층은 저위도가 고위도보다 뚜렷하다.

ㄴ. 혼합층에서는 광합성의 영향으로 이산화 탄소의 농도가 낮다.

ㄷ. 심해층에서 용존 산소의 농도가 증가하는 것은 고위도 표층에서 침강한 찬 해수 때문이다.

① ㄱ   ② ㄷ   ③ ㄱ, ㄴ

④ ㄴ, ㄷ   ⑤ ㄱ, ㄴ, ㄷ

14

그림은 세 해역 A, B, C의 해수 표층과 수심 50 m에서 수온과 염분을 측정하여 수온–염분도에 나타낸 것이다.

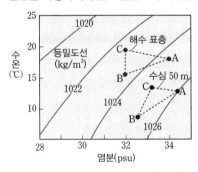

이에 대한 설명으로 옳은 것만을 〈보기〉에서 있는 대로 고른 것은?

| 보기 |

ㄱ. 표층 염분이 가장 높은 곳은 A이다.

ㄴ. 수심 50 m에서 수온이 가장 낮은 곳은 B이다.

ㄷ. 해수 밀도는 세 해역 모두 표층보다 수심 50 m에서 더 크다.

① ㄱ   ② ㄴ   ③ ㄱ, ㄷ

④ ㄴ, ㄷ   ⑤ ㄱ, ㄴ, ㄷ

4 우리나라 주변 해역의 특징　　대표 기출

15

그림은 우리나라 주변 해수의 표층 수온 분포를 나타낸 것이다.

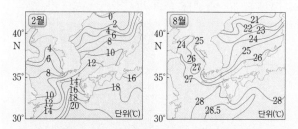

이에 대한 옳은 설명을 얘기한 학생만을 있는 대로 고른 것은?

영희: 표층 수온은 위도가 높아질수록 높아져.

철수: 동해보다 황해에서 표층 수온의 연교차가 커.

민수: 동해에서는 2월이 8월보다 위도별 표층 수온 차이가 커져.

① 영희　　② 철수　　③ 영희, 민수

④ 철수, 민수　　⑤ 영희, 철수, 민수

> **기출 포인트** 우리나라 주변 해수의 물리적 특징에 대해 묻는 문제가 자주 출제된다.

16

그림은 우리나라 부근에서 8월과 2월의 표층 염분 분포를 나타낸 것이다.

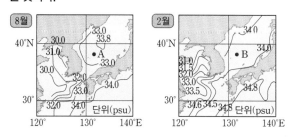

이에 대한 설명으로 옳은 것만을 〈보기〉에서 있는 대로 고른 것은?

┤ 보기 ├
ㄱ. 황해의 표층 염분은 대체로 8월보다 2월에 높다.
ㄴ. 해수 1 kg에 녹아 있는 Cl^-의 염류 중 성분비는 A < B 이다.
ㄷ. 표층 염분은 육지에서 멀어질수록 점차 낮아진다.

① ㄱ　　② ㄴ　　③ ㄷ　　④ ㄱ, ㄴ　　⑤ ㄴ, ㄷ

17 고난도

그림 (가)와 (나)는 동해의 어느 해역에서 측정한 염분과 수온의 연직 분포를 순서 없이 나타낸 것이다. 붉은색 선과 파란색 선 중 하나는 2월, 다른 하나는 8월에 해당한다.

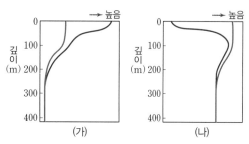

이에 대한 설명으로 옳은 것만을 〈보기〉에서 있는 대로 고른 것은?

┤ 보기 ├
ㄱ. (가)는 염분 분포, (나)는 수온 분포이다.
ㄴ. 표면에서 수심 100 m까지 염분의 변화량은 2월이 8월보다 크다.
ㄷ. 표층 해수의 밀도는 2월이 8월보다 크다.

① ㄱ　　② ㄴ　　③ ㄷ

④ ㄱ, ㄴ　　⑤ ㄴ, ㄷ

18 서술형

황해의 표층 염분이 동해나 남해와 비교하여 낮은 까닭을 서술하시오.

_____

_____

19

우리나라 주변 해역에 대한 설명으로 옳지 <u>않은</u> 것은?

① 황해는 수온의 연교차가 크다.

② 남해는 연중 쿠로시오 해류의 영향을 받는다.

③ 동해는 난류와 한류의 영향을 받아 조경 수역이 형성된다.

④ 여름철에 우리나라 주변 해역의 염분이 낮은 까닭은 증발량이 많기 때문이다.

⑤ 황해의 염분이 낮은 까닭은 우리나라와 중국의 하천수가 황해로 유입되기 때문이다.

01

그림 (가)~(다)는 온대 저기압의 발생과 발달 과정을 순서대로 나타낸 것이다.

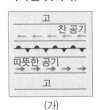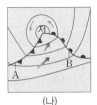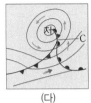

(가)   (나)   (다)

이에 대한 설명으로 옳은 것만을 〈보기〉에서 있는 대로 고른 것은?

─┤ 보기 ├─
ㄱ. 열대 지방의 해상에서 발생하는 현상이다.
ㄴ. A는 온난 전선, B는 한랭 전선, C는 폐색 전선이다.
ㄷ. (나) → (다)의 변화는 전선 A가 B보다 빠르게 이동하기 때문에 생긴다.
ㄹ. (다)의 전선 C가 더 발달하면 전선 A와 B 사이의 지상에는 따뜻한 구역이 점점 감소한다.

① ㄱ   ② ㄱ, ㄴ   ③ ㄴ, ㄷ
④ ㄷ, ㄹ   ⑤ ㄴ, ㄷ, ㄹ

02

그림은 온대 저기압이 통과하는 동안 어느 관측소에서 관측한 기온 변화를 나타낸 것이다.

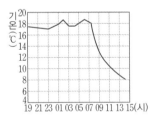

이에 대한 설명으로 옳은 것만을 〈보기〉에서 있는 대로 고른 것은?

─┤ 보기 ├─
ㄱ. 08시경에 한랭 전선이 통과하였다.
ㄴ. 전선이 통과한 직후에 소나기가 내렸을 가능성이 있다.
ㄷ. 온대 저기압이 관측소의 북쪽 지역을 통과하는 동안 관측소에서의 풍향은 시계 방향으로 변했을 것이다.

① ㄱ   ② ㄴ   ③ ㄱ, ㄷ
④ ㄴ, ㄷ   ⑤ ㄱ, ㄴ, ㄷ

03

그림 (가)는 겨울철 어느 날의 일기도를 나타낸 것이고, (나)는 우리나라에 폭설이 발생했을 때의 위성 영상을 나타낸 것이다.

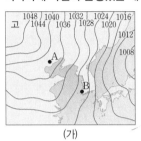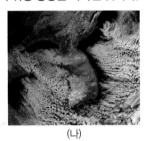

(가)   (나)

이에 대한 설명으로 옳은 것만을 〈보기〉에서 있는 대로 고른 것은?

─┤ 보기 ├─
ㄱ. 기단이 A에서 B로 이동할 때 기단의 하층부는 불안정해진다.
ㄴ. (나)와 같은 폭설은 기단이 B에서 A로 이동할 때 나타날 가능성이 크다.
ㄷ. 폭설이 내릴 가능성은 A보다 B에서 크다.

① ㄱ   ② ㄴ   ③ ㄱ, ㄷ
④ ㄴ, ㄷ   ⑤ ㄱ, ㄴ, ㄷ

04

그림 (가)와 (나)는 어느 해 9월 하루 간격으로 작성된 일기도를 순서 없이 나타낸 것이다.

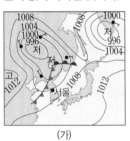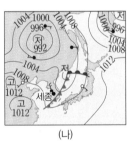

(가)   (나)

이에 대한 설명으로 옳은 것만을 〈보기〉에서 있는 대로 고른 것은?

─┤ 보기 ├─
ㄱ. 이 기간에 세종의 기온은 낮아졌다.
ㄴ. 서울의 풍향은 북서풍에서 남서풍으로 변했다.
ㄷ. (가)가 (나)보다 나중에 작성된 일기도이다.

① ㄱ   ② ㄷ   ③ ㄱ, ㄴ
④ ㄴ, ㄷ   ⑤ ㄱ, ㄴ, ㄷ

05

그림은 전 세계 열대 저기압의 발생 장소와 빈도를 해수의 온도와 함께 나타낸 것이다.

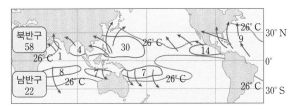

이에 대한 설명으로 옳은 것만을 〈보기〉에서 있는 대로 고른 것은?

┤ 보기 ├
- ㄱ. 적도 해역에서 열대 저기압이 발생하지 않는 까닭은 수온이 매우 높기 때문이다.
- ㄴ. 열대 저기압의 발생 빈도는 북반구가 남반구보다 높다.
- ㄷ. 지구 온난화가 지속되면 열대 저기압의 발생 지역은 고위도 쪽으로 확장될 것이다.

① ㄱ   ② ㄴ   ③ ㄱ, ㄷ
④ ㄴ, ㄷ   ⑤ ㄱ, ㄴ, ㄷ

06

그림은 어느 날 우리나라를 통과하는 태풍의 이동 경로를 나타낸 것이다.

현재 제주도 남쪽에서 북상하고 있는 태풍은 남해상을 지나 동해로 진입한 이후 세력이 약화될 것으로 예상됩니다. 남해안에서는 해일 피해에 대비해야 합니다.

이에 대한 설명으로 옳은 것만을 〈보기〉에서 있는 대로 고른 것은?

┤ 보기 ├
- ㄱ. 태풍은 남해상을 통과하는 동안 편서풍의 영향을 받을 것이다.
- ㄴ. 남해안에서 폭풍 해일이 만조와 겹치면 해수면은 더욱 상승할 것이다.
- ㄷ. 태풍이 동해로 진입한 이후 태풍의 중심 기압은 계속 낮아질 것이다.

① ㄱ   ② ㄷ   ③ ㄱ, ㄴ
④ ㄴ, ㄷ   ⑤ ㄱ, ㄴ, ㄷ

07

그림은 태풍의 중심을 지나는 직선을 따라 측정한 지상 풍속을 모식적으로 나타낸 것이다.

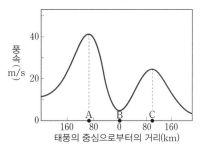

이에 대한 설명으로 옳은 것만을 〈보기〉에서 있는 대로 고른 것은?

┤ 보기 ├
- ㄱ. A는 위험 반원, C는 안전 반원이다.
- ㄴ. 풍속이 가장 빠른 A에서 기압이 가장 낮다.
- ㄷ. C보다 B에서 더 높은 구름이 발달한다.

① ㄱ   ② ㄴ   ③ ㄱ, ㄷ
④ ㄴ, ㄷ   ⑤ ㄱ, ㄴ, ㄷ

08   고난도

그림 (가)는 어느 태풍의 이동 경로와 중심 기압을 나타낸 것이고, (나)는 이 태풍이 지나는 동안 제주 지역에서 27일 15시, 28일 03시, 28일 15시에 관측한 풍향과 풍속을 ㉠, ㉡, ㉢으로 순서 없이 나타낸 것이다.

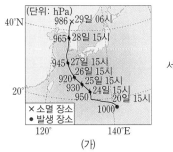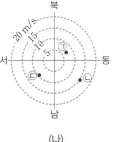

이에 대한 설명으로 옳은 것만을 〈보기〉에서 있는 대로 고른 것은?

┤ 보기 ├
- ㄱ. 제주도는 위험 반원에 있었다.
- ㄴ. (가)에서 중심 기압은 태풍이 발생할 때 가장 낮았다.
- ㄷ. 27일 15시에 관측한 바람은 ㉡이다.

① ㄱ   ② ㄷ   ③ ㄱ, ㄴ
④ ㄴ, ㄷ   ⑤ ㄱ, ㄴ, ㄷ

09

그림은 2017년에 발생한 태풍 난마돌의 이동 경로를 12시간 간격으로 나타낸 것이다.

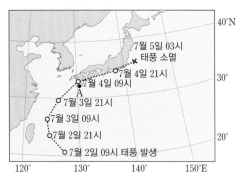

이에 대한 설명으로 옳은 것만을 〈보기〉에서 있는 대로 고른 것은?

┤ 보기 ├
ㄱ. 태풍의 중심 기압은 5일 03시에 가장 낮다.
ㄴ. 태풍의 평균 이동 속력은 2일보다 4일이 더 빠르다.
ㄷ. 태풍의 영향을 받는 동안 A 지역의 풍향은 시계 반대 방향으로 변했다.

① ㄱ   ② ㄴ   ③ ㄱ, ㄷ
④ ㄴ, ㄷ   ⑤ ㄱ, ㄴ, ㄷ

10

그림은 어느 해 4월 7일부터 13일까지 황사가 이동하는 모습을 나타낸 것이다. 음영은 황사의 영역과 강도를 나타낸다.

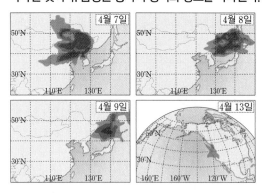

이에 대한 설명으로 옳은 것만을 〈보기〉에서 있는 대로 고른 것은?

┤ 보기 ├
ㄱ. 황사는 미국의 서부 지역까지 영향을 주었다.
ㄴ. 황사는 편서풍에 의해 동쪽으로 이동하였다.
ㄷ. 황사의 영향은 우리나라의 남부 지방보다 중부 지방에서 더 컸다.

① ㄱ   ② ㄴ   ③ ㄱ, ㄷ
④ ㄴ, ㄷ   ⑤ ㄱ, ㄴ, ㄷ

11

그림은 최근 10년 동안 우리나라에 영향을 준 황사의 발원지와 이동 경로를 나타낸 것이다.

우리나라에서의 황사 현상에 대한 설명으로 옳은 것만을 〈보기〉에서 있는 대로 고른 것은?

┤ 보기 ├
ㄱ. 주로 여름철에 발생한다.
ㄴ. 편서풍의 영향을 받는다.
ㄷ. 중국과 몽골의 사막화가 진행될수록 심해진다.

① ㄱ   ② ㄴ   ③ ㄷ
④ ㄱ, ㄴ   ⑤ ㄴ, ㄷ

12

그림 (가)는 어느 날 가시광선으로 관측한 기상 위성 영상을 나타낸 것이고, (나)는 같은 날 부산 지역의 시간당 강수량을 나타낸 것이다.

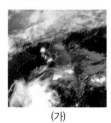 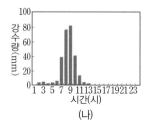

(가)   (나)

이에 대한 설명으로 옳은 것만을 〈보기〉에서 있는 대로 고른 것은?

┤ 보기 ├
ㄱ. (가)는 낮에 관측한 자료이다.
ㄴ. 부산 지역에는 약한 비가 지속적으로 내렸다.
ㄷ. 저기압의 영향으로 전국에 많은 비가 내렸다.
ㄹ. 부산 상공에 두꺼운 구름이 발달하였다.

① ㄱ, ㄴ   ② ㄱ, ㄹ   ③ ㄴ, ㄷ
④ ㄷ, ㄹ   ⑤ ㄴ, ㄷ, ㄹ

13

그림은 북태평양의 연평균 표층 수온(°C) 분포를 나타낸 것이다.

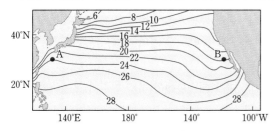

이에 대한 설명으로 옳은 것만을 〈보기〉에서 있는 대로 고른 것은?

┤ 보기 ├
ㄱ. 염분은 A 해역이 B 해역보다 높다.
ㄴ. 용존 산소량은 A 해역이 B 해역보다 많다.
ㄷ. B 해역에서 표층 해류는 고위도로 흐른다.

① ㄱ   ② ㄴ   ③ ㄱ, ㄷ
④ ㄴ, ㄷ   ⑤ ㄱ, ㄴ, ㄷ

14 고난도

그림은 어느 해 8월에 동해의 두 관측 지점 A와 B에서 수심에 따라 측정한 수온과 염분을 수온 염분도에 나타낸 것이다.
이에 대한 설명으로 옳은 것만을 〈보기〉에서 있는 대로 고른 것은?

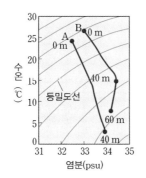

┤ 보기 ├
ㄱ. 표층 수온과 염분은 A 지점이 B 지점보다 낮다.
ㄴ. 수심 40 m에서 해수의 밀도는 A 지점이 B 지점보다 크다.
ㄷ. 표면에서 수심 40 m까지는 혼합층이 발달해 있다.

① ㄱ   ② ㄷ   ③ ㄱ, ㄴ
④ ㄴ, ㄷ   ⑤ ㄱ, ㄴ, ㄷ

15

그림은 태평양의 A, B, C 지점에서 측정한 수온과 염분의 연직 분포를 나타낸 것이다.

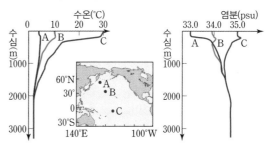

이에 대한 설명으로 옳은 것만을 〈보기〉에서 있는 대로 고른 것은?

┤ 보기 ├
ㄱ. A에서 C로 갈수록 수온 약층이 뚜렷하게 나타난다.
ㄴ. 2000 m보다 깊은 곳에서는 세 지점 모두 수온과 염분의 변화가 거의 없다.
ㄷ. 세 지점 모두 1000 m보다 2000 m의 해수 밀도가 크다.

① ㄱ   ② ㄷ   ③ ㄱ, ㄴ
④ ㄴ, ㄷ   ⑤ ㄱ, ㄴ, ㄷ

16 서술형

그림 (가), (나)는 우리나라 주변 해양에서 측정한 겨울과 여름의 표층 수온 분포를 각각 나타낸 것이다.

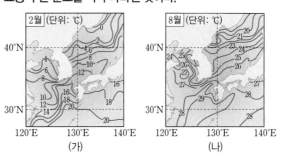

(1) 남북 간 수온 차가 가장 큰 해역을 쓰시오.

_____

(2) 남해의 수온이 다른 해역과 비교했을 때 연중 높은 까닭을 서술하시오.

_____

IV. 대기와 해양의 상호 작용

해양의 표층 순환과 심층 순환

핵심 용어

• 대기 대순환 • 해양의 표층 순환 • 우리나라 주변 해류
• 심층 순환의 발생 원리
• 심층 순환과 기후 변화

1 대기 대순환

1. 위도별 에너지 불균형 단위 면적당 입사하는 태양 복사 에너지양이 고위도로 갈수록 감소하기 때문이다.

(1) 에너지 불균형 발생

① 저위도 태양 복사 에너지 입사량 > 지구 복사 에너지 방출량 ➡ 에너지 과잉

② 고위도 태양 복사 에너지 입사량 < 지구 복사 에너지 방출량 ➡ 에너지 부족

(2) 위도 간 에너지 이동 저위도의 남는 에너지가 고위도로 이동한다.

2. 대기 대순환 개념 브릿지 유형 **1**

① 대기 대순환 세포 북반구와 남반구에 각각 3개가 존재

자료 클리닉 ➕ 대기 대순환 세포

순환 세포	위도	지상 바람 (북반구)	특징
해들리 순환	0°~30°	무역풍(북동풍)	직접 순환 (적도 지표면 가열)
페렐 순환	30°~60°	편서풍(남서풍)	간접순환
극순환	60°~90°	극동풍(북동풍)	직접 순환 (극 지표면 냉각)

② 전향력의 영향으로 적도 상층에서 발산한 공기는 위도 30°에서 하강하고, 극 하층에서 발산한 공기는 위도 60°에서 상승한다.

3. 위도별 저압대와 고압대

(1) 저압대 대기 대순환에서 상승 기류가 우세하게 나타나는 위도대 → 하층 공기의 수렴이 일어나고 강수량이 많다.

(2) 고압대 대기 대순환에서 하강 기류가 우세하게 나타나는 위도대 → 하층 공기의 발산이 일어나고 맑고 건조한 기후가 나타난다.

2 해양의 표층 순환

1. 표층 순환 대기 대순환 바람과 표면 해수의 마찰력으로 형성되는 표층 해수의 수평 방향 순환

(1) 지상 바람의 영향(동서 방향 해류 형성)

① 무역풍 지대 동에서 서로 흐르는 해류 형성

② 편서풍 지대 서에서 동으로 흐르는 해류 형성

(2) 수륙 분포의 영향(남북 방향 해류 형성)

① 난류 저위도에서 고위도로 흐르는 해류

② 한류 고위도에서 저위도로 흐르는 해류

2. 전 세계 표층 해류 대체로 적도를 경계로 북반구와 남반구가 대칭을 이룬다. 개념 브릿지 유형 **2**

① 저위도의 남는 에너지를 고위도로 수송한다.

② 해안 지역의 기후에 영향을 미친다.

자료 클리닉 ➕ 해양의 표층 순환과 대기 대순환

아열대 순환	• 무역풍 지대에서 서쪽으로 흐르는 해류와 편서풍 지대에서 동쪽으로 흐르는 해류가 이어져 형성된 순환
열대 순환	• 무역풍의 영향으로 형성된 북적도 해류와 남적도 해류가 두 해류 사이에서 흐르는 적도 반류와 이어져 형성된 순환
아한대 순환	• 편서풍 지대에서 동쪽으로 흐르는 해류와 극동풍 지대에서 서쪽으로 흐르는 해류가 이어져 형성된 순환 • 남반구는 남극 순환 해류를 막는 대륙이 없기 때문에 아한대 순환이 나타나지 않는다.

3. 표층 해류 특징

(1) 한류와 난류

구분	수온	염분	용존 산소량	영양 염류	예
한류	낮다	낮다	많다	많다	캘리포니아 해류, 페루 해류 등
난류	높다	높다	적다	적다	쿠로시오 해류, 멕시코 만류 등

(2) 동안 경계류와 서안 경계류

구분	정의	해류 폭	유속
동안 경계류	대양의 동안을 흐르는 해류	넓다	느리다
서안 경계류	대양의 서안을 흐르는 해류	좁다	빠르다

3 우리나라 주변 해류

1. **동해** 동한 난류와 북한 한류가 만나 조경 수역을 이룬다.
① 동한 난류 쿠로시오 해류에서 갈라져 나와 동해안을 따라 북상하는 해류
② 북한 한류 연해주 한류에서 연장되어 동해안을 따라 남하하는 해류

2. **남해** 연중 쿠로시오 해류의 영향을 받으며 계절에 따른 해류 변화가 거의 없다.

3. **황해** 쿠로시오 해류에서 나온 황해 난류가 북상하고, 중국과 서해안 연안을 따라 중국 연안류, 서한 연안류가 황해에서 빠져나온다.

자료 클리닉⊕ 우리나라 주변 해류와 조경 수역의 위치

- 여름철: 북한 한류보다 동한 난류의 세력이 강해져 조경 수역이 북상한다.
- 겨울철: 동한 난류보다 북한 한류의 세력이 강해져 조경 수역이 남하한다.

4 해양의 심층 순환

1. **심층 순환** 심층 해류에 의한 해수의 순환
① 발생 원인 수온과 염분 변화로 해수의 밀도 차이가 생겨 해수가 이동한다.
② 순환 과정 극 해역에서 낮은 수온과 높은 염분을 가진 고밀도의 해수가 침강한다. **개념 브릿지 유형 3**
➡ 극지방 해저에 해수가 축적되고 저위도 지방으로 심층 해수가 이동한다.

➡ 심층 해수가 온대 또는 열대 해역에서 표층으로 용승한다.
➡ 해수가 표층을 따라 다시 극 쪽으로 이동한다.
③ 심층 해수는 매우 느리게 흐르기 때문에 직접 확인하기는 어렵다. ➡ 심층 해수의 수온과 염분을 수온 염분도에 나타내면 해수의 근원이 되는 수괴를 알 수 있다.

자료 클리닉⊕ 북대서양 심층 해수

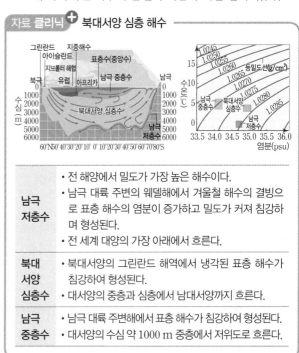

남극 저층수	• 전 해양에서 밀도가 가장 높은 해수이다. • 남극 대륙 주변의 웨델해에서 겨울철 해수의 결빙으로 표층 해수의 염분이 증가하고 밀도가 커져 침강하며 형성된다. • 전 세계 대양의 가장 아래에서 흐른다.
북대서양 심층수	• 북대서양의 그린란드 해역에서 냉각된 표층 해수가 침강하여 형성된다. • 대서양의 중층과 심층에서 남대서양까지 흐른다.
남극 중층수	• 남극 대륙 주변해에서 표층 해수가 침강하여 형성된다. • 대서양의 수심 약 1000 m 중층에서 저위도로 흐른다.

2. 심층 순환과 표층 순환과의 관계
① 심층 순환은 표층 순환과 연결되어 전 지구 해양을 흐르는 하나의 거대한 순환을 이룬다.
② 침강 해역 그린란드 주변 해역, 남극 대륙 주변 웨델해
③ 심층 해수가 대서양, 인도양, 태평양으로 이동하며 용승하여 표층 순환과 연결된다.
④ 표층 해수가 순환하면서 다시 침강 해역에 이르면 심층 순환으로 이어진다.

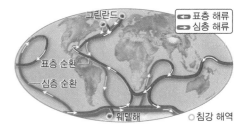

3. 심층 순환의 역할
① 저위도의 남는 에너지를 에너지가 부족한 고위도로 수송한다.
② 용존 산소가 풍부한 고위도 표층 해수를 전 지구의 심해로 운반한다.

4. 심층 순환과 기후 변화 심층 순환에 변화가 일어나면 전 지구적 에너지 순환에 이상이 일어나 기후가 변한다.

개념과 문제의
연결고리 찾기!!!

1 저위도에서는 에너지 과잉이 일어나고 고위도에서는 에너지 부족이 일어나는데, 이러한 에너지 불균형으로 ☐위도에서 ☐위도로 에너지가 이동한다.

2 표는 대기 대순환 세포를 나타낸 것이다. 빈칸에 들어갈 알맞은 말을 쓰시오.

순환 세포	위도	지상 바람(북반구)
⊙ ☐☐☐ 순환	0°~30°	무역풍(북동풍)
ⓒ ☐☐ 순환	30°~60°	편서풍(남서풍)
ⓒ ☐☐ 순환	60°~90°	극동풍(북동풍)

3 지상 바람의 영향으로 무역풍 지대에서는 ☐에서 ☐로 흐르는 해류가 형성되고, 편서풍 지대에서는 ☐에서 ☐으로 흐르는 해류가 형성된다.

4 저위도에서 고위도로 흐르는 해류를 ☐☐, 고위도에서 저위도로 흐르는 해류를 ☐☐라고 한다.

5 다음 설명에 해당하는 우리나라 주변 해류의 이름을 각각 쓰시오.

(1) 우리나라 주변을 흐르는 난류의 근원으로, 고온 고염분인 해류이다.

(2) 우리나라 동해에서 조경 수역을 형성하는 두 가지 해류이다.

(3) 쿠로시오 해류에서 나온 해류로, 우리나라 황해를 흐른다.

6 심층 순환은 수온과 염분 변화로 해수의 ☐☐ 차이가 생겨 해수가 이동하는 현상이다.

7 그림은 북대서양의 주요 심층 해류를 나타낸 것이다. ⊙~ⓒ에 해당하는 해류의 이름을 각각 쓰시오.

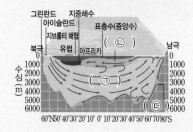

---

1 대기 대순환

그림은 북반구의 대기 대순환을 나타낸 것이다.

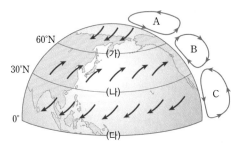

이에 대한 설명으로 옳은 것만을 〈보기〉에서 있는 대로 고른 것은?

┤ 보기 ├
ㄱ. A와 C는 간접순환이고 B는 직접 순환이다.
ㄴ. (가)의 지상에는 수렴대가 발달한다.
ㄷ. (나)는 (다)보다 연평균 강수량이 적다.

① ㄱ   ② ㄴ   ③ ㄱ, ㄷ
④ ㄴ, ㄷ   ⑤ ㄱ, ㄴ, ㄷ

개념으로 문제 접근하기 | 대기 대순환 세포

· 지구가 자전하지 않는다면 극에서 하강 기류가 나타나고 적도에서 상승 기류가 나타나는 하나의 순환 세포로 이루어진 대기 순환이 형성되었을 것이다.

· 상승 기류가 우세한 저압대는 고압대보다 구름이 발달하기 쉽고 비가 자주 내린다.

· 하강 기류가 우세한 고압대는 맑고 건조한 기후가 나타난다.

| 보기 분석 |

ㄱ. C는 적도의 따뜻한 공기가 상승하여 형성된 순환이고, A는 극의 찬 공기가 하강하여 형성된 순환이다. A와 C는 모두 온도 차이에 의해 형성되는 직접 순환이다. B는 A와 C의 영향으로 형성된 간접순환이다.

ㄴ. (가)에서는 A의 영향으로 고위도에서 남쪽으로 극동풍이 불어오고, B의 영향으로 저위도에서 편서풍이 북쪽으로 불어와 수렴대가 발달한다.

ㄷ. 대기 대순환의 영향으로 (나)는 하강 기류가 우세한 고압대이고, (다)는 상승 기류가 우세한 저압대이다. 고압대인 (나)에서 건조한 기후가 나타나므로 연평균 강수량이 (다)보다 (나)에서 더 적다.

답 ④

답 **1** 저, 고   **2** ⊙ 해들리, ⓒ 페렐, ⓒ 극   **3** 동, 서, 서, 동   **4** 난류, 한류
5 (1) 쿠로시오 해류 (2) 동한 난류, 북한 한류 (3) 황해 난류   **6** 밀도
7 ⊙ 북대서양 심층수, ⓒ 남극 중층수, ⓒ 남극 저층수

2 표층 해류와 대기 대순환

그림은 해양에서의 표층 해류와 대기 대순환에 의한 지표 부근의 바람을 나타낸 것이다.

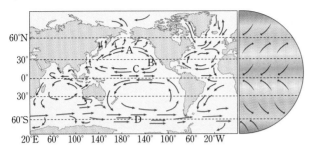

이에 대한 설명으로 옳은 것만을 〈보기〉에서 있는 대로 고른 것은?

| 보기 |
ㄱ. 편서풍의 영향을 받는 해류는 A와 D이다.
ㄴ. B는 극동풍의 영향을 받는 알래스카 해류이다.
ㄷ. C는 무역풍의 영향을 받는 북적도 해류이다.
ㄹ. D는 남극 대륙 주위를 순환하는 남극 순환 해류이다.

① ㄱ, ㄴ   ② ㄱ, ㄷ   ③ ㄴ, ㄹ
④ ㄱ, ㄷ, ㄹ   ⑤ ㄴ, ㄷ, ㄹ

개념으로 문제 접근하기 | 해양의 표층 순환

- 표층 해류는 주변 지역의 기후에 영향을 미친다. 한류의 영향을 받는 연안 지역은 동일한 위도의 다른 지역보다 한랭한 기후를 보이고, 난류의 영향을 받는 연안 지역은 동일한 위도의 다른 지역보다 온난한 기후를 보인다.
- 북태평양 해류가 북아메리카 대륙 연안까지 흐른 뒤 저위도로 남하하는 해류는 캘리포니아 해류이고, 고위도로 북상하는 해류는 알래스카 해류이다.

| 보기 분석 |
ㄱ. 편서풍의 영향을 받는 해류는 중위도에서 동쪽으로 흐르는 A와 D이다.
ㄴ. B는 북태평양의 동쪽 연안을 따라 저위도로 흐르는 한류로, 캘리포니아 해류이다.
ㄷ. C는 적도 부근에서 무역풍의 영향을 받아 서쪽으로 흐르는 북적도 해류이다.
ㄹ. D는 편서풍의 영향으로 동쪽으로 흐르는 남극 순환 해류이며, 대륙에 가로막혀 있지 않기 때문에 남극 대륙 주위를 순환하고 있다.

답 ④

---

3 대서양의 심층 순환

그림은 대서양의 심층 순환을 나타낸 것이다.

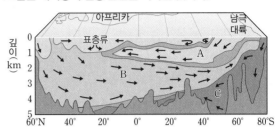

이에 대한 설명으로 옳은 것만을 〈보기〉에서 있는 대로 고른 것은?

| 보기 |
ㄱ. A는 C보다 밀도가 작다.
ㄴ. B는 북극을 향해 흐른다.
ㄷ. A, B, C의 유속은 표층 해류에 비해 대체로 빠르다.

① ㄱ   ② ㄴ   ③ ㄱ, ㄷ
④ ㄴ, ㄷ   ⑤ ㄱ, ㄴ, ㄷ

개념으로 문제 접근하기 | 심층 순환

- 심층 순환은 태양 에너지가 거의 영향을 미치지 못하는 심해층에서 흐르기 때문에 대기 대순환이나 해양의 표층 순환처럼 적도를 기준으로 대칭인 순환이 일어나지 않는다. 북대서양 심층수는 남쪽으로 흐르다가 밀도가 더 큰 남극 저층수와 맞닿았을 때 용승이 일어난다.
- 심층 순환은 유속이 매우 느리고 심층에서 일어나 관측하기 어렵다. 따라서 심층 해수의 수온, 염분, 밀도를 관측하여 해수의 덩어리인 수괴를 나누고 같은 수괴 내에서 등밀도선을 따라 심층 해수의 수평 흐름을 관측한다. 각 심층수는 서로 구별되는 뚜렷한 성질이 있고, 밀도가 다르기 때문에 서로 맞닿아 있어도 쉽게 섞이지 않는다.

| 보기 분석 |
ㄱ. 해수의 밀도는 깊이가 깊을수록 크다. 해수의 깊이가 C>B>A 순이므로, 해수의 밀도는 C>B>A 순이다.
ㄴ. B는 북위 60° 부근에서 형성되며 침강하여 저위도를 향해 흐른다. 적도를 지난 B는 남반구 고위도를 향해 흐르다가 남극 대륙 주변에서 용승이 일어난다.
ㄷ. 심층 순환은 바람으로부터 물리적 힘을 받아 형성되는 표층 순환과 달리 해수의 밀도 차로 형성되기 때문에 매우 느리게 순환한다. 물이 표층에서 침강한 뒤 다시 표층으로 돌아오는 데 수백 년에서 1000년에 가까운 시간이 걸린다.

답 ①

1 대기 대순환
대표 기출

01

그림은 대기 대순환을 모식적으로 나타낸 것이다.

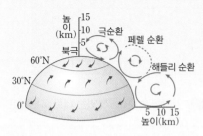

이에 대한 설명으로 옳은 것만을 〈보기〉에서 있는 대로 고른 것은?

─┤ 보기 ├─
ㄱ. 30°N 부근은 증발량보다 강수량이 많다.
ㄴ. 해들리 순환의 지상에는 무역풍이 분다.
ㄷ. 극순환과 페렐 순환 경계의 지상에는 한대 전선대가 형성된다.

① ㄱ   ② ㄷ   ③ ㄱ, ㄴ
④ ㄴ, ㄷ   ⑤ ㄱ, ㄴ, ㄷ

> **기출 포인트** | 대기 대순환의 각 세포의 특징과 순환 세포가 지상의 기후에 미치는 영향을 묻는 문제가 자주 출제된다.

02

그림 (가)는 복사 에너지의 위도별 분포를 나타낸 것이고, (나)는 위도에 따른 에너지 이동량을 나타낸 것이다.

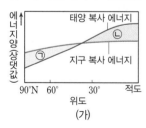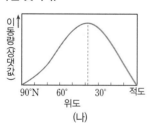

이에 대한 설명으로 옳은 것만을 〈보기〉에서 있는 대로 고른 것은?

─┤ 보기 ├─
ㄱ. ㉠은 에너지 과잉량, ㉡은 에너지 부족량이다.
ㄴ. 적도에서는 태양 복사 에너지 흡수량이 지구 복사 에너지 방출량보다 많다.
ㄷ. 에너지 이동량은 약 38°N에서 최대이다.

① ㄱ   ② ㄴ   ③ ㄱ, ㄷ
④ ㄴ, ㄷ   ⑤ ㄱ, ㄴ, ㄷ

03

그림은 북반구의 대기 순환을 간단히 나타낸 것이다.

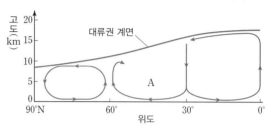

이에 대한 설명으로 옳은 것만을 〈보기〉에서 있는 대로 고른 것은?

─┤ 보기 ├─
ㄱ. 대류권의 두께는 고위도로 갈수록 두꺼워진다.
ㄴ. 사막은 적도 지역보다 30°N 지역에 더 많이 분포한다.
ㄷ. 지구가 자전하지 않는다면 A 순환은 형성되지 않을 것이다.

① ㄱ   ② ㄷ   ③ ㄱ, ㄴ
④ ㄴ, ㄷ   ⑤ ㄱ, ㄴ, ㄷ

04

그림은 태평양에서의 바람의 분포와 표층 순환을 모식적으로 나타낸 것이다.

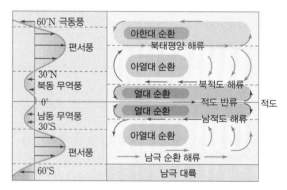

이에 대한 옳은 설명을 얘기한 학생만을 있는 대로 고른 것은?

① 영희   ② 민수   ③ 영희, 철수
④ 철수, 민수   ⑤ 영희, 철수, 민수

2 해양의 표층 순환 · 대표 기출

05

그림은 전 세계에서 일어나는 해수의 표층 순환을 나타낸 것이다.

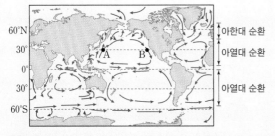

이에 대한 설명으로 옳은 것만을 〈보기〉에서 있는 대로 고른 것은?

─ 보기 ├─
ㄱ. 용존 산소량은 A 부근의 해수가 B 부근의 해수보다 많다.
ㄴ. 북태평양과 남태평양의 아열대 순환은 서로 반대 방향으로 회전한다.
ㄷ. 남반구에 아한대 순환이 나타나지 않는 것은 극동풍의 방향이 북반구와 다르기 때문이다.

① ㄱ   ② ㄴ   ③ ㄱ, ㄷ   ④ ㄴ, ㄷ   ⑤ ㄱ, ㄴ, ㄷ

기출 포인트 | 해양 표층 순환의 방향, 해류의 명칭, 대기 대순환 및 기후와의 상호 작용을 묻는 문제가 자주 출제된다.

06

그림은 북태평양의 아열대 순환을 모식적으로 나타낸 것이다.

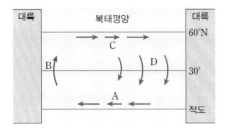

이에 대한 설명으로 옳은 것만을 〈보기〉에서 있는 대로 고른 것은?

─ 보기 ├─
ㄱ. A는 북적도 해류이다.
ㄴ. B는 D보다 염분이 높다.
ㄷ. C는 편서풍에 의해 형성된 해류이다.

① ㄱ   ② ㄴ   ③ ㄱ, ㄷ   ④ ㄴ, ㄷ   ⑤ ㄱ, ㄴ, ㄷ

[07~08] 그림은 북태평양의 평균 표층 수온 분포와 아열대 순환을 나타낸 것이다.

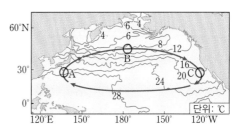

07

이에 대한 설명으로 옳은 것만을 〈보기〉에서 있는 대로 고른 것은?

─ 보기 ├─
ㄱ. A에는 쿠로시오 해류가 흐른다.
ㄴ. B의 해류는 편서풍에 의해 형성된다.
ㄷ. C에 흐르는 해류는 한류이다.

① ㄱ   ② ㄷ   ③ ㄱ, ㄴ
④ ㄴ, ㄷ   ⑤ ㄱ, ㄴ, ㄷ

08 서술형

A와 C 지역에서 흐르는 해류를 동안 경계류와 서안 경계류로 구분하고, 해류의 폭과 유속을 비교하여 서술하시오.

09 고난도

그림은 태평양에서 해수의 표층 순환과 대기 대순환에 의한 바람의 방향을 나타낸 것이다.

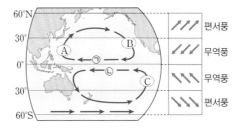

이에 대한 설명으로 옳은 것만을 〈보기〉에서 있는 대로 고른 것은?

─ 보기 ├─
ㄱ. 해류 ㉠, ㉡은 모두 무역풍의 영향으로 형성된다.
ㄴ. A 해역에는 난류가, B 해역에는 한류가 흐른다.
ㄷ. 열대 저기압의 발생 빈도는 A 해역이 C 해역보다 높다.

① ㄱ   ② ㄷ   ③ ㄱ, ㄴ
④ ㄴ, ㄷ   ⑤ ㄱ, ㄴ, ㄷ

10

그림은 북반구의 주요 표층 해류가 흐르는 해역을 나타낸 것이다.

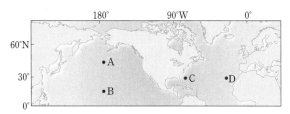

이에 대한 설명으로 옳은 것만을 〈보기〉에서 있는 대로 고른 것은?

| 보기 |

ㄱ. A와 B에서 해수에 의한 위도별 열 수송이 활발히 일어난다.

ㄴ. C와 D에서 각각 난류와 한류가 흐른다.

ㄷ. A 해역은 아열대 순환과 아한대 순환에 해당하는 해류가 흐른다.

① ㄱ　② ㄷ　③ ㄱ, ㄴ　④ ㄴ, ㄷ　⑤ ㄱ, ㄴ, ㄷ

11 서술형

유럽의 북서쪽 지역은 같은 위도의 다른 지역보다 겨울철 평균 기온이 높다. 그 까닭을 표층 해류와 연관지어 서술하시오.

12

그림은 북태평양의 세 해역 A, B, C와 대기 대순환에 의한 바람의 방향을 나타낸 것이다.

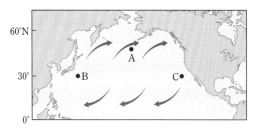

이에 대한 설명으로 옳은 것만을 〈보기〉에서 있는 대로 고른 것은?

| 보기 |

ㄱ. 30°N 부근에는 고압대가 형성된다.

ㄴ. A 해역의 표층 해류는 편서풍의 영향으로 동쪽으로 흐른다.

ㄷ. 표층 해류가 수송하는 열량은 C 해역보다 B 해역에서 많다.

① ㄱ　② ㄴ　③ ㄱ, ㄷ　④ ㄴ, ㄷ　⑤ ㄱ, ㄴ, ㄷ

---

3 우리나라 주변 해류　　　대표 기출

13

그림은 우리나라 동해와 그 주변의 표층 해류를 나타낸 것이다.

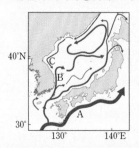

이에 대한 설명으로 옳은 것만을 〈보기〉에서 있는 대로 고른 것은?

| 보기 |

ㄱ. A는 북태평양 아열대 표층 순환의 일부이다.

ㄴ. B는 겨울에 주변 대기로 열을 공급한다.

ㄷ. 용존 산소량은 C가 B보다 적다.

① ㄱ　　　② ㄷ　　　③ ㄱ, ㄴ

④ ㄴ, ㄷ　　　⑤ ㄱ, ㄴ, ㄷ

기출 포인트 | 우리나라 주변에 흐르는 해류의 특징과 계절별 변화를 이해하는지를 묻는 문제가 자주 출제된다.

14

그림은 우리나라 주변을 흐르는 해류와 태평양의 표층 해류 분포를 나타낸 것이다.

이에 대한 설명으로 옳지 않은 것은?

① 아열대 해역의 표층 순환(아열대 순환)은 북반구와 남반구가 대칭적이다.

② 우리나라 해역의 난류는 쿠로시오 해류에서 유입된다.

③ 동해에는 난류와 한류가 만나는 조경 수역이 형성된다.

④ 남극 순환 해류는 극동풍에 의해 형성된다.

⑤ 캘리포니아 해류는 한류이다.

15

그림 (가)와 (나)는 우리나라 근해의 2월 표층 염분과 해류의 분포를 각각 나타낸 것이다.

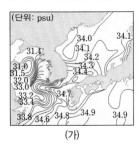
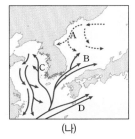

(가)   (나)

이에 대한 설명으로 옳은 것만을 〈보기〉에서 있는 대로 고른 것은?

┤ 보기 ├
ㄱ. B와 C의 근원이 되는 해류는 D이다.
ㄴ. A와 B 해류가 만나는 곳에 조경 수역이 형성된다.
ㄷ. 남해의 염분 분포는 해류의 영향을 크게 받고 있다.

① ㄱ   ② ㄷ   ③ ㄱ, ㄴ
④ ㄴ, ㄷ   ⑤ ㄱ, ㄴ, ㄷ

---

4 해양의 심층 순환   대표 기출

[16~17] 그림은 대서양의 심층 순환을 나타낸 것이다.

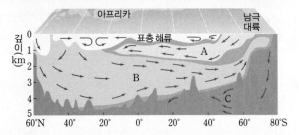

16

이에 대한 설명으로 옳은 것만을 〈보기〉에서 있는 대로 고른 것은?

┤ 보기 ├
ㄱ. 밀도는 A < B < C 순이다.
ㄴ. B는 남극에서 침강하여 북극으로 흐른다.
ㄷ. 전체 해수의 부피로 보면 심층 순환보다 표층 순환에 있는 해수가 더 많다.

① ㄱ   ② ㄴ   ③ ㄱ, ㄷ
④ ㄴ, ㄷ   ⑤ ㄱ, ㄴ, ㄷ

기출 포인트 I 심층 해수의 종류와 특징을 비교하여 설명할 수 있는지를 묻는 문제가 자주 출제된다.

---

17 서술형

A, B, C 해수의 이름을 각각 쓰고, 전 해양에서 가장 밀도가 높은 해수를 고르시오.

---

18 고난도

그림은 북대서양의 여러 수괴를 수온 염분도에 나타낸 것이다.

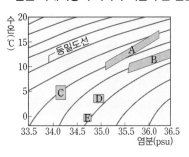

이에 대한 옳은 설명을 얘기한 학생만을 있는 대로 고른 것은?

① 영희   ② 민수   ③ 영희, 철수
④ 철수, 민수   ⑤ 영희, 철수, 민수

19

그림은 전 지구적인 해수의 순환을 모식적으로 나타낸 것이다.

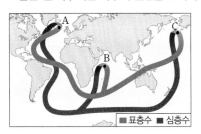

이에 대한 설명으로 옳은 것만을 〈보기〉에서 있는 대로 고른 것은?

┤ 보기 ├
ㄱ. 표층 순환과 심층 순환은 서로 연결된다.
ㄴ. 인도양과 태평양에서는 표층수가 심층수로 변화된다.
ㄷ. A 해역에서 침강이 강화되면 표층 순환이 약해진다.

① ㄱ   ② ㄴ   ③ ㄱ, ㄷ
④ ㄴ, ㄷ   ⑤ ㄱ, ㄴ, ㄷ

11강

IV. 대기와 해양의 상호 작용

엘니뇨와 남방 진동

── 핵심 용어 ──

• 용승 • 침강 • 엘니뇨 • 라니냐
• 엘니뇨와 라니냐의 발생 과정
• 남방 진동 • 엔소(ENSO)

1 용승

1. 용승과 침강

① **용승** 심해의 찬 해수가 표층으로 올라오는 현상

② **침강** 표층의 해수가 심층으로 가라앉는 현상

2. 용승 발생 유형

① **연안 용승** 해안선에 평행한 바람 발생 ➡ 표층 해수가 외해로 이동 ➡ 연안 용승 발생

② **적도 용승** 북동 무역풍의 오른쪽, 남동 무역풍의 왼쪽으로 해수 이동 ➡ 적도 해역 표층 해수 발산 ➡ 적도 용승 발생

▲ 연안 용승   ▲ 적도 용승

── 동태평양에서 표층 수온이 평년보다
　　높은 상태로 지속되는 현상

2 엘니뇨와 라니냐 ── 동태평양에서 표층 수온이 평년보다
　　　　　　　　　　　　　　낮은 상태로 지속되는 현상

1. 평상시 태평양에서 나타나는 현상

① **서태평양(인도네시아 연안)** 따뜻한 해수가 이동하여 수온이 높다. 저기압이 형성되어 상승 기류가 우세하고 비가 자주 내린다.

② **동태평양(페루 연안)** 용승 발생으로 수온이 낮고 좋은 어장이 형성된다. 고기압이 형성되어 하강 기류가 우세하고 건조한 기후가 나타난다.

③ **열대 태평양** 무역풍의 영향으로 따뜻한 해류가 동에서 서로 이동한다.

2. 엘니뇨와 라니냐 발생 과정 개념 브릿지 유형 1, 2, 3

① **엘니뇨 발생 과정** 무역풍 약화 ➡ 남적도 해류 약화 및 적도 반류 강화 ➡ 따뜻한 표층 해수가 동쪽으로 이동 ➡ 동태평양 표층 해수 발산 약화 ➡ 동태평양 용승 약화 ➡ 표층 수온 상승

② **라니냐 발생 과정** 무역풍 강화 ➡ 남적도 해류 강화 ➡ 따뜻한 표층 해수가 더 서쪽으로 이동 ➡ 동태평양 표층 해수 발산 강화 ➡ 동태평양 용승 강화 ➡ 표층 수온 하강

자료 클리닉 ✚ 엘니뇨와 라니냐

▲ 엘니뇨   ▲ 라니냐

구분	엘니뇨	라니냐
동태평양 (페루 연안)	• 용승 약화로 표층 영양 염류가 감소하고 어획량도 감소한다. • 표층 수온 상승으로 대기의 하층 기온이 상승하고 상승 기류가 형성되면서 강수량이 증가한다.	• 용승 강화로 수온이 크게 하강하고 어장에서 냉해가 발생한다. • 표층 수온 하강으로 대기의 하층 기온이 하강하고 하강 기류가 형성되면서 가뭄이 발생한다.
서태평양(인도네시아 연안)	• 표층 수온 하강으로 강수량이 감소하고 가뭄이 발생한다.	• 표층 수온 상승으로 강수량이 증가하고 폭우가 발생한다.

3 남방 진동

1. 남방 진동 열대 태평양에서 동·서 기압이 시소처럼 반대로 나타나는 현상

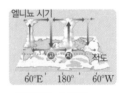
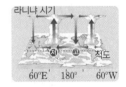

• 동태평양: 저기압   • 동태평양: 고기압
• 서태평양: 고기압   • 서태평양: 저기압

2. 엔소(ENSO) 엘니뇨, 라니냐와 남방 진동을 합하여 엘니뇨 남방 진동(ENSO)이라고 한다.

① 수온 상승 ➡ 대기의 하층 기온 상승 ➡ 기층 불안정화 ➡ 상승 기류 발생 ➡ 저기압 형성

② 수온 하강 ➡ 대기의 하층 기온 하강 ➡ 기층 안정화 ➡ 하강 기류 발생 ➡ 고기압 형성

1 심해의 찬 해수가 표층으로 올라오는 현상을 ⬚⬚이라 하고, 표층의 해수가 심층으로 가라앉는 현상을 ⬚⬚이라고 한다.

2 그림은 용승이 발생하는 유형을 나타낸 것이다. 어떤 용승에 해당하는지 쓰시오.

표층의 해수가 외해로 밀려 나간다.

북풍 / 용승

북동 무역풍 / 남동 무역풍 / 적도 / 용승

㉠ ⬚⬚ 용승   ㉡ ⬚⬚ 용승

3 동태평양에서 표층 수온이 평년보다 높은 상태로 지속되는 현상을 ⬚⬚⬚, 동태평양에서 표층 수온이 평년보다 낮은 상태로 지속되는 현상을 ⬚⬚⬚라고 한다.

4 다음은 엘니뇨가 발생하는 과정을 나열한 것이다. 빈칸에 들어갈 알맞은 말을 쓰시오.

무역풍 약화 ➡ ⬚⬚⬚ 해류 약화, ⬚⬚ 반류 강화 ➡ 따뜻한 표층 해수가 ⬚쪽으로 이동 ➡ 동태평양 표층 해수 발산 약화 ➡ 동태평양 용승 ⬚⬚ ➡ 표층 수온 ⬚⬚

5 다음은 라니냐가 발생하는 과정을 나열한 것이다. 빈칸에 들어갈 알맞은 말을 쓰시오.

무역풍 강화 ➡ 남적도 해류 ⬚⬚ ➡ 따뜻한 표층 해수가 더 ⬚쪽으로 이동 ➡ 동태평양 표층 해수 발산 강화 ➡ 동태평양 용승 ⬚⬚ ➡ 표층 수온 ⬚⬚

6 그림과 같은 기압 분포가 나타나는 시기는 엘니뇨와 라니냐 중 언제인지 각각 쓰시오.

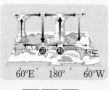
60°E 180° 60°W
㉠ ⬚⬚⬚ 시기

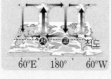
60°E 180° 60°W
㉡ ⬚⬚⬚ 시기

---

1 엘니뇨 발생 시 대기 순환과 해수면 높이 변화

그림 (가)와 (나)는 평상시와 엘니뇨 발생 시에 태평양 적도 부근의 대기와 해수의 이동을 나타낸 것이다.

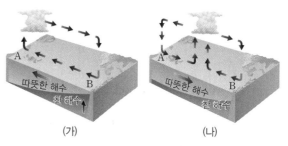

A / 따뜻한 해수 / B / 찬 해수   (가)

A / 따뜻한 해수 / B / 찬 해수   (나)

이에 대한 설명으로 옳은 것만을 〈보기〉에서 있는 대로 고른 것은?

┤ 보기 ├
ㄱ. (가)에서 강수량은 A 해역보다 B 해역에서 적다.
ㄴ. 무역풍의 세기는 (가)보다 (나)에서 강하다.
ㄷ. B 해역의 해수면 온도는 (가)보다 (나)에서 낮다.

① ㄱ   ② ㄷ   ③ ㄱ, ㄴ
④ ㄴ, ㄷ   ⑤ ㄱ, ㄴ, ㄷ

개념으로 문제 접근하기 | 평상시와 엘니뇨 발생 시 현상

• 평상시에는 따뜻한 해수가 서쪽으로 이동하여 B 해역에 해수의 발산이 일어나고 용승이 발생한다.
• 엘니뇨 발생 시 남적도 해류가 약해지면서 적도 부근 서태평양 해역의 해수면 높이는 낮아지고 적도 부근 동태평양 해역의 해수면 높이는 높아진다.

| 보기 분석 |

ㄱ. 강수 현상은 상승 기류가 일어나 구름이 발달하는 해역에서 발생한다. 따라서 평상시에는 상승 기류가 나타나는 A 해역보다 하강 기류가 나타나는 B 해역에서 강수량이 적다.

ㄴ. 엘니뇨 발생 시에는 A 해역 지표 근처에서 바람이 B 해역 쪽으로 불고 있기 때문에 B 해역에서 A 해역까지 대기 순환이 형성되는 평상시보다 무역풍이 약하다.

ㄷ. 엘니뇨 발생 시 찬 해수의 용승이 일어나지 않고 따뜻한 해수가 B 해역 쪽으로 이동한다. 따라서 B 해역의 따뜻한 해수의 두께는 두꺼워지고, 해수면의 온도는 평상시보다 높아진다.

답 ①

2 엘니뇨 발생 시 수온 편차

그림은 동태평양 적도 부근 해역의 수온 편차(관측 수온－평균 수온)를 나타낸 것이다. A와 B는 각각 엘니뇨 시기와 라니냐 시기 중 하나이다.

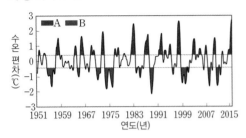

B와 비교했을 때 A의 동태평양 적도 부근 해역에 대한 설명으로 옳은 것만을 〈보기〉에서 있는 대로 고른 것은?

┤보기├
ㄱ. 무역풍의 세기가 강하다.
ㄴ. 평균 해수면이 높다.
ㄷ. 따뜻한 해수층이 두껍다.

① ㄱ   ② ㄴ   ③ ㄱ, ㄷ
④ ㄴ, ㄷ   ⑤ ㄱ, ㄴ, ㄷ

3 엘니뇨와 라니냐 발생 시 표층 해수의 물리량 분포

그림 (가)와 (나)는 서로 다른 시기에 관측된 태평양 적도 부근 해역의 수온 편차를 나타낸 것이다. 편차는 (관측값－평년값)이다.

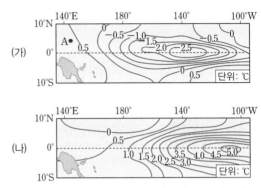

이에 대한 설명으로 옳은 것만을 〈보기〉에서 있는 대로 고른 것은?

┤보기├
ㄱ. (가) 시기에 A 해역의 강수량 편차는 (＋)값이다.
ㄴ. (나) 시기에 동태평양 적도 부근 해수면 높이 편차는 (－)값이다.
ㄷ. 동태평양 적도 부근 해역의 용승은 (나) 시기가 (가) 시기보다 강하다.

① ㄱ   ② ㄷ   ③ ㄱ, ㄴ
④ ㄴ, ㄷ   ⑤ ㄱ, ㄴ, ㄷ

개념으로 문제 접근하기   엘니뇨와 라니냐 때 수온 편차 비교

• 서태평양 적도 부근 해역의 수온은 동태평양 적도 부근 해역과 반대로 나타난다. 엘니뇨 시기에 수온이 평소보다 낮게 나타나고 라니냐 시기에 수온이 평소보다 높게 나타난다.
• 무역풍의 세기가 더 강한 라니냐 시기에는 강한 무역풍으로 남적도 해류의 흐름이 강해져 적도 부근 동태평양의 따뜻한 표층 해수가 서쪽으로 이동하고 차가운 심층 해수의 용승이 강해진다. 따라서 평균 해수면이 낮아지고 따뜻한 표층 해수층은 얇아진다.

┄┄┄┄┄┄┄┄┄┄┄┄┄

|보기 분석|
ㄱ. 무역풍의 세기는 동태평양 적도 부근 해역의 수온이 더 낮은 라니냐 시기(B)에 더 강하다.
ㄴ. 무역풍이 약한 엘니뇨 시기에는 남적도 해류의 흐름이 약해지고, 동태평양 부근에 해수가 축적되어 평균 해수면이 높다.
ㄷ. 엘니뇨 시기에 동태평양 적도 부근 해역에서 차가운 심층 해수의 용승이 약해지고 따뜻한 해수층이 두꺼워진다.

답 ④

개념으로 문제 접근하기   엘니뇨 발생 시 물리량 분포

• 엘니뇨 발생 시 동태평양 적도 부근 해역의 편차 값 변화
→ (＋): 수온, 증발량, 강수량, 해수면 높이, 수온 약층 깊이, 따뜻한 해수의 두께
→ (－): 기압, 무역풍 세기, 용승

┄┄┄┄┄┄┄┄┄┄┄┄┄

|보기 분석|
ㄱ. (가) 시기는 동태평양 해역의 수온이 하강한 라니냐 시기이므로 서태평양 해역인 A 해역에 강수량이 평상시보다 많고 강수량 편차는 (＋)값이다.
ㄴ. (나) 시기는 동태평양 해역의 수온이 상승한 엘니뇨 시기이므로 남적도 해류가 약하다. 동태평양 적도 부근에 해수가 축적되어 해수면 높이가 평상시보다 높고 해수면 높이 편차는 (＋)값이다.
ㄷ. 동태평양 적도 부근 해역의 용승은 라니냐 시기가 엘니뇨 시기보다 강하다.

답 ①

1 용승 · 대표 기출

01

그림은 적도 부근 해역에서 바람과 해수의 이동을 나타낸 것이다. 이에 대한 설명으로 옳은 것만을 〈보기〉에서 있는 대로 고른 것은?

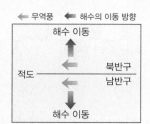

┤ 보기 ├
ㄱ. 적도 지역의 표층 해수는 발산이 일어난다.
ㄴ. 적도를 따라 표층 해수가 침강한다.
ㄷ. 무역풍이 강해지면 수온 약층이 형성되는 깊이가 깊어진다.

① ㄱ ② ㄴ ③ ㄱ, ㄷ ④ ㄴ, ㄷ ⑤ ㄱ, ㄴ, ㄷ

기출 포인트 | 용승이 일어나는 경우를 이해하는지를 묻는 문제가 자주 출제된다.

02

그림은 평년의 태평양 적도 부근 해역의 대기 순환을 나타낸 것이다.
이 시기에 B 지역에 대한 옳은 설명을 얘기한 학생만을 있는 대로 고른 것은?

① 영희 ② 철수 ③ 영희, 민수
④ 철수, 민수 ⑤ 영희, 철수, 민수

03 서술형

다음은 용승이 일어났을 때의 영향을 나타낸 것이다. 빈칸에 들어갈 알맞은 말을 쓰시오.

용승이 발생하면 표층 수온 및 기온은 (㉠)하고 대기는 (㉡)화된다. 표층 영양 염류는 (㉢)하고, 플랑크톤이 번성하여 좋은 어장이 형성되기도 한다.

2 엘니뇨와 라니냐 · 대표 기출

04

그림은 태평양 적도 부근 해수의 연직 단면을 모식적으로 나타낸 것이다. (점선은 평상시 해수의 경계를 나타낸다.)

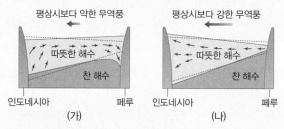

(가) 시기와 비교할 때, (나) 시기에 발생하는 현상으로 옳은 것만을 〈보기〉에서 있는 대로 고른 것은?

┤ 보기 ├
ㄱ. 인도네시아 연안의 강수량은 적어진다.
ㄴ. 페루 연안 표층수에는 용존 산소량이 많아진다.
ㄷ. 인도네시아 연안의 따뜻한 해수층은 얇아진다.

① ㄱ ② ㄴ ③ ㄱ, ㄷ ④ ㄴ, ㄷ ⑤ ㄱ, ㄴ, ㄷ

기출 포인트 | 엘니뇨와 라니냐가 발생했을 때 대기 순환을 비교하여 설명할 수 있는지를 묻는 문제가 자주 출제된다.

05

그림 (가)와 (나)는 평상시와 엘니뇨 발생 시에 태평양 적도 부근 해역의 대기 순환을 순서 없이 나타낸 것이다.

이에 대한 설명으로 옳은 것은?
① (가)는 엘니뇨 발생 시의 대기 순환 모습이다.
② (나)는 평상시의 대기 순환 모습이다.
③ 무역풍의 세기는 (가) 시기가 (나) 시기보다 강하다.
④ A 해역과 B 해역의 표층 수온 차이는 (가) 시기가 (나) 시기보다 작다.
⑤ (나) 시기에 페루 연안의 용승이 강해진다.

06

그림은 엘니뇨가 발생했을 때 태평양 적도 부근 해수의 연직 단면을 나타낸 것이다.

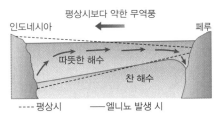

평상시와 비교하여 엘니뇨가 발생했을 때 나타나는 현상만을 〈보기〉에서 있는 대로 고른 것은?

┤보기├

ㄱ. 인도네시아 연안에서 해수면의 높이는 높아진다.

ㄴ. 페루 연안에서 수온 약층이 나타나는 깊이는 깊어진다.

ㄷ. 페루 연안에서 표층수의 용존 산소량은 증가한다.

① ㄱ   ② ㄴ   ③ ㄱ, ㄷ

④ ㄴ, ㄷ   ⑤ ㄱ, ㄴ, ㄷ

07

그림은 태평양 적도 해역에서 엘니뇨 시기와 평상시의 해수면과 수온 약층을 모식적으로 나타낸 것이다.

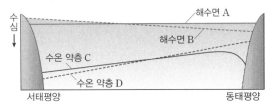

엘니뇨 시기에 대한 설명으로 옳은 것만을 〈보기〉에서 있는 대로 고른 것은?

┤보기├

ㄱ. 해수면은 A이다.

ㄴ. 수온 약층은 C이다.

ㄷ. 동태평양의 연안 용승이 평상시보다 더 활발하다.

① ㄱ   ② ㄷ   ③ ㄱ, ㄴ

④ ㄴ, ㄷ   ⑤ ㄱ, ㄴ, ㄷ

08 서술형

엘니뇨와 라니냐의 원인이 되는 바람의 풍속 변화를 비교하여 서술하시오.

09

그림은 동태평양 적도 부근 해역의 수온 편차를 나타낸 것이다.

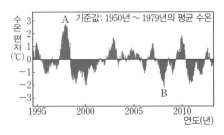

이에 대한 설명으로 옳은 것만을 〈보기〉에서 있는 대로 고른 것은?

┤보기├

ㄱ. A 시기에는 엘니뇨가 발생하였다.

ㄴ. 무역풍의 풍속은 A 시기보다 B 시기에 작았다.

ㄷ. B 시기에는 동태평양 페루 해역의 강수량이 평년보다 많았다.

① ㄱ   ② ㄷ   ③ ㄱ, ㄴ

④ ㄴ, ㄷ   ⑤ ㄱ, ㄴ, ㄷ

10 고난도

그림은 어느 해 3월부터 다음 해 10월까지 동태평양의 빗금 친 해역에서 관측한 해수면의 수온 편차 (관측 수온−평균 수온)를 나타낸 것이다.

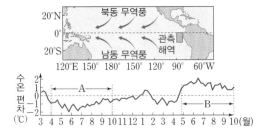

이에 대한 설명으로 옳은 것만을 〈보기〉에서 있는 대로 고른 것은?

┤보기├

ㄱ. 관측 해역의 해수면 수온은 A 기간보다 B 기간에 높았다.

ㄴ. 이 기간 동안 무역풍의 세기는 A 기간보다 B 기간에 강했을 것이다.

ㄷ. A 기간에 엘니뇨가 발생했을 것이다.

① ㄱ   ② ㄴ   ③ ㄱ, ㄷ

④ ㄴ, ㄷ   ⑤ ㄱ, ㄴ, ㄷ

11 고난도

그림 (가)는 엘니뇨, (나)는 라니냐 발생 시 태평양에서 측정한 표층 수온을 평년과의 편차(관측 수온 − 평균 수온)로 나타낸 것이다.

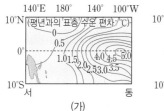
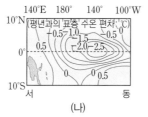

(가) (나)

이에 대한 설명으로 옳은 것만을 〈보기〉에서 있는 대로 고른 것은?

| 보기 |
ㄱ. 동태평양의 연안 용승은 (나)보다 (가)일 때 약했다.
ㄴ. (나)일 때 평년보다 무역풍이 강했을 것이다.
ㄷ. 적도 부근 서태평양의 강수량은 (가)>(나)이다.

① ㄱ ② ㄷ ③ ㄱ, ㄴ
④ ㄴ, ㄷ ⑤ ㄱ, ㄴ, ㄷ

3 남방 진동 대표 기출

12

그림은 어느 해에 발생한 엘니뇨의 영향을 나타낸 것이다.

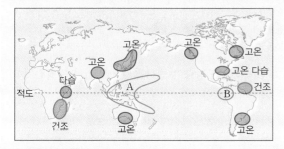

이 시기의 특징에 대한 설명으로 옳은 것만을 〈보기〉에서 있는 대로 고른 것은?

| 보기 |
ㄱ. A 지역의 기압이 평년보다 낮아진다.
ㄴ. A와 B 지역의 표층 수온 차이는 감소한다.
ㄷ. 태평양 지역의 기후 변화만을 초래한다.

① ㄱ ② ㄴ ③ ㄱ, ㄷ
④ ㄴ, ㄷ ⑤ ㄱ, ㄴ, ㄷ

기출 포인트 지구 기후 변화에 영향을 미치는 엘니뇨의 영향에 대해 묻는 문제가 자주 출제된다.

[13~14] 그림은 평상시와 엘니뇨 발생 시에 태평양 적도 부근 해상에서 나타나는 대기와 표층 해수의 이동 모습을 각각 나타낸 것이다.

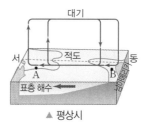
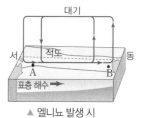

▲ 평상시 ▲ 엘니뇨 발생 시

13

이에 대한 설명으로 옳은 것은?

① 평상시에 무역풍은 엘니뇨 발생 시보다 약하다.
② 평상시에 수온은 A 지역이 B 지역보다 낮다.
③ 엘니뇨 발생 시에 기압은 A 지역이 B 지역보다 낮다.
④ 엘니뇨 발생 시에 남아메리카 지역은 가뭄이 발생한다.
⑤ 엘니뇨는 기권과 수권의 상호 작용으로 발생한다.

14 서술형

평년과 비교하여 라니냐 시기에 동태평양 대기의 특징(기압, 대기 안정화)을 서술하시오.

15

그림은 엘니뇨와 라니냐 시기 중 어느 시기의 기후 변동을 나타낸 것이다.

■ 이상 저온 이상 건조 이상 강우 이상 건조 이상 건조 이상 강우
　　　　　이상 고온 이상 저온 이상 저온 이상 저온

평상시와 비교하여 이 시기의 특징에 대해 옳은 설명을 얘기한 학생만을 있는 대로 고른 것은?

① 영희 ② 철수 ③ 영희, 민수
④ 철수, 민수 ⑤ 영희, 철수, 민수

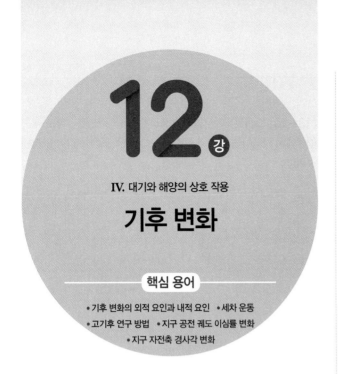

12강

IV. 대기와 해양의 상호 작용

기후 변화

핵심 용어

• 기후 변화의 외적 요인과 내적 요인 • 세차 운동
• 고기후 연구 방법 • 지구 공전 궤도 이심률 변화
• 지구 자전축 경사각 변화

1 고기후 연구 방법 <small>개념 브릿지 유형 1</small>

1. **화석** 화석 형성 당시 기후를 생물이 서식하는 영역의 특징으로 유추할 수 있다.

2. **나이테** 나무는 높은 기온과 다습한 환경에서 성장하였을 때 나이테 간격이 넓다.

3. **빙하 코어** 빙하 얼음을 구성하는 산소의 동위 원소 비율을 분석하여 과거 기온을 추정할 수 있고, 빙하 속 공기 방울로 과거 지구 대기 성분을 알 수 있다.

자료 클리닉 ➕ 남극 빙하 표본으로 알아낸 이산화 탄소량, 메테인양, 상대적 기온 변화

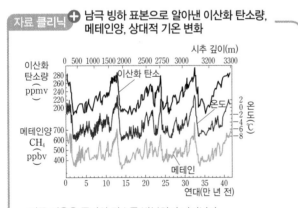

• 평균 기온은 증가와 감소를 반복하며 나타난다.
• 이산화 탄소와 메테인의 증감 경향이 온도의 증감 경향과 거의 동일하게 나타난다.
• 이산화 탄소 농도와 메테인 농도를 통해 미래 기온도 예측이 가능하다.

2 기후 변화의 자연적 요인 <small>개념 브릿지 유형 2</small>

┌─ 외적 요인 + 내적 요인

1. **태양 복사 에너지양 변화** 태양 활동이 활발한 시기에 증가하며 태양 활동의 활발한 정도는 흑점 수로 알 수 있다.

• 흑점 수 증가 → 태양에서 더 많은 에너지 방출 → 태양 복사 에너지 흡수량 증가 → 지구 평균 기온 상승

2. **지구 공전 궤도 이심률 변화** 타원 궤도와 원 궤도 사이에서 변화(약 10만 년 주기)

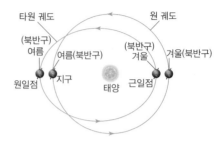

① 지구의 공전 궤도가 원 궤도인 경우에는 지구의 위치에 따른 태양 복사 에너지양의 차이가 없다.

② 이심률이 달라지면서 나타나는 현상

이심률 변화	증가(원 궤도 → 타원 궤도)				감소(타원 궤도 → 원 궤도)			
위치	북반구		남반구		북반구		남반구	
계절	여름	겨울	여름	겨울	여름	겨울	여름	겨울
지구-태양 거리	증가	감소	감소	증가	감소	증가	증가	감소
평균 기온 변화	하강	상승	상승	하강	상승	하강	하강	상승
기온의 연교차	작아진다		커진다		커진다		작아진다	

3. **지구 자전축의 세차 운동** 자전축 경사 방향의 변화(약 26000년 주기)

① 지구 자전축 방향이 변하면서 근일점과 원일점에서의 계절이 변한다.

② 지구 자전축 방향이 180° 회전하는 경우

위치	계절	지구 위치 변화	지구-태양 거리	평균 기온 변화	기온의 연교차
북반구	여름	원일점 → 근일점	감소	상승	커진다
	겨울	근일점 → 원일점	증가	하강	
남반구	여름	근일점 → 원일점	증가	하강	작아진다
	겨울	원일점 → 근일점	감소	상승	

4. **지구 자전축 경사각 변화** 자전축의 기울기 변화(약 41000년 주기) → 지구 자전축 경사각이 변하면 위도별 태양 복사 에너지의 입사각이 변한다.

자전축 경사각 변화	증가 (23.5° → 24.5°)		감소 (23.5° → 21.5°)	
계절	여름	겨울	여름	겨울
태양의 남중 고도 변화	높아 진다	낮아 진다	낮아 진다	높아 진다
평균 기온 변화	상승	하강	하강	상승
기온의 연교차	커진다		작아진다	

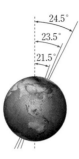

5. 기후 변화의 내적 요인

① **빙하** 빙하 형성 → 지표 반사율 증가 → 태양 복사 에너지 흡수량 감소 → 평균 기온 하강

② **수륙 분포** 육지는 바다보다 비열이 작고 증발량이 적다.

초대륙 형성	대륙 내에 건조하고 연교차가 큰 대륙성 기후가 발달
대륙 분리	해안 지역이 확장되면서 습하고 연교차가 작은 해양성 기후 발달

③ **해류 변화** 난류의 영향을 받는 지역은 평균 기온이 높고 한류의 영향을 받는 지역은 평균 기온이 낮다.

④ **산맥 형성** 높은 산맥은 공기의 이동을 막고 풍향을 변화시킨다. 산맥을 넘어간 기단은 성질이 변한다.

⑤ **화산재 증가** 대규모 화산 폭발 → 대기 중으로 화산재, 먼지 유입 → 대기 투명도 감소 → 태양 복사 에너지 반사율 증가 → 평균 기온 하강

⑥ **온실 기체 농도 변화** 화산 분출 시 대기 중 수증기나 이산화 탄소 농도가 증가하고, 수온 상승으로 바다의 이산화 탄소가 대기로 방출되는 경우 지구의 평균 기온이 상승한다.

③ 기후 변화의 인위적 요인과 지구 온난화

1. 지구의 복사 평형 지구의 각 영역(지구 전체, 대기, 지표)은 에너지 흡수량과 방출량이 같은 평형 상태이다.

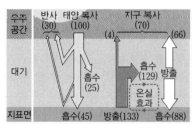

구분	흡수량	방출량
지구 전체(70)	태양 복사 − 지구 반사(70)	지표 복사(4) 대기 복사(66)
대기(154)	태양 복사 흡수(25) 지표 복사 흡수(129)	우주로 방출(66) 지표로 재복사(88)
지표면(133)	태양 복사 흡수(45) 대기 복사 흡수(88)	대기로 복사(129) 우주로 복사(4)

2. 온실 효과 지표가 방출하는 에너지 중 일부를 대기가 흡수하고 지표로 다시 복사하여 지표의 온도가 높아지는 현상

① **온실 기체** 온실 효과를 일으키는 기체로, 태양 복사 에너지는 통과시키고 지구 복사 에너지는 잘 흡수한다.

② 대기 중 온실 기체의 농도가 증가하면 대기의 온실 효과가 강화되고 지구의 평균 기온이 상승하는 지구 온난화가 진행된다.

3. 지구 온난화 지구 평균 기온이 상승하는 현상

(1) **원인** 대기 중 온실 기체 농도의 꾸준한 상승으로 온실 효과 강화

(2) **온실 기체 증가 원인** 산업 혁명 이후 화석 연료의 사용 증가, 산림 벌채, 교통량 증가 등

(3) **지구 온난화의 영향** 개념 브릿지 유형 **3**

① 해수의 온도가 상승하면서 용존 이산화 탄소의 용해도가 낮아진다. → 해수에서 대기로 이산화 탄소가 방출되고 대기 중 이산화 탄소 농도가 더 높아지면서 지구 온난화가 더 심해진다.

② 극지방 빙하가 녹으면서 해수의 염분이 낮아지고 침강이 약화된다. → 심층 해수 생성이 약화되면서 심층 순환이 약화되고 위도별 에너지 불균형이 심화된다.

(4) **지구 온난화 대책**

① **기후 변화 완화** 온실 기체 배출량 감축, 온실 기체 흡수 장치 마련

② **기후 변화 적응** 기후 변화에 적응하는 농법을 개발하고 재배 작물을 변화시키며 기상 재난에 대한 대책을 강화한다.

자료 클리닉 ⊕ 지구의 평균 기온 변화, 대기 중 온실 기체 농도 변화

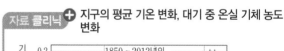

▲ 지구의 평균 기온 변화

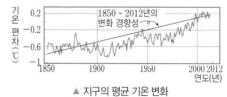

▲ 대기 중 온실 기체 농도 변화

· 지구의 평균 기온은 상승과 하강이 반복적으로 나타나지만 전체적으로 상승하는 경향을 보인다.

· 이산화 탄소와 메테인 농도는 관측 기간 중 대부분 증가하는 경향을 보인다.

· 온실 기체가 온실 효과를 강화시켜 지구의 평균 기온을 상승시키기 때문에 두 자료의 변화 경향은 비슷하게 나타난다.

1 기후 변화 요인에는 ☐☐적 요인과 인위적 요인이 있고, 자연적 요인은 다시 지구 외적 요인과 지구 ☐☐ 요인으로 나뉜다.

2 표는 고기후 연구 방법을 나타낸 것이다. 빈칸에 알맞은 말을 쓰시오.

㉠ ☐☐	㉠ ☐☐ 형성 당시 기후를 생물이 서식하는 영역의 특징으로 유추할 수 있다.
㉡ ☐☐☐	높은 기온과 다습한 환경에서 성장하였을 때 간격이 넓다.
㉢ ☐☐☐☐	빙하 얼음을 구성하는 산소의 동위 원소 비율을 분석하여 과거 기온을 추정할 수 있다.

3 다음 설명 중 옳은 것은 ○, 옳지 않은 것은 ×를 하시오.

(1) 지구 공전 궤도 이심률 변화는 기후 변화 중 지구 내적 요인에 의한 것이다. ( )

(2) 자전축 경사 방향은 약 26000년을 주기로 변한다. ( )

(3) 지구 자전축의 경사각이 변하면 위도별 태양 복사 에너지의 입사각이 변한다. ( )

4 그림은 지구 공전 궤도 이심률 변화를 나타낸 것이다. 북반구에서 ㉠의 계절을 쓰고, ㉡의 위치를 쓰시오.

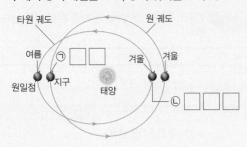

5 빙하가 형성되면 지표의 반사율이 ☐☐하고, 태양 복사 에너지의 흡수량이 ☐☐하여 평균 기온이 하강한다.

6 지표가 방출하는 에너지 중 일부를 대기가 흡수하고 지표로 다시 복사하여 지표의 온도가 높아지는 현상을 ☐☐ ☐☐라 하고, 지구 평균 기온이 상승하는 현상을 지구 ☐☐☐라고 한다.

---

1 고기후 연구 방법

그림 (가)와 (나)는 남극의 빙하 연구를 통해 알아낸 과거 42만 년 동안의 대기 중 CO_2 농도와 기온 편차를 나타낸 것이고, (다)는 해양 생물의 껍질에서 측정한 이 기간 동안의 산소 동위 원소비를 나타낸 것이다.

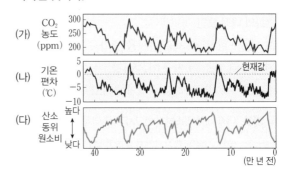

이에 대한 설명으로 옳은 것만을 〈보기〉에서 있는 대로 고른 것은?

┤ 보기 ├
ㄱ. 이 기간 동안에 대기 중의 CO_2 평균 농도는 현재보다 높다.
ㄴ. 35만 년 전에 빙하의 면적은 현재보다 넓었다.
ㄷ. 해양 생물의 산소 동위 원소비는 간빙기가 빙하기보다 높았다.

① ㄱ   ② ㄴ   ③ ㄱ, ㄷ
④ ㄴ, ㄷ   ⑤ ㄱ, ㄴ, ㄷ

개념으로 문제 접근하기 | 고기후 자료 분석

- 고기후 연구 방법에는 화석, 나이테, 빙하 코어 연구 등이 있다.
- 과거 42만 년 동안 빙하의 면적 변화 그래프를 그린다면 시간에 따른 변화 경향이 해양 생물의 산소 동위 원소비 그래프와 비슷하게 나타날 것이다.

| 보기 분석 |
ㄱ. 과거 42만 년 동안 대기 중의 CO_2 농도는 대체로 250 ppm보다 낮았다. 따라서 과거 42만 년 동안 대기 중의 CO_2 평균 농도는 현재 CO_2 농도인 약 270 ppm보다 낮다.
ㄴ. 35만 년 전 기온은 현재보다 낮았다. 따라서 수온도 현재보다 낮았고 빙하 면적은 현재보다 넓었을 것이다.
ㄷ. 해양 생물의 산소 동위 원소비는 기온 편차와 시간에 따른 자료의 변화가 반비례 관계에 있다. 따라서 해양 생물의 산소 동위 원소비는 기온이 상대적으로 낮았던 빙하기에 높았고, 기온이 상대적으로 높았던 간빙기에 낮았다.

답 ②

답 **1** 자연, 내적 **2** ㉠화석, ㉡나이테, ㉢빙하 코어 **3** (1)× (2)○ (3)○
4 ㉠여름, ㉡근일점 **5** 증가, 감소 **6** 온실 효과, 온난화

2 기후 변화의 외적 요인

그림은 현재와 미래 어느 시점의 지구 공전 궤도, 자전축의 경사 방향과 경사각을 각각 나타낸 것이다.

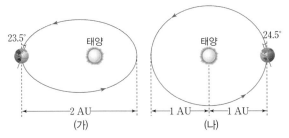

(나) 시기에 나타날 수 있는 현상에 대한 설명으로 옳은 것만을 〈보기〉에서 있는 대로 고른 것은? (단, 공전 궤도 이심률, 자전축의 경사 방향과 경사각의 변화 이외의 요인은 변하지 않는다고 가정한다.)

┤보기├
ㄱ. 우리나라 기온의 연교차는 (가)보다 작아진다.
ㄴ. 북반구 여름 동안 대륙 빙하의 면적은 (가)보다 좁아진다.
ㄷ. 지구에 입사하는 태양 복사 에너지양은 7월이 1월보다 많다.

① ㄱ　　　　② ㄴ　　　　③ ㄷ
④ ㄱ, ㄴ　　　⑤ ㄴ, ㄷ

개념으로 문제 접근하기 | 미래의 기후

• 미래 어느 시점이 되었을 때, 지구에 입사하는 태양 복사 에너지양은 지구의 공전 궤도가 원이므로 모든 시기에 같다. 반면에 지구 자전축은 현재와 동일하게 기울어져 있으므로 계절이 사라지지는 않는다.

| 보기 분석 |
ㄱ. 지구 공전 궤도 이심률이 작아지면 태양과 지구 사이 거리가 북반구 기준 여름일 때 더 가까워지고 겨울일 때 더 멀어지므로 우리나라 기온의 연교차는 현재보다 커진다. 또한, 지구 자전축 경사각이 커지면 여름에는 태양의 남중 고도가 높아지고, 겨울에는 태양의 남중 고도가 낮아지므로, 기온의 연교차가 커진다.
ㄴ. 미래 어느 시점에 북반구는 여름에 태양이 현재보다 더 가까운 위치에서 더 높은 남중 고도로 에너지를 방출하기 때문에 기온이 현재보다 높을 것이고 대륙 빙하의 면적은 좁아질 것이다.
ㄷ. (가) 시기에 지구에 입사하는 태양 복사 에너지양은 7월보다 지구와 태양 사이의 거리가 더 가까운 1월에 많다. (나) 시기에는 모든 기간에 태양과 지구 사이의 거리가 동일하므로 지구로 입사하는 태양 복사 에너지양도 동일하다.

답 ②

3 지구 온난화

그림은 지구 온난화의 원인과 그로 인한 지구 환경 변화 과정의 일부를 나타낸 것이다.

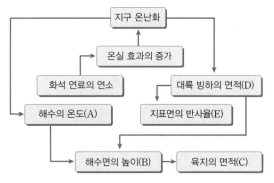

이에 대한 설명으로 옳은 것만을 〈보기〉에서 있는 대로 고른 것은?

┤보기├
ㄱ. A가 증가하면 C는 감소하게 된다.
ㄴ. D가 감소하면 B도 감소하게 된다.
ㄷ. 지구 온난화가 지속되면 E가 증가하게 된다.

① ㄱ　　　　② ㄷ　　　　③ ㄱ, ㄴ
④ ㄴ, ㄷ　　　⑤ ㄱ, ㄴ, ㄷ

개념으로 문제 접근하기 | 지구 온난화로 발생하는 연쇄 작용

• 지구 온난화로 지구의 평균 기온이 상승하면 대륙 빙하의 면적이 줄어든다. 빙하는 반사율이 높은 편에 속하는 지표 상태이므로 대륙 빙하의 면적이 감소하면 지표면의 반사율이 감소한다.
• 대륙 빙하의 면적 감소는 지표면 반사율 감소로 이어진다. 지표면의 반사율이 감소하면 지표의 태양 복사 에너지 흡수율이 증가하여 지구가 더 많은 에너지를 받게 되어 지구의 평균 기온이 상승한다.

| 보기 분석 |
ㄱ. 해수의 온도가 상승하면 해수의 열팽창이 일어나 해수면의 높이가 상승하고 육지 중 저지대가 침수되면서 육지의 면적이 감소한다.
ㄴ. 대륙 빙하의 면적이 감소하면 빙하가 녹은 담수가 바다로 유입되어 해수의 부피가 증가하고 해수면의 높이가 상승한다.
ㄷ. 지구 온난화가 지속되면 반사율이 높은 대륙 빙하의 면적이 감소하므로 지표면의 반사율은 감소하게 된다.

답 ①

1 고기후 연구 방법   대표 기출

01

그림은 남극 빙하를 분석하여 알아낸 과거 40만 년 동안의 기온 편차, 이산화 탄소 농도, 먼지 농도 변화를 나타낸 것이다.

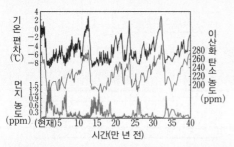

이에 대한 설명으로 옳은 것만을 〈보기〉에서 있는 대로 고른 것은?

┤ 보기 ├

ㄱ. 기온 편차와 먼지 농도 분포는 대체로 비례한다.

ㄴ. 이 기간 동안에 이산화 탄소 농도의 평균은 현재보다 낮았다.

ㄷ. 전체 수권 중 육수가 차지하는 비율은 35만 년 전이 현재보다 높았을 것이다.

① ㄱ   ② ㄴ   ③ ㄱ, ㄷ   ④ ㄴ, ㄷ   ⑤ ㄱ, ㄴ, ㄷ

기출 포인트 | 과거부터 현재까지 기후 변화 자료를 해석하고 기후 변화를 이해할 수 있는지를 묻는 문제가 자주 출제된다.

02

그림은 해양 생물 화석의 산소 동위 원소비 $\left(\dfrac{^{18}O}{^{16}O}\right)$를 나타낸 것이다.

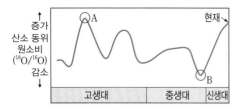

이에 대한 설명으로 옳은 것만을 〈보기〉에서 있는 대로 고른 것은?

┤ 보기 ├

ㄱ. 극지방 빙하의 산소 동위 원소비 $\left(\dfrac{^{18}O}{^{16}O}\right)$는 A 시기가 B 시기보다 높았을 것이다.

ㄴ. A 시기는 B 시기보다 대체로 온난했을 것이다.

ㄷ. 해수면의 높이는 현재가 B 시기보다 낮을 것이다.

① ㄱ   ② ㄷ   ③ ㄱ, ㄴ   ④ ㄱ, ㄷ   ⑤ ㄴ, ㄷ

03   고난도

그림은 남극 빙하 연구를 통해 알아낸 과거 12만 년 동안의 기온 편차와 빙하의 산소 동위 원소비 $\left(\dfrac{^{18}O}{^{16}O}\right)$를 나타낸 것이다.

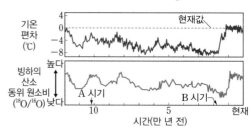

이에 대한 설명으로 옳은 것만을 〈보기〉에서 있는 대로 고른 것은?

┤ 보기 ├

ㄱ. 과거 12만 년 동안의 평균 기온은 현재보다 낮았다.

ㄴ. 해수에서 증발되는 물 분자의 산소 동위 원소비는 A 시기가 B 시기보다 컸을 것이다.

ㄷ. 빙하의 면적은 B 시기가 현재보다 넓었을 것이다.

① ㄱ   ② ㄷ   ③ ㄱ, ㄴ   ④ ㄴ, ㄷ   ⑤ ㄱ, ㄴ, ㄷ

2 기후 변화의 자연적 요인   대표 기출

04

그림은 지구 공전 궤도의 변화를 나타낸 것이다.

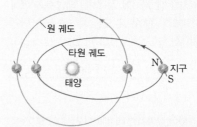

지구 공전 궤도가 현재의 타원 궤도에서 원 궤도로 변화한다고 할 때, 일어날 수 있는 현상으로 옳은 것만을 〈보기〉에서 있는 대로 고른 것은? (단, 지구 공전 궤도 변화 이외의 다른 요인은 현재와 같다고 가정한다.)

┤ 보기 ├

ㄱ. 북반구의 기온 연교차는 작아질 것이다.

ㄴ. 남반구의 겨울철 평균 기온은 상승할 것이다.

ㄷ. 우리나라의 여름은 현재보다 더워질 것이다.

① ㄱ   ② ㄴ   ③ ㄷ   ④ ㄱ, ㄴ   ⑤ ㄴ, ㄷ

기출 포인트 | 지구 공전 궤도 이심률 변화가 일어났을 때 기후 변화를 설명할 수 있는지를 묻는 문제가 자주 출제된다.

[05~06] 그림 (가)는 현재 지구 자전축의 방향을 나타낸 것이고, (나)는 지구 자전축의 방향이 바뀐 모습을 나타낸 것이다.

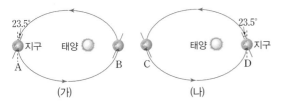

05

우리나라에서 받는 태양 복사 에너지와 관련된 설명으로 옳은 것만을 〈보기〉에서 있는 대로 고른 것은? (단, 지구 자전축의 방향 이외의 다른 조건은 변화가 없다.)

┤ 보기 ├
ㄱ. A~D 중 겨울철에 해당하는 것은 A와 C이다.
ㄴ. 연교차는 (나)가 (가)보다 크다.
ㄷ. A~D 중 우리나라에서 하루 동안 태양 복사 에너지를 가장 많이 받는 위치는 D이다.

① ㄱ   ② ㄷ   ③ ㄱ, ㄴ   ④ ㄴ, ㄷ   ⑤ ㄱ, ㄴ, ㄷ

06 서술형

A~D 각각의 위치에서 우리나라의 계절을 쓰시오.

07

그림 (가)는 현재의 지구 자전축 기울기를 나타낸 것이고, (나)는 현재를 기준으로 5만 년 전~5만 년 후의 지구 자전축 기울기 변화를 나타낸 것이다.

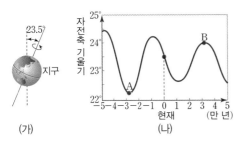

(가)

(나)

우리나라에서의 기후 변화에 대해 옳은 설명을 얘기한 학생만을 있는 대로 고른 것은?

지구 자전축의 기울기가 커지면 여름철 태양의 남중 고도는 낮아져. — 영희

A 시기에는 현재보다 여름철의 평균 기온이 낮았을 거야. — 철수

B 시기에는 현재보다 기온의 연교차가 커질 거야. — 민수

① 영희   ② 철수   ③ 영희, 민수
④ 철수, 민수   ⑤ 영희, 철수, 민수

08

그림은 현재 지구 자전축의 방향과 공전 궤도를 나타낸 것이다.

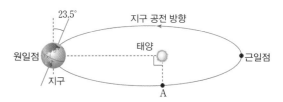

이에 대한 설명으로 옳은 것만을 〈보기〉에서 있는 대로 고른 것은? (단, 세차 운동 이외의 요인은 변하지 않는다고 가정하고, 세차 운동의 방향은 지구 자전 방향과 반대이고 주기는 약 26000년이다.)

┤ 보기 ├
ㄱ. 현재 지구가 근일점에 위치할 때 우리나라는 낮의 길이가 가장 길다.
ㄴ. 약 6500년 후 지구가 A 부근에 있을 때 우리나라는 겨울이다.
ㄷ. 우리나라에서 기온의 연교차는 현재보다 약 13000년 후에 더 크다.

① ㄱ   ② ㄴ   ③ ㄷ   ④ ㄱ, ㄴ   ⑤ ㄴ, ㄷ

09

그림 (가)는 현재를 기준으로 5만 년 전~5만 년 후의 지구 자전축의 기울기 변화를 나타낸 것이고, (나)는 북반구 여름철의 태양과 지구 사이의 거리 변화를 나타낸 것이다.

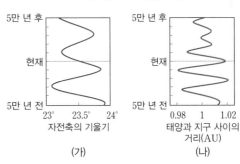

(가)

(나)

이 자료를 근거로 판단한 북반구의 기후 변화에 대한 설명으로 옳은 것만을 〈보기〉에서 있는 대로 고른 것은?

┤ 보기 ├
ㄱ. (가)만을 고려할 때, 1만 년 전의 기온의 연교차는 현재보다 컸을 것이다.
ㄴ. (나)만을 고려할 때, 1만 년 후의 여름 기온은 현재보다 높아질 것이다.
ㄷ. (가)와 (나)를 모두 고려할 때, 3만 년 후의 계절 변화는 현재보다 뚜렷해질 것이다.

① ㄴ   ② ㄷ   ③ ㄱ, ㄴ   ④ ㄴ, ㄷ   ⑤ ㄱ, ㄴ, ㄷ

10 고난도

그림 (가)는 지구의 같은 지점에서 1월과 7월 정오에 촬영한 태양 상의 크기를 비교한 것이고, (나)는 지구 공전 궤도의 모양 변화를 나타낸 것이다.

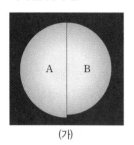

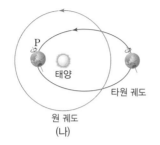

(가)   (나)

이에 대한 설명으로 옳은 것만을 〈보기〉에서 있는 대로 고른 것은? (단, 지구 자전축 경사의 크기와 방향은 변하지 않는다고 가정한다.)

┤보기├
ㄱ. B를 촬영할 때 북반구는 여름이다.
ㄴ. 지구가 P에 위치할 때 촬영한 상은 A이다.
ㄷ. (나)에서 공전 궤도가 타원에서 원으로 변하면 북반구 기온의 연교차는 커진다.

① ㄴ   ② ㄷ   ③ ㄱ, ㄴ
④ ㄱ, ㄷ   ⑤ ㄱ, ㄴ, ㄷ

11

그림은 기후 변화를 일으키는 천문학적 요인 중 지구 자전축의 경사각 변화를 나타낸 것이다. 이에 대한 설명으로 옳은 것만을 〈보기〉에서 있는 대로 고른 것은? (단, 현재의 경사각은 23.5°이고, 다른 모든 요인은 동일하다.)

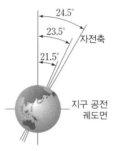

┤보기├
ㄱ. 자전축의 경사각이 작아지면 여름철 우리나라 지표면에 도달하는 일사량은 현재보다 적어진다.
ㄴ. 자전축의 경사각이 커지면 우리나라 기온의 연교차가 작아진다.
ㄷ. 자전축의 경사각이 커지면 지구 전체가 받는 연간 태양 복사 에너지양은 현재보다 많아진다.

① ㄱ   ② ㄴ   ③ ㄷ
④ ㄱ, ㄴ   ⑤ ㄴ, ㄷ

12

그림은 기후 변동을 유발할 수 있는 지구 운동의 변화를 나타낸 것이다.

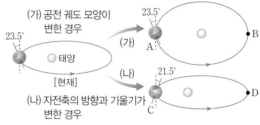

이에 대한 옳은 설명을 얘기한 학생만을 있는 대로 고른 것은?

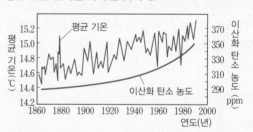

우리나라가 여름인 위치는 B와 D야.
(가)의 경우 북반구는 연교차가 증가해.
(나)의 경우 우리나라에서 겨울철 태양의 남중 고도가 높아져.
철수   영희   민수

① 영희   ② 철수   ③ 영희, 민수
④ 철수, 민수   ⑤ 영희, 철수, 민수

3 기후 변화의 인위적 요인과 지구 온난화   대표 기출

13

그림은 최근 100년 간 대기 중 이산화 탄소 농도와 지구의 평균 기온 변화를 나타낸 것이다.

이에 대한 설명으로 옳은 것만을 〈보기〉에서 있는 대로 고른 것은?

┤보기├
ㄱ. 지구의 평균 기온은 전반적으로 상승하고 있다.
ㄴ. 지구의 평균 기온 변화는 이산화 탄소 농도 변화와 상관 관계가 있다.
ㄷ. 화석 연료 사용량의 증가는 지구의 평균 기온을 높인다.

① ㄱ   ② ㄱ, ㄴ   ③ ㄱ, ㄷ   ④ ㄴ, ㄷ   ⑤ ㄱ, ㄴ, ㄷ

기출 포인트 | 지구 평균 기온과 대기 중 이산화 탄소 농도 변화 경향을 비교하여 해석할 수 있는지를 묻는 문제가 자주 출제된다.

14

그림은 지구 대기와 지표면에서 태양 복사 에너지와 지구 복사 에너지의 평형을 모식적으로 나타낸 것이다.

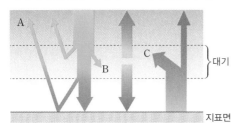

이에 대한 설명으로 옳은 것만을 〈보기〉에서 있는 대로 고른 것은?

| 보기 |
ㄱ. 빙하 면적이 넓어지면 A 과정이 활발해진다.
ㄴ. B 과정은 대부분 이산화 탄소에 의해 나타난다.
ㄷ. C 과정이 활발해지면 지표면 기온은 상승한다.

① ㄱ　　② ㄴ　　③ ㄷ　　④ ㄱ, ㄷ　　⑤ ㄴ, ㄷ

15

그림은 지구에 입사하는 태양 복사 에너지양을 100으로 할 때 지구의 복사 평형을 나타낸 것이다.

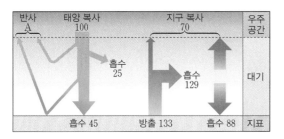

이에 대한 설명으로 옳지 않은 것은?

① 지표와 대기에서 반사되는 양(A)은 30이다.
② 지표가 흡수하는 복사 에너지의 총량은 133이다.
③ 지표는 태양보다 대기로부터 에너지를 많이 흡수한다.
④ 대기는 흡수하는 에너지와 방출하는 에너지가 평형을 이룬다.
⑤ 대기가 지표로 방출하는 에너지양은 우주 공간으로 방출하는 에너지양보다 적다.

16 서술형

대기 중 온실 기체 농도가 증가하였을 때 지구의 평균 기온이 상승하는 원리를 다음 단어를 모두 포함하여 서술하시오.

> 재복사, 지표에서 방출하는 에너지, 지구의 평균 기온

17

그림은 1900년부터 2000년까지 평균 기온과 평균 해수면 높이의 편차를 나타낸 것이다.

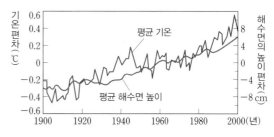

이에 대한 설명으로 옳은 것만을 〈보기〉에서 있는 대로 고른 것은?

| 보기 |
ㄱ. 평균 해수면은 이 기간에 약 6 cm 상승하였다.
ㄴ. 이러한 변화 경향이 지속되면 극지방의 반사율은 감소할 것이다.
ㄷ. 대기 중 이산화 탄소의 농도가 증가할 경우 나타나는 현상이다.

① ㄴ　　　　　② ㄷ　　　　　③ ㄱ, ㄴ
④ ㄴ, ㄷ　　　⑤ ㄱ, ㄴ, ㄷ

18

다음은 북극권의 다양한 기후 피드백 작용을 나타낸 것이다.

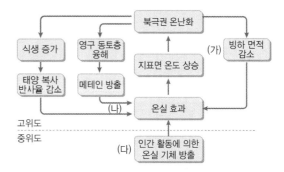

이에 대한 설명으로 옳은 것만을 〈보기〉에서 있는 대로 고른 것은?

| 보기 |
ㄱ. (가)의 결과, 지표면의 반사율이 증가한다.
ㄴ. (나)는 북극권의 온난화를 강화시키는 작용이다.
ㄷ. (다)의 온실 기체 중 가장 많은 양을 차지하는 것은 메테인이다.

① ㄱ　　　　　② ㄴ　　　　　③ ㄱ, ㄷ
④ ㄴ, ㄷ　　　⑤ ㄱ, ㄴ, ㄷ

01

그림은 북반구의 대기 대순환을 간단히 나타낸 것이다.

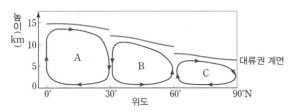

이에 대한 설명으로 옳은 것만을 〈보기〉에서 있는 대로 고른 것은?

┤ 보기 ├
ㄱ. A 순환이 일어나는 동안 지상에는 무역풍이 분다.
ㄴ. 직접 순환 세포는 B이다.
ㄷ. 30°N 지역은 60°N 지역보다 강수량이 많다.

① ㄱ   ② ㄴ   ③ ㄱ, ㄷ
④ ㄴ, ㄷ   ⑤ ㄱ, ㄴ, ㄷ

02

그림 (가)는 세 지역에서 태양의 고도를 나타낸 것이고, (나)는 위도에 따른 태양 복사 에너지와 지구 복사 에너지의 양을 나타낸 것이다.

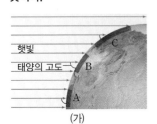

(가)

(나)

이에 대한 설명으로 옳은 것만을 〈보기〉에서 있는 대로 고른 것은?

┤ 보기 ├
ㄱ. (가)에서 A∼C 중 태양의 고도가 가장 높은 지역은 A 이다.
ㄴ. P는 태양 복사 에너지양, Q는 지구 복사 에너지양으로 Q보다 P가 큰 지역에서는 에너지가 남는다.
ㄷ. A∼C 중 Q값이 가장 큰 지역은 C이다.

① ㄱ   ② ㄷ   ③ ㄱ, ㄴ
④ ㄴ, ㄷ   ⑤ ㄱ, ㄴ, ㄷ

03

그림은 태평양에서의 아열대 순환을 나타낸 것이다.

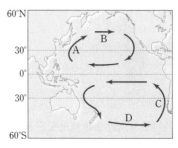

이에 대한 설명으로 옳은 것만을 〈보기〉에서 있는 대로 고른 것은?

┤ 보기 ├
ㄱ. A는 쿠로시오 해류, C는 페루 해류로 A는 C보다 수온이 높다.
ㄴ. B와 D는 편서풍의 영향으로 형성된 해류이다.
ㄷ. 북반구에서는 시계 방향의 순환이, 남반구에서는 시계 반대 방향의 순환이 형성된다.

① ㄱ   ② ㄴ   ③ ㄱ, ㄷ
④ ㄴ, ㄷ   ⑤ ㄱ, ㄴ, ㄷ

04

그림은 태평양 표층의 아열대 순환과 대기 대순환을 나타낸 것이다.

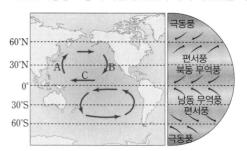

이에 대한 설명으로 옳은 것만을 〈보기〉에서 있는 대로 고른 것은?

┤ 보기 ├
ㄱ. A는 난류, B는 한류이므로 A는 B보다 용존 산소량이 적다.
ㄴ. C는 무역풍의 영향을 받아 형성된 해류이다.
ㄷ. C는 북동 무역풍의 영향을 받아 아열대 순환과 아한대 순환을 형성한다.

① ㄱ   ② ㄴ   ③ ㄷ
④ ㄱ, ㄴ   ⑤ ㄴ, ㄷ

05

그림은 우리나라 주변의 표층 해류를 나타낸 것이다.

쿠로시오 해류의 세력이 강해질 때 우리나라 주변 해양에서 나타날 수 있는 현상으로 옳은 것만을 〈보기〉에서 있는 대로 고른 것은?

| 보기 |
ㄱ. 북한 한류의 세력이 강해진다.
ㄴ. 황해의 평균 수온이 상승한다.
ㄷ. 남해의 여름철 염분이 겨울철보다 높아진다.
ㄹ. 동해의 조경 수역이 북쪽으로 이동한다.

① ㄱ, ㄴ   ② ㄱ, ㄷ   ③ ㄴ, ㄷ
④ ㄴ, ㄹ   ⑤ ㄷ, ㄹ

06

그림은 대서양의 심층 순환을 나타낸 것이다.

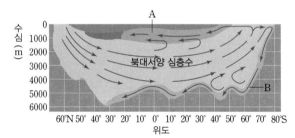

이에 대한 설명으로 옳은 것만을 〈보기〉에서 있는 대로 고른 것은?

| 보기 |
ㄱ. A는 북에서 남으로 흐른다.
ㄴ. A는 북대서양 심층수보다 밀도가 작고, B는 북대서양 심층수보다 밀도가 크다.
ㄷ. B는 가장 아래에서 흐르고 표층으로 다시 올라오지 않는다.
ㄹ. 심층수 중 B의 밀도가 가장 높다.

① ㄱ, ㄴ   ② ㄱ, ㄷ   ③ ㄴ, ㄷ
④ ㄴ, ㄹ   ⑤ ㄷ, ㄹ

[07~08] 그림 (가)는 전 지구적인 해수 순환을 나타낸 것이고, (나)는 (가) 순환의 세기가 변하여 발생한 지표 기온의 변화량을 나타낸 것이다.

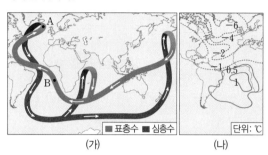

(가)   (나)

07

(나)와 같이 지표 기온이 변화되는 과정에 대한 설명으로 옳은 것만을 〈보기〉에서 있는 대로 고른 것은?

| 보기 |
ㄱ. 북대서양은 추워졌고 남대서양은 더워졌다.
ㄴ. 대서양의 심층 해류가 강해졌다.
ㄷ. B에서 A로 이동하는 표층 해류가 강화되었다.

① ㄱ   ② ㄴ   ③ ㄱ, ㄷ
④ ㄴ, ㄷ   ⑤ ㄱ, ㄴ, ㄷ

08 서술형

위와 같은 심층 해류가 발생하는 원인을 서술하시오.

_____

_____

09 고난도

그림은 남반구에서 남풍이 불고 있는 서쪽 해안을 나타낸 것이다.

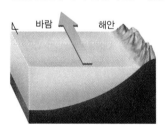

이 해안 지역에서 나타날 수 있는 현상에 대한 설명으로 옳은 것만을 〈보기〉에서 있는 대로 고른 것은?

| 보기 |
ㄱ. 연안의 표층 해수가 먼 바다 쪽으로 이동한다.
ㄴ. 대기가 안정해진다.
ㄷ. 날씨가 서늘하고 안개가 자주 발생한다.

① ㄱ   ② ㄷ   ③ ㄱ, ㄴ
④ ㄴ, ㄷ   ⑤ ㄱ, ㄴ, ㄷ

10 고난도

그림 (가)는 엘니뇨 감시 해역 A를 나타낸 것이고, (나)는 A에서 관측한 해수면의 수온 편차를 나타낸 것이다.

 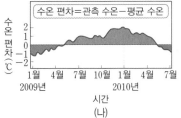

(가) (나)

평상시와 비교했을 때 2010년 1월의 A 해역에 대한 설명으로 옳은 것만을 〈보기〉에서 있는 대로 고른 것은?

┤ 보기 ├
ㄱ. 엘니뇨가 발생한 시기이다.
ㄴ. 강수량이 증가했다.
ㄷ. 용승 현상이 강해졌다.
ㄹ. 적도 서태평양보다 수온이 높아졌다.

① ㄱ, ㄴ ② ㄱ, ㄷ ③ ㄴ, ㄷ
④ ㄴ, ㄹ ⑤ ㄷ, ㄹ

11

그림은 동태평양 적도 부근 해역의 수온 편차(관측 수온 − 평균 수온)를 나타낸 것이다. A와 B는 각각 엘니뇨 시기와 라니냐 시기 중 하나이다.

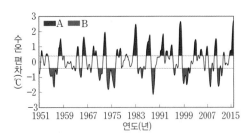

B 시기와 비교했을 때 A 시기에 적도 부근 동태평양 해역에 대한 설명으로 옳은 것만을 〈보기〉에서 있는 대로 고른 것은?

┤ 보기 ├
ㄱ. 평년보다 수온이 높은 시기이다.
ㄴ. 강한 남적도 해류가 나타난다.
ㄷ. 수온 약층이 나타나는 깊이가 깊다.

① ㄱ ② ㄴ ③ ㄱ, ㄷ
④ ㄴ, ㄷ ⑤ ㄱ, ㄴ, ㄷ

12

그림은 아이스 코어로 추정한 약 40만 년 동안의 대기 중 이산화 탄소 농도와 평균 기온 편차 변화를 나타낸 것이다.

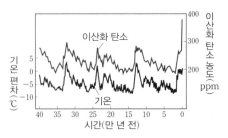

이에 대한 설명으로 옳은 것만을 〈보기〉에서 있는 대로 고른 것은?

┤ 보기 ├
ㄱ. 이산화 탄소 농도 변화와 기온 변화는 대체로 비슷한 경향을 나타낸다.
ㄴ. 기온이 높은 시기에 이산화 탄소 농도가 높다.
ㄷ. 현재는 5만 년 전보다 기온이 낮으므로 이 시기보다 빙하의 면적이 넓을 것이다.

① ㄱ ② ㄷ ③ ㄱ, ㄴ
④ ㄴ, ㄷ ⑤ ㄱ, ㄴ, ㄷ

13

그림은 지구 자전축의 변화를 현재와 비교하여 모식적으로 나타낸 것이다.

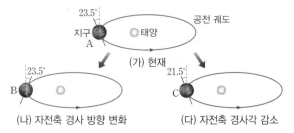

(나) 자전축 경사 방향 변화 (다) 자전축 경사각 감소

이에 대한 설명으로 옳은 것만을 〈보기〉에서 있는 대로 고른 것은? (단, 다른 기후 환경 변화 요인은 없다고 가정한다.)

┤ 보기 ├
ㄱ. 우리나라 기온의 연교차는 (가)보다 (다)일 때 작다.
ㄴ. 북반구 중위도 여름 기온은 (나)의 경우가 (가)보다 높다.
ㄷ. 지구 전체가 하루 동안 받는 태양 복사 에너지양은 B가 A, C보다 많다.

① ㄱ ② ㄷ ③ ㄱ, ㄴ
④ ㄴ, ㄷ ⑤ ㄱ, ㄴ, ㄷ

14

그림은 지구 기후 변화의 원인 중 지구 자전축 경사각의 변화를 나타낸 것이다.
이에 대한 설명으로 옳은 것만을 〈보기〉에서 있는 대로 고른 것은?

┤ 보기 ├
ㄱ. 지구의 자전축 경사각이 변해도 태양의 남중 고도와 입사하는 태양 복사 에너지양은 일정하다.
ㄴ. 경사각이 23.5°에서 21.5°로 작아지면 우리나라의 겨울철 평균 기온은 하강한다.
ㄷ. 경사각이 23.5°에서 24.5°로 커지면 남·북반구 중위도 기온의 연교차가 모두 커진다.

① ㄱ　　　　② ㄷ　　　　③ ㄱ, ㄴ
④ ㄴ, ㄷ　　　⑤ ㄱ, ㄴ, ㄷ

15

그림 (가), (나)는 각각 다른 시기의 공전 궤도와 지구 자전축 방향을 나타낸 것이다.

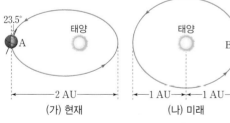

이에 대한 설명으로 옳은 것만을 〈보기〉에서 있는 대로 고른 것은? (단, 공전 궤도 이심률, 자전축 경사 방향 변화 이외의 요인은 변하지 않는다고 가정한다.)

┤ 보기 ├
ㄱ. (가) 시기 A 위치에서 북반구는 겨울이다.
ㄴ. (나) 시기에 우리나라는 계절 변화가 없어진다.
ㄷ. 하루 동안 지구가 받는 태양 복사 에너지양은 A보다 B에서 많다.

① ㄱ　　　　② ㄷ　　　　③ ㄱ, ㄴ
④ ㄴ, ㄷ　　　⑤ ㄱ, ㄴ, ㄷ

16

그림 (가)는 1979년부터 2016년까지 북극 빙하 면적의 변화를 나타낸 것이고, (나)는 지구의 열수지를 나타낸 것이다.

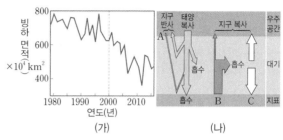

(가)　　　　　　　　　(나)

이에 대한 설명으로 옳은 것만을 〈보기〉에서 있는 대로 고른 것은? (단, 다른 기후 환경 변화 요인은 없다고 가정한다.)

┤ 보기 ├
ㄱ. 빙하 면적이 감소하므로 A의 값은 감소하고 있다.
ㄴ. C가 증가하면 B가 감소한다.
ㄷ. 입사하는 태양 복사가 달라지므로 지구 반사와 지구 복사의 합은 1980년보다 2010년이 더 작았다.

① ㄱ　　　　② ㄴ　　　　③ ㄱ, ㄷ
④ ㄴ, ㄷ　　　⑤ ㄱ, ㄴ, ㄷ

17

그림은 1920년부터 2015년까지 북반구와 남반구에서의 기온 편차(관측값－평균값)를 나타낸 것이다.

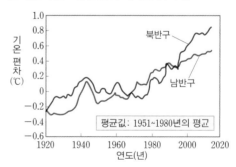

이에 대한 설명으로 옳은 것만을 〈보기〉에서 있는 대로 고른 것은?

┤ 보기 ├
ㄱ. 이 기간 동안의 지구 평균 기온은 대체로 상승하였다.
ㄴ. 이 기간 동안의 기온 변화는 남반구보다 북반구에서 더 크다.
ㄷ. 1960년 이후 극지방의 반사율은 대체로 감소하였을 것이다.

① ㄱ　　　　② ㄴ　　　　③ ㄱ, ㄷ
④ ㄴ, ㄷ　　　⑤ ㄱ, ㄴ, ㄷ

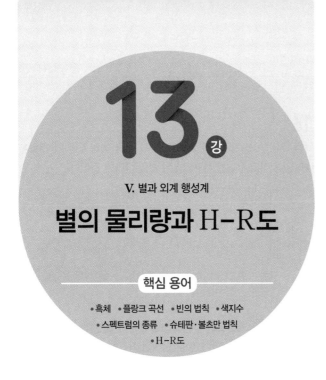

V. 별과 외계 행성계

별의 물리량과 H-R도

핵심 용어

• 흑체 • 플랑크 곡선 • 빈의 법칙 • 색지수
• 스펙트럼의 종류 • 슈테판·볼츠만 법칙
• H-R도

1 색지수

1. 플랑크 곡선과 빈의 법칙

① 플랑크 곡선   흑체가 방출하는 복사 에너지의 파장에
따른 분포 곡선 └ 입사된 모든 복사 에너지를 흡수하고, 흡수한
에너지를 완전히 방출하는 이상적인 물체

② 빈의 법칙   흑체는 표면 온도(T)가 높을수록 최대 에
너지를 방출하는 파장(λ_{max})이 짧아진다.

$$\lambda_{max} = \frac{a}{T} \, (a = 2.898 \times 10^3 \, \mu m \cdot K)$$

2. 색지수   서로 다른 파장 영역에서 측정한 등급 차

개념 브릿지 유형 **1**

구분	색지수($B-V$)
표면 온도가 10000 K인 별	0
표면 온도가 10000 K보다 높은 별	음(−)의 값을 가진다.
표면 온도가 10000 K보다 낮은 별	양(+)의 값을 가진다.

자료 클리닉 ⊕ 별의 색지수

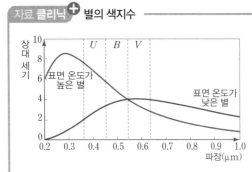

① 표면 온도가 높은 별
• B 필터보다 V 필터를 통과한 빛이 적다.
• B 등급 < V 등급 → 색지수($B-V$) < 0
② 표면 온도가 낮은 별
• B 필터보다 V 필터를 통과한 빛이 많다.
• B 등급 > V 등급 → 색지수($B-V$) > 0

2 별의 분광형과 표면 온도

1. 스펙트럼의 종류

① 연속 스펙트럼   모든 파장에 걸쳐 복사 에너지를 방출
하는 빛이 연속적인 띠로 나타나는 스펙트럼이다.
예 백열등, 흑체

② 방출 스펙트럼   고온의 기체가 방출하는 빛은 선 스펙
트럼으로 관측된다. 예 형광등의 방출선

③ 흡수 스펙트럼   연속 스펙트럼을 나타내는 빛을 저온
의 기체에 통과시킬 때 관측되는 스펙트럼으로 어두
운 선으로 나타난다. 예 태양의 흡수선

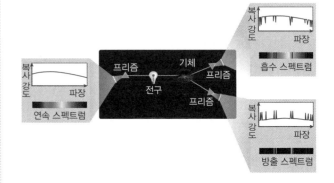

2. 별의 분광형   개념 브릿지 유형 **2**

① 분광형   별의 표면 온도에 따라 별을 분류한 것이다.
② O형 별은 표면 온도가 가장 높아 파란색을 띠고, M형
으로 갈수록 표면 온도가 낮아져 붉은색을 띤다.

분광형	색깔	표면 온도(K)
O	파란색	28000 이상
B	청백색	10000~28000
A	흰색(백색)	7500~10000
F	황백색	6000~7500
G	노란색	5000~6000
K	주황색	3500~5000
M	붉은색	3500 이하

③ 분광형에 따른 흡수선의 종류   별은 표면 온도에 따라
스펙트럼이 다르게 나타나므로 스펙트럼을 분석하고
흡수선의 세기를 알면 별의 표면 온도를 알 수 있다.

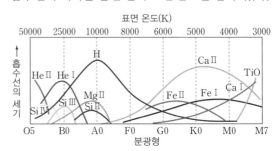

3 별의 광도와 크기

1. 별의 밝기와 등급 관계

① 1등급인 별은 6등급인 별보다 100배 더 밝다. → 1등급 사이에는 $100^{\frac{1}{5}}$배($\fallingdotseq 2.5$배)의 밝기 차이가 있다.

② 포그슨 공식 겉보기 등급이 각각 m_1, m_2인 두 별의 겉보기 밝기를 각각 l_1, l_2라고 하면, 다음과 같은 관계가 성립한다.

$$100^{\frac{1}{5}(m_2-m_1)}=10^{\frac{2}{5}(m_2-m_1)}=\frac{l_1}{l_2}$$

$$\therefore m_2-m_1=-2.5\log\frac{l_2}{l_1}$$

2. 별의 등급과 광도 관계

① 광도(L_1, L_2)를 사용하여 포그슨 공식을 나타내면 다음과 같다.

$$M_2-M_1=-2.5\log\frac{L_2}{L_1}$$

② 태양의 광도($M_\odot$)와 태양의 절대 등급($L_\odot$)을 알고 있으므로, 별의 절대 등급(M)과 광도(L) 사이의 관계를 나타내면 다음과 같다.

$$M-M_\odot=-2.5\log\frac{L}{L_\odot}$$

3. 별의 광도와 크기 관계

① 슈테판·볼츠만 법칙 흑체가 단위 시간 동안 단위 면적에서 방출하는 복사 에너지양은 표면 온도의 4제곱에 비례한다.

> $$E=\sigma T^4$$
> (볼츠만 상수 $\sigma=5.670\times10^{-8}\ \mathrm{W\cdot m^{-2}\cdot K^{-4}}$, T는 절대 온도)

② 별의 반지름 별의 광도(L)와 표면 온도(T)를 알면 별의 반지름(R)을 구할 수 있다.

$$L=별의\ 표면적\times E=4\pi R^2\times\sigma T^4$$

$$L=4\pi R^2\cdot\sigma T^4$$

$$\therefore R=\frac{\sqrt{L}}{\sqrt{4\pi\sigma}\cdot T^2}$$

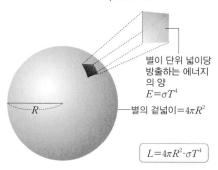

별이 단위 넓이당 방출하는 에너지의 양 $E=\sigma T^4$
별의 겉넓이$=4\pi R^2$

$$L=4\pi R^2\cdot\sigma T^4$$

4 H−R도와 별의 종류 개념 브릿지 유형 3

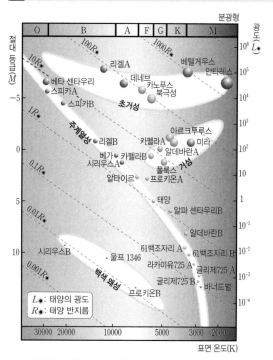

1. 주계열성 H−R도의 왼쪽 위에서 오른쪽 아래로 대각선 방향으로 분포하는 별이다.

에너지원	중심핵에서 일어나는 수소 핵융합 반응을 통해 빛과 열을 낸다.
물리량	표면 온도가 높을수록 광도가 크고 반지름과 질량도 크다.

2. 적색 거성 H−R도에서 주계열성이 있는 대각선의 오른쪽 위에 분포하는 별이다.

분광형	K형 또는 M형이므로 표면 온도는 약 3000~4500 K이다.
광도	태양의 약 10~1000배이다.

3. 초거성 적색 거성보다 광도가 더 커서 H−R도에서 적색 거성의 위쪽에 분포하는 별이다.

분광형	O형, B형인 청색 초거성이 있고, K형, M형인 적색 초거성이 있다.
광도	태양의 수만~수십만 배에 이른다.
에너지양	단위 면적에서 방출하는 에너지는 청색 초거성이 적색 초거성보다 많다.
반지름	적색 초거성이 청색 초거성보다 훨씬 크다.

4. 백색 왜성 H−R도에서 주계열성의 왼쪽 아래에 분포하는 별이다.

분광형	주로 A형으로 광도가 매우 낮아 어둡다.
크기	지구와 비슷하고 태양 반지름의 0.01배 정도이다.
질량	태양의 절반 정도이다.
밀도	태양 밀도의 10^6배로 매우 크다.

1 입사된 모든 복사 에너지를 흡수하고, 흡수한 에너지를 완전히 방출하는 이상적인 물체를 ☐☐라고 한다.

2 다음 설명에 해당하는 개념을 〈보기〉에서 찾아 쓰시오.

┤ 보기 ├
플랑크 곡선　　　　빈의 법칙
포그슨 공식　　　　슈테판·볼츠만 법칙

(1) 흑체가 단위 시간 동안 단위 면적에서 방출하는 복사 에너지양은 표면 온도의 4제곱에 비례한다.
(2) 흑체는 표면 온도가 높을수록 최대 에너지를 방출하는 파장이 짧아진다.
(3) 흑체가 방출하는 복사 에너지의 파장에 따른 분포 곡선이다.
(4) 겉보기 등급과 겉보기 밝기와의 관계를 나타낸다.

3 다음에서 설명하는 스펙트럼의 종류를 각각 쓰시오.

(1) 모든 파장에 걸쳐 복사 에너지를 방출하는 빛이 연속적인 띠로 나타나는 스펙트럼이다.
(2) 연속 스펙트럼을 나타내는 빛을 저온의 기체에 통과시킬 때 어두운 선으로 관측되는 스펙트럼이다.
(3) 고온의 기체가 방출하는 선 스펙트럼이다.

4 별의 표면 온도에 따라 스펙트럼에 나타나는 흡수선의 기본 패턴을 ☐☐☐☐이라고 한다.

5 그림은 별 A~D를 H−R도에 나타낸 것이다.

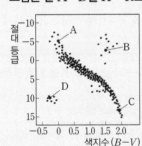

(1) 주계열성에 해당하는 별을 모두 쓰시오.
(2) 거성에 해당하는 별을 쓰시오.
(3) 백색 왜성에 해당하는 별을 쓰시오.

6 1등급인 별은 6등급인 별보다 약 ☐☐☐배 더 밝다.

7 별의 광도와 표면 온도를 알면 별의 ☐☐☐ 또는 크기를 알 수 있다.

1 별의 파장에 따른 상대적 에너지 세기

그림은 두 별 (가), (나)의 파장에 따른 상대적 에너지 세기와 U, B, V 필터를 투과하는 파장 영역을 나타낸 것이다.

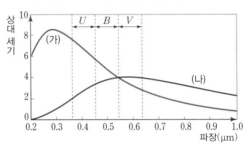

이에 대한 설명으로 옳은 것만을 〈보기〉에서 있는 대로 고른 것은?

┤ 보기 ├
ㄱ. 표면 온도는 (가)가 (나)보다 높다.
ㄴ. U 등급은 (가)가 (나)보다 크다.
ㄷ. 색지수 ($B-V$)는 (가)가 (나)보다 크다.

① ㄱ　　　② ㄴ　　　③ ㄱ, ㄷ
④ ㄴ, ㄷ　　　⑤ ㄱ, ㄴ, ㄷ

┃개념으로 문제 접근하기┃　색지수

· 별의 표면 온도를 나타내는 단순한 숫자이다. 숫자가 작을수록 표면 온도가 높은 별이다.
· 표면 온도가 높은 별은 짧은 파장에서 많은 에너지를 방출하므로 상대적으로 파란색으로 보인다.
· 표면 온도가 낮은 별은 긴 파장에서 많은 에너지를 방출하므로 상대적으로 붉은색으로 보인다.
· 색지수는 특정한 파장의 빛만을 통과시키는 U 필터, B 필터, V 필터가 주로 사용된다.
· 태양의 색지수 ($B-V$)는 약 0.656이다.
· 보통 ($B-V$)는 주계열성의 온도를, ($U-B$)는 뜨거운 천체들의 온도를 나타낼 때 이용된다.

┃보기 분석┃
ㄱ. 표면 온도는 최대 에너지 세기를 갖는 파장이 짧은 (가)가 (나)보다 더 높다.
ㄴ. U 필터 영역에서 입사되는 빛의 상대적 에너지양이 (가)가 (나)보다 많다. (가)는 (나)보다 U 등급이 작다.
ㄷ. 색지수 ($B-V$)는 표면 온도가 더 높은 (가)가 (나)보다 작다.

답 ①

답 **1** 흑체　**2** (1) 슈테판·볼츠만 법칙 (2) 빈의 법칙 (3) 플랑크 곡선 (4) 포그슨 공식
3 (1) 연속 스펙트럼 (2) 흡수 스펙트럼 (3) 방출 스펙트럼　**4** 분광형
5 (1) A, C (2) B (3) D　**6** 100　**7** 반지름

2 별의 스펙트럼 분석

그림은 여러 가지 별의 스펙트럼 모습을 나타낸 것이다.

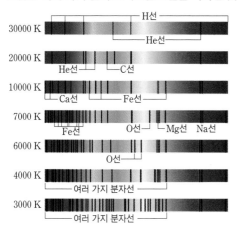

이에 대한 설명으로 옳은 것만을 〈보기〉에서 있는 대로 고른 것은?

| 보기 |

ㄱ. 별의 표면 온도에 따라 다양한 흡수 스펙트럼이 나타난다.

ㄴ. 별의 표면 온도는 별의 B 등급과 V 등급의 차이를 이용해 알 수 있다.

ㄷ. 여러 가지 분자 흡수선이 나타나는 별일수록 표면 온도가 높다.

① ㄱ   ② ㄴ   ③ ㄷ

④ ㄱ, ㄴ   ⑤ ㄱ, ㄷ

개념으로 문제 접근하기 | 별의 흡수선

- 별빛은 별의 대기층을 통과하면서 여러 가지 원소들에 의해 흡수 스펙트럼이 만들어진다. 이 과정에서 별의 표면 온도에 따라 원소들의 이온화된 정도가 다르기 때문에 고유한 흡수 스펙트럼이 나타난다.
- 별의 흡수선이 별에 따라 다른 것은 표면 온도에 차이가 있기 때문이다.

| 보기 분석 |

ㄱ. 별은 표면 온도에 따라 스펙트럼이 다르게 나타난다.

ㄴ. 별의 B 등급과 V 등급의 차($B-V$)를 색지수라고 하며, 이 값이 작을수록 표면 온도가 높다.

ㄷ. 표면 온도가 낮은 별의 흡수 스펙트럼에는 여러 가지 분자선이 나타난다.

답 ④

3 H-R도

그림은 H-R도 상에 별 (가)~(라)를 표시한 것이다.

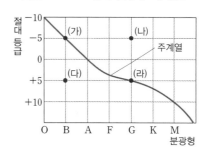

이에 대한 설명으로 옳은 것만을 〈보기〉에서 있는 대로 고른 것은?

| 보기 |

ㄱ. (가)는 (라)보다 질량이 작다.

ㄴ. (나)는 (다)보다 반지름이 크다.

ㄷ. (다)는 (라)보다 파란색 빛을 많이 방출한다.

① ㄱ   ② ㄷ   ③ ㄱ, ㄴ

④ ㄴ, ㄷ   ⑤ ㄱ, ㄴ, ㄷ

개념으로 문제 접근하기 | H-R도에서 별의 종류

- H-R도에서 오른쪽 위에 있는 별들은 반지름이 매우 크고, 왼쪽 아래에 있는 별들은 반지름이 매우 작다.
- 주계열성은 표면 온도가 높을수록 광도가 크다.
- 초거성은 표면 온도는 낮지만 광도가 매우 크다.
- 백색 왜성은 표면 온도가 높지만 광도가 매우 낮다.
- 전체 별의 약 80~90 %가 H-R도의 왼쪽 위에서 오른쪽 아래로 향하는 휘어진 띠 모양의 대각선 상에 위치한다.
- H-R도에서 가로축 물리량은 별의 표면 온도, 스펙트럼형(분광형), 색지수로 표시하고, 세로축 물리량은 별의 광도, 절대 등급으로 표시한다.

| 보기 분석 |

ㄱ. (가)와 (라)는 주계열성으로, 절대 등급이 작을수록 광도와 질량이 크다. (가)는 (라)보다 질량이 크다.

ㄴ. H-R도에서 왼쪽 아래에서 오른쪽 위로 갈수록 별의 반지름이 커지므로 별 (나)는 (다)보다 반지름이 크다.

ㄷ. 분광형이 O형과 가까운 별일수록 파란색 계열의 빛을 많이 방출하고, M형과 가까운 별일수록 붉은색 계열의 빛을 많이 방출한다.

답 ④

1 색지수
대표 기출

01

그림은 두 별 (가), (나)의 파장에 따른 에너지 세기와 B 필터, V 필터의 파장 영역을 나타낸 것이다.

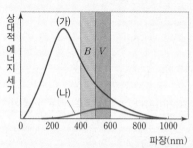

이에 대한 설명으로 옳은 것만을 〈보기〉에서 있는 대로 고른 것은?

┤보기├
ㄱ. 표면 온도가 높을수록 최대 에너지를 방출하는 파장이 짧아진다.
ㄴ. B 등급은 (가)가 (나)보다 작다.
ㄷ. (나)는 $(B-V)$ 색지수가 양의 값을 가진다.

① ㄱ ② ㄷ ③ ㄱ, ㄴ ④ ㄴ, ㄷ ⑤ ㄱ, ㄴ, ㄷ

기출 포인트 ㅣ 별의 색지수와 표면 온도와의 관계를 이해하는지를 묻는 문제가 자주 출제된다.

02

표는 주계열성 (가)~(다)의 절대 등급과 분광형을 나타낸 것이다.

별	절대 등급	분광형
(가)	−5.0	B
(나)	+0.6	A
(다)	+4.5	F

이에 대한 설명으로 옳은 것만을 〈보기〉에서 있는 대로 고른 것은?

┤보기├
ㄱ. 별의 에너지는 (가)가 가장 크다.
ㄴ. (나)는 태양(G형)보다 표면 온도가 높다.
ㄷ. (다)는 표면 온도가 약 6000~7500 K으로 세 별 중 가장 낮다.

① ㄱ ② ㄴ ③ ㄱ, ㄷ ④ ㄴ, ㄷ ⑤ ㄱ, ㄴ, ㄷ

03

그림은 별 A, B에서 방출하는 복사 에너지의 세기를 파장에 따라 나타낸 것이고, 표는 두 별의 반지름을 나타낸 것이다.

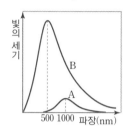

별	반지름 (태양=1)
A	10
B	5

이에 대한 옳은 설명을 얘기한 학생만을 있는 대로 고른 것은?

① 영희 ② 민수 ③ 영희, 철수
④ 철수, 민수 ⑤ 영희, 철수, 민수

04 서술형

서로 다른 파장 영역에서 측정한 등급 차를 색지수라고 한다. 표면 온도가 10000 K보다 높은 별과 낮은 별의 색지수를 각각 비교하시오.

05 고난도

그림은 H−R도에 별 A, B, C를 나타낸 것이다.

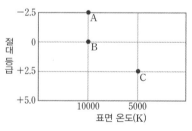

이에 대한 설명으로 옳은 것만을 〈보기〉에서 있는 대로 고른 것은? (단, 별 A, B, C의 겉보기 등급은 같다.)

┤보기├
ㄱ. A와 C는 실제로 5등급 차이가 난다.
ㄴ. 별의 거리는 B가 가장 가깝다.
ㄷ. 표면 온도는 A가 C보다 2배 높다.

① ㄱ ② ㄴ ③ ㄱ, ㄷ ④ ㄴ, ㄷ ⑤ ㄱ, ㄴ, ㄷ

2 별의 분광형과 표면 온도   대표 기출

06

그림은 여러 스펙트럼의 모습을 나타낸 것이다.

이에 대한 설명으로 옳은 것만을 〈보기〉에서 있는 대로 고른 것은?

┌ 보기 ├
ㄱ. (가)는 연속 스펙트럼이다.
ㄴ. 흑체의 스펙트럼에서는 (나)와 같은 스펙트럼이 관측된다.
ㄷ. (다)는 고온의 기체가 방출하는 선 스펙트럼이다.

① ㄱ   ② ㄴ   ③ ㄱ, ㄷ
④ ㄴ, ㄷ   ⑤ ㄱ, ㄴ, ㄷ

┌─────────────────────────────────────┐
기출 포인트 | 연속 스펙트럼과 선 스펙트럼(방출 스펙트럼, 흡수 스펙트럼)의 특징을 비교하여 묻는 문제가 자주 출제된다.
└─────────────────────────────────────┘

07

그림은 별의 분광형에 따른 흡수선의 상대적인 세기를 나타낸 것이다.

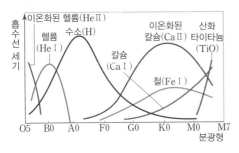

이에 대한 설명으로 옳은 것만을 〈보기〉에서 있는 대로 고른 것은?

┌ 보기 ├
ㄱ. O형에서 M형으로 갈수록 표면 온도가 높다.
ㄴ. 고온의 별일수록 헬륨 흡수선이 뚜렷하다.
ㄷ. 산화 타이타늄 같은 분자 흡수선은 붉은색 별에서 잘 나타난다.

① ㄱ   ② ㄴ   ③ ㄷ
④ ㄱ, ㄴ   ⑤ ㄴ, ㄷ

08

표는 별 (가)~(다)의 분광형과 스펙트럼을 나타낸 것이다.

별	분광형	스펙트럼
(가)	B	
(나)	M	
(다)	G	

이에 대한 설명으로 옳은 것만을 〈보기〉에서 있는 대로 고른 것은?

┌ 보기 ├
ㄱ. (가)는 청백색, (나)는 붉은색, (다)는 노란색 별이다.
ㄴ. (가) → (다) → (나)로 갈수록 별의 표면 온도가 낮다.
ㄷ. 태양의 스펙트럼과 가장 비슷한 별은 (다)이다.

① ㄱ   ② ㄷ   ③ ㄱ, ㄴ
④ ㄴ, ㄷ   ⑤ ㄱ, ㄴ, ㄷ

09

그림은 태양 스펙트럼의 모습을 나타낸 것이다.

이에 대한 설명으로 옳은 것만을 〈보기〉에서 있는 대로 고른 것은?

┌ 보기 ├
ㄱ. 태양의 분광형은 O형일 것이다.
ㄴ. 스펙트럼에 나타난 어두운 선은 흡수선이다.
ㄷ. 어두운 선 중 일부는 지구의 대기층에서 형성된 것이다.

① ㄱ   ② ㄷ   ③ ㄱ, ㄴ
④ ㄴ, ㄷ   ⑤ ㄱ, ㄴ, ㄷ

10

흑체에 대한 설명으로 옳은 것은?
① 반사율이 100 %인 물체이다.
② 흑체와 가장 유사한 천체는 별이다.
③ 흑체는 특정한 파장의 빛만 흡수할 수 있다.
④ 흑체는 에너지를 흡수하거나 방출하지 않는 물체이다.
⑤ 흑체가 방출하는 복사 에너지양은 표면 온도에 반비례한다.

3 별의 광도와 크기 　　　　대표 기출

11

그림은 별의 광도를 구하기 위해 필요한 물리량을 나타낸 것이다.

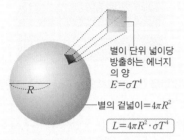

별이 단위 넓이당 방출하는 에너지의 양 $E=\sigma T^4$

별의 겉넓이 $=4\pi R^2$

$$L=4\pi R^2 \cdot \sigma T^4$$

이에 대한 설명으로 옳은 것만을 〈보기〉에서 있는 대로 고른 것은?

보기
ㄱ. 별의 광도는 E에 해당한다.
ㄴ. 별의 광도와 표면 온도를 알면 별의 크기(반지름)를 알 수 있다.
ㄷ. 단위 넓이당 방출하는 별의 에너지양은 표면 온도에 비례한다.

① ㄱ　　　　② ㄴ　　　　③ ㄱ, ㄷ
④ ㄴ, ㄷ　　　⑤ ㄱ, ㄴ, ㄷ

기출 포인트 | 별의 광도와 크기 관계를 이용하여 별의 반지름을 구할 수 있는지를 묻는 문제가 자주 출제된다.

12

별의 밝기, 등급, 광도에 대한 설명으로 옳지 않은 것은?
① 등급이 낮을수록 더 밝은 별이다.
② 1등급 사이에는 약 2.5배의 밝기 차이가 있다.
③ 포그슨 공식을 이용해 별의 밝기와 등급과의 관계를 알 수 있다.
④ 광도는 별이 단위 시간 동안 방출하는 에너지의 양이다.
⑤ 별의 광도가 클수록 절대 등급이 크다.

13 서술형

별의 복사 에너지양(E)과 표면 온도(T)와의 관계를 나타낸 복사 법칙의 명칭과 수식을 각각 쓰고, 별의 광도(L)를 수식으로 나타내시오.

4 H−R도와 별의 종류 　　　　대표 기출

14

그림은 별 A∼D를 H−R도에 나타낸 것이다. (단, 별 A와 C는 주계열성이다.)

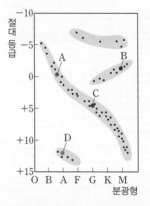

이에 대한 설명으로 옳은 것은?
① 진화가 가장 많이 진행된 별은 A이다.
② 질량은 A가 C보다 작다.
③ 반지름이 가장 큰 별은 B이다.
④ 표면 온도가 가장 높은 별은 B이다.
⑤ 광도가 가장 큰 별은 D이다.

기출 포인트 | H−R도에서 주계열성, 적색 거성, 초거성, 백색 왜성의 위치를 찾고 각 별의 특징을 비교하여 묻는 문제가 자주 출제된다.

15 고난도

표는 별 A와 B의 절대 등급과 색지수를 나타낸 것이고, 그림은 두 별이 포함된 H−R도를 나타낸 것이다.

별	A	B
절대 등급	2.5	0.5
색지수 $(B-V)$	0.2	1.2

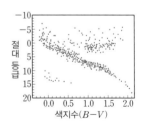

별 A와 비교할 때, 별 B의 특징으로 옳은 것은?
① 반지름이 작다.
② 광도가 낮다.
③ 표면 온도가 높다.
④ 평균 밀도가 크다.
⑤ 더 붉은 색깔을 띤다.

[16~17] 그림은 H−R도에 별의 종류를 개략적으로 나타낸 것이다.

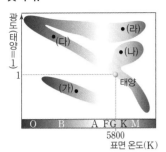

16

(가)~(라)에 해당하는 별의 종류를 옳게 짝 지은 것은?

	(가)	(나)	(다)	(라)
①	백색 왜성	적색 거성	주계열성	초거성
②	백색 왜성	주계열성	적색 거성	초거성
③	백색 왜성	초거성	주계열성	적색 거성
④	주계열성	적색 거성	백색 왜성	초거성
⑤	주계열성	초거성	백색 왜성	적색 거성

17

위 그림에 대한 설명으로 옳은 것은?

① 오른쪽에 위치한 별일수록 표면 온도가 높다.

② 위쪽으로 갈수록 별의 절대 등급이 크다.

③ H−R도의 왼쪽 하단에 있는 별일수록 평균 밀도가 크다.

④ H−R도의 오른쪽 상단에 위치한 별일수록 반지름이 작다.

⑤ 별이 가장 많이 분포하는 영역은 오른쪽 위부터 왼쪽 아래로 이어지는 대각선 영역이다.

18

그림은 H−R도에 별 (가)~(라)를 나타낸 것이다.

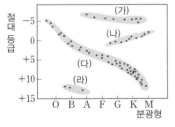

이에 대한 옳은 설명을 얘기한 학생만을 있는 대로 고른 것은?

① 영희   ② 민수   ③ 영희, 철수

④ 철수, 민수   ⑤ 영희, 철수, 민수

19

그림은 H−R도에 별 a~d와 태양의 위치를 나타낸 것이다.

이에 대한 설명으로 옳은 것만을 〈보기〉에서 있는 대로 고른 것은?

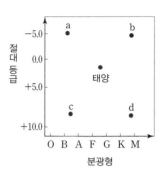

| 보기 |

ㄱ. a는 b보다 표면 온도가 높고, b와 d는 표면 온도가 같다.

ㄴ. 주계열성은 b, 태양, c이다.

ㄷ. 별의 밀도는 b > 태양 > c이다.

① ㄱ   ② ㄷ   ③ ㄱ, ㄴ

④ ㄴ, ㄷ   ⑤ ㄱ, ㄴ, ㄷ

20

그림은 태양 주변의 별들을 H−R도에 나타낸 것이다.

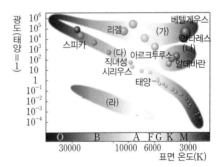

(가)~(라)에 대한 설명으로 옳은 것만을 〈보기〉에서 있는 대로 고른 것은?

| 보기 |

ㄱ. 태양 주변의 별들 중 (다)가 가장 많다.

ㄴ. (가)는 (나)보다 질량이 대체로 크다.

ㄷ. 별의 크기는 (다)가 (라)보다 크다.

① ㄱ   ② ㄷ   ③ ㄱ, ㄴ

④ ㄴ, ㄷ   ⑤ ㄱ, ㄴ, ㄷ

21 서술형

H−R도에서 가로축과 세로축으로 적당한 물리량을 각각 서술하시오.

V. 별과 외계 행성계
별의 진화와 별의 내부 구조

핵심 용어

• 별의 탄생 • 별의 진화 과정
• 별의 에너지원 • 별의 내부 구조

1 별의 진화

1. 별의 탄생 온도가 낮고 밀도가 높은 성운에서 성간 물질이 중력 수축하여 원시별이 생성된다. **개념 브릿지 유형 1**

① 원시별 단계에서는 중력 수축하여 반지름이 감소하고, 중심부의 온도는 상승한다.

② 원시별 중심부의 온도가 약 1000만 K에 도달하면 수소 핵융합 반응이 시작된다.

자료 클리닉⊕ 원시별의 진화 경로

• 영년 주계열: 원시별이 진화하여 수소 핵융합 반응을 시작할 때 H−R도에서의 별의 위치이다.

• 별은 일생의 약 90 %를 주계열 단계에서 머문다.

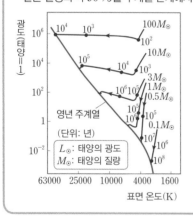

2. 주계열 단계 정역학 평형 상태를 이룬다.

▲ 정역학 평형

① 수소 핵융합 반응이 시작되면 중력과 바깥쪽으로 향하는 기체의 내부 압력 차에 의한 힘이 평형을 이룬다.

② 중력 수축이 멈추고, 별의 크기가 일정하게 유지된다.

질량이 큰 주계열성	광도와 표면 온도가 높아 H−R도에서 왼쪽 위에 위치한다.
질량이 작은 주계열성	광도와 표면 온도가 낮아 H−R도에서 오른쪽 아래에 위치한다.

3. 거성 단계

① 중심부의 열이 외곽으로 전달되면 중심핵을 둘러싼 외곽 수소층에서 수소 핵융합이 일어나게 된다.

② 중심핵 외곽 수소 껍질에서 수소 핵융합이 일어나면 별의 바깥층은 온도가 크게 상승하여 급격하게 팽창하게 된다.

질량이 태양과 비슷한 경우	H−R도의 오른쪽 상단에 위치하여 적색 거성이 된다.
질량이 태양보다 매우 큰 경우	H−R도의 오른쪽 맨 위에 위치하여 초거성이 된다.

4. 최종 단계 개념 브릿지 유형 2

① **태양과 질량이 비슷한 별** 별이 팽창과 수축을 반복하면서 별의 외곽층 물질이 우주 공간으로 방출되어 행성상 성운이 만들어진다. 별의 중심부는 수축하여 백색 왜성이 된다.

   └─ 별이 적색 거성 단계에서 별의 외곽 물질을 우주 공간으로 방출하여 만들어진 가스와 전리된 기체로 이루어진 성운

② **태양보다 질량이 큰 별** 초거성 단계를 거쳐 초신성 폭발을 일으킨 후 중성자별 또는 블랙홀이 된다.

초신성 폭발	• 질량이 큰 별에서는 중심부의 온도가 매우 높아 계속 핵융합 반응이 일어나 최종적으로 철이 생성된다. • 초신성 폭발 때 중심부는 극심하게 수축하여 밀도가 매우 큰 중성자별이 생성된다. • 중심부 질량이 더 큰 경우에는 밀도가 훨씬 큰 블랙홀이 된다.
중성자별	• 구성 물질이 극심하게 압축되어 전자와 양성자가 결합하여 형성된 중성자로만 이루어진 별이다.
블랙홀	• 중성자별보다 더 심하게 압축이 일어나면 별의 표면 중력이 너무 커서 중심부의 빛조차도 빠져 나오지 못한다. • 전자기파를 이용하여 직접 관측할 수 없는 천체이다.

2 별의 에너지원

1. 원시별의 에너지원

① **중력 수축 에너지** 성간 물질이 중력에 의해 수축될 때 위치 에너지의 감소로 생기는 에너지이다.

② 원시별에서 중력 수축에 의해 발생된 에너지 중 일부는 복사 에너지로 방출되고, 나머지는 원시별 내부의 온도를 높이는 데 사용된다.

2. 주계열성의 에너지원

① 주계열성의 중심부 수소 핵융합 반응으로 에너지를 생성한다.

② 4개의 수소 원자핵이 융합하여 1개의 헬륨 원자핵을 생성한다. → 약 0.7 %의 질량 결손이 에너지로 전환

자료 클리닉 ➕ 주계열성의 에너지원 생성 과정

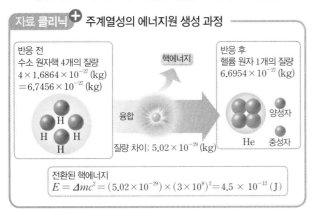

반응 전
수소 원자핵 4개의 질량
$4 \times 1.6864 \times 10^{-27}$ (kg)
$= 6.7456 \times 10^{-27}$ (kg)

핵에너지

융합

질량 차이: 5.02×10^{-29} (kg)

반응 후
헬륨 원자 1개의 질량
6.6954×10^{-27} (kg)

양성자
He
중성자

전환된 핵에너지
$E = \Delta mc^2 = (5.02 \times 10^{-29}) \times (3 \times 10^8)^2 = 4.5 \times 10^{-12}$ (J)

③ 양성자·양성자 반응(P−P 반응)과 CNO 순환 반응 주계열성의 중심핵에서 일어나는 수소 핵융합 반응

양성자·양성자 반응 (P−P 반응)	탄소·질소·산소 순환 반응 (CNO 순환 반응)
• 수소 원자핵(양성자) 6개가 여러 반응 단계를 거치는 동안 헬륨 원자핵 1개가 생성되고, 2개의 수소 원자핵이 방출된다. • 질량이 작은 주계열성에서는 P−P 반응이 CNO 순환 반응보다 우세하다.	• 수소 원자핵 4개가 핵융합하여 헬륨 원자핵 1개를 만드는 반응으로, 반응 과정에 탄소, 질소, 산소가 촉매 작용을 한다.

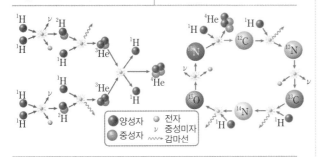

양성자 ● 전자
ν 중성미자
중성자 ⌇⌇⌇ 감마선

3. 적색 거성과 초거성의 에너지원

① 적색 거성의 에너지원 중심부의 온도가 약 1억 K 이상이 되면 헬륨 핵융합 반응이 일어난다.

② 초거성의 에너지원 중심부의 온도가 적색 거성보다 더 높기 때문에 핵융합 반응이 계속 일어나고 그 결과 네온, 규소, 철까지 만들어진다.

핵융합 반응	수소 연소	헬륨 연소	탄소 연소	네온 연소	산소 연소	규소 연소
연료	수소	헬륨	탄소	네온	산소	마그네슘, 규소, 황
주요 생성물	헬륨	탄소	산소, 네온, 나트륨, 마그네슘	산소, 마그네슘	마그네슘, 규소, 황	철

---

3 별의 내부 구조

1. 주계열성의 내부 구조 개념 브릿지 유형 3

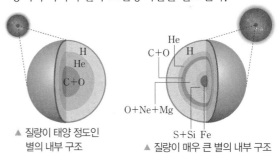

태양 질량의 2배 이하인 별 (질량이 태양과 비슷한 별)	태양 질량의 2배 이상인 별
중심핵, 복사층, 대류층으로 이루어져 있다.	중심핵(대류핵)과 복사층으로 이루어져 있다.

2. 거성의 내부 구조

(1) 적색 거성 헬륨핵의 중력 수축으로 온도가 높아짐에 따라 중심부에서 헬륨 핵융합 반응이 일어난다.

① 중심부를 둘러싸고 있는 외곽 수소층(수소각)의 온도가 높아져 수소 핵융합 반응이 일어난다.

② 별의 껍질층(최외곽층)은 팽창하여 크기가 커지고 표면 온도가 낮아진다.

(2) 초거성 질량이 충분히 큰 경우 중심부의 온도가 매우 높아 핵융합 반응이 지속적으로 일어나고, 최종적으로 중심부에 철로 된 핵이 만들어진다.

① 별의 내부는 양파껍질 같은 구조를 가지게 된다.

② 중심부의 철핵은 더 이상 핵융합 반응이 일어나지 않아 중력 수축하여 결국 초신성 폭발을 일으킨다.

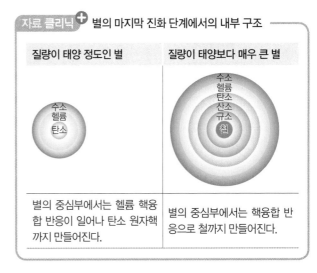

▲ 질량이 태양 정도인 별의 내부 구조

▲ 질량이 매우 큰 별의 내부 구조

자료 클리닉 ➕ 별의 마지막 진화 단계에서의 내부 구조

질량이 태양 정도인 별	질량이 태양보다 매우 큰 별
수소 헬륨 탄소	수소 헬륨 탄소 산소 규소 철
별의 중심부에서는 헬륨 핵융합 반응이 일어나 탄소 원자핵까지 만들어진다.	별의 중심부에서는 핵융합 반응으로 철까지 만들어진다.

1 원시별 단계에서는 ☐☐ ☐☐하여 반지름이 감소하고, 중심부의 온도는 상승한다.

2 다음은 별의 진화 과정 중 최종 단계에서 일어나는 일을 나타낸 것이다. 빈칸에 들어갈 알맞은 말을 쓰시오.

태양과 질량이 비슷한 별	태양보다 질량이 큰 별
• 별이 팽창과 수축을 반복하면서 외곽층에서는 ㉠ ☐☐ ☐☐☐이 만들어진다. • 중심부는 수축하여 ㉡ ☐☐☐이 된다.	초거성 단계를 거쳐 ㉢ ☐☐ ☐☐ 폭발을 일으킨 후 중성자별 또는 ㉣ ☐☐☐이 된다.

3 다음은 원시별과 주계열성의 에너지원을 설명한 것이다. 각각 어디에 해당하는지 쓰시오.

(1) 성간 물질이 중력에 의해 수축될 때 위치 에너지의 감소로 생긴 중력 수축 에너지를 에너지원으로 한다.

(2) 수소 핵융합 반응으로 생긴 에너지를 에너지원으로 한다.

4 그림은 주계열성의 내부 구조를 나타낸 것이다. ㉠, ㉡에 해당하는 알맞은 말을 쓰시오.

> 주계열성의 내부에서는 팽창하려는 기체 압력 차에 의한 힘과 중심 쪽으로 수축하려는 중력이 평형을 이루어 일정한 모양을 유지하고 있다.

기체 ㉡ ☐☐ 차로 발생한 힘
㉠ ☐☐

5 적색 거성의 내부에서는 헬륨핵의 중력 수축으로 온도가 높아짐에 따라 중심부에서 ☐☐ 핵융합 반응이 일어난다.

6 초거성의 내부에서는 핵융합 반응이 지속적으로 일어나서 최종적으로 중심부에 ☐로 된 핵이 만들어진다.

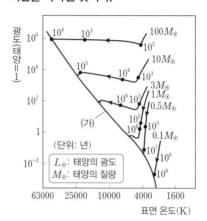
1 원시별이 주계열에 도달하는 경로와 걸리는 시간

그림은 질량이 다른 원시별이 주계열에 도달하는 경로와 걸리는 시간을 나타낸 것이다.

이에 대한 설명으로 옳은 것만을 〈보기〉에서 있는 대로 고른 것은?

┤ 보기 ├
ㄱ. (가)는 영년 주계열이다.
ㄴ. 진화하는 동안 원시별은 모두 반지름이 감소한다.
ㄷ. 원시별의 질량이 클수록 주계열성이 되기까지 걸리는 시간이 짧다.

① ㄱ   ② ㄷ   ③ ㄱ, ㄴ
④ ㄴ, ㄷ   ⑤ ㄱ, ㄴ, ㄷ

개념으로 문제 접근하기 │ 주계열성의 특징

• 원시별 중심부의 온도가 약 1000만 K에 도달하면 수소 핵융합 반응이 시작되는데, 이때부터 주계열성이라고 한다.

• 별의 질량이 클수록 중력 수축이 빠르게 일어나 주계열에 빨리 도달한다.

• 질량이 큰 원시별은 표면 온도가 높고, 광도가 큰 주계열성으로 진화한다.

• 질량이 큰 별일수록 수소 핵융합 반응이 일어나는 중심핵의 온도가 높고 영역도 넓어 단위 시간 동안 많은 양의 수소를 소진하고 수소 핵융합으로 에너지원을 얻는 주계열 단계가 빨리 끝난다.
➡ 질량이 큰 별일수록 주계열 단계의 수명이 짧다.

│ 보기 분석 │
ㄱ. (가)는 원시별이 주계열성에 처음으로 도달했을 때의 위치이므로 영년 주계열에 해당한다.
ㄴ. 원시별이 진화하는 동안 중력 수축에 의해 반지름이 감소한다.
ㄷ. 원시별의 질량이 클수록 진화 속도가 빨라 주계열성이 되기까지 걸리는 시간이 짧다.

답 ⑤

답 1 중력 수축 2 ㉠ 행성상 성운, ㉡ 백색 왜성, ㉢ 초신성, ㉣ 블랙홀 3 (1) 원시별
(2) 주계열성 4 ㉠ 중력, ㉡ 압력 5 헬륨 6 철

2 질량에 따른 별의 진화 과정

그림은 질량이 다른 별의 진화 과정을 나타낸 것이다.

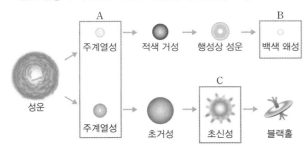

이에 대한 설명으로 옳은 것만을 〈보기〉에서 있는 대로 고른 것은?

| 보기 |
ㄱ. A의 중심부에서는 수소 핵융합 반응이 일어난다.
ㄴ. 태양과 질량이 비슷한 별은 B에 도달한다.
ㄷ. C에서는 철보다 무거운 원소가 만들어진다.

① ㄱ   ② ㄴ   ③ ㄱ, ㄷ
④ ㄴ, ㄷ   ⑤ ㄱ, ㄴ, ㄷ

개념으로 문제 접근하기 │ 별의 에너지원

- 원시별의 에너지원은 중력 수축 에너지이고, 주계열성의 에너지원은 수소 핵융합 에너지이다.
- 질량이 큰 별은 초신성 폭발 후 중심에 중성자별이 남거나 블랙홀이 되기도 한다.

- 수소 핵융합 반응이 일어난 후 줄어든 질량은 에너지로 전환된다. 이 에너지는 주계열성의 에너지원으로 쓰인다.

│ 보기 분석 │
ㄱ. 주계열성의 중심부에서는 4개의 수소 원자핵이 융합하여 1개의 헬륨 원자핵을 만드는 수소 핵융합 반응이 일어난다.
ㄴ. 별은 질량에 따라 진화 과정이 달라진다. 태양 정도의 질량을 가진 별은 주계열성 → 적색 거성 → 행성상 성운 → 백색 왜성의 과정을 거쳐 진화한다.
ㄷ. 질량이 큰 별은 초신성 폭발 과정을 거쳐 철보다 무거운 원소를 만든다. 마지막 단계의 핵융합이 끝나면 급격한 중력 수축이 일어나 물질들이 중심핵에 부딪혀 강력한 폭발을 일으킨다. 이것이 초신성이다.

답 ⑤

---

3 별의 진화 경로

그림 (가)는 태양 정도의 질량을 가진 별의 진화 경로를 나타낸 것이고, (나)는 어떤 별의 내부 구조를 나타낸 것이다.

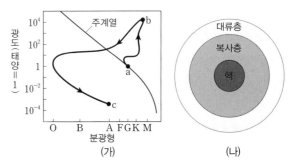

(가)   (나)

이에 대한 설명으로 옳은 것만을 〈보기〉에서 있는 대로 고른 것은?

| 보기 |
ㄱ. 별은 a 단계에서 일생 중 가장 오랜 시간을 보낸다.
ㄴ. 별의 반지름은 a 단계보다 b 단계에서 크다.
ㄷ. (나)는 c 단계에 있는 별의 내부 구조이다.

① ㄱ   ② ㄷ   ③ ㄱ, ㄴ
④ ㄴ, ㄷ   ⑤ ㄱ, ㄴ, ㄷ

개념으로 문제 접근하기 │ 별의 내부 구조

- 별의 내부 구조는 별의 질량(M)에 따라 달라진다.
- $M < 2M_\odot$인 주계열성은 핵융합 반응이 일어나는 중심핵이 있고 그 주위로 복사층, 대류층이 있다.
- $M > 2M_\odot$인 주계열성은 중심에 대류핵이 있고 그 주위로 복사층이 있다.

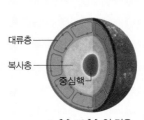 

▲ $M < 2M_\odot$인 경우   ▲ $M > 2M_\odot$인 경우

- 질량이 매우 큰 별은 중심부에서 더 무거운 원소로 계속 핵융합 반응이 일어나 마치 양파껍질과 같은 내부 구조가 나타난다.

│ 보기 분석 │
ㄱ. 별은 일생의 대부분을 주계열성(a)으로 보낸다.
ㄴ. 별은 일생 중 주계열성으로 가장 오랜 시간을 보내다가 b 단계에 이르면 표면 온도는 낮아지고 광도가 커지므로 반지름이 커진다.
ㄷ. (나)는 주계열성(a)의 내부 구조이다.

답 ③

1 별의 진화   대표 기출

01

그림은 질량이 다른 여러 원시별의 진화 경로를 나타낸 것이다.

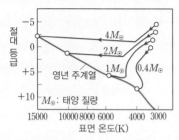

이에 대한 설명으로 옳은 것만을 〈보기〉에서 있는 대로 고른 것은?

── 보기 ├──
ㄱ. 질량이 큰 원시별일수록 광도가 큰 주계열성으로 진화한다.

ㄴ. 질량이 $1M_\odot$인 원시별이 주계열에 도달하는 동안 표면 온도는 점차 낮아진다.

ㄷ. 원시별이 주계열에 도달하는 동안 중력 수축이 일어난다.

① ㄱ   ② ㄴ   ③ ㄱ, ㄷ   ④ ㄴ, ㄷ   ⑤ ㄱ, ㄴ, ㄷ

기출 포인트 | 원시별의 진화 과정에서 나타나는 특징을 이해하는지를 묻는 문제가 자주 출제된다.

02

그림은 태양의 진화 경로를 H−R도에 나타낸 것이다.

이에 대한 설명으로 옳은 것만을 〈보기〉에서 있는 대로 고른 것은?

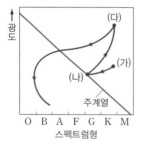

── 보기 ├──
ㄱ. 현재 태양의 진화 단계는 (나)이다.

ㄴ. 태양의 진화 과정에서 절대 밝기가 가장 밝을 때는 (다)이다.

ㄷ. (가)에서 (나)까지 진화하는 동안 주요 에너지원은 수소 핵융합 반응이다.

① ㄱ   ② ㄴ   ③ ㄷ   ④ ㄱ, ㄴ   ⑤ ㄴ, ㄷ

03

그림은 태양의 예상 진화 경로를 H−R도에 나타낸 것이다.

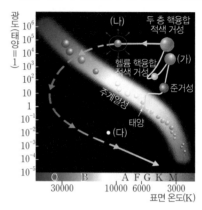

이에 대한 옳은 설명을 얘기한 학생만을 있는 대로 고른 것은?

(가)로 진화하는 동안 중심부에서는 수축 과정이 일어나. — 영희

(나) 단계에서는 초신성 폭발이 일어나. — 철수

(다)의 중심부에서는 핵융합 반응이 일어나. — 민수

① 영희   ② 철수   ③ 영희, 민수
④ 철수, 민수   ⑤ 영희, 철수, 민수

04 고난도

그림은 주계열성 A와 B가 각각 거성 C와 D로 진화하는 경로를 H−R도에 나타낸 것이다.

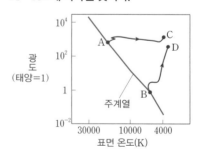

이에 대한 설명으로 옳은 것은?

① 색지수는 A가 C보다 크다.

② 질량은 B가 A보다 크다.

③ 절대 등급은 D가 B보다 크다.

④ 주계열에 머무는 기간은 B가 A보다 길다.

⑤ B의 중심핵에서는 헬륨 핵융합 반응이 일어난다.

05 서술형
H－R도에서 주계열성이 가장 많은 까닭을 서술하시오.

_____

_____

06
그림은 별의 질량에 따른 진화 과정 A~C를 나타낸 것이다.

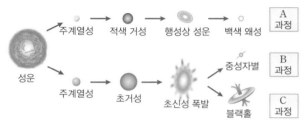

이에 대한 설명으로 옳은 것만을 〈보기〉에서 있는 대로 고른 것은?

┤ 보기 ├
ㄱ. 질량이 가장 작은 별의 진화 과정은 C이다.
ㄴ. 철(Fe)보다 무거운 원소는 A 과정에서 만들어진다.
ㄷ. 별의 중심부에서 수소 핵융합 반응이 일어나는 단계는 주계열성이다.

① ㄴ   ② ㄷ   ③ ㄱ, ㄴ
④ ㄱ, ㄷ   ⑤ ㄱ, ㄴ, ㄷ

07
그림은 어느 별의 진화 과정을 나타낸 것이다.

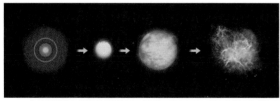

A. 원시별   B. 주계열성   C. 초거성   D. 초신성 폭발

이에 대한 설명으로 옳은 것만을 〈보기〉에서 있는 대로 고른 것은?

┤ 보기 ├
ㄱ. 별의 질량은 태양보다 크다.
ㄴ. 별의 중심부에서는 수소 핵융합 반응이 일어나고 정역학 평형 상태를 이루는 별은 B이다.
ㄷ. D 단계 이후 중성자별 또는 블랙홀이 된다.

① ㄴ   ② ㄷ   ③ ㄱ, ㄴ
④ ㄴ, ㄷ   ⑤ ㄱ, ㄴ, ㄷ

08
그림은 별이 진화하는 과정을 나타낸 것이다.

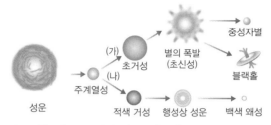

이에 대한 설명으로 옳은 것만을 〈보기〉에서 있는 대로 고른 것은?

┤ 보기 ├
ㄱ. (가)는 (나)보다 질량이 더 큰 별의 진화 경로이다.
ㄴ. 태양의 진화 경로는 (가)이다.
ㄷ. 질량이 큰 별일수록 더 무거운 원소를 생성할 수 있다.

① ㄱ   ② ㄴ   ③ ㄱ, ㄴ
④ ㄱ, ㄷ   ⑤ ㄴ, ㄷ

2 별의 에너지원   대표 기출

09
그림은 어느 별의 중심핵에서 일어나는 반응을 나타낸 것이다.

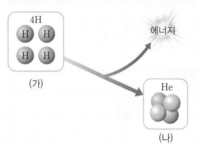

이에 대한 설명으로 옳은 것만을 〈보기〉에서 있는 대로 고른 것은?

┤ 보기 ├
ㄱ. 수소 핵융합 반응을 나타낸 것이다.
ㄴ. (가)의 질량보다 (나)의 질량이 크다.
ㄷ. 온도가 높아지면 반응의 효율이 낮아진다.

① ㄱ   ② ㄴ   ③ ㄱ, ㄷ
④ ㄴ, ㄷ   ⑤ ㄱ, ㄴ, ㄷ

기출 포인트 | 핵융합 반응이 일어날 때 질량 결손에 의해 에너지가 발생하는 과정을 이해하는지를 묻는 문제가 자주 출제된다.

10 고난도

그림은 주계열성의 중심핵 온도에 따른 수소 핵융합 반응의 에너지 생성 효율을 나타낸 것이다. ㉠과 ㉡은 각각 양성자·양성자 반응(P－P 반응)과 탄소·질소·산소 순환 반응(CNO 순환 반응) 중 하나이다.

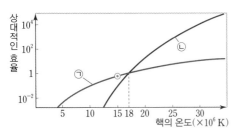

이에 대한 설명으로 옳은 것만을 〈보기〉에서 있는 대로 고른 것은?

┤ 보기 ├
ㄱ. ㉠은 양성자·양성자 반응이고, ㉡은 CNO 순환 반응이다.
ㄴ. ㉠은 ㉡보다 질량이 작은 주계열성에서 우세한 반응이다.
ㄷ. 주계열성의 질량이 태양 질량의 2배 이상인 경우 중심부에서는 대류핵이 형성된다.

① ㄱ
② ㄷ
③ ㄱ, ㄴ
④ ㄴ, ㄷ
⑤ ㄱ, ㄴ, ㄷ

11

그림은 주계열성에서 핵융합 반응의 경로를 나타낸 것이다.

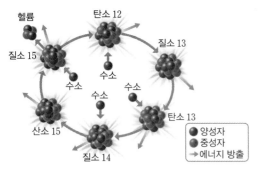

이에 대한 설명으로 옳은 것만을 〈보기〉에서 있는 대로 고른 것은?

┤ 보기 ├
ㄱ. 양성자·양성자 반응(P－P 반응)을 나타낸다.
ㄴ. 탄소, 질소, 산소는 촉매 역할을 한다.
ㄷ. 주계열성의 질량이 태양 질량의 2배 이하인 경우 중심부에서 활발하게 일어난다.

① ㄱ
② ㄴ
③ ㄱ, ㄷ
④ ㄴ, ㄷ
⑤ ㄱ, ㄴ, ㄷ

12

그림은 별의 에너지원을 분류하는 과정을 나타낸 것이다.

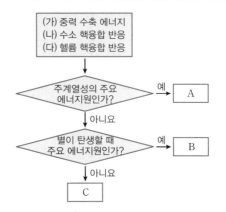

이에 대한 옳은 설명을 얘기한 학생만을 있는 대로 고른 것은?

① 영희
② 민수
③ 영희, 철수
④ 철수, 민수
⑤ 영희, 철수, 민수

13

그림은 태양의 내부 구조를 나타낸 것이다.

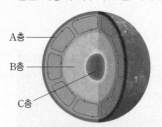

A～C층에 대한 설명으로 옳은 것만을 〈보기〉에서 있는 대로 고른 것은?

┤ 보기 ├
ㄱ. A층에서는 주로 복사에 의해 에너지가 전달된다.
ㄴ. B층의 온도는 1000만 K보다 높다.
ㄷ. C층은 B층보다 무거운 원소의 비율이 높다.

① ㄱ ② ㄷ ③ ㄱ, ㄴ ④ ㄴ, ㄷ ⑤ ㄱ, ㄴ, ㄷ

기출 포인트 | 별의 내부 구조를 질량과 진화 정도에 따라 비교하여 설명할 수 있는지를 묻는 문제가 자주 출제된다.

14

그림 (가)는 질량이 다른 두 주계열성 A, B가 원시별에서 주계열성이 되기까지의 경로를 나타낸 것이고, (나)는 A와 B 중 어느 한 별의 내부 구조를 나타낸 것이다.

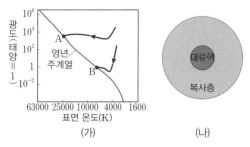

(가)   (나)

이에 대한 설명으로 옳은 것만을 〈보기〉에서 있는 대로 고른 것은?

⊣ 보기 ├

ㄱ. 원시별에서 주계열성이 되기까지 걸린 시간은 A가 B보다 짧다.

ㄴ. A의 중심핵에서는 P−P 반응이 우세하게 일어난다.

ㄷ. (나)는 B의 내부 구조이다.

① ㄱ   ② ㄷ   ③ ㄱ, ㄴ

④ ㄴ, ㄷ   ⑤ ㄱ, ㄴ, ㄷ

15

그림 (가), (나)는 질량이 다른 두 별의 내부 구조를 나타낸 것이다.

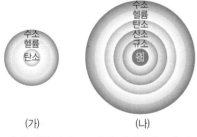

(가)   (나)

이에 대한 설명으로 옳은 것만을 〈보기〉에서 있는 대로 고른 것은?

⊣ 보기 ├

ㄱ. (가)와 (나)는 모두 중심부로 갈수록 무거운 원소로 이루어져 있다.

ㄴ. (가)는 (나)보다 질량이 더 큰 별이다.

ㄷ. 중심부의 온도는 (가)가 (나)보다 높다.

① ㄱ   ② ㄴ   ③ ㄱ, ㄷ

④ ㄴ, ㄷ   ⑤ ㄱ, ㄴ, ㄷ

16

그림은 크기가 일정하게 유지되는 어떤 별의 내부에 작용하는 두 힘 A, B를 나타낸 것이다.

이에 대한 설명으로 옳은 것만을 〈보기〉에서 있는 대로 고른 것은?

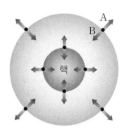

⊣ 보기 ├

ㄱ. 주계열성의 내부 구조이다.

ㄴ. 힘 A는 팽창하려는 기체 압력 차에 의한 힘이다.

ㄷ. 힘 B가 힘 A보다 커지면 팽창이 일어난다.

ㄹ. 힘 A와 힘 B는 평형을 이루기 때문에 별의 모양이 일정하게 유지된다.

① ㄱ, ㄴ   ② ㄴ, ㄷ   ③ ㄷ, ㄹ

④ ㄱ, ㄴ, ㄹ   ⑤ ㄴ, ㄷ, ㄹ

17

그림은 태양과 질량이 비슷한 어느 별의 내부 구조를 나타낸 것이다.

이에 대한 설명으로 옳은 것만을 〈보기〉에서 있는 대로 고른 것은?

⊣ 보기 ├

ㄱ. 초거성의 내부 구조이다.

ㄴ. 태양보다 광도와 반지름이 클 것이다.

ㄷ. 중심부에서 헬륨 핵융합 반응이 일어나므로 중심부의 온도는 태양보다 높다.

① ㄱ   ② ㄷ   ③ ㄱ, ㄴ

④ ㄴ, ㄷ   ⑤ ㄱ, ㄴ, ㄷ

18 서술형

별의 크기가 일정하게 유지될 때, 별 내부에서 작용하는 힘의 관계를 서술하시오.

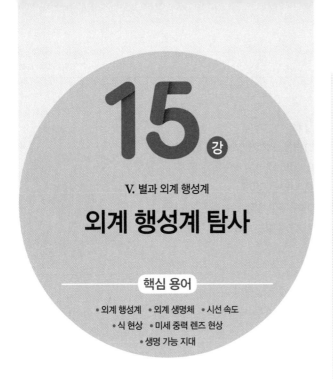

15.강

V. 별과 외계 행성계

외계 행성계 탐사

핵심 용어

- 외계 행성계 • 외계 생명체 • 시선 속도
- 식 현상 • 미세 중력 렌즈 현상
- 생명 가능 지대

---

1 외계 행성계 탐사

1. 중심별의 시선 속도를 이용하는 방법 개념 브릿지 유형 1

① 중심별과 행성이 공통 질량 중심을 중심으로 같은 주기로 공전한다.

② 중심별의 회전으로 시선 속도가 변하면 도플러 효과에 의한 별빛의 파장 변화가 생긴다.

> **자료 클리닉⁺ 도플러 효과를 이용한 외계 행성 탐사 방법**
>
> 별빛이 관측자에게 다가올 때는 흡수선이 파장이 짧은 쪽으로 이동(청색 편이)한다.
>
> 별빛이 관측자에게서 멀어질 때는 흡수선이 파장이 긴 쪽으로 이동(적색 편이)한다.
>
> - 중심별이 지구로 접근할 때 청색 편이가 나타나고, 지구에서 멀어질 때 적색 편이가 나타난다.
> - 행성의 질량이 클수록 중심별의 시선 속도 변화가 크므로 행성의 존재를 확인하기 쉽다.

2. 식 현상을 이용하는 방법 중심별 주위를 공전하는 행성이 중심별 앞면을 지날 때 식 현상이 일어나 중심별의 밝기가 감소한다.

① 관측자의 시선 방향과 행성의 공전 궤도면이 거의 나란해야 식 현상이 관측된다.

② 행성의 반지름이 클수록 중심별의 밝기 변화가 크므로 행성의 존재를 확인하기 쉽다.

3. 미세 중력 렌즈 현상을 이용하는 방법 배경별의 별빛이 앞쪽 별의 중력에 의해 미세하게 굴절되어 휘어지는 현상이다.

① 앞쪽 별이 행성을 가지고 있다면 배경별의 밝기 변화가

추가로 나타나므로 행성의 존재를 확인할 수 있다.

② 외계 행성의 공전 궤도면과 관측자의 시선 방향이 나란하지 않아도 행성을 발견할 수 있으며, 크기가 작은 행성도 찾을 수 있다.

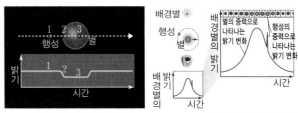

▲ 식 현상을 이용하는 방법   ▲ 미세 중력 렌즈 현상을 이용하는 방법

4. 직접 관측에 의한 탐사 지구에서 중심별까지의 거리가 멀거나, 행성이 중심별에 너무 가까우면 직접 관측하기 어렵다.

---

2 외계 생명체 탐사

1. 외계 생명체의 존재 조건

① **액체 상태의 물** 행성이 표면 온도가 적절하게 유지될 수 있는 영역에 위치해야 한다.

② **적절한 대기압** 대기는 유해한 자외선을 막아주고, 온실 효과를 일으켜 생명체가 살아가기에 적당한 온도를 유지해 준다.

③ **행성 자기장** 자기장은 우주에서 들어오는 고에너지 입자와 중심별에서 들어오는 항성풍을 막아준다.

④ **중심별의 적절한 질량**

- 별의 질량이 너무 크면 진화 속도가 빠르다.
- 별의 질량이 너무 작으면 생명 가능 지대의 폭이 좁고, 생명 가능 지대까지의 거리가 가깝다.

2. 생명 가능 지대 별 주변에 물이 액체 상태로 존재할 수 있는 영역이다.

> **자료 클리닉⁺ 생명 가능 지대**
>
>
>
>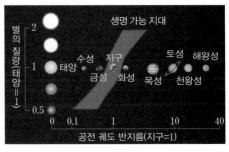
>
> - 별의 광도가 클수록 생명 가능 지대는 별로부터 먼 곳에 형성되고, 생명 가능 지대의 폭이 넓어진다.
> - 태양계에서 생명 가능 지대는 금성과 화성 사이로, 지구가 이 영역에 위치해 있다.

1 그림은 외계 행성계를 탐사하는 방법을 나열한 것이다. 빈칸에 알맞은 말을 쓰시오.

⊙ ☐ ☐ ☐ ☐ 변화 이용	별빛 스펙트럼의 파장 변화로 행성의 존재를 확인한다.

ⓒ ☐ 현상 이용	행성이 중심별의 앞면을 지날 때 일어나는 별의 밝기 변화로 행성의 존재를 확인한다.

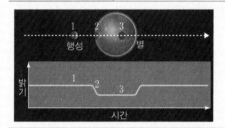

ⓒ ☐ ☐ ☐ ☐ ☐ 현상 이용	멀리 있는 배경별의 빛이 앞쪽 별과 행성의 중력에 의해 굴절되는 현상을 이용하여 행성의 존재를 확인한다.

2 초기에 발견된 외계 행성은 대부분 ☐ ☐ 규모의 행성이었으나 최근 관측 기술의 발달로 지구 규모의 행성들도 발견되고 있다.

3 외계 행성에 생명체가 존재하기 위해서는 액체 상태의 ☐, 적절한 대기압, 행성 자기장, 중심별의 적절한 질량이 충족되어야 한다.

4 별 주변에 물이 액체 상태로 존재할 수 있는 영역을 ☐ ☐ ☐ ☐ ☐ 라고 한다.

5 태양계에서 생명 가능 지대는 금성과 ☐ ☐ 사이에 있다.

답 1 ⊙시선 속도, ⓒ식, ⓒ미세 중력 렌즈 2 목성 3 물 4 생명 가능 지대
5 화성

1 중심별의 시선 속도 변화

그림 (가)는 외계 행성 탐사 방법 중 한 가지를 나타낸 것이고, (나)는 A 위치부터 1회 공전하는 동안 관측한 중심별의 스펙트럼을 나타낸 것이다.

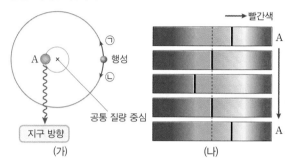

이에 대한 설명으로 옳은 것만을 〈보기〉에서 있는 대로 고른 것은?

| 보기 |
ㄱ. 도플러 효과를 이용한 방법이다.
ㄴ. A 위치일 때 별빛의 파장이 길게 관측되었다.
ㄷ. 행성은 ⊙ 방향으로 공전하고 있다.

① ㄱ ② ㄷ ③ ㄱ, ㄴ
④ ㄴ, ㄷ ⑤ ㄱ, ㄴ, ㄷ

개념으로 문제 접근하기 │ 도플러 효과

- 빛이나 소리와 같은 파동을 내는 물체가 관측자와 가까워지거나 멀어질 때 본래의 파장보다 짧거나 길게 관측되는 현상을 도플러 효과라고 한다.
- 서로 가까워질 경우에는 관측된 파장이 원래의 파장보다 짧아지고, 멀어질 경우에는 원래의 파장보다 길어진다.
- 별빛 스펙트럼의 편이 현상은 별이 지구와 가까워지거나 멀어지기 때문에 나타나는 도플러 효과에 해당한다.

| 보기 분석 |
ㄱ. (가)는 도플러 효과(중심별의 시선 속도 변화)를 이용한 외계 행성 탐사 방법이다.
ㄴ. (나)의 A 위치일 때 별빛 스펙트럼이 파장이 긴 빨간색 쪽으로 치우쳐 있으므로 적색 편이가 나타난다.
ㄷ. A일 때 적색 편이가 나타나므로 중심별은 지구로부터 멀어지는 방향으로 공전하고 있다. 공통 질량 중심을 중심으로 공전하는 별은 외계 행성과 같은 방향으로 공전하므로 행성은 ⓒ 방향으로 공전하고 있다.

답 ③

1 외계 행성계 탐사 · 대표 기출

01

그림은 어느 시점에 관측한 중심별의 스펙트럼과 이때 외계 행성계의 모습을 나타낸 것이다.

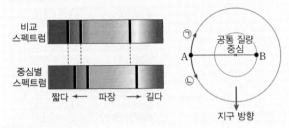

이에 대한 설명으로 옳은 것만을 〈보기〉에서 있는 대로 고른 것은?

┤ 보기 ├
ㄱ. 중심별은 B이다.
ㄴ. A는 ⓒ 방향으로 공전한다.
ㄷ. 행성의 질량이 작을수록 공통 질량 중심은 별에 가까워진다.

① ㄱ　　② ㄷ　　③ ㄱ, ㄴ
④ ㄴ, ㄷ　　⑤ ㄱ, ㄴ, ㄷ

기출 포인트 | 중심별의 시선 속도 변화를 이용하여 외계 행성을 탐사하는 방법을 설명할 수 있는지를 묻는 문제가 자주 출제된다.

02

그림은 도플러 효과를 이용한 외계 행성 탐사 방법을 모식적으로 나타낸 것이다.
이에 대한 설명으로 옳은 것만을 〈보기〉에서 있는 대로 고른 것은?

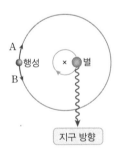

┤ 보기 ├
ㄱ. 행성은 A 방향으로 공전한다.
ㄴ. 현재 위치에서 별빛은 청색 편이한다.
ㄷ. 같은 조건에서 질량이 큰 행성일수록 별빛의 편이량은 커진다.

① ㄱ　　② ㄷ　　③ ㄱ, ㄴ
④ ㄴ, ㄷ　　⑤ ㄱ, ㄴ, ㄷ

03

그림은 별빛의 도플러 효과가 나타날 때 이를 이용하여 우리 은하 내의 외계 행성을 탐사하는 방법을 모식적으로 나타낸 것이다.

이에 대한 설명으로 옳은 것만을 〈보기〉에서 있는 대로 고른 것은?

┤ 보기 ├
ㄱ. 행성이 A에 있을 때 청색 편이가 관측된다.
ㄴ. 별빛의 파장 변화는 별까지의 거리에 비례한다.
ㄷ. 행성의 질량이 클수록 별빛의 편이량이 커진다.

① ㄱ　　② ㄴ　　③ ㄷ
④ ㄱ, ㄴ　　⑤ ㄴ, ㄷ

[04~05] 그림은 공통 질량 중심 주위를 회전하는 별과 행성의 모습을 나타낸 것이다.

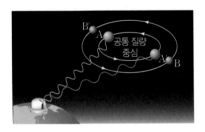

04

이에 대한 옳은 설명을 얘기한 학생만을 있는 대로 고른 것은?

① 영희　　② 철수　　③ 영희, 민수
④ 철수, 민수　　⑤ 영희, 철수, 민수

05 서술형

그림에서 중심별이 지구로 접근할 때와 지구에서 멀어질 때 흡수선의 파장 변화를 서술하시오.

_____

_____

06 고난도

그림은 외계 행성에 의한 중심별의 겉보기 밝기 변화를 나타낸 것이다.

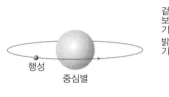 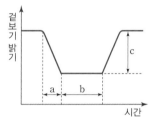

이에 대한 설명으로 옳은 것만을 〈보기〉에서 있는 대로 고른 것은?

┤보기├
ㄱ. 중심별의 반지름이 클수록 a 구간이 길어진다.
ㄴ. 중심별의 스펙트럼 편이량은 b 구간에서 가장 크다.
ㄷ. c의 크기는 행성의 반지름이 클수록 크다.

① ㄱ   ② ㄷ   ③ ㄱ, ㄴ
④ ㄴ, ㄷ   ⑤ ㄱ, ㄴ, ㄷ

07

그림 (가)는 어느 외계 행성이 별 주위를 공전하는 모습을 나타낸 것이고, (나)는 이 별의 겉보기 밝기 변화를 시간에 따라 나타낸 것이다.

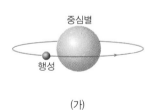 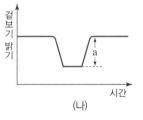

(가)   (나)

이에 대한 설명으로 옳은 것만을 〈보기〉에서 있는 대로 고른 것은?

┤보기├
ㄱ. 관측자의 시선 방향이 행성의 공전 궤도면과 나란할 경우 (나)의 현상을 관측할 수 있다.
ㄴ. 겉보기 밝기가 최소일 때 중심별의 스펙트럼 파장이 가장 길게 관측된다.
ㄷ. 행성의 반지름이 2배가 되면 a는 2배로 커진다.

① ㄱ   ② ㄴ   ③ ㄷ
④ ㄱ, ㄴ   ⑤ ㄱ, ㄷ

08

그림은 어느 외계 행성에 의한 중심별의 밝기 변화를 나타낸 것이다.

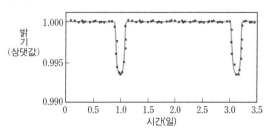

이에 대한 설명으로 옳은 것만을 〈보기〉에서 있는 대로 고른 것은?

┤보기├
ㄱ. 중심별의 밝기가 감소하는 것은 행성에 의한 식 현상 때문이다.
ㄴ. 행성의 공전 주기는 3일보다 길다.
ㄷ. 행성의 반지름이 지금보다 크다면 밝기 변화는 커질 것이다.

① ㄱ   ② ㄴ   ③ ㄱ, ㄷ
④ ㄴ, ㄷ   ⑤ ㄱ, ㄴ, ㄷ

09

그림 (가)와 (나)는 외계 행성을 탐사하는 서로 다른 방법을 나타낸 것이다.

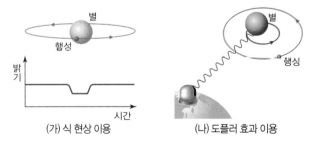

(가) 식 현상 이용   (나) 도플러 효과 이용

이에 대한 설명으로 옳은 것만을 〈보기〉에서 있는 대로 고른 것은?

┤보기├
ㄱ. (가)에서는 별의 밝기 변화를 관측한다.
ㄴ. (나)에서는 별의 스펙트럼을 분석한다.
ㄷ. (가)와 (나) 모두 행성의 공전 궤도면이 관측자의 시선 방향에 수직이다.

① ㄱ   ② ㄴ   ③ ㄷ
④ ㄱ, ㄴ   ⑤ ㄴ, ㄷ

10

그림 (가)와 (나)는 외계 행성을 탐사하는 두 가지 방법을 나타낸 것이다.

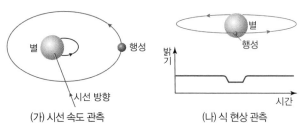

(가) 시선 속도 관측   (나) 식 현상 관측

이에 대한 설명으로 옳은 것만을 〈보기〉에서 있는 대로 고른 것은?

| 보기 |
ㄱ. (가)와 같이 별과 행성이 위치하면 청색 편이가 나타난다.
ㄴ. (가)와 (나) 모두 행성의 공전 주기를 구할 수 있다.
ㄷ. (가)와 (나) 모두 행성의 공전 궤도면이 시선 방향과 수직일 때 이용할 수 있다.

① ㄱ   ② ㄷ   ③ ㄱ, ㄴ
④ ㄴ, ㄷ   ⑤ ㄱ, ㄴ, ㄷ

11

그림 (가)는 식 현상을 나타낸 것이고, (나)는 미세 중력 렌즈 현상에 의한 별의 밝기 변화를 이용하여 외계 행성을 탐사하는 방법을 나타낸 것이다.

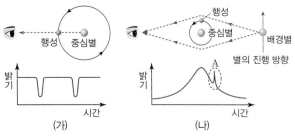

(가)   (나)

이에 대한 설명으로 옳은 것만을 〈보기〉에서 있는 대로 고른 것은?

| 보기 |
ㄱ. (가)에서 행성의 반지름이 클수록 별의 밝기 변화가 크다.
ㄴ. (나)에서 A는 행성의 중력 때문에 나타난다.
ㄷ. (가)와 (나)는 행성에 의한 중심별의 밝기 변화를 이용한다.

① ㄱ   ② ㄷ   ③ ㄱ, ㄴ
④ ㄴ, ㄷ   ⑤ ㄱ, ㄴ, ㄷ

12

그림은 별의 질량과 공전 궤도 반지름에 따른 생명 가능 지대와 행성의 위치를 나타낸 것이다.

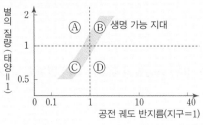

이에 대한 설명으로 옳은 것만을 〈보기〉에서 있는 대로 고른 것은?

| 보기 |
ㄱ. A보다 D의 평균 표면 온도가 낮을 것이다.
ㄴ. B와 C에서 물은 액체 상태로 존재할 수 있다.
ㄷ. 별의 질량이 클수록 생명 가능 지대는 중심별에서 멀어진다.

① ㄱ   ② ㄷ   ③ ㄱ, ㄴ   ④ ㄴ, ㄷ   ⑤ ㄱ, ㄴ, ㄷ

> **기출 포인트** | 별의 질량에 따른 생명 가능 지대의 특징을 이해할 수 있는지를 묻는 문제가 자주 출제된다.

13

그림은 별의 질량에 따른 생명 가능 지대와 태양계 행성들의 위치를 나타낸 것이다.

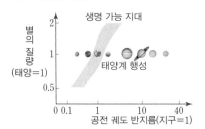

이에 대한 설명으로 옳은 것만을 〈보기〉에서 있는 대로 고른 것은?

| 보기 |
ㄱ. 생명 가능 지대의 행성에는 액체 상태의 물이 존재할 수 있다.
ㄴ. 별의 질량이 클수록 생명 가능 지대는 별에 가까워진다.
ㄷ. 태양계에서 생명 가능 지대에 위치하는 행성은 지구뿐이다.

① ㄱ   ② ㄴ   ③ ㄱ, ㄷ   ④ ㄴ, ㄷ   ⑤ ㄱ, ㄴ, ㄷ

[14~15] 그림은 태양계 행성과 어느 주계열성을 공전하는 행성을 생명 가능 지대와 함께 나타낸 것이다.

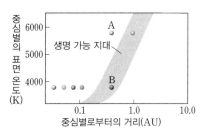

14

이에 대한 설명으로 옳은 것만을 〈보기〉에서 있는 대로 고른 것은?

┤보기├
ㄱ. 질량은 태양이 B의 중심별보다 크다.
ㄴ. 생명 가능 지대의 폭은 태양이 B의 중심별보다 넓다.
ㄷ. 물이 액체 상태로 존재할 가능성은 A가 B보다 높다.

① ㄱ   ② ㄴ   ③ ㄷ
④ ㄱ, ㄴ   ⑤ ㄱ, ㄷ

15 서술형

그림에서 세로축 값은 중심별의 표면 온도이다. 생명 가능 지대의 범위를 나타낸 그림에서 세로축 값으로 적당한 물리량을 쓰시오.

_____

16

그림은 태양계 생명 가능 지대의 변화를 시간에 따라 나타낸 것이다.

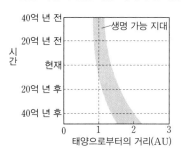

이에 대한 설명으로 옳은 것만을 〈보기〉에서 있는 대로 고른 것은?

┤보기├
ㄱ. 시간이 지날수록 태양의 광도는 커진다.
ㄴ. 시간이 지날수록 태양계 생명 가능 지대의 폭은 넓어진다.
ㄷ. 현재로부터 40억 년 후에 1 AU 거리에 있는 행성에는 액체 상태의 물이 존재할 것이다.

① ㄱ   ② ㄷ   ③ ㄱ, ㄴ
④ ㄴ, ㄷ   ⑤ ㄱ, ㄴ, ㄷ

17

그림은 태양계의 생명 가능 지대를 나타낸 것이다.

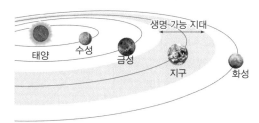

이에 대한 설명으로 옳은 것만을 〈보기〉에서 있는 대로 고른 것은?

┤보기├
ㄱ. 지구는 생명 가능 지대에 위치한다.
ㄴ. 물은 금성에서는 고체 상태로 존재하고, 화성에서는 기체 상태로 존재할 수 있다.
ㄷ. 태양의 복사 에너지 방출량이 현재의 절반이 된다면 생명 가능 지대는 현재보다 태양에 가까워질 것이다.

① ㄱ   ② ㄴ   ③ ㄱ, ㄷ
④ ㄴ, ㄷ   ⑤ ㄱ, ㄴ, ㄷ

18 고난도

그림은 두 외계 행성계 A와 B의 생명 가능 지대와 행성의 위치를 나타낸 것이다.

이에 대한 옳은 설명을 얘기한 학생만을 있는 대로 고른 것은? (단, 두 중심별은 모두 주계열성이다.)

① 영희   ② 철수   ③ 영희, 민수
④ 철수, 민수   ⑤ 영희, 철수, 민수

01

그림은 두 별 A, B의 단위 면적에서 단위 시간 동안 방출하는 에너지 세기를 파장에 따라 나타낸 것이다. 이에 대한 설명으로 옳은 것만을 〈보기〉에서 있는 대로 고른 것은?

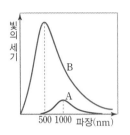

┤ 보기 ├
ㄱ. 흑체가 방출하는 복사 에너지는 표면 온도에 의해서만 결정된다.
ㄴ. 별의 표면 온도는 A가 B보다 높다.
ㄷ. 파장이 짧을수록 별은 파랗게 보인다.

① ㄱ　　　　　② ㄴ　　　　　③ ㄱ, ㄷ
④ ㄴ, ㄷ　　　　⑤ ㄱ, ㄴ, ㄷ

02

그림은 표면 온도가 다른 별의 플랑크 곡선을 나타낸 것이다.

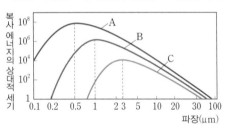

이에 대한 설명으로 옳은 것만을 〈보기〉에서 있는 대로 고른 것은?

┤ 보기 ├
ㄱ. 최대 에너지 세기를 갖는 파장은 A>B>C 순이다.
ㄴ. 표면 온도는 A가 B의 2배이다.
ㄷ. 별이 단위 시간 동안 단위 면적에서 방출하는 에너지양은 표면 온도의 제곱에 비례한다.

① ㄱ　　　　　② ㄴ　　　　　③ ㄱ, ㄷ
④ ㄴ, ㄷ　　　　⑤ ㄱ, ㄴ, ㄷ

03

그림은 표면 온도에 따른 흡수선의 상대적인 세기를 나타낸 것이다.

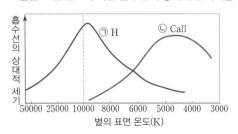

이에 대한 설명으로 옳은 것만을 〈보기〉에서 있는 대로 고른 것은?

┤ 보기 ├
ㄱ. 별의 표면 온도에 따라 흡수선의 세기가 달라진다.
ㄴ. O형인 별은 B형인 별보다 ⊙이 강하게 나타난다.
ㄷ. 붉은색 별에서 나타나는 흡수선의 세기는 ⊙보다 ⓒ에서 뚜렷하다.

① ㄱ　　　　　② ㄴ　　　　　③ ㄱ, ㄷ
④ ㄴ, ㄷ　　　　⑤ ㄱ, ㄴ, ㄷ

04 고난도

그림은 별 A, B의 표면 온도와 절대 등급을 나타낸 것이다.

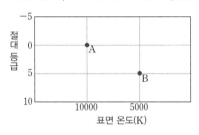

이에 대한 설명으로 옳은 것만을 〈보기〉에서 있는 대로 고른 것은?

┤ 보기 ├
ㄱ. 절대 등급은 눈으로 보았을 때 별의 밝기 등급이다.
ㄴ. 단위 시간 동안 단위 면적에서 방출되는 에너지양은 A가 B의 16배이다.
ㄷ. 별의 반지름은 A가 B의 2.5배이다.

① ㄱ　　　　　② ㄷ　　　　　③ ㄱ, ㄴ
④ ㄴ, ㄷ　　　　⑤ ㄱ, ㄴ, ㄷ

05

표는 별 (가)~(다)의 특성을 나타낸 것이다.

별	겉보기 등급(m)	절대 등급(M)	색지수 ($B-V$)
(가)	−1.5	1.4	0.00
(나)	−0.1	−0.3	1.23
(다)	0.4	2.6	0.42

이에 대한 설명으로 옳은 것만을 〈보기〉에서 있는 대로 고른 것은?

┤ 보기 ├
ㄱ. 가장 밝게 보이는 별은 (가)이다.
ㄴ. 가장 많은 에너지를 방출하는 별은 (나)이다.
ㄷ. 표면 온도가 가장 높은 별은 (다)이다.

① ㄱ　　　　　② ㄷ　　　　　③ ㄱ, ㄴ
④ ㄴ, ㄷ　　　　⑤ ㄱ, ㄴ, ㄷ

06

그림은 성운 내부에서 별이 탄생하는 과정을 나타낸 것이다.

이에 대한 설명으로 옳은 것만을 〈보기〉에서 있는 대로 고른 것은?

| 보기 |

ㄱ. (가) 과정은 주로 온도가 높고 밀도가 낮은 곳에서 잘 일어난다.

ㄴ. (나) 과정에서 중력 수축이 일어나 별의 에너지원으로 쓰인다.

ㄷ. (가), (나) 과정에서 모두 표면 온도가 대체로 증가한다.

① ㄱ　　② ㄷ　　③ ㄱ, ㄴ　　④ ㄴ, ㄷ　　⑤ ㄱ, ㄴ, ㄷ

07 서술형

그림은 태양의 진화 과정을 나타낸 것이다.

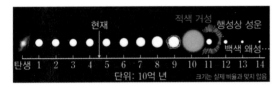

(1) 태양의 진화 과정을 순서대로 서술하시오.

_____

(2) 태양 탄생 후 약 100억 년이 지났을 때 태양은 진화 단계 중 어디에 해당하는지 쓰시오.

_____

08

그림은 주계열성의 질량과 광도와의 관계를 나타낸 것이나.

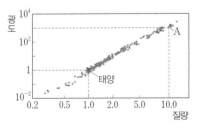

이에 대한 설명으로 옳은 것만을 〈보기〉에서 있는 대로 고른 것은?

| 보기 |

ㄱ. 태양은 주계열성이다.

ㄴ. 별의 표면 온도는 A가 태양보다 낮다.

ㄷ. 질량이 클수록 진화 속도가 느릴 것이다.

① ㄱ　　② ㄷ　　③ ㄱ, ㄴ　　④ ㄴ, ㄷ　　⑤ ㄱ, ㄴ, ㄷ

09

그림은 질량이 다른 두 주계열성 A, B의 진화 과정을 나타낸 것이다.

이에 대한 설명으로 옳은 것만을 〈보기〉에서 있는 대로 고른 것은?

| 보기 |

ㄱ. 질량은 B>A, 별의 수명은 A<B이다.

ㄴ. (가)와 (다) 과정에서 모두 반지름이 증가한다.

ㄷ. (나) 과정에서 행성상 성운이 형성되고, (라) 과정에서 초신성 폭발이 일어난다.

① ㄱ　　　　　② ㄷ　　　　　③ ㄱ, ㄴ

④ ㄴ, ㄷ　　　⑤ ㄱ, ㄴ, ㄷ

10

그림은 여러 가지 별들을 H−R도에 나타낸 것이다.

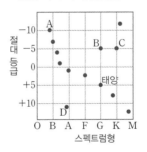

이에 대한 설명으로 옳은 것만을 〈보기〉에서 있는 대로 고른 것은?

| 보기 |

ㄱ. 별의 표면 온도는 A가 가장 높다.

ㄴ. B와 C는 반지름이 같다.

ㄷ. C는 태양보다 광도가 10000배 크다.

ㄹ. D는 적색 거성이다.

① ㄱ, ㄷ　　　② ㄱ, ㄹ　　　③ ㄴ, ㄷ

④ ㄱ, ㄴ, ㄹ　　⑤ ㄴ, ㄷ, ㄹ

11

그림은 태양과 비슷한 질량을 가진 별의 진화 과정 중 내부에서 일어나는 반응을 나타낸 것이다.

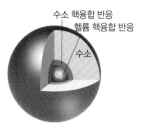

이에 대한 설명으로 옳은 것만을 〈보기〉에서 있는 대로 고른 것은?

| 보기 |
ㄱ. 원시별의 내부 구조이다.
ㄴ. 광도는 태양보다 작다.
ㄷ. H−R도에서 태양보다 위쪽에 위치한다.

① ㄱ   ② ㄷ   ③ ㄱ, ㄴ
④ ㄴ, ㄷ   ⑤ ㄱ, ㄴ, ㄷ

12

그림은 주계열성의 색지수와 절대 등급을 나타낸 것이다.

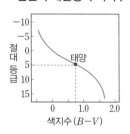

이에 대한 설명으로 옳은 것만을 〈보기〉에서 있는 대로 고른 것은?

| 보기 |
ㄱ. 색지수가 작을수록 표면 온도가 높다.
ㄴ. 태양은 주계열성이다.
ㄷ. 색지수가 클수록 별의 수명이 길다.

① ㄱ   ② ㄷ   ③ ㄱ, ㄴ
④ ㄴ, ㄷ   ⑤ ㄱ, ㄴ, ㄷ

13

그림은 별의 중심부에서 일어나는 반응을 나타낸 것이다.

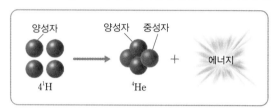

이에 대한 설명으로 옳은 것만을 〈보기〉에서 있는 대로 고른 것은?

| 보기 |
ㄱ. 수소 핵융합 반응이다.
ㄴ. 주계열성의 중심부에서 일어난다.
ㄷ. 반응 후 질량 결손이 일어나는데, 이것이 에너지로 전환된다.

① ㄱ   ② ㄷ   ③ ㄱ, ㄴ
④ ㄴ, ㄷ   ⑤ ㄱ, ㄴ, ㄷ

14

그림은 여러 가지 별을 H−R도에 나타낸 것이다.

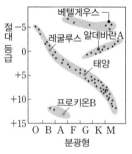

이에 대한 설명으로 옳은 것만을 〈보기〉에서 있는 대로 고른 것은?

| 보기 |
ㄱ. 레굴루스와 태양은 주계열성이다.
ㄴ. 베텔게우스는 중심으로 갈수록 더 무거운 원소로 이루어져 있다.
ㄷ. 알데바란A는 진화의 최후 단계에서 중성자별이 된다.

① ㄱ   ② ㄷ   ③ ㄱ, ㄴ
④ ㄴ, ㄷ   ⑤ ㄱ, ㄴ, ㄷ

15 고난도

그림은 외계 행성의 탐사 방법을 나타낸 것이다.

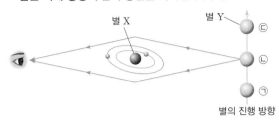

이에 대한 설명으로 옳은 것만을 〈보기〉에서 있는 대로 고른 것은?

┤보기├

ㄱ. ⊙~ⓒ 중 Y의 밝기는 ⓒ일 때 가장 어둡다.

ㄴ. X 주변에 행성이 존재하면 Y의 밝기 변화가 불규칙하게 나타난다.

ㄷ. X와 Y의 거리가 멀어질수록 별빛이 많이 굴절된다.

① ㄱ   ② ㄴ   ③ ㄱ, ㄷ

④ ㄴ, ㄷ   ⑤ ㄱ, ㄴ, ㄷ

[16~17] 그림은 태양계에서 생명 가능 지대의 변화를 시간에 따라 나타낸 것이다.

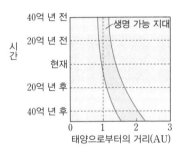

16

이에 대한 설명으로 옳은 것만을 〈보기〉에서 있는 대로 고른 것은?

┤보기├

ㄱ. 태양의 광도는 40억 년 전보다 현재가 크다.

ㄴ. 시간이 지날수록 생명 가능 지대의 폭은 넓어진다.

ㄷ. 앞으로 20억 년 후 지구는 생명 가능 지대에 위치해 있을 것이다.

① ㄱ   ② ㄷ   ③ ㄱ, ㄴ

④ ㄴ, ㄷ   ⑤ ㄱ, ㄴ, ㄷ

17 서술형

태양계에서 생명 가능 지대의 위치를 서술하시오.

18

그림은 현재까지 발견된 외계 행성의 공전 궤도 반지름과 질량을 탐사 방법에 따라 구분하여 나타낸 것이다.

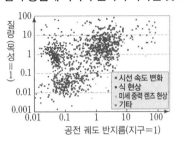

지금까지 발견된 외계 행성의 특징에 대한 설명으로 옳은 것만을 〈보기〉에서 있는 대로 고른 것은?

┤보기├

ㄱ. 대부분 지구보다 질량이 크다.

ㄴ. 도플러 효과를 이용하여 발견된 행성의 수가 가장 적다.

ㄷ. 식 현상에 의해 발견된 행성들은 대부분 공전 주기가 길다.

① ㄱ   ② ㄴ   ③ ㄱ, ㄷ

④ ㄴ, ㄷ   ⑤ ㄱ, ㄴ, ㄷ

19

그림은 태양과 별 S 주변의 생명 가능 지대를 나타낸 것이다.

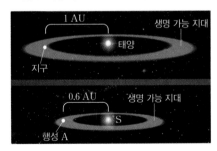

이에 대한 설명으로 옳은 것만을 〈보기〉에서 있는 대로 고른 것은?

┤보기├

ㄱ. 별 S는 태양보다 표면 온도가 높다.

ㄴ. 행성 A에는 액체 상태의 물이 존재할 수 있다.

ㄷ. 앞으로 생명 가능 지대에 머물 수 있는 시간은 지구보다 행성 A가 더 길다.

① ㄱ   ② ㄴ   ③ ㄱ, ㄷ

④ ㄴ, ㄷ   ⑤ ㄱ, ㄴ, ㄷ

16 강

VI. 외부 은하와 우주 팽창

외부 은하의 종류와 특징

핵심 용어

• 허블의 은하 분류 • 나선 은하 • 타원 은하
• 불규칙 은하 • 전파 은하 • 충돌 은하

1 허블의 은하 분류

1. 허블의 은하 분류 체계 외부 은하를 모양에 따라 크게 타원 은하, 나선 은하, 불규칙 은하로 분류한다.

개념 브릿지 유형 **1**

자료 클리닉 ➕ **은하의 분류**

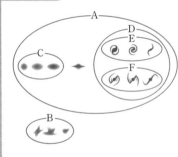

• A: 일정한 모양이 있는 은하
• B: 일정한 모양이 없는 불규칙 은하
• C: 타원 은하
• D: 나선 은하
• E: 정상 나선 은하
• F: 막대 나선 은하

(1) **나선 은하** 은하 중심부에서 나선팔이 뻗어 나온 은하
① 납작한 원반 형태로, 은하핵과 나선팔을 가지고 있다.
② 은하핵을 가로지르는 막대 모양 구조의 유무에 따라 막대 나선 은하와 정상 나선 은하로 구분한다.
③ 나선팔이 감긴 정도와 은하핵의 크기에 따라 a, b, c로 다시 나눈다.
④ 나선팔에는 젊은 파란색의 별들과 성간 물질이 주로 분포하고, 은하핵에는 늙은 붉은색의 별들이 주로 분포한다.

(2) **타원 은하** 타원 모양의 은하
① 비교적 나이가 많은 붉은색의 별들로 이루어져 있다.
② 내부에 성간 물질을 거의 갖고 있지 않아 별이 활발하게 생성되지 않는다.
③ 편평도에 따라 E0에서 E7까지 나눈다.
→ E0에서 E7으로 갈수록 편평도가 커진다.

(3) **불규칙 은하** 일정한 모양을 갖추지 않은 은하
① 성간 물질과 젊은 별을 모두 포함하고 있다.
② 새로운 별들이 활발하게 생성되고 있다.
③ 대마젤란은하와 소마젤란은하가 있다.

2. 허블 은하 분류 체계에서 우리 은하
① 우리 은하는 막대 나선 은하에 속한다.

옆에서 본 모습	중앙 팽대부, 은하 원반, 헤일로가 존재한다.
위에서 본 모습	나선팔과 은하 중심부를 가로지르는 막대 구조가 보인다.

② 태양계는 은하 중심으로부터 약 8 kpc 떨어진 나선팔에 위치한다.

개념 브릿지 유형 **2**

탐구 클리닉 ➕ **외부 은하 분류하기**

과정

다음은 다양한 외부 은하들의 모습을 나타낸 것이다.

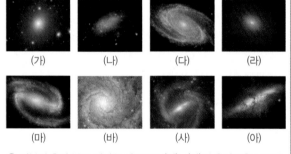

(가) (나) (다) (라)
(마) (바) (사) (아)

❶ 허블의 은하 분류 체계를 기준으로 (가)~(아)의 은하들을 분류해 보자.
❷ 과정 ❶에서 분류한 각 은하를 구성하는 물질에 대해 정리해 보자.

결과

❶ 은하를 형태에 따라 분류하면 다음과 같다.
• 타원 은하: (가), (라)
• 정상 나선 은하: (다), (바)
• 막대 나선 은하: (마), (사)
• 불규칙 은하: (나), (아)
❷ 각 은하를 구성하는 물질을 별의 나이와 성간 물질의 유무로 나타내면 다음과 같다.
• 타원 은하: 오래된 별로 되어 있고 성간 물질이 적다.
• 나선 은하: 나선팔에는 성간 물질이 많고 젊은 별들이 주로 분포하고, 은하핵에는 늙은 별들이 주로 분포한다.
• 불규칙 은하: 비교적 젊은 별로 되어 있고 성간 물질이 많다.

2 특이 은하와 충돌 은하

1. 전파 은하 특이 은하들 중 강한 전파를 방출하는 은하

구조	• 중심에 핵이 있고 양쪽에 로브라고 하는 거대한 돌출부가 있다. • 로브와 핵은 제트로 연결되어 있다.	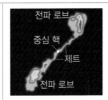
특징	• 로브의 크기: 눈에 보이는 은하의 수 배 정도이다. • 로브 사이의 간격: 은하 크기의 수백 배에 이른다. • 로브와 제트는 강한 X선을 방출한다.	

2. 퀘이사 수많은 별들로 이루어진 거대한 은하지만 너무 멀리 떨어져 있어 하나의 별처럼 보이는 은하

① 크기 태양계 정도이다.

② 방출하는 에너지 우리 은하의 수백~수천 배에 이른다.

→ 퀘이사의 중심부에 블랙홀이 있을 것으로 추정된다.

③ 가장 멀리 있는 퀘이사 우주 나이 10억 년 이전에 생긴 것으로, 현재 우리가 관측할 수 있는 가장 먼 거리의 천체이다.

→ 우주 탄생 초기에 생긴 천체로, 매우 큰 적색 편이가 나타난다.

3. 세이퍼트은하 보통의 은하들과 비교했을 때 아주 밝은 핵과 넓은 방출선을 보이는 은하이다.

① 대부분 나선 은하의 형태로 관측된다.

→ 전체 나선 은하 중 약 2 %가 세이퍼트은하로 분류된다.

② 은하 중심부에 블랙홀이 있을 것으로 추정한다.

→ 스펙트럼에서 넓은 방출선을 가지고 있으므로 방출원인 가스가 매우 빠른 속도로 움직이고 있기 때문이다.

4. 충돌 은하 은하가 충돌하여 생긴 은하

① 은하가 충돌할 때 막대한 에너지를 방출한다.

② 두 은하가 중력의 영향으로 가까워지면 한꺼번에 많은 별을 생성시키기도 한다.

→ 은하끼리 충돌하는 과정에서 기체가 압축되므로 많은 별이 한꺼번에 생기기도 한다.

③ 은하가 가까이 접근해 은하 사이의 인력이 작용하여 길게 휘어진 구조물과 같은 특이한 형태가 나타나기도 한다.

→ 별 사이의 공간이 넓어 은하가 충돌해도 별들끼리 충돌하는 경우는 거의 없다.

 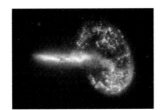

▲ 충돌 은하의 모습

1 ☐☐은 외부 은하를 모양에 따라 타원 은하, 나선 은하, 불규칙 은하로 분류하였다.

2 다음 설명에 해당하는 은하를 〈보기〉에서 고르시오.

┤ 보기 ├

막대 나선 은하	타원 은하
정상 나선 은하	불규칙 은하

(1) 나선 은하 중 은하핵을 가로지르는 막대 모양의 구조가 나타난다.

(2) 비교적 나이가 많은 붉은색의 별들로 이루어져 있고, 타원 모양이다.

(3) 은하 중심부에서 나선팔이 뻗어 나오고 중심에 막대 구조가 나타나지 않는다.

(4) 일정한 모양을 갖추지 않은 은하이다.

3 그림은 허블의 은하 분류를 나타낸 것이다.

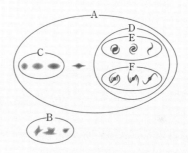

(1) A와 B를 구분하는 기준을 쓰시오.

(2) C와 D를 구분하는 기준을 쓰시오.

(3) E와 F를 구분하는 기준을 쓰시오.

4 우리 은하를 위에서 보면 나선팔과 은하 중심부를 가로지르는 ☐☐ 구조가 보인다.

5 특이 은하에는 전파 은하, ☐☐☐, 세이퍼트은하 등이 있다.

6 퀘이사는 우리가 관측할 수 있는 가장 먼 거리의 천체로 매우 큰 ☐☐ 편이가 나타난다.

7 은하끼리 충돌하여 생긴 은하를 ☐☐ 은하라고 한다.

답 **1** 허블 **2** (1) 막대 나선 은하 (2) 타원 은하 (3) 정상 나선 은하 (4) 불규칙 은하
3 (1) 모양이 규칙적인지 불규칙적인지에 따라 구분 (2) 타원 모양인지 나선 모양인지에 따라 구분 (3) 중심부에 막대 구조가 있는지 없는지에 따라 구분
4 막대 **5** 퀘이사 **6** 적색 **7** 충돌

1 형태에 따른 외부 은하 분류

그림은 외부 은하를 형태에 따라 분류한 것이다.

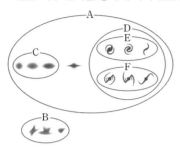

이에 대한 설명으로 옳은 것만을 〈보기〉에서 있는 대로 고른 것은?

| 보기 |
ㄱ. A와 B의 분류 기준은 모양의 규칙성 여부이다.
ㄴ. C와 D의 분류 기준은 나선팔의 유무이다.
ㄷ. E와 F의 분류 기준은 은하의 회전 방향이다.

① ㄱ　　　　② ㄷ　　　　③ ㄱ, ㄴ
④ ㄴ, ㄷ　　　⑤ ㄱ, ㄴ, ㄷ

개념으로 문제 접근하기) **은하를 구성하는 물질**

• 타원 은하는 성간 물질이 거의 없고 주로 늙은 붉은색 별로 되어 있다.
• 나선 은하는 중심부의 막대 구조의 유무에 따라 정상 나선 은하와 막대 나선 은하로 나뉜다. 은하핵과 나선팔이 있는 것이 특징이다. 나선팔에는 젊은 파란색 별들과 성간 물질이 주로 분포하고, 은하핵에는 늙은 붉은색 별들이 주로 분포한다.
• 불규칙 은하는 특정한 모양을 띠지 않는 은하이다. 타원의 형태나 나선의 형태 중 어디에도 속하지 않는 은하들은 불규칙 은하로 분류한다. 불규칙 은하는 성간 물질과 젊은 별을 모두 포함하고 있고, 새로운 별들이 활발하게 생성되고 있다.

| 보기 분석 |
B는 불규칙 은하, C는 타원 은하, D는 나선 은하, E는 정상 나선 은하, F는 막대 나선 은하이다.
ㄱ. A는 특정한 모양이 있는 은하이고, B는 특정한 모양을 띠지 않는 은하이다.
ㄴ. C는 나선팔이 없는 은하이고, D는 은하핵과 나선팔이 있는 은하이다.
ㄷ. E와 F의 분류 기준은 막대 구조의 유무이다. 나선 은하는 막대 구조가 없는 정상 나선 은하(E)와 막대 구조가 있는 막대 나선 은하(F)로 나뉜다.

답 ③

---

2 은하의 분류

그림은 여러 종류의 외부 은하를 분류한 것이다.

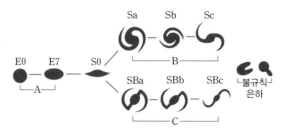

이에 대한 설명으로 옳은 것만을 〈보기〉에서 있는 대로 고른 것은?

| 보기 |
ㄱ. A에서 은하 E0보다 E7의 편평도가 작다.
ㄴ. B의 은하들에는 젊은 별들이 은하핵보다 나선팔에 많다.
ㄷ. C의 은하들은 중심부에 막대 구조가 나타난다.

① ㄱ　　　　② ㄷ　　　　③ ㄱ, ㄴ
④ ㄴ, ㄷ　　　⑤ ㄱ, ㄴ, ㄷ

개념으로 문제 접근하기) **타원 은하의 편평도**

• 타원 은하에서 구형에 가장 가깝게 보이는 은하가 E0이고, 가장 편평하게 보이는 은하가 E7이다.
• 편평도는 타원체의 편평한 정도를 나타낸 것이다. 편평도가 0이면 완벽한 구의 형태를 띠고, 편평도가 커질수록 타원체의 납작한 정도가 커진다.
• 타원 은하의 겉보기 긴반지름을 a, 겉보기 짧은 반지름을 b라고 했을 때 타원 은하의 편평도$(e) = \dfrac{a-b}{a}$이다.

| 보기 분석 |
ㄱ. A는 타원 은하이다. 타원 은하는 둥근 정도에 따라 E0에서 E7으로 구분하고 수치가 커질수록 편평도가 크다.
ㄴ. B는 정상 나선 은하이다. 나선 은하의 은하핵과 헤일로에는 늙은 별이 주로 분포하며, 나선팔에는 젊은 별과 산개 성단이 주로 분포한다. 나선 은하는 나선팔이 휘감기는 정도에 따라 a, b, c로 다시 세분화된다.
ㄷ. C는 막대 나선 은하이다. 중심부에 은하핵을 가로지르는 막대 모양 구조의 유무에 따라 B(정상 나선 은하)와 구분된다.

답 ④

1 허블의 은하 분류

대표 기출

01

그림은 허블이 외부 은하를 분류한 방법을 나타낸 것이다.

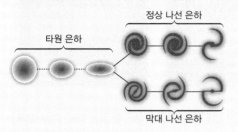

이에 대한 설명으로 옳은 것만을 〈보기〉에서 있는 대로 고른 것은?

┤보기├

ㄱ. 외부 은하를 진화 과정에 따라 분류한 것이다.

ㄴ. 타원 은하는 성간 물질이 적고, 주로 나이가 많은 별들로 이루어져 있다.

ㄷ. 정상 나선 은하와 막대 나선 은하의 나선팔에는 성간 물질이 많아 별의 탄생이 활발하다.

① ㄱ ② ㄴ ③ ㄱ, ㄷ

④ ㄴ, ㄷ ⑤ ㄱ, ㄴ, ㄷ

기출 포인트 외부 은하를 형태에 따라 분류할 수 있는지를 묻는 문제가 자주 출제된다.

02

그림은 은하를 형태에 따라 분류하는 과정을 나타낸 것이다.

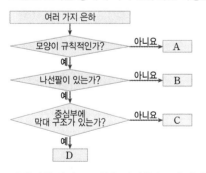

이에 대한 설명으로 옳은 것만을 〈보기〉에서 있는 대로 고른 것은?

┤보기├

ㄱ. A는 불규칙 은하이다.

ㄴ. 우리 은하는 B에 해당한다.

ㄷ. D는 편평도에 따라 세분된다.

① ㄱ ② ㄴ ③ ㄷ ④ ㄱ, ㄴ ⑤ ㄴ, ㄷ

03

그림은 외부 은하를 형태에 따라 A~C로 분류한 것이다.

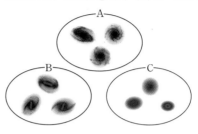

이에 대한 설명으로 옳은 것만을 〈보기〉에서 있는 대로 고른 것은?

┤보기├

ㄱ. A와 C는 막대 구조가 있다.

ㄴ. B는 C보다 성간 물질이 많다.

ㄷ. 우리 은하는 C로 분류된다.

① ㄱ ② ㄴ ③ ㄱ, ㄴ ④ ㄱ, ㄷ ⑤ ㄴ, ㄷ

04

그림 (가)~(라)는 여러 가지 외부 은하를 나타낸 것이다.

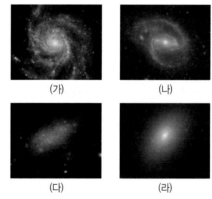

(가) (나)

(다) (라)

이에 대한 옳은 설명을 얘기한 학생만을 있는 대로 고른 것은?

(가)와 (나)에는 나선팔이 있어.

(다)는 모양이 일정하지 않은 타원 은하에 속해. — 철수

영희

(가)~(라) 중 성간 물질은 (라)에 가장 많이 분포할 거야. — 민수

① 영희 ② 철수 ③ 민수

④ 영희, 철수 ⑤ 철수, 민수

05 서술형

허블은 외부 은하를 타원 은하, 나선 은하, 불규칙 은하로 분류하였다. 이때 분류 기준을 서술하시오.

06

그림 (가), (나)는 나선 은하와 타원 은하의 가시광선 영상을 순서 없이 나타낸 것이다.

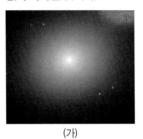 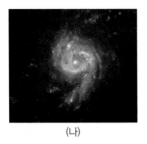

(가) (나)

이에 대한 설명으로 옳은 것만을 〈보기〉에서 있는 대로 고른 것은?

┤ 보기 ├

ㄱ. (가)는 타원 은하, (나)는 나선 은하이다.
ㄴ. 파란색 별은 (가)보다 (나)에 많다.
ㄷ. 성간 물질은 (가)보다 (나)에 많이 분포한다.

① ㄱ   ② ㄴ   ③ ㄱ, ㄷ
④ ㄴ, ㄷ   ⑤ ㄱ, ㄴ, ㄷ

07

다음은 어떤 은하의 특징을 설명한 것이다.

> 은하를 구성하는 별들의 나이가 많고, 성간 물질을 거의 가지고 있지 않아 새로운 별의 탄생이 활발하지 않다.

이러한 특징이 나타나는 은하의 모습으로 옳은 것은?

①   ②   ③

④   ⑤

08

나선 은하에 대한 설명으로 옳은 것은?

① 나선팔에는 성간 물질이 거의 없다.
② 편평도에 따라 E0에서 E7까지 나눈다.
③ 새로운 별이 거의 탄생하지 않는다.
④ 은하들의 크기는 대부분 비슷하다.
⑤ 납작한 원반 형태로 은하핵과 나선팔이 있다.

09

그림 (가), (나)는 막대 나선 은하와 타원 은하를 순서 없이 나타낸 것이다.

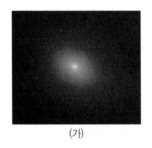 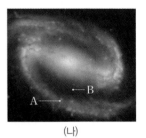

(가) (나)

이에 대한 옳은 설명을 얘기한 학생만을 있는 대로 고른 것은?

(가)는 형태를 보니 타원 은하에 속해.

우리 은하는 (나)와 같은 모습과 비슷해.

별과 성간 물질은 B 영역보다 A 영역에 많이 모여 있어.

철수   영희   민수

① 영희   ② 민수   ③ 영희, 철수
④ 철수, 민수   ⑤ 영희, 철수, 민수

2 특이 은하와 충돌 은하   대표 기출

10

그림은 자외선 영상으로 관측한 세이퍼트은하를 나타낸 것이다. 이에 대한 설명으로 옳은 것만을 〈보기〉에서 있는 대로 고른 것은?

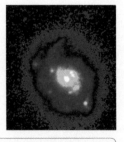

┤ 보기 ├

ㄱ. 중심핵이 매우 밝다.
ㄴ. 중심핵에서 강한 방출선을 내보낸다.
ㄷ. 은하 중심부에 블랙홀이 있을 것으로 추정된다.

① ㄱ   ② ㄴ   ③ ㄱ, ㄷ
④ ㄴ, ㄷ   ⑤ ㄱ, ㄴ, ㄷ

기출 포인트 세이퍼트은하의 특징을 설명할 수 있는지를 묻는 문제가 자주 출제된다.

11

특이 은하에 대한 설명으로 옳지 <u>않은</u> 것은?

① 전파 은하는 보통의 은하보다 수백 배 이상 강한 전파를 방출한다.

② 퀘이사는 제트로 연결된 로브가 핵의 양쪽에 대칭적으로 나타난다.

③ 퀘이사의 스펙트럼은 적색 편이가 매우 크다.

④ 세이퍼트은하는 스펙트럼에 폭이 넓은 방출선을 보인다.

⑤ 세이퍼트은하의 중심부에는 거대한 블랙홀이 있을 것으로 추정된다.

12 고난도

그림은 퀘이사 3C 273의 가시광선 사진과 스펙트럼의 이동을 나타낸 것이다.

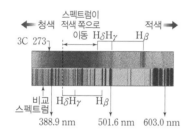

이에 대한 설명으로 옳은 것만을 〈보기〉에서 있는 대로 고른 것은?

| 보기 |

ㄱ. 퀘이사는 하나의 별이다.

ㄴ. 청색 편이 값이 크게 관측된다.

ㄷ. 중심부에서 방출하는 에너지가 우리 은하보다 훨씬 많다.

① ㄱ ② ㄷ ③ ㄱ, ㄴ
④ ㄴ, ㄷ ⑤ ㄱ, ㄴ, ㄷ

13

특이 은하와 충돌 은하에 대한 설명으로 옳지 <u>않은</u> 것은?

① 전파 은하에서 관측되는 제트는 회전하는 원반에서 수평으로 뿜어져 나오는 물질 흐름이다.

② 퀘이사의 스펙트럼은 매우 큰 적색 편이가 나타난다.

③ 세이퍼트은하는 다른 은하에 비해 중심핵이 상대적으로 매우 밝다.

④ 세이퍼트은하는 대부분 나선 은하의 형태로 관측된다.

⑤ 은하가 충돌할 때 성간 물질의 충돌에 의해 새로운 별이 생성될 수 있다.

14

그림은 어떤 세이퍼트은하의 스펙트럼을 나타낸 것이다.

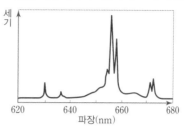

이에 대한 설명으로 옳은 것만을 〈보기〉에서 있는 대로 고른 것은?

| 보기 |

ㄱ. 넓은 방출선이 관측된다.

ㄴ. 선 스펙트럼의 폭이 좁다.

ㄷ. 다른 은하들보다 중심핵 부근의 활동이 거의 일어나지 않을 것이다.

① ㄱ ② ㄷ ③ ㄱ, ㄴ
④ ㄴ, ㄷ ⑤ ㄱ, ㄴ, ㄷ

15

그림은 전파 은하 M87을 관측한 것이다.

이에 대한 설명으로 옳은 것만을 〈보기〉에서 있는 대로 고른 것은?

| 보기 |

ㄱ. 이 은하에는 강한 자기장이 존재한다.

ㄴ. 중심핵에서는 제트가 분출되고 있다.

ㄷ. 충돌 은하에 속한다.

① ㄱ ② ㄷ ③ ㄱ, ㄴ
④ ㄴ, ㄷ ⑤ ㄱ, ㄴ, ㄷ

16 서술형

그림은 충돌하는 나선 은하를 나타낸 것이다. 은하의 충돌 과정에서 새로운 별이 많이 탄생하는 까닭을 서술하시오.

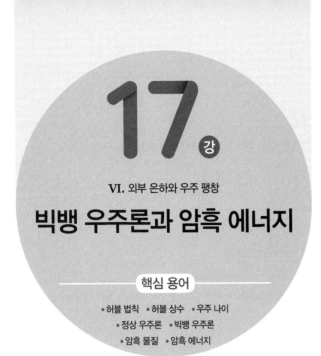

17강

VI. 외부 은하와 우주 팽창

빅뱅 우주론과 암흑 에너지

핵심 용어

- 허블 법칙 • 허블 상수 • 우주 나이
- 정상 우주론 • 빅뱅 우주론
- 암흑 물질 • 암흑 에너지

1 허블 법칙과 우주 팽창

1. 외부 은하 관측

① 적색 편이 외부 은하의 스펙트럼을 조사하면 흡수선의 위치가 원래의 위치보다 파장이 긴 적색 쪽으로 이동해 있다. 개념 브릿지 유형 1

→ 도플러 효과에 의해 외부 은하들이 우리 은하로부터 멀어져 가면서 나타나는 현상이다.

② 흡수선 파장의 변화량을 측정하면 후퇴 속도(V_R)를 알 수 있다.

$$V_R = c \times \frac{\Delta\lambda}{\lambda_0} = cz$$

$$(c: \text{빛의 속도}, \ z = \frac{\lambda - \lambda_0}{\lambda_0} = \frac{\Delta\lambda}{\lambda_0} \Rightarrow \text{적색 편이})$$

자료 클리닉 ➕ 외부 은하의 적색 편이

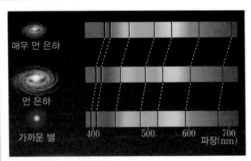

- 외부 은하의 스펙트럼에서 적색 편이가 관측된다.
- → 외부 은하는 우리 은하로부터 멀어지고 있다.
- 멀리 있는 은하일수록 적색 편이 정도(적색 편이량)가 크다.
- → 거리가 먼 은하일수록 후퇴 속도가 빠르다.
- → 거리가 가까운 은하일수록 후퇴 속도가 느리다.

2. 허블 법칙과 우주 팽창 개념 브릿지 유형 2

① 허블 법칙 은하의 후퇴 속도(V_R)는 외부 은하의 거리(r)에 비례한다. → 허블 상수(H)는 71 ± 4 km/s/Mpc이다.

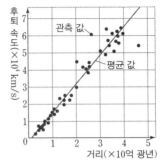

$$V_R = H \times r$$
$$(H: \text{허블 상수})$$

- 멀리 있는 은하일수록 더 빨리 멀어진다.
- 멀리 있는 은하일수록 적색 편이량이 더 크게 나타난다.

② 우주 팽창 우주 공간이 팽창하여 은하 사이의 거리가 멀어지고 있다. 개념 브릿지 유형 3

- 외부 공간 자체가 팽창하므로 우주 팽창의 중심은 없다.
- 외부 은하는 서로 멀어지고 있다.
- 우리 은하가 우주의 중심이 아니며 팽창하는 우주에 특별한 중심은 없다.
- 어떤 은하에서 관측해도 다른 은하가 자신이 속한 은하로부터 멀어지는 것처럼 관측된다.

③ 우주 크기 우리 은하로부터 멀리 있는 은하일수록 후퇴 속도가 빠르다.

- 관측 가능한 은하 중심에서 가장 멀리 있는 은하는 빛의 속도 c로 멀어질 것이다.
- 관측 가능한 우주 크기를 R이라고 하면,

$$V_R = Hr, \ c = HR \qquad \therefore R = \frac{c}{H} \text{이다.}$$

탐구 클리닉 ➕ 풍선 모형 실험

과정

고무풍선에 일정한 간격으로 동전을 붙이고 고무풍선을 불어서 팽창시킨다.

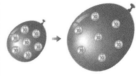

결과

❶ 고무풍선이 부풀어 오를 때 동전 사이의 간격은 멀어진다.
- → 은하가 팽창하면 은하 사이의 거리는 멀어진다.

❷ 멀리 있는 동전일수록 동전 사이의 간격이 더 많이 멀어진다.
- → 우주가 팽창하면 모든 은하들이 멀어지고, 멀리 있는 은하일수록 더 빨리 멀어진다.

❸ 고무풍선의 표면에서 팽창의 중심은 없다.
- → 어떤 은하에서 관측하더라도 허블 법칙이 성립한다.

2 대폭발 우주론(빅뱅 우주론)과 급팽창 우주론

1. 대폭발 우주론(빅뱅 우주론)

① **빅뱅** 우주는 초고온, 초고밀도 상태에서 폭발과 함께 팽창하였다. 폭발 순간을 빅뱅이라고 하며, 이 순간부터 시간과 공간이 존재하기 시작하였다.

② **원자 형성** 빅뱅 이후 팽창으로 우주 온도가 낮아지면서 기본 입자들이 나타나 수소 원자핵을 형성하였고, 핵융합으로 헬륨핵이 형성되었다. 그 후 원자핵은 전자와 결합하여 중성 원자를 형성하였다.

2. 정상 우주론과 대폭발 우주론(빅뱅 우주론)

구분	정상 우주론	대폭발 우주론 (빅뱅 우주론)
물질 생성	우주가 팽창하며 그 사이의 공간에 새로운 물질이 생성되었다.	빅뱅 초기 기본 입자의 생성 후 질량을 가지는 물질의 생성이 멈추었다.
우주 팽창		
우주 크기와 밀도	크기는 점점 커지고, 밀도는 일정하다.	크기는 점점 커지고, 밀도는 점점 줄어든다.

3. 대폭발 우주론(빅뱅 우주론)의 증거　개념 브릿지 유형 4

우주 배경 복사	• 빅뱅 이후 우주 나이가 약 38만 년일 때 우주가 투명해지면서 우주 전체에 퍼진 복사 흔적이다. • 당시 우주 온도는 약 3000 K으로, 이때 우주를 채우고 있던 복사가 우주 팽창으로 파장이 길어져 현재 2.7 K 복사로 관측된다. • 펜지어스와 윌슨은 최초로 우주 배경 복사를 발견하였다.
수소와 헬륨의 질량비	• 가벼운 원소의 비율: 우주를 구성하는 물질 대부분은 수소와 헬륨이며, 질량비는 약 3 : 1이다. • 현재 우주에 존재하는 대부분의 헬륨은 빅뱅 직후 최초 3분 동안 형성된 것으로 추정되고 있다.

자료 클리닉 ➕ 초기 우주에서 원소의 핵합성

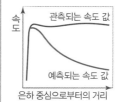

- 빅뱅 후 약 0.1초(온도 10^{10} K)에 기본 입자들이 양성자와 중성자를 형성하였다.
- → 양성자 수는 중성자 수보다 약간 많았다.
- 빅뱅 직후 1초가 지나면서 양성자와 중성자의 개수 비는 7 : 1이 되었다.
- 3분이 되었을 때 수소와 헬륨 원자핵의 질량비는 약 3 : 1이 되었다.

4. 급팽창 우주론

① **급팽창 우주론(인플레이션 이론)** 빅뱅 직후 극히 짧은 시간 동안 우주가 급격히 팽창했다는 이론이다.

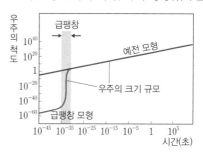

② 대폭발 우주론이 해결하지 못한 몇 가지 문제들을 해결해 주었다.

편평성 문제	• 관측 결과에 따르면 우주 공간은 편평하다. → 빅뱅 순간 우주가 편평하지 않더라도 급팽창으로 현재 관측 가능한 우주는 편평해질 수 있다.
지평선 문제	• 우주 지평선의 정반대 방향에서 오는 우주 배경 복사가 균질하다. → 우주 탄생 초기 급팽창이 일어나기 전에는 크기가 작아 정보를 충분히 교환할 수 있었다.

3 우주의 구성 성분과 우주의 미래

1. 보통 물질 우리 주변에서 비교적 쉽게 관찰할 수 있는 대상을 구성하는 물질

2. 암흑 물질 우주에서 관측되지 않는 미지의 물질

① 별과 은하를 관측하면 예상보다 큰 중력이 우주에 영향을 미치고 있다.

② 우주에는 관측되는 물질의 양보다 관측되지 않는 물질의 양이 훨씬 많다.

③ 암흑 물질은 표준 모형으로는 잘 설명되지 않는다.

자료 클리닉 ➕ 암흑 물질의 존재 확인

▲ 나선 은하의 회전 속도 곡선　▲ 중력 렌즈 현상

- 별을 비롯한 대부분의 물질이 은하 중심에 집중되어 있고, 은하 중심부에서 멀어질수록 회전 속도가 느려질 것이라고 생각하였다.
- → 실제 관측 결과 은하 중심에서 멀어져도 회전 속도가 거의 일정하다.
- → 은하 외곽에도 많은 양의 물질이 분포한다.
- 중력 렌즈 현상으로 하나의 퀘이사가 여러 개의 영상으로 나타난다.
- → 암흑 물질이 분포하는 곳에서는 중력 효과로 빛의 경로가 왜곡되어 관측된다.

3. 암흑 에너지와 우주의 가속 팽창

① 암흑 에너지   우주의 팽창을 가속시키는 우주 성분

• Ia형 초신성 관측 결과 우주는 현재 가속 팽창하고 있다.

→ 물질에 의한 중력과 반대 방향(척력)으로 작용하는 요소가 있어야 한다.

→ 중력과 반대로 작용하면서 우주 팽창을 가속시키는 암흑 에너지의 존재가 밝혀졌다.

② Ia형 초신성 관측 결과   Ia형 초신성은 거의 일정한 질량에서 폭발하기 때문에 밝기가 일정하여 겉보기 밝기를 구하면 거리를 쉽게 알 수 있다.

• 초신성까지의 거리는 우주 팽창 속도가 일정하다고 가정한 경우보다 더 멀다.

• 현재 우주 팽창 속도가 가속화되고 있다.

③ 우주의 가속 팽창

• 암흑 에너지가 없다면 우주의 물질 때문에 우주는 수축해야 하지만 우주는 계속 가속 팽창하고 있다.

• 우주에는 물질의 중력을 합친 것보다 더 큰 암흑 에너지가 존재할 것이다.

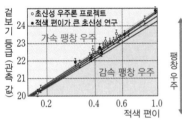

▲ Ia형 초신성 관측

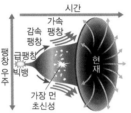

▲ 우주의 가속 팽창

4. 우주의 미래

① 우주의 미래   우주가 앞으로 팽창할지 수축할지는 우주의 밀도(물질과 에너지의 양)에 따라 결정될 것이다.

② 열린 우주, 평탄 우주, 닫힌 우주

열린 우주	• 우주의 밀도 < 임계 밀도 • 우주의 곡률 < 0 • 우주는 계속해서 팽창한다.	
평탄 우주	• 우주의 밀도 = 임계 밀도 • 우주의 곡률 = 0 • 우주는 팽창 속도가 계속 감소하지만 팽창이 완전히 멈추지는 않는다.	
닫힌 우주	• 우주의 밀도 > 임계 밀도 • 우주의 곡률 > 0 • 우주는 팽창 속도가 점점 감소하다가 결국 수축한다.	

③ 최근 우주   평탄 우주이지만 팽창 속도가 점점 빨라지고 있다.

1 외부 은하의 스펙트럼을 조사하면 흡수선의 위치가 원래의 위치보다 파장이 긴 적색 쪽으로 치우친 현상을 □□□□라고 한다.

2 다음 설명 중 옳은 것은 ○, 옳지 않은 것은 ×를 하시오.

(1) 허블 법칙에 따르면 멀리 있는 은하일수록 더 천천히 멀어진다.   (   )

(2) 멀리 있는 은하일수록 적색 편이량이 더 크게 나타난다.   (   )

(3) 은하의 후퇴 속도는 외부 은하까지의 거리에 비례한다.   (   )

3 표는 정상 우주론과 대폭발 우주론(빅뱅 우주론)의 특징을 비교한 것이다. 빈칸에 알맞은 말을 쓰시오.

구분	정상 우주론	대폭발 우주론 (빅뱅 우주론)
우주 팽창	● ● ●	● ● ●
우주 크기와 밀도	크기는 점점 ⑤ □지고, 밀도는 ⑥ □하다.	크기는 점점 ⑥ □지고, 밀도는 점점 ② □어든다.

4 빅뱅 이후 우주 나이가 약 38만 년일 때 우주가 투명해지면서 우주 전체에 퍼진 복사 흔적을 □□□□□□라고 한다.

5 우주를 구성하는 물질 대부분은 수소와 헬륨이며, 질량비는 약 □ : □ 이다.

6 그림은 현재 우주를 구성하는 물질의 성분비를 나타낸 것이다. ⑤~ⓒ에 들어갈 구성 성분을 각각 쓰시오.

⑤ 68 %
ⓛ 27 %
ⓒ 5 %

7 우주의 팽창을 가속시키는 우주 성분을 □□□□□라고 한다.

개념과 문제의
연결고리 찾기!!!

1 외부 은하의 적색 편이

표는 외부 은하의 거리에 따른 적색 편이를 나타낸 것이다.

은하	사진	거리(Mpc)	스펙트럼
A		17	
B		210	
C		560	

이에 대한 설명으로 옳은 것만을 〈보기〉에서 있는 대로 고른 것은?

| 보기 |
ㄱ. 적색 편이가 가장 큰 은하는 A이다.
ㄴ. 후퇴 속도가 가장 빠른 은하는 C이다.
ㄷ. 거리와 적색 편이 관계로 우주 팽창을 설명할 수 있다.

① ㄱ   ② ㄴ   ③ ㄱ, ㄷ

④ ㄴ, ㄷ   ⑤ ㄱ, ㄴ, ㄷ

2 외부 은하의 후퇴 속도

그림의 A, B는 서로 다른 시기에 관측한 외부 은하들의 자료를 상대적인 값으로 나타낸 것이다.

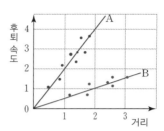

이에 대한 설명으로 옳은 것만을 〈보기〉에서 있는 대로 고른 것은?

| 보기 |
ㄱ. 우주의 나이는 A가 B보다 적다.
ㄴ. 허블 상수 값은 A가 B의 2배이다.
ㄷ. 같은 거리에 있는 은하의 적색 편이는 A가 B보다 작다.

① ㄱ   ② ㄷ   ③ ㄱ, ㄴ

④ ㄴ, ㄷ   ⑤ ㄱ, ㄴ, ㄷ

개념으로 문제 접근하기 | 적색 편이

- 외부 은하의 스펙트럼을 조사했을 때 흡수선의 위치가 원래의 위치보다 파장이 긴 적색(붉은색) 쪽으로 이동하는 적색 편이가 나타나면 관측자(우리 은하)에게서 멀어진 것이다.
- 화살표의 길이가 적색 편이량을 나타내므로, 화살표의 길이가 길수록 적색 편이가 크게 나타난다.

| 보기 분석 |
ㄱ. A~C 중 적색 편이가 가장 큰 은하는 후퇴 속도가 가장 빠른 은하 C이다.
ㄴ. 외부 은하의 스펙트럼을 관측하여 후퇴 속도를 알 수 있다. 표에서 적색 편이가 가장 크게 나타나는 은하 C에서 후퇴 속도가 가장 빠르다.
ㄷ. 외부 은하까지의 거리가 멀수록 적색 편이가 크게 나타난다. 이로부터 우주가 팽창하고 있음을 알 수 있다.

답 ④

개념으로 문제 접근하기 | 허블 상수

- 허블 상수는 외부 은하의 후퇴 속도와 거리 사이의 관계를 나타내는 비례 상수이다.
- 허블 상수는 약 71 ± 4 km/s/Mpc이다.

| 보기 분석 |
은하의 후퇴 속도(v)는 그 은하까지의 거리(r)에 비례한다. 즉 $v = H \cdot r$ (H: 허블 상수)이고, $\dfrac{r}{v} = \dfrac{1}{H}$이다. 이때 우주의 나이는 허블 상수의 역수$\left(\dfrac{1}{H}\right)$에 해당한다.

ㄱ. 우주의 나이는 은하가 v의 속도로 r까지 가는 데 걸린 시간으로, $\dfrac{1}{H}$이다. 허블 상수 값은 A가 B의 4배이므로 우주의 나이는 A가 B보다 $\dfrac{1}{4}$배로 적다.

ㄴ. $H = \dfrac{v}{r}$이므로 허블 상수는 그림에서 그래프의 기울기에 해당한다. A의 기울기는 2, B의 기울기는 $\dfrac{1}{2}$이므로 허블 상수 값은 A가 B의 4배이다.

ㄷ. B보다 A에서 그래프의 기울기가 더 급하므로 후퇴 속도가 더 크게 측정되었다. 적색 편이는 A가 B보다 더 크다.

답 ①

3 우주 팽창 실험

다음은 팽창하는 우주의 특성을 알아보기 위한 대폭발 우주 모형 실험을 나타낸 것이다.

[실험 과정]

(가) 풍선에 임의의 세 점을 선택하여 A, B, C로 표시한다.

(나) 실을 이용하여 세 점 사이의 거리를 측정한다.

(다) 풍선을 불어 팽창시킨 후, (나)를 반복한다.

[실험 결과]

구분	두 점 사이의 거리(cm)		
	AB	AC	BC
팽창 전	2	3	4
팽창 후	6	9	12

[결과 해석]

점 A, B, C 중 어느 곳을 기준점으로 정하든지 항상 허블 법칙이 성립한다.

이에 대한 설명으로 옳은 것만을 〈보기〉에서 있는 대로 고른 것은?

┤보기├

ㄱ. 풍선이 팽창하는 동안 A로부터 멀어지는 속도는 C가 B보다 크다.

ㄴ. 풍선 표면의 점의 총 개수는 팽창 전과 후가 같다.

ㄷ. 이 실험을 통해 팽창하는 우주의 중심이 없음을 설명할 수 있다.

① ㄱ ② ㄴ ③ ㄱ, ㄷ
④ ㄴ, ㄷ ⑤ ㄱ, ㄴ, ㄷ

개념으로 문제 접근하기 〉 우주 팽창 실험과 허블 법칙

• 허블 법칙에 의하면 은하의 후퇴 속도는 그 은하까지의 거리에 비례한다.

• 멀리 있는 은하일수록 더 빠른 속도로 멀어지고, 우주는 계속 팽창한다.

| 보기 분석 |

ㄱ. 팽창 후 AB 사이의 거리는 6 cm, AC 사이의 거리는 9 cm이다.

ㄴ. 우주가 팽창하더라도 은하의 개수는 일정하게 유지되고, 은하가 팽창할 때 은하 사이의 거리는 멀어진다.

ㄷ. A, B, C 중 어느 점을 기준으로 하더라도 각 점을 기준으로 다른 점들이 모두 멀어져 간다.

답 ⑤

4 우주 배경 복사

그림 (가)는 COBE 위성이 측정한 우주 배경 복사와 흑체 복사 곡선을 나타낸 것이고, (나)는 우주 배경 복사 분포도를 나타낸 것이다.

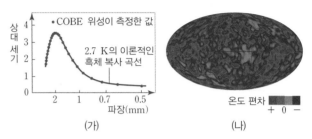

(가)   (나)

이에 대한 설명으로 옳은 것만을 〈보기〉에서 있는 대로 고른 것은?

┤보기├

ㄱ. 우주 배경 복사의 평균 온도는 약 2.7 K이다.

ㄴ. 우주 배경 복사는 빅뱅 우주론을 뒷받침하는 증거이다.

ㄷ. (나)를 통해 우주의 물질이 불균일하게 분포함을 알 수 있다.

① ㄱ ② ㄴ ③ ㄱ, ㄷ
④ ㄴ, ㄷ ⑤ ㄱ, ㄴ, ㄷ

개념으로 문제 접근하기 〉 우주 배경 복사

• 우주 배경 복사는 빅뱅(우주 생성 초기)이 일어나고 약 38만 년 후, 우주의 온도가 약 3000 K일 때 물질에서 빠져 나온 빛이다.

• 우주 배경 복사는 우주가 팽창함에 따라 온도가 낮아졌는데, 약 2.7 K의 온도를 나타내는 파장으로 관측된다.

• 우주 폭발 이후 우주 배경 복사는 온도가 낮아지면서 파장이 길어졌다.

| 보기 분석 |

ㄱ. 그림 (가)에서 COBE 위성이 측정한 값(점으로 표시)은 2.7 K의 이론적인 흑체 복사 곡선에 있다. 우주 배경 복사의 평균 온도는 약 2.7 K임을 알 수 있다.

ㄴ. 빅뱅 우주론(대폭발 우주론)에서 예측했던 우주 배경 복사가 실제로 우주 공간 내의 어느 방향에서나 2.7 K으로 관측된다. 우주 배경 복사는 빅뱅 우주론의 확실한 증거가 된다.

ㄷ. (나)에서 나타나는 온도 편차는 우주의 물질이 불균일하게 분포함을 의미한다. 이것으로 별과 은하의 생성, 은하단 등의 생성을 설명할 수 있다.

답 ⑤

1 허블 법칙과 우주 팽창　대표 기출

01

그림은 은하 A와 B의 스펙트럼을 기준 스펙트럼과 함께 나타낸 것이다.

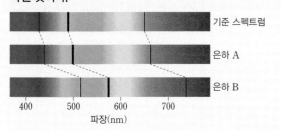

이에 대한 설명으로 옳은 것만을 〈보기〉에서 있는 대로 고른 것은?

| 보기 |

ㄱ. 은하 A의 스펙트럼에는 적색 편이가 나타난다.

ㄴ. 후퇴 속도는 은하 A가 B보다 크다.

ㄷ. 우리 은하로부터의 거리는 은하 A가 B보다 멀다.

① ㄱ　　② ㄴ　　③ ㄱ, ㄷ
④ ㄴ, ㄷ　　⑤ ㄱ, ㄴ, ㄷ

기출 포인트 외부 은하의 적색 편이를 이용하여 허블 법칙을 이해할 수 있는지를 묻는 문제가 자주 출제된다.

02

그림 (가)는 지구의 공전 궤도를 나타낸 것이고, (나)는 이에 따른 일부 구간에서의 별빛 흡수 스펙트럼 파장 변화를 나타낸 것이다.

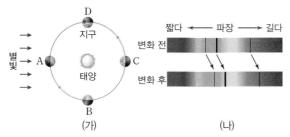

이에 대한 설명으로 옳은 것만을 〈보기〉에서 있는 대로 고른 것은?

| 보기 |

ㄱ. A와 C에서 관측되는 별빛 흡수 스펙트럼의 파장은 같다.

ㄴ. (나)의 흡수 스펙트럼 파장 변화는 청색 편이이다.

ㄷ. C→D에서는 (나)와 같은 파장 변화가 나타난다.

① ㄱ　　② ㄴ　　③ ㄱ, ㄷ
④ ㄴ, ㄷ　　⑤ ㄱ, ㄴ, ㄷ

03

그림 (가)는 우리 은하에서 관측한 외부 은하 A, B, C의 후퇴 속도를 나타낸 것이고, (나)는 이들 은하의 흡수 스펙트럼을 순서 없이 나타낸 것이다.

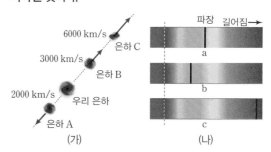

이에 대한 설명으로 옳은 것만을 〈보기〉에서 있는 대로 고른 것은? (단, (나)의 흡수선은 동일한 원소에 의한 것이며, 점선은 정지 상태일 때 이 원소의 흡수선 위치이다.)

| 보기 |

ㄱ. 우리 은하로부터의 거리가 멀수록 후퇴 속도가 빠르다.

ㄴ. 은하 C의 흡수 스펙트럼은 (나)에서 c이다.

ㄷ. 우주는 우리 은하를 중심으로 팽창하고 있다.

① ㄱ　　② ㄴ　　③ ㄷ
④ ㄱ, ㄴ　　⑤ ㄴ, ㄷ

04 고난도

표는 외부 은하의 거리에 따른 적색 편이를 나타낸 것이다.

은하	사진	거리(Mpc)	스펙트럼
A		17	
B		210	
C		560	

이에 대한 옳은 설명을 얘기한 학생만을 있는 대로 고른 것은? (단, 화살표는 흡수선의 편이량 크기이다.)

① 영희　　② 민수　　③ 영희, 철수
④ 철수, 민수　　⑤ 영희, 철수, 민수

05 서술형

외부 은하의 거리가 멀어질수록 후퇴 속도는 어떻게 변하는지 서술하시오.

_____

_____

06 고난도

그림에서 A와 B는 서로 다른 방법으로 관측한 외부 은하까지의 거리와 후퇴 속도를 나타낸 것이다.

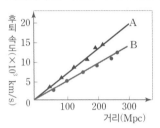

A와 B를 근거로 계산한 물리량을 비교한 것으로 옳은 것만을 〈보기〉에서 있는 대로 고른 것은?

┤ 보기 ├
ㄱ. 허블 상수: A > B
ㄴ. 우주의 나이: A > B
ㄷ. 우주의 팽창 속도: A < B

① ㄱ   ② ㄷ   ③ ㄱ, ㄴ
④ ㄴ, ㄷ   ⑤ ㄱ, ㄴ, ㄷ

07

그림은 은하의 후퇴 속도와 거리의 관계를 나타낸 것이다.

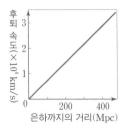

이에 대한 설명으로 옳지 않은 것은?

① 팽창하는 우주에서 특별한 중심은 없다.
② 그래프의 기울기는 허블 상수를 의미한다.
③ 기울기가 클수록 우주의 팽창 속도가 빠르다.
④ 멀리 있는 은하일수록 적색 편이 값이 작게 나타난다.
⑤ 멀리 있는 은하일수록 더 빠른 속도로 멀어진다.

08

그림은 은하 B에서 은하 A와 C를 관측하였을 때 후퇴 속도를 나타낸 것이다.

이에 대한 설명으로 옳은 것만을 〈보기〉에서 있는 대로 고른 것은?

┤ 보기 ├
ㄱ. B는 우주의 중심이다.
ㄴ. A와 C는 모두 적색 편이가 나타난다.
ㄷ. C에서 관측하면 A의 후퇴 속도는 4000 km/s이다.

① ㄱ   ② ㄷ   ③ ㄱ, ㄴ
④ ㄴ, ㄷ   ⑤ ㄱ, ㄴ, ㄷ

09

그림 (가)와 (나)는 관측자의 위치에 따른 외부 은하들의 후퇴 속도를 나타낸 것이다.

(가) 은하 A에서 관측할 때

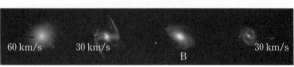

(나) 은하 B에서 관측할 때

이에 대한 설명으로 옳은 것만을 〈보기〉에서 있는 대로 고른 것은?

┤ 보기 ├
ㄱ. (가)와 (나)의 외부 은하들은 모두 관측자로부터 멀어져 간다.
ㄴ. 관측자로부터 멀리 떨어진 은하일수록 후퇴 속도가 빠르다.
ㄷ. 우주는 특정한 은하를 중심으로 팽창한다.

① ㄱ   ② ㄴ   ③ ㄷ
④ ㄱ, ㄴ   ⑤ ㄴ, ㄷ

2 대폭발 우주론(빅뱅 우주론)과 급팽창 우주론 　대표 기출

10

그림은 어떤 우주론의 팽창 과정을 모식적으로 나타낸 것이다.

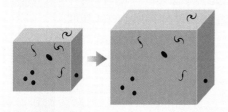

이에 대한 설명으로 옳은 것만을 〈보기〉에서 있는 대로 고른 것은?

┤ 보기 ├
ㄱ. 팽창하는 우주에서 우리 은하는 중심에 있다.
ㄴ. 우주의 크기는 커지고, 우주의 밀도는 작아진다.
ㄷ. 은하 사이의 거리는 일정한 속도로 멀어진다.

① ㄱ　　　② ㄴ　　　③ ㄱ, ㄷ
④ ㄴ, ㄷ　　　⑤ ㄱ, ㄴ, ㄷ

> **기출 포인트** 대폭발 우주론(빅뱅 우주론)이 일어날 때 발생하는 현상을 설명할 수 있는지를 묻는 문제가 자주 출제된다.

11

표는 우리 은하로부터 먼 거리에 있는 은하까지의 거리와 적색 편이량을 나타낸 것이고, 그림은 우주 팽창과 관련한 풍선 모형을 나타낸 것이다.

은하	거리 (Mpc)	적색 편이량 ($\times 10^{-4}$)
A	10.1	17
B	12.9	22
C	22.1	37
D	30.1	57

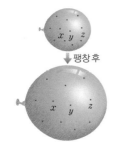

이에 대한 옳은 설명을 얘기한 학생만을 있는 대로 고른 것은? (단, x, y, z는 풍선 표면에 위치한 세 점이다.)

멀리 있는 은하일수록 적색 편이량이 크게 나타나지. —철수
은하 A~D는 우리 은하로부터 멀어지고 있어. —영희
풍선이 팽창할 때 x로부터 멀어지는 속력은 y가 z보다 더 크게 나타나. —민수

① 영희　　　② 민수　　　③ 영희, 철수
④ 철수, 민수　　　⑤ 영희, 철수, 민수

12

그림 (가)는 팽창 우주론을 모형으로 나타낸 것이고, (나)는 코비 위성에서 관측한 2.7 K의 우주 배경 복사 에너지 세기를 나타낸 것이다.

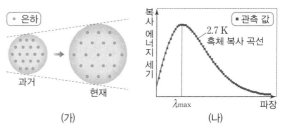

이에 대한 설명으로 옳은 것만을 〈보기〉에서 있는 대로 고른 것은?

┤ 보기 ├
ㄱ. (가)에서 우주의 크기는 커지고 밀도는 증가한다.
ㄴ. (가)에서 우주는 저온 저밀도 상태에서 폭발과 함께 팽창하였다.
ㄷ. (나)의 복사는 하늘의 모든 방향에서 관측된다.

① ㄱ　　② ㄴ　　③ ㄷ　　④ ㄱ, ㄴ　　⑤ ㄴ, ㄷ

13

그림은 우주 배경 복사의 파장에 따른 복사 강도를 나타낸 것이다.

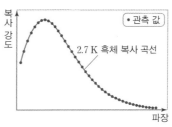

이에 대한 설명으로 옳은 것만을 〈보기〉에서 있는 대로 고른 것은?

┤ 보기 ├
ㄱ. 빅뱅 이후 우주 나이 약 38만 년일 때 우주에 퍼진 복사의 흔적이다.
ㄴ. 우주 배경 복사가 방출되었던 시기에 우주의 온도는 약 2.7 K이었다.
ㄷ. 우주 배경 복사는 정상 우주론의 증거가 된다.

① ㄱ　　② ㄴ　　③ ㄷ　　④ ㄱ, ㄴ　　⑤ ㄴ, ㄷ

14 서술형

우리 은하는 우주의 중심이 아니고 팽창하는 우주에는 특별한 중심이 없다. 그 까닭을 서술하시오.

_____

15

그림 (가), (나)는 우주 배경 복사를 관측한 것이다.

(가) 지상 망원경   (나) WMAP 위성

이에 대한 설명으로 옳은 것만을 〈보기〉에서 있는 대로 고른 것은?

┤ 보기 ├
ㄱ. 현재 2.7 K의 복사로 관측된다.
ㄴ. 우주 배경 복사는 빅뱅 우주론의 증거가 된다.
ㄷ. (가)는 (나)보다 더 정밀하게 관측된 것이다.

① ㄱ   ② ㄷ   ③ ㄱ, ㄴ
④ ㄴ, ㄷ   ⑤ ㄱ, ㄴ, ㄷ

16

그림은 대폭발 우주론(빅뱅 우주론)에서 팽창하는 우주를 나타낸 것이다.

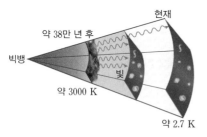

이에 대한 설명으로 옳은 것만을 〈보기〉에서 있는 대로 고른 것은?

┤ 보기 ├
ㄱ. 빅뱅 이후 우주의 크기는 커졌고 밀도는 감소하였다.
ㄴ. 우주의 팽창으로 우주 배경 복사의 파장은 점점 짧아졌다.
ㄷ. 우주 배경 복사는 우주의 나이가 약 38만 년이었을 때 방출되었다.

① ㄱ   ② ㄴ   ③ ㄱ, ㄷ
④ ㄴ, ㄷ   ⑤ ㄱ, ㄴ, ㄷ

17

우주 팽창에 대한 설명으로 옳은 것은?

① 멀리 있는 은하일수록 천천히 멀어진다.
② 팽창하는 우주의 중심은 우리 은하이다.
③ 외부 은하의 거리와 후퇴 속도는 비례 관계에 있다.
④ 빅뱅 우주론에서 예측하는 수소와 헬륨의 질량비는 약 5 : 1이다.
⑤ 우주 배경 복사는 급팽창 우주론의 확실한 근거이다.

---

3 우주의 구성 성분과 우주의 미래   **대표 기출**

18

그림은 어느 팽창 우주 모형에서 시간에 따른 우주의 크기와 우주를 구성하는 요소의 상대량을 나타낸 것이다.

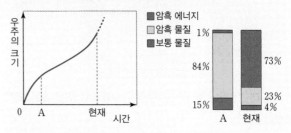

이에 대한 설명으로 옳은 것만을 〈보기〉에서 있는 대로 고른 것은?

┤ 보기 ├
ㄱ. 현재 시점에서 우주의 팽창 속도는 증가하고 있다.
ㄴ. 암흑 에너지의 비율은 A 시점보다 현재가 크다.
ㄷ. 우주의 평균 밀도는 A 시점보다 현재가 크다.

① ㄱ   ② ㄷ   ③ ㄱ, ㄴ
④ ㄴ, ㄷ   ⑤ ㄱ, ㄴ, ㄷ

> **기출 포인트** 우주의 구성 성분과 우주의 팽창과의 관계를 설명할 수 있는지를 묻는 문제가 자주 출제된다.

19

그림 (가)는 Ia형 초신성 관측 자료를 나타낸 것이고, (나)는 우주의 가속 팽창을 나타낸 것이다.

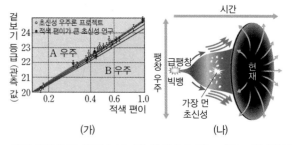

(가)   (나)

이에 대한 옳은 설명을 얘기한 학생만을 있는 대로 고른 것은?

(가)의 A는 가속 팽창 우주, B는 감속 팽창 우주를 나타내.

빅뱅 이후 우주는 계속 가속 팽창하고 있지.

우주의 팽창을 가속시키는 성분은 암흑 에너지야.

철수   영희   민수

① 영희   ② 철수   ③ 영희, 민수
④ 철수, 민수   ⑤ 영희, 철수, 민수

20

그림은 우주를 구성하는 요소의 시간에 따른 비율 변화를 예측하여 나타낸 것이다.

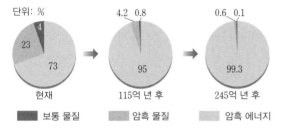

단위: %

현재	115억 년 후	245억 년 후
4 / 23 / 73	4.2 / 0.8 / 95	0.6 / 0.1 / 99.3

■ 보통 물질　　■ 암흑 물질　　■ 암흑 에너지

이에 대한 설명으로 옳은 것만을 〈보기〉에서 있는 대로 고른 것은?

┤보기├
ㄱ. 현재 우주에는 암흑 물질이 보통 물질보다 많다.
ㄴ. 우주의 물질 밀도는 점점 커질 것이다.
ㄷ. 115억 년 후에는 현재보다 우주의 팽창 속도가 느려질 것이다.

① ㄱ　　　　② ㄴ　　　　③ ㄱ, ㄷ
④ ㄴ, ㄷ　　　⑤ ㄱ, ㄴ, ㄷ

21

표는 우주를 구성하는 물질의 상대량을 나타낸 것이다. 이에 대한 설명으로 옳은 것만을 〈보기〉에서 있는 대로 고른 것은?

구성 물질	상대량(%)
(가)	73
암흑 물질	A
보통 물질	B

┤보기├
ㄱ. (가)는 암흑 에너지이다.
ㄴ. A는 B보다 크다.
ㄷ. 암흑 물질은 우주를 가속 팽창시키는 원인이 된다.

① ㄱ　　　　② ㄴ　　　　③ ㄷ
④ ㄱ, ㄴ　　　⑤ ㄴ, ㄷ

22

우주의 팽창과 우주의 미래에 대한 설명으로 옳지 <u>않은</u> 것은?

① 우주의 팽창 정도는 우주의 밀도에 따라 결정된다.
② Ia형 초신성을 관측하여 멀리 있는 은하까지의 거리를 구할 수 있다.
③ 빅뱅 이후 우주는 계속해서 가속 팽창하고 있다.
④ 우주의 밀도와 임계 밀도가 같을 때 평탄 우주가 된다.
⑤ 우주에는 물질의 중력을 합친 것보다 더 큰 암흑 에너지가 존재할 것이다.

23

그림 (가)~(다)는 우주의 미래를 모식적으로 나타낸 것이다.

(가)　　　　(나)　　　　(다)

이에 대한 설명으로 옳은 것만을 〈보기〉에서 있는 대로 고른 것은?

┤보기├
ㄱ. (가)는 닫힌 우주로, 우주의 팽창 속도는 점점 감소한다.
ㄴ. (나)는 열린 우주로, 우주의 크기는 계속 커진다.
ㄷ. (다)는 평탄 우주로, 우주의 밀도는 임계 밀도와 같다.

① ㄱ　　　　② ㄴ　　　　③ ㄷ
④ ㄱ, ㄴ　　　⑤ ㄱ, ㄴ, ㄷ

24 고난도

그림은 Ia형 초신성(파란색 점)을 관측하여 적색 편이에 따른 거리 지수를 나타낸 것이다.

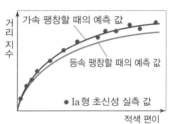

거리 지수 / 가속 팽창할 때의 예측 값 / 등속 팽창할 때의 예측 값 / ● Ia형 초신성 실측 값 / 적색 편이

이에 대한 설명으로 옳은 것만을 〈보기〉에서 있는 대로 고른 것은?

┤보기├
ㄱ. Ia형 초신성의 겉보기 밝기를 이용한 것이다.
ㄴ. Ia형 초신성 관측 결과 우주는 가속 팽창하고 있다.
ㄷ. 미래에는 암흑 에너지의 역할이 점차 감소할 것이다.

① ㄱ　　　　② ㄷ　　　　③ ㄱ, ㄴ
④ ㄴ, ㄷ　　　⑤ ㄱ, ㄴ, ㄷ

25 서술형

다음 중 암흑 에너지를 고려하지 않을 때 우주의 미래 모습을 정하는 데 가장 중요한 물리량을 고르고, 그와 같이 생각한 까닭을 서술하시오.

우주의 나이	우주의 밀도	우주의 크기

01

그림 (가)~(라)는 여러 가지 외부 은하와 (가)~(라) 은하를 형태에 따라 분류하는 과정을 나타낸 것이다.

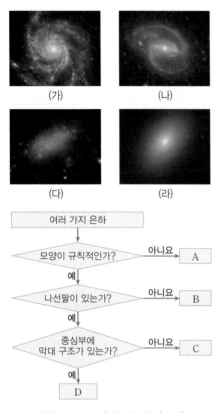

(가)　　　　　(나)

(다)　　　　　(라)

여러 가지 은하

모양이 규칙적인가? ──아니요→ A

↓예

나선팔이 있는가? ──아니요→ B

↓예

중심부에 막대 구조가 있는가? ──아니요→ C

↓예

D

이에 대한 설명으로 옳은 것만을 〈보기〉에서 있는 대로 고른 것은?

┤ 보기 ├

ㄱ. 성간 물질이 거의 없는 은하는 (라)이다.

ㄴ. 은하의 진화 순서는 (가)-(나)-(다)-(라) 순이다.

ㄷ. 우리 은하와 가장 유사한 은하는 (다)이다.

ㄹ. A는 (라), B는 (다), C는 (가), D는 (나)이다.

① ㄱ　　　　② ㄱ, ㄴ　　　　③ ㄴ, ㄷ

④ ㄱ, ㄴ, ㄷ　　　⑤ ㄴ, ㄷ, ㄹ

02

그림은 여러 종류의 외부 은하를 분류한 것이다.

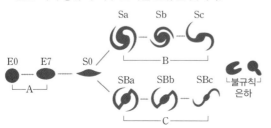

이에 대한 설명으로 옳은 것만을 〈보기〉에서 있는 대로 고른 것은?

┤ 보기 ├

ㄱ. A는 타원 은하, B와 C는 나선 은하이다.

ㄴ. B 은하는 나선팔이 감긴 정도에 따라 a, b, c로 나뉜다.

ㄷ. 우리 은하는 C에 포함된다.

① ㄱ　　　　② ㄷ　　　　③ ㄱ, ㄴ

④ ㄴ, ㄷ　　　⑤ ㄱ, ㄴ, ㄷ

03

그림은 형태가 다른 세 종류의 은하를 나타낸 것이다.

(가)　　　　　(나)　　　　　(다)

이에 대한 설명으로 옳은 것만을 〈보기〉에서 있는 대로 고른 것은?

┤ 보기 ├

ㄱ. (가)는 타원 은하이다.

ㄴ. (가)의 내부에는 성간 물질이 거의 없다.

ㄷ. (다)는 편평도에 따라 세분된다.

ㄹ. 우리 은하는 (나)에 해당한다.

① ㄱ, ㄴ　　　② ㄴ, ㄷ　　　③ ㄷ, ㄹ

④ ㄱ, ㄴ, ㄹ　　⑤ ㄴ, ㄷ, ㄹ

04

그림은 외부 은하 A~C의 운동 방향과 스펙트럼선의 적색 편이량(z)을 나타낸 것이다.

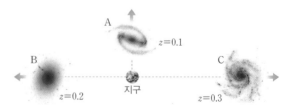

이에 대한 설명으로 옳은 것만을 〈보기〉에서 있는 대로 고른 것은?

┤ 보기 ├

ㄱ. 우주의 중심은 지구이다.

ㄴ. B는 A보다 지구로부터 더 느린 속도로 멀어진다.

ㄷ. C는 B보다 지구로부터 1.5배 먼 거리에 위치한다.

① ㄱ　　　　② ㄴ　　　　③ ㄷ

④ ㄱ, ㄴ　　　⑤ ㄴ, ㄷ

05 고난도

그림은 A, B 천문대에서 관측한 외부 은하까지의 거리와 후퇴 속도를 나타낸 것이다.

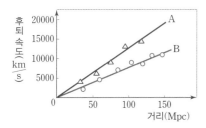

이에 대한 설명으로 옳은 것만을 〈보기〉에서 있는 대로 고른 것은?

┌ 보기 ┐
ㄱ. 기울기는 허블 상수를 나타낸다.
ㄴ. 우주의 나이는 허블 상수에 해당한다.
ㄷ. 같은 거리에 있는 외부 은하의 적색 편이 정도는 B보다 A에서 더 작다.

① ㄱ   ② ㄷ   ③ ㄱ, ㄴ
④ ㄴ, ㄷ   ⑤ ㄱ, ㄴ, ㄷ

06

그림은 우주의 팽창을 알아보기 위한 실험을 나타낸 것이다.

이에 대한 설명으로 옳은 것만을 〈보기〉에서 있는 대로 고른 것은?

┌ 보기 ┐
ㄱ. 풍선 표면은 우주, 풍선이 커지는 것은 우주 팽창을 나타낸다.
ㄴ. 모든 은하들 사이의 거리가 서로 멀어진다.
ㄷ. 어떤 은하를 기준으로 하더라도 은하까지의 거리가 멀어지면 후퇴 속도는 빨라진다.

① ㄴ   ② ㄷ   ③ ㄱ, ㄴ
④ ㄱ, ㄷ   ⑤ ㄱ, ㄴ, ㄷ

07

그림은 은하 A에서 외부 은하들을 관측하여 각 은하들의 후퇴 속도(km/s)를 나타낸 것이다.

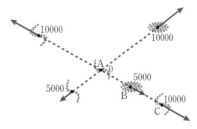

이에 대한 설명으로 옳은 것만을 〈보기〉에서 있는 대로 고른 것은?

┌ 보기 ┐
ㄱ. A~C 중 우주의 중심은 B이다.
ㄴ. A에서 B를 관측하거나 B에서 C를 관측하면 모두 청색 편이가 관측된다.
ㄷ. 외부 은하까지의 거리가 멀수록 후퇴 속도는 빠르다.

① ㄱ   ② ㄷ   ③ ㄱ, ㄴ
④ ㄴ, ㄷ   ⑤ ㄱ, ㄴ, ㄷ

[08~09] 그림 (가), (나)는 우주의 팽창을 고려하여 우주의 진화를 설명하는 두 이론을 모식적으로 나타낸 것이다.

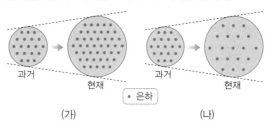

08

이에 대한 설명으로 옳은 것만을 〈보기〉에서 있는 대로 고른 것은?

┌ 보기 ┐
ㄱ. (가)는 빅뱅 우주론, (나)는 정상 우주론을 나타낸 것이다.
ㄴ. (가)에서 우주의 밀도는 일정하다.
ㄷ. (나)에서 우주의 온도는 낮아진다.

① ㄱ   ② ㄷ   ③ ㄱ, ㄴ
④ ㄴ, ㄷ   ⑤ ㄱ, ㄴ, ㄷ

09 서술형

(나) 우주론의 증거를 두 가지만 간단히 서술하시오.

10

그림은 천문학자 A, B가 구한 허블 상수 값을 나타낸 것이다.

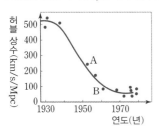

이에 대한 설명으로 옳은 것만을 〈보기〉에서 있는 대로 고른 것은?

┤ 보기 ├

ㄱ. 허블 법칙에서 허블 상수는 $\dfrac{후퇴\ 속도}{외부\ 은하의\ 거리}$의 관계에 있다.

ㄴ. 그래프에서 우주의 크기와 우주의 나이는 허블 상수의 역수$\left(\dfrac{1}{허블\ 상수}\right)$에 해당한다.

ㄷ. 지구에서 같은 속도로 멀어지는 외부 은하까지의 거리는 A가 구한 값이 B가 구한 값보다 더 크다.

① ㄱ ② ㄷ ③ ㄱ, ㄴ
④ ㄴ, ㄷ ⑤ ㄱ, ㄴ, ㄷ

11 고난도

그림은 어느 가속 팽창 우주 모형에서 시간에 따른 우주 구성 요소 A, B, C의 밀도를 나타낸 것이다. A, B, C는 각각 보통 물질, 암흑 물질, 암흑 에너지 중 하나이다.

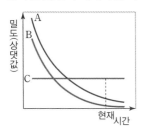

이에 대한 설명으로 옳은 것만을 〈보기〉에서 있는 대로 고른 것은?

┤ 보기 ├

ㄱ. A는 암흑 물질이다.

ㄴ. 우주에 존재하는 암흑 에너지의 총량은 시간에 따라 증가한다.

ㄷ. 보통 물질이 차지하는 비율은 시간에 따라 감소한다.

① ㄱ ② ㄴ ③ ㄱ, ㄷ
④ ㄴ, ㄷ ⑤ ㄱ, ㄴ, ㄷ

12

그림은 절대 등급이 일정한 Ia형 초신성의 적색 편이량과 겉보기 등급을 나타낸 것이다.

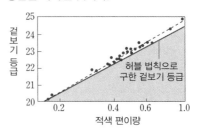

이에 대한 설명으로 옳은 것만을 〈보기〉에서 있는 대로 고른 것은?

┤ 보기 ├

ㄱ. 멀리 있는 Ia형 초신성일수록 허블 법칙으로 구한 밝기보다 더 어둡게 보이는 경향이 있다.

ㄴ. Ia형 초신성의 관측 결과는 우주의 팽창 속도가 점점 빨라지고 있음을 의미한다.

ㄷ. 이러한 관측 결과는 암흑 에너지로 설명할 수 있다.

① ㄱ ② ㄴ ③ ㄱ, ㄷ
④ ㄴ, ㄷ ⑤ ㄱ, ㄴ, ㄷ

13

그림은 서로 다른 A~D 우주 모형에서 우주의 상대적 크기를 나타낸 것이다.

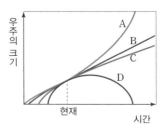

이에 대한 설명으로 옳은 것만을 〈보기〉에서 있는 대로 고른 것은?

┤ 보기 ├

ㄱ. A는 닫힌 우주이다.

ㄴ. B는 열린 우주이다.

ㄷ. 현재 우주는 B 모형에 가깝다.

ㄹ. 빅뱅 이후 현재까지 A~D 우주는 계속 팽창하고 있다.

① ㄱ, ㄴ ② ㄱ, ㄹ ③ ㄴ, ㄷ
④ ㄴ, ㄹ ⑤ ㄷ, ㄹ

MEMO

MEMO

이익보다 중요한 것, 좋은 책을 만드는 것

- 천재교육의 교재 개발 철학

'이익을 기대하기 어려운 책이라도
교육에 꼭 필요하다면 망설임 없이 만든다.'
1981년 창립 이후 꾸준히 이어지고 있는
천재교육만의 교재 개발 철학입니다.
업계 최초 초·중·고 독도교과서,
창의와 인성을 길러주는 다양한 인정교과서 개발도
뜻과 원칙이 있기에 가능했던 일입니다.
아이들의 교육을 위한 책 개발에는
이익보다 가치가 먼저라는 것이
우리의 변함없는 생각이니까요.

'사업' 아닌 '사명'으로 교육을 바라보는
한결같은 진심, 변하지 않겠습니다.

다양한 인정교과서로 학교 수업이 더 즐거워집니다

초·중·고 각종 정규 수업 및 재량활동 수업에 사용되는 인정교과서로 학교 수업이 더 알차고 풍성해집니다. 천재교육의 모든 인정교과서는
'수요가 비록 적더라도, 교육현장의 요청이 있다면 교육적 사명감을 우선으로 최선을 다해 개발한다'는 원칙에 따라 꾸준히 발행되고 있습니다.

- 초등 <독도야, 사랑해!>, <논술은 내 친구>, <즐거운 예절>, <어린이 성>, <환경은 내 친구> 외 다수
- 중등 <아름다운 독도>, <진로와 직업>, <아는 만큼 힘이 되는 소비자 교육>, <에너지 프로젝트 1331> 외 다수
- 고등 <아름다운 독도>, <환경>, <미술 창작>, <음악 감상과 비평>, <진로와 직업>, <성공적인 직업 생활> 외 다수

천재교육

내신

다품

정답과 해설

오늘도 파이팅!

고등 지구과학 I

내신

다:품

고등 지구과학 I

정답과 해설

I. 지권의 변동

01강 대륙 이동과 판 구조론

| 내신 기출 | | | | 10~13쪽 |

01 ⑤	02 ④	03 해설 참조	04 ④	05 ②
06 ④	07 ③	08 ①	09 ④	10 ④	11 ②
12 ④	13 해설 참조	14 ⑤	15 ①	16 ②
17 ①	18 ③	19 ③	20 해설 참조	

01 과거 빙하가 분포했던 곳은 하나의 대륙으로 모여 있다가 대륙 이동의 과정을 거쳐 현재 여러 대륙에 흩어져 분포한다.

> **해설 클리닉**
> ㄱ. 고생대 말에 판게아가 형성되었다는 사실을 이해해야 한다.
> ✓ 고생대 말의 대륙 분포를 정리하기
> ㄴ. 대륙 이동설의 증거를 정리해야 한다.
> ✓ 베게너가 주장한 대륙 이동설의 증거(4가지)를 정리하기
> ㄷ. 대륙의 이동은 맨틀 대류에 의해 일어나는 것을 학습해야 한다.
> ✓ 대륙 이동의 원동력을 이해하기

02 고생대 말에는 모든 대륙이 하나로 모여 있어 거대한 초대륙인 판게아를 형성하였다.
ㄴ. 남아메리카와 아프리카 대륙은 과거에 서로 붙어 있었다.
ㄷ. 고생대 말에 하나로 붙어 있던 대륙이 이동한 이후 대서양이 형성되었다. 따라서 대서양 심해저에서는 선캄브리아 시대의 퇴적층이 발견되지 않을 것이다.
> **오답 피하기** ㄱ. 그림 (나)를 보면 고생대 말에 빙하는 적도 지역까지는 분포하지 않았다.

03 베게너는 대서양 양쪽에 있는 남아메리카 대륙과 아프리카 대륙의 해안선 모양의 유사성뿐만 아니라 빙하의 흔적, 지질 구조의 연속성, 화석 분포 등 대륙 이동을 뒷받침하는 여러 가지 증거들을 제시하였다.
[모범 답안] 대륙을 이동시키는 원동력을 설명하지 못하였기 때문이다.

채점 기준	배점
모범 답안과 같이 옳게 서술한 경우	100%
대륙 이동의 원동력이란 개념이 빠진 경우	0%

04 ㄴ. 서로 붙어 있던 대륙이 이동한 것은 맨틀의 대류 때문이다.
ㄷ. 맨틀이 대류하기 때문에 A와 B 사이의 거리는 점점 멀어지고, 그 사이에 새로운 지각이 형성될 것이다.
> **오답 피하기** ㄱ. 맨틀 위에 대륙이 떠 있으므로 대륙의 밀도가 맨틀보다 작다.

> **해설 클리닉**
> ㄱ. 대륙과 맨틀의 밀도를 비교해야 한다.
> ✓ 맨틀은 유동성이 있는 고체 상태임을 이해하기
> ✓ 맨틀 위에 대륙이 떠 있으므로 대륙의 밀도가 맨틀보다 작다는 사실을 이해하기
> ㄴ. 베게너가 주장한 대륙 이동의 원동력을 설명해야 한다.
> ✓ 맨틀의 움직임으로 대륙이 이동한다는 사실을 정리하기
> ㄷ. 맨틀의 상승부와 하강부에서 일어나는 판의 운동을 비교해야 한다.
> ✓ 맨틀 대류의 상승부 → 지각이 갈라짐 → 지각 사이의 거리가 멀어짐
> ✓ 맨틀 대류의 하강부 → 지각이 소멸함 → 지각 사이의 거리가 가까워짐

05 (나)는 해양판이 대륙판 아래로 섭입하면서 대륙 주변부에서 지진과 화산 활동 등이 활발하게 일어난다.
> **오답 피하기** ㄱ. (가)에서 해양 지각은 확장하고 있다.
ㄴ. (가)는 대서양 지역의 단면과 유사하고, (나)는 태평양 지역의 단면과 유사하다.

06 C는 맨틀 물질의 상승부이므로 대륙 A와 B는 서로 멀어지고 있다.
> **오답 피하기** ㄴ. 대륙 A와 B는 서로 멀어지고 있으므로 해령이 형성될 수 있다.

07 ㄱ. 해양판의 평균 이동 속도는 해령으로부터 떨어진 거리와 그 지점의 암석 연령을 이용하여 계산한다. 해양판의 평균 이동 속도 $= \dfrac{4 \times 10^7 \text{ cm}}{4 \times 10^6 \text{년}} = 10 \text{ cm/년}$이다.
ㄷ. 고지자기 줄무늬는 해령을 기준으로 양쪽으로 대칭적으로 나타나므로, 해저 확장설의 증거가 된다.
> **오답 피하기** ㄴ. 고지자기는 해령에서 생성될 당시의 자기장을 유지한다. P점이 해령에 위치하였을 때 지자기는 역자극기에 해당한다.

> **해설 클리닉**
> ㄱ. 속도를 계산하는 관계식을 알아야 한다.
> ✓ 속도 $= \dfrac{거리}{시간}$ 를 암기하기
> ㄴ. 그림에서 해령의 위치는 정자극기에 해당된다는 것을 찾아야 한다.
> ✓ 해령을 기준으로 정자극기와 역자극기가 반복된다는 것을 이해하기
> ㄷ. 해저 확장설의 증거를 학습해야 한다.
> ✓ 해양 지각의 나이: 해령을 축으로 해령으로부터 멀어질수록 해양 지각을 이루는 암석의 나이가 많아진다.
> ✓ 해저 지각의 수심과 해저 퇴적물의 두께: 해령을 중심으로 양쪽으로 갈수록 해저 지각의 수심이 깊어지고, 해저 퇴적물이 두꺼워진다.

08 정자극기는 과거 지구 자기장의 방향이 현재와 같았던 시기이고, 역자극기는 과거 지구 자기장의 방향이 현재와 반대 방향인 시기이다.
ㄱ. A 지점의 고지자기는 정자극기이므로 이 지점의 지각이 생성될 당시 지구 자기장의 방향은 현재와 같았을 것이다.
> **오답 피하기** ㄴ. 해령을 중심으로 판이 서로 멀어지므로 해령에서 멀어질수록 지각의 나이는 많아진다. 따라서 지각의 나

이는 해령으로부터 거리가 더 먼 A가 B보다 많다.

ㄷ. 문제의 그림에서 해령을 기준으로 B는 우측 방향으로, C는 좌측 방향으로 이동한다.

09 수심 $d=\dfrac{1}{2}vt$이므로 수심은 다음과 같다.

기준점으로부터 이동 거리(km)	0	100	200	300	400	500
초음파 왕복 시간(s)	2	4	10	6	6	5
수심(m)	1500	3000	7500	4500	4500	3750

해양 조사선이 수심 7500 m 지점을 지나가므로 판의 수렴형 경계(해구) 지역을 지나갔을 것이다.

오답 피하기 ㄱ. 기준점에서 멀어질수록 수심은 깊어지기도 하고 얕아지기도 하는 등 일정한 모습을 보이지 않는다.

해설 클리닉

ㄱ. 기준점에 따른 수심을 그래프로 그려본 후 비교해야 한다.
✓ 기준점에서 멀어질수록 수심이 일정한 경향을 나타내지 않는다는 사실을 알아보기

ㄴ. 판의 수렴형 경계와 발산형 경계의 평균 깊이를 비교해야 한다.
✓ 판의 발산형 경계(해령)는 수심이 약 3000∼4000 m, 판의 수렴형 경계는 수심이 약 6000 m 이상이라는 것을 정리하기

ㄷ. 초음파 왕복 시간으로 수심을 계산하는 과정을 학습해야 한다.
✓ 수심 $d=\dfrac{1}{2}vt$이므로, 초음파 왕복 시간과 초음파 평균 속력을 대입하여 계산하기

10 ㄴ. A의 가장 깊은 곳은 초음파의 왕복 시간이 약 10초이다. 수심($d=\dfrac{1}{2}vt$)은 초음파의 왕복 시간을 2로 나눈 값에 초음파의 속력을 곱해서 구할 수 있으므로 약 7500 m이다.

ㄷ. B는 V자형의 열곡이 발달해 있는 해령으로, 해령에서는 맨틀 대류가 상승하면서 새로운 해양 지각이 생성된다.

오답 피하기 ㄱ. A는 해구로 판의 수렴형 경계에 해당한다. 즉 A에서는 판이 수렴한다.

11 ㄴ. 해양 지각은 해령에서 생성되어 양쪽으로 확장되므로 해령에서 멀어질수록 해양 지각의 연령은 많아진다.

오답 피하기 ㄱ. 지구 자기장은 정자극기와 역자극기를 반복하지만 그 변화는 일정한 시간 간격으로 일어나지는 않았다.

ㄷ. 해양 지각의 이동 속도는 $\dfrac{\text{해령으로부터의 거리}}{\text{해양 지각의 나이}}$(기울기)로부터 구할 수 있다. 문제의 그래프에서 네 지역 중 동태평양의 기울기가 가장 크다. 따라서 해저가 확장하는 속도는 동태평양에서 가장 빠르다.

12 ㄱ. 해령을 중심으로 정자극기와 역자극기의 분포가 대칭적으로 나타난다.

ㄷ. 150만 년 전에는 지구 자기장의 방향이 현재와 반대이므로 역자극기에 해당한다.

오답 피하기 ㄴ. 현재 해령 축을 기준으로 500만 년 동안 이

동해 간 해령 부근의 암석에 나타난 정자극기와 역자극기의 횟수를 헤아려 보면, 지구 자기장의 역자극기는 총 2번 있었다.

13 A는 해령이므로 열곡 아래에서 마그마가 상승하여 해양 지각이 만들어진다.

[모범 답안] B 지점이 A 지점보다 연령이 많다. 해양 지각의 나이는 해령으로부터 멀어질수록 많아지기 때문이다.

채점 기준	배점
모범 답안과 같이 옳게 서술한 경우	100%
A, B 지점의 연령만 옳게 비교한 경우	30%

문제 속 자료 해양 지각의 연령과 고지자기 줄무늬 분포

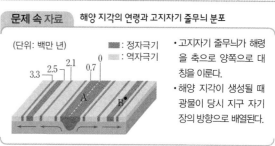

• 고지자기 줄무늬가 해령을 축으로 양쪽으로 대칭을 이룬다.
• 해양 지각이 생성될 때 광물이 당시 지구 자기장의 방향으로 배열된다.

14 ㄱ. B는 해령으로 맨틀 대류가 상승하는 곳이다. 이곳에서는 새로운 해양 지각이 생성되고, 해령 축을 기준으로 연령 분포가 대칭적으로 나타난다.

ㄴ. B에서 생성된 판은 A쪽으로 이동한다. B에서 A쪽으로 갈수록 지각의 연령이 많아진다.

ㄷ. 해령에서 멀어질수록 해저 퇴적물의 두께는 두꺼워진다. 판은 B에서 A 방향으로 이동하므로 해저 퇴적물의 두께는 B보다 A에서 더 두꺼울 것이다.

15 ㄱ. 필리핀판과 유라시아판의 경계에서 유라시아판 쪽으로 가면서 진원의 깊이가 점점 깊어지므로 밀도가 큰 필리핀판이 유라시아판 아래로 섭입함을 알 수 있다.

오답 피하기 ㄴ. 판의 경사를 비교할 때는 수평 거리를 기준으로 진원의 깊이 차를 비교하면 된다. 같은 거리를 기준으로 했을 때 진원의 깊이는 A—A′보다 B—B′에서 더 깊게 관측되므로 B—B′의 경사가 더 크다.

ㄷ. 지진이 발생하면 어느 지역에서나 규모는 일정하고, 진원 거리나 지표면의 상태 등에 따라 진도는 달라진다.

문제 속 자료 일본 주변의 진원과 지진 규모

• 태평양판과 필리핀판은 해양판으로 밀도가 크다.
• 유라시아판은 대륙판으로 밀도가 작다.

16 (가)는 해양저 확장설, (나)는 맨틀 대류설, (다)는 대륙 이동설이다.

오답 피하기 ③ 고지자기 연구 결과 해양저 확장설이 확립되었다.

⑤ (다) → (나) → (가) 순으로 주장되었다.

17 ㄱ. 판 구조론에 따르면 맨틀 대류가 상승하는 해령에서 새로운 해양 지각이 만들어진 후 양쪽으로 확장되어 해구에서 소멸된다.

오답 피하기 ㄴ. C에서 생성된 판은 B쪽으로 이동한다.

ㄷ. B에서 대륙 쪽으로 갈수록 진원의 깊이가 깊어진다.

해설 클리닉 ㄱ. 맨틀 물질이 상승할 때 나타나는 현상을 정리해야 한다.

✓ 맨틀 대류의 상승부 → 지각이 갈라짐 → 대륙 사이의 거리가 멀어짐

ㄴ. 판의 이동 방향을 이해해야 한다.

✓ 해구 → 수렴형 경계 → 판이 소멸
✓ 해령 → 발산형 경계 → 판이 생성

ㄷ. 해구 부근의 진원 깊이를 학습해야 한다.

✓ 해령에서 해구 쪽으로 판이 이동한다.
✓ 해구에서 대륙 쪽으로 갈수록 진원의 깊이가 깊어진다.

18 ㄱ. 태평양판과 유라시아판의 경계 지역에서는 판이 수렴(섭입)하므로 해구가 형성된다.

ㄷ. 대서양은 해저가 확장되고 있다.

오답 피하기 ㄴ. 판의 이동 방향과 속력은 판마다 서로 다르다.

19 ㄱ. 지각과 상부 맨틀 일부를 포함한 ⊙은 암석권, ⓒ은 연약권이다.

ㄴ. 맨틀 대류는 유동성이 있는 연약권(ⓒ)에서 일어난다.

오답 피하기 ㄷ. 암석권의 두께는 해양보다 대륙에서 더 두껍다.

20 판의 경계는 판의 이동 방향에 따라 크게 발산형 경계, 수렴형 경계, 보존형 경계로 구분한다.

오답 피하기 발산형 경계: A, F, 수렴형 경계: B, D, E, 보존형 경계: C

채점 기준	배점
모범 답안과 같이 옳게 서술한 경우	100%
세 가지 경계 중 두 가지 경계만 옳게 고른 경우	60%
세 가지 경계 중 한 가지 경계만 옳게 고른 경우	30%

02강 판의 운동과 플룸 구조론

01 ③	02 ②	03 해설 참조	04 ③	05 ③
06 ④	07 ⑤	08 해설 참조	09 ⑤	10 ①
11 ①	12 ③	13 해설 참조	14 ①	15 ④
16 ③	17 ②	18 ②	19 ③	20 해설 참조
21 ①				

01 ③ 자북극에서는 자침의 N극이 수평면에 대해 수직 방향으로 아래로 향하므로, 자북극은 자석의 S극에 해당된다.

오답 피하기 ① 자북극에서는 복각이 90°이다.

② 지리상 북극과 지자기 북극의 위치는 다르다.

④ 복각은 나침반의 자침이 수평면과 이루는 각이다.

⑤ 복각이 가장 큰 곳은 자북극과 자남극이다. 자기 적도에서는 복각이 0°이다.

해설 클리닉 ① 복각의 개념을 정리해야 한다.

✓ 자기 적도에서 복각 = 0°이다. ✓ 자북극에서 복각 = 90°이다.

② 지리상 북극과 지자기 북극의 개념을 정리해야 한다.

✓ 지리상 북극: 지구의 자전축과 북반구의 지표면이 만나는 지점
✓ 지자기 북극: 막대자석의 S극 방향의 축과 지표가 만나는 지점

③ 자북극의 개념을 정리해야 한다.

✓ 자북극: 나침반 자침의 N극이 가리키는 방향

④ 복각의 개념을 정리해야 한다.

✓ 복각: 나침반의 자침이 수평면과 이루는 각

⑤ 지구 자기장에서 복각이 큰 곳과 작은 곳을 찾아야 한다.

✓ 복각은 자기 적도에서는 0°, 자북극(자남극)에서는 +90°(−90°)이다.

02 **오답 피하기** ② 나침반의 자침이 수평면과 이루는 각은 복각이다.

03 복각은 나침반의 자침이 수평면과 이루는 각으로 자극에서 최대이고, 자기 적도에서는 0°가 된다.

[모범 답안] (가) 0° (나) 45° (다) 90°

채점 기준	배점
모범 답안과 같이 옳게 서술한 경우	100%
(가)~(다) 중 두 가지만 옳게 쓴 경우	60%

문제 속 자료 지구 자기장의 복각 비교

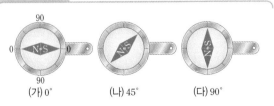

(가) 0° (나) 45° (다) 90°

• 우리나라는 자북극과 자기 적도의 중간이기 때문에 복각이 0°~90° 사이이다.

04 과거에 암석이 생성될 당시의 지구 자기장의 방향이 암석 속에 남아 있기 때문에 고지자기의 이동 경로를 분석하면 대륙 이동을 설명할 수 있다.

ㄱ. 과거에 세 대륙은 붙어 있다가 이동한 것이다.

ㄷ. A(북아메리카)와 B(유라시아)를 같은 시대별로 맞춰보면 두 대륙이 붙어 있다가 이동하여 분리되었음을 알 수 있다.

오답 피하기 ㄴ. 과거에 지자기 북극은 한 개였다. 문제의 그림에서 지자기 북극이 세 개인 것처럼 보이는 것은 대륙이 이동하였기 때문이다.

해설 플리닉

ㄱ. 대륙 이동과 고지자기의 개념을 정리해야 한다.
✓ 대륙 이동: 과거에 하나로 모여 있던 대륙이 서서히 이동하였다.
✓ 고지자기: 마그마가 식어서 굳을 때나 퇴적물이 쌓일 때 기록된 과거의 지구 자기장으로, 고지자기 북극의 위치는 암석의 잔류 자기로 알아낸 것이다.

ㄴ. 지자기 북극의 개념을 정리해야 한다.
✓ 지자기 북극: 막대자석의 S극 방향의 축과 지표가 만나는 지점
✓ 암석에 남아 있는 지자기 북극은 1개이다.

ㄷ. 지자기 북극의 이동 경로가 대륙 이동설이 부활하는 계기가 되었던 과정을 학습해야 한다.
✓ 현재 유럽 대륙과 북아메리카 대륙에서 측정한 자북극의 이동 경로는 2개 → 같은 시기에 지구의 자극은 1개 → 본래 하나의 대륙으로 붙어 있던 두 대륙이 이동 → 과거에 대륙이 붙어 있었을 것이다.

05 현재 멀리 떨어진 남아메리카 대륙과 아프리카 대륙에서 같은 종류의 메소사우루스 화석이 산출되기 위해서는 대륙이 이동해야만 가능하다. 북아메리카 대륙과 유럽 대륙에서 고지자기 북극의 이동 경로가 다르지만, 두 대륙의 고지자기 북극의 이동 경로를 모아 보면 과거에 두 대륙이 붙어 있었음을 알 수 있다.

ㄱ. 대륙의 개수에 관계없이, 과거와 현재에 관계없이 지자기 북극은 하나이다.

ㄴ. 북아메리카 대륙과 유럽 대륙은 하나의 대륙이 갈라져서 이동하여 형성되었다. 하나로 붙어 있던 대륙이 여러 대륙으로 갈라지면서 현재의 대서양이 형성되었다.

오답 피하기 ㄷ. 메소사우루스는 약 3억 년 전에 남아메리카 대륙과 아프리카 대륙이 하나의 대륙으로 모여 있을 당시에 서식하였다.

06 ㄴ. 판게아가 분리되면서 로라시아와 곤드와나 대륙 사이의 대서양이 먼저 벌어지고, 남아메리카와 아프리카 대륙 사이의 대서양이 벌어진 후, 남극 대륙에서 인도, 오스트레일리아 등의 대륙이 떨어져 나와 현재와 같은 대륙 분포를 이루었다. 시대 순으로 나열하면 (다) → (가) → (나)이다.

ㄷ. 판게아가 갈라진 이후 대서양이 형성되기 시작하였다. 이후, 대서양 중앙에 발산형 경계가 형성되어 대서양의 크기가 확장되었다.

오답 피하기 ㄱ. 판게아가 형성된 시기는 대륙이 모두 모여 있는 (다)이다.

문제 속 자료 | 지질 시대 수륙 분포의 변화

(가)　　　　(나)　　　　(다)

• 약 12억 년 전 로디니아라는 초대륙이 존재했으며, 이후 대륙이 분리되어 이동하다가 다시 모여 고생대 말(약 2억 4천만 년 전)에 판게아를 형성하였다. → 그림 (다)
• 로라시아 대륙이 곤드와나 대륙에서 거의 분리되었다. → 곤드와나 대륙에서 아프리카 대륙과 남아메리카 대륙이 분리되었다. → 그림 (가)
• 신생대 초~중기에 인도 대륙이 유라시아 대륙과 충돌하여 티베트고원과 히말라야산맥이 형성되었다. → 그림 (나)

07 대륙의 이동이 지속될수록 대서양은 점점 넓어지고 태평양은 점점 좁아질 것이다. 지질 시대 동안 대륙들은 모여서 초대륙을 형성하고 분리되어 이동하는 일을 반복해 왔으며, 수억 년이 지나면 대륙들은 다시 모여 새로운 초대륙을 형성할 것으로 예상된다.

08 현재 유럽 대륙과 북아메리카 대륙의 암석에서 측정한 자북극의 이동 경로가 두 갈래로 나타나는데, 같은 시기에 지구의 자극이 2개 있을 수 없으므로 대륙은 모여 있다가 이동하였을 것이다.

[모범 답안] 과거에 대륙이 붙어 있었고 시간이 지남에 따라 대륙이 이동하였다는 사실을 알 수 있다.

채점 기준	배점
모범 답안과 같이 옳게 서술한 경우	100%
대륙이 이동하였다는 서술이 빠진 경우	0%

09 ㄱ. A는 해구에서 무거워진 해양판이 중력을 받아 침강하여 섭입되면서 판을 잡아당기는 힘이다. 해양 지각의 연령은 A>C이다.

ㄴ. B는 맨틀 대류가 판을 이동시키는 힘(맨틀 대류를 따라 판이 끌려가는 힘)이다.

ㄷ. C는 해령에서 고온, 고밀도의 물질이 상승하면서 새로운 판을 생성하고 그 과정에서 판을 양쪽으로 밀어내는 힘이다.

해설 플리닉

ㄱ. 해구에서 나타나는 지각 변동을 이해해야 한다.
✓ 해령에서 판이 생성
→ 판이 이동 → 냉각 → 무거워진 판이 해구에서 침강할 때 기존 판을 당긴다.
✓ 해령에서 생성된 판이 해구에서 소멸한다.

ㄴ. 판을 이동시키는 힘을 정리해야 한다.
✓ 상부 맨틀의 대류: 연약권 위의 판이 이동한다.
✓ 해령에서 판을 밀어내는 힘
✓ 해구에서 판이 섭입하면서 판을 잡아당기는 힘
✓ 해저면 경사에 의한 중력의 힘

ㄷ. 해령에서 판이 이동하는 과정을 학습해야 한다.
✓ 맨틀 물질 상승 → 마그마 분출 → 판이 생성 → 해령에서 멀어지는 방향으로 판이 이동한다.

10 A는 습곡 산맥, B는 해구, C는 해령, D는 변환 단층, E는 호상 열도이다. 해양판이 대륙판 아래로 섭입할 때는 습곡 산맥, 해양판이 해양판 아래로 섭입할 때는 호상 열도가 만들어진다.

오답 피하기 ① A는 해양판이 대륙판 아래로 섭입하면서 해저 퇴적물을 밀어 올려 형성된 습곡 산맥이다.

11 맨틀 대류가 상승하는 지역에서 생성되는 지형은 해령, 맨틀 대류가 하강하는 지역에서 생성되는 지형은 해구, 습곡 산맥이다.

12 현재 아시아 지역에서는 차가운 플룸이 하강하고, 남태평양과 아프리카에서는 뜨거운 플룸이 상승한다.

> 해설 클리닉 **차가운 플룸과 뜨거운 플룸의 개념을 정리해야 한다.**
>
> ✓ 차가운 플룸: 수렴형 경계에서 섭입된 판의 물질이 상부 맨틀과 하부 맨틀 경계부에 쌓여 있다가 밀도가 커지면 맨틀과 핵의 경계부까지 가라앉아 형성되는 차가운 하강류
>
> ✓ 뜨거운 플룸: 차가운 플룸이 맨틀 최하부에 도달하면 핵에서 차가운 플룸에 대해 열적 반응이 일어나고 경계면의 온도 구조가 교란되어 물질을 밀어 올리는 작용이 일어나 형성되는 뜨거운 상승류
>
> **지구 내부의 플룸 운동을 학습해야 한다.**
>
> ✓ 아시아 지역: 거대한 플룸 하강류 형성
> ✓ 남태평양과 아프리카 지역: 거대한 플룸 상승류 형성
> ✓ 대서양 중앙 해령: 뜨거운 플룸 형성

13 플룸 상승류가 있는 곳은 주변 맨틀보다 온도가 높으므로 지진파의 속도가 느리다. 플룸 하강류가 있는 곳은 주변 맨틀보다 온도가 낮으므로 지진파의 속도가 빠르다.

[모범 답안] 플룸 상승류가 있는 곳에서는 지진파의 속도가 느리고, 플룸 하강류가 있는 곳에서는 지진파의 속도가 빠르다.

채점 기준	배점
모범 답안과 같이 옳게 서술한 경우	100%
플룸 상승류와 하강류가 나타나는 곳 중 한 곳의 지진파의 속도만 옳게 서술한 경우	50%

14 맨틀 내부의 온도 분포는 일정하지 않으며 상대적으로 온도가 높은 부분과 상대적으로 온도가 낮은 부분이 나타난다.

15 ㄴ. 차가운 플룸 지역은 주변보다 밀도가 크기 때문에 지진파의 속도가 주변보다 빠르다.

ㄷ. 차가운 플룸이 맨틀과 핵의 경계까지 하강하면 온도 교란과 물질을 밀어 올리는 작용이 일어나 뜨거운 플룸이 생성된다.

오답 피하기 ㄱ. 수렴형 경계에서 판이 섭입하면서 차가운 플룸이 생성된다.

16 ㄱ. 냉각된 해양판이 섭입되면 차가운 플룸이 형성된다.

ㄷ. 섭입대에서 형성된 플룸이 맨틀 상부와 하부의 경계에 쌓여 있다가 밀도가 높아지면 외핵 쪽으로 침강하여 흐름이 형성된다.

오답 피하기 ㄴ. 열점은 뜨거운 플룸의 위쪽에 형성된다.

17 ㄴ. 킬라우에 화산 부근에서 계속 새로운 화산섬이 생겨나고 있다. 즉, 고정되어 있는 열점은 킬라우에 화산 부근 지하 깊은 곳에 위치할 것이다.

오답 피하기 ㄱ. 판의 이동 속도는 $\dfrac{열점에서 떨어진 거리}{시간(연령)}$ 로 알 수 있다. 화산섬과 열점 사이의 거리와 화산섬의 나이를 이용하여 판의 이동 속도를 구해 보면 태평양판의 이동 속도는 일정하지 않았음을 알 수 있다.

ㄷ. 하와이 열도를 형성한 열점은 고정되어 있어 판의 이동과 관계가 없다. 열점과 해령 사이의 거리는 일정하다.

> 해설 클리닉 **ㄱ. 판의 이동 속도를 계산하는 과정을 이해해야 한다.**
>
> ✓ 태평양판에 위치한 화산섬들의 생성 시기에 대한 열점에서 떨어진 거리 비율이 다르므로 판의 이동 속도 역시 각각 다르다.
>
> **ㄴ. 열점의 개념을 정리해야 한다.**
>
> ✓ 열점: 플룸 상승류가 지표면과 만나는 지점 아래에 마그마가 생성되는 곳
>
> **ㄷ. 열점의 특징을 학습해야 한다.**
>
> ✓ 열점은 판 아래에 위치 → 판이 이동해도 열점의 위치는 변하지 않는다.

18 ㄴ. C점을 경계로 화산섬의 이동 방향이 바뀌었으므로 판의 이동 방향이 바뀌었음을 알 수 있다.

오답 피하기 ㄱ. 하와이섬(A) 아래에 열점이 분포한다.

ㄷ. 그림에서 하와이 열도 및 해산은 북북서쪽과 북서쪽으로 이동하므로, 태평양판은 A에서 E 방향으로 이동했을 것이다.

19 ③ 하와이 열도는 판의 경계가 아닌 열점에서 마그마가 분출하여 생성된 화산섬들로 이루어져 있다. 발산형 경계, 수렴형 경계, 보존형 경계 등은 판의 경계에 해당한다.

오답 피하기 카우아이섬은 열점에서 생성된 후 약 5백만 년 동안 북서쪽으로 이동했다.

20 열점에서 생성된 화산섬이나 해산은 판의 이동 방향으로 배열된다. 열점은 그 위치가 고정되어 있다.

[모범 답안] 화산섬은 판의 이동 방향을 따라 같이 이동한다.

채점 기준	배점
모범 답안과 같이 옳게 서술한 경우	100%
판의 이동 방향에 대한 서술이 빠진 경우	0%

21 ㄱ. 하와이 열도를 이루는 화산섬들의 연령이 북서쪽으로 갈수록 증가하므로 판의 이동 방향은 대체로 북서 방향이다. 하와이섬 아래에 열점이 있어 이곳에서 계속 새로운 화산섬들이 생겨나고 있다.

오답 피하기 ㄴ. A는 열점에 해당하고, C는 수렴형 경계이다.

ㄷ. B는 발산형 경계로 해령에 해당한다. 하와이 열도는 열점에 해당하므로 A와 같은 곳에서 만들어졌다.

03강 변동대와 화성암

내신 기출　　　　　　　　　　　　　　　25~27쪽

01 ④　　02 ①　　03 해설 참조　　04 ①　　05 ⑤
06 ③　　07 ③　　08 ①　　09 ③　　10 해설 참조
11 ③　　12 ⑤　　13 ⑤　　14 해설 참조　　15 ③

01 마그마(용암)는 SiO_2 함량에 따라 현무암질 마그마, 안산암질 마그마, 유문암질 마그마로 구분한다. SiO_2 함량은 유문암질 마그마 > 안산암질 마그마 > 현무암질 마그마 순이다.

ㄴ, ㄷ. 문제의 그림 (가)는 SiO_2 함량이 적은 현무암질 마그마로 생성된 순상 화산체이며 온도가 높고 점성이 작아 경사가 완만한 특징을 보인다. 그림 (나)는 SiO_2 함량이 많고 온도가 낮은 마그마로 생성된 종상 화산체이며 폭발적인 분출과 화산체의 경사가 급한 특징을 보인다. 마그마의 점성은 (가) < (나)이고, 마그마의 온도는 (가) > (나)이다.

오답 피하기 ㄱ. SiO_2 함량은 (가) 순상 화산 < (나) 종상 화산이다.

해설 클리닉

ㄱ. 현무암질 마그마와 유문암질 마그마에 포함된 SiO_2 함량을 비교해야 한다.

✓ 현무암질 마그마의 SiO_2 함량: 52 % 이하
✓ 안산암질 마그마의 SiO_2 함량: 52~63 %
✓ 유문암질 마그마의 SiO_2 함량: 63 % 이상

ㄴ. 점성의 개념을 정리해야 한다.

✓ 점성: 물질이 끈적끈적하여 잘 흘러가지 않는 성질이다.
✓ 현무암질 마그마: 점성이 작다.
✓ 유문암질 마그마: 점성이 크다.

ㄷ. 마그마의 온도를 비교하여 학습해야 한다.

✓ 현무암질 마그마: 온도가 높다.
✓ 유문암질 마그마: 온도가 낮다.

---

02 (가)는 용암이 비교적 격렬하게 분출하여 형성된 성층 화산체이고, (나)는 용암이 조용하게 분출하여 형성된 순상 화산체이다.

ㄱ. 용암의 점성이 클수록 화산은 폭발적으로 분출하며, 화산체의 경사는 급해지고 화산재가 많이 분출된다.

오답 피하기 ㄴ. 화산 활동은 (가)가 (나)보다 폭발적이다.
ㄷ. (가)와 같이 경사가 급한 화산체일수록 화구 주위에 화산재가 많다.

03 화산의 분출 형태나 화산체의 모양은 마그마의 성질에 따라 서로 다르게 나타난다.

[모범 답안] SiO_2 함량, 온도, 점성, 화산체 경사, 유동성 등

채점 기준	배점
화산을 분류하는 기준을 세 가지 모두 쓴 경우	100%
화산을 분류하는 기준을 두 가지만 쓴 경우	60%
화산을 분류하는 기준을 한 가지만 쓴 경우	30%

04 ㄱ. 물을 포함하는 화강암의 용융 온도는 압력이 증가할수록 낮아진다. 따라서 ㉠은 물을 포함하는 화강암의 용융 곡선이다. ㉡은 현무암의 용융 곡선이다.

오답 피하기 ㄴ. 지하 100 km를 기준으로 할 때 이곳보다 깊은 곳에서는 현무암질 마그마가 생성되고, 그보다 얕은 곳에서는 현무암질 마그마와 화강암질 마그마가 모두 생성된다.
ㄷ. 해령에서는 맨틀 대류의 상승류가 존재하므로 맨틀 물질이 상승하면서 압력이 감소한다. 따라서 해령 아래에서는 a와 같은 과정으로 마그마가 생성된다.

해설 클리닉

ㄱ. 암석의 용융 곡선에서 물을 포함하는 화강암의 용융 곡선을 찾아야 한다.

✓ 물의 공급으로 맨틀의 용융점이 지하의 온도보다 낮아지면 맨틀 물질이 용융되어 마그마가 생성된다.

ㄴ. 마그마의 생성 조건을 이해해야 한다.

✓ 마그마는 상부 맨틀이나 지각의 하부에서 생성된다.
✓ 마그마가 생성되는 장소의 온도가 암석의 용융점보다 높아야 마그마가 생성될 수 있다.

ㄷ. 판의 경계 중 해령에서 마그마가 생성되는 과정을 학습해야 한다.

✓ 해령의 하부에서 고온의 맨틀 물질 상승 → 압력 하강 → 맨틀 물질

---

05 A 과정으로 맨틀 물질은 압력이 하강하여 현무암질 마그마가 생성된다.

문제 속 자료　지하의 온도 분포와 맨틀의 용융 곡선

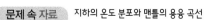
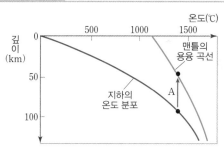

• 지하의 온도는 현무암의 용융 온도보다 낮으므로 현무암질 마그마가 생성되기 어렵다.
• 맨틀 물질이 상승하면 압력이 감소하여 현무암질 마그마가 생성된다.

06 ㉠은 해령, ㉡은 열점, ㉢은 섭입대(베니오프대)이다. 베니오프대는 밀도가 큰 해양판이 밀도가 작은 대륙판 아래로 비스듬히 섭입해 들어갈 때 생기는 경계면이다. 판이 섭입해 들어가는 과정에서 마찰에 의해 지진이 발생한다.

ㄱ. 그림 (가)에서 현무암질 마그마는 내부 온도가 올라가는 A → B 과정과 압력이 감소하는 A → C 과정에서 생성될 수 있다. 해령(㉠)에서는 맨틀 물질이 상승하면서 압력 감소로 마그마가 생성된다.

ㄷ. 섭입대(㉢)에서는 물을 포함한 판(해양판)이 섭입하면서 용융점이 하강하여 마그마가 생성된다.

오답 피하기 ㄴ. 일본은 호상 열도이다. 호상 열도는 화산 활동으로 형성된 화산섬들이 길게 배열된 것으로, 해구와 나란

하게 발달되어 있다. ⓒ은 지구 내부의 열점에 해당한다. 열점에서 형성되는 대표적인 지형에는 하와이 열도가 있다.

07 (가), (나)에서는 현무암질 마그마가 생성되고, (다)에서는 현무암질 마그마, 안산암질 마그마, 유문암질 마그마가 모두 생성된다.

08 용암은 화학 조성(SiO_2 함량)에 따라 현무암질 용암, 안산암질 용암, 유문암질 용암으로 구분하며, 용암의 종류에 따라 온도와 점성이 다르다.

ㄱ. 용암의 유동성은 온도가 높고 SiO_2 함량이 낮은 A가 B보다 크다.

오답 피하기 ㄴ. A는 순상 화산, B는 종상 화산을 형성하는 용암의 종류이다. 순상 화산을 형성하는 용암은 SiO_2 함량이 낮고 점성이 작으며, 온도가 높고 유동성이 크다. 종상 화산을 형성하는 용암은 SiO_2 함량이 높고 점성이 크며, 온도가 낮고 유동성이 작다. A는 B보다 경사가 완만한 화산체를 형성한다.

ㄷ. (나)의 성질은 B보다 A에 가깝다.

문제 속 자료   화산체의 모양과 용암의 종류

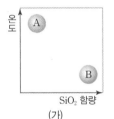 

• A는 순상 화산, B는 종상 화산을 형성하는 용암의 종류이다.

09 (가)의 암석은 현무암이다.

ㄱ. 현무암질 용암은 점성이 작고 유동성이 커서 멀리까지 이동해 간다. 이러한 용암은 순상 화산이나 용암 대지를 형성한다.

ㄷ. 문제의 그림 (나)에서 A는 현무암질 용암, B는 안산암질 용암, C는 유문암질 용암의 성질이다. (가)에서 분출된 용암은 (나)의 A에 해당한다.

오답 피하기 ㄴ. 온도가 가장 높은 용암은 현무암질 용암으로, SiO_2 함량과 점성이 작으며, 유동성은 크고 휘발성 기체의 양은 적다. (나)에서 온도가 가장 높은 용암은 A이다.

10 해령의 하부에서는 고온의 맨틀 물질이 상승하면 압력이 크게 낮아져 맨틀 물질이 용융되어 현무암질 마그마가 생성된다. 열점 아래에서는 뜨거운 물질이 상승하면 압력이 감소하여 현무암질 마그마가 생성된다. 섭입대에서는 현무암질 마그마, 안산암질 마그마, 유문암질 마그마가 모두 생성된다.

[모범 답안] 해령 부근(발산형 경계), 열점(지구 내부), 섭입대 부근(수렴형 경계)

채점 기준	배점
마그마가 생성되는 장소를 세 군데 모두 옳게 쓴 경우	100%
마그마가 생성되는 장소를 두 군데만 옳게 쓴 경우	70%
마그마가 생성되는 장소를 한 군데만 옳게 쓴 경우	30%

11 ㄷ. C에서는 하부에서 상승하는 마그마의 영향으로 대륙 지각의 하부가 녹아서 유문암질 마그마가 생성된다.

오답 피하기 ㄱ. A는 맨틀 대류의 상승부인 해령이다. 해령에서는 압력이 감소하여 현무암질 마그마가 생성된다.

ㄴ. B는 열점으로 맨틀 물질의 상승으로 압력이 감소하여 현무암질 마그마가 생성된다.

문제 속 자료   마그마의 생성 장소

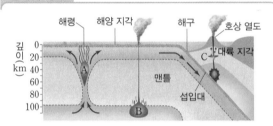

• 해령(A): 맨틀 대류의 상승류를 따라 맨틀 물질이 상승한다.
  → 압력이 감소하여 부분 용융이 일어난다.
  → 현무암질 마그마가 생성된다.
• 열점(B): 뜨거운 플룸의 상승류를 따라 맨틀 물질이 상승한다.
  → 압력이 감소하여 부분 용융이 일어난다.
  → 현무암질 마그마가 생성된다.
• 섭입대(C): 해양 지각과 해양 퇴적물이 섭입할 때 온도와 압력이 높아져 퇴적물과 지각을 이루는 함수 광물에서 물이 배출된다.
  → 맨틀(연약권)에 공급된 물이 맨틀의 용융점을 낮춰 맨틀 물질과 해양 지각이 부분 용융되어 현무암질 마그마가 생성된다.
  → 현무암질 마그마가 상승하다가 대륙 지각 하부를 부분 용융시켜 유문암질 마그마가 생성되거나 현무암질 마그마와 유문암질 마그마가 혼합되어 안산암질 마그마가 생성된다.

12 ㄱ. 화강암은 마그마가 천천히 냉각되어 생성되므로 결정의 크기가 큰 조립질이고, 현무암은 마그마가 빠르게 냉각되어 생성되므로 결정의 크기가 작은 세립질이다.

ㄴ. 밝은색을 띠는 화강암은 어두운색을 띠는 현무암보다 SiO_2 함량이 많다.

ㄷ. 서울의 북한산은 마그마가 지하 깊은 곳에서 천천히 굳어진 화강암으로 이루어져 있다. 제주도의 서귀포 해안은 마그마가 지표로 분출하여 급하게 굳어진 현무암으로 이루어져 있다.

ㄱ. 화강암과 현무암의 광물 결정의 크기를 비교해야 한다.

✔ 화강암: 광물 결정의 크기가 크다.
✔ 현무암: 광물 결정의 크기가 작다.

ㄴ. 화강암과 현무암의 SiO_2 함량을 비교해야 한다.

✔ 화강암: 밝은색 암석 → SiO_2 함량이 많다. → 유문암질 마그마가 굳어져 형성되었다.
✔ 현무암: 어두운색 암석 → SiO_2 함량이 적다. → 현무암질 마그마가 굳어져 형성되었다.

ㄷ. 화강암과 현무암의 생성 위치를 학습해야 한다.

✔ 화강암: 지하 깊은 곳에서 생성
✔ 현무암: 지표 부근에서 생성

13 A는 염기성암, B는 중성암, C는 산성암이다. 산성암은 석영, 장석, 사장석과 같은 무색 광물의 함량이 많다.

오답 피하기 ① A는 주요 조암 광물이 감람석, 휘석, 사장석으로 어둡다.

② SiO_2 함량은 C가 가장 많다.

③ 밀도는 염기성암인 A가 가장 크다.

④ 현무암은 염기성암인 A에 해당한다.

문제 속 자료 화성암을 구성하는 주요 광물의 부피비

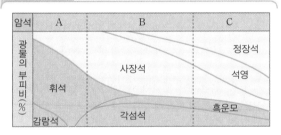

암석	A	B	C
광물의 부피비(%)	휘석 / 감람석	사장석 / 각섬석	정장석 / 석영 / 흑운모

• A: 염기성암으로 현무암질 마그마가 굳어져서 형성되었다.
• B: 중성암으로 안산암질 마그마가 굳어져서 형성되었다.
• C: 산성암으로 유문암질 마그마가 굳어져서 형성되었다.

14 현무암을 구성하는 광물들의 입자는 세립질이거나 유리질로, 마그마가 지표 부근에서 빠르게 냉각되어 생성된다. 화강암을 구성하는 광물들의 입자는 조립질로, 마그마가 지하 깊은 곳에서 천천히 식어 생성된다.

[모범 답안] 현무암은 화강암보다 유색 광물을 많이 포함하고 있으며, SiO_2 함량은 적다.

채점 기준	배점
모범 답안과 같이 옳게 서술한 경우	100%
현무암의 유색 광물의 양과 SiO_2 함량 중 한 가지만 옳게 비교한 경우	50%

15 ㄱ. A는 SiO_2 함량이 적은 염기성암이다.

ㄴ. A는 현무암질 마그마, B는 안산암질 마그마, C는 유문암질 마그마가 식어서 만들어진 암석이다. A는 염기성암, B는 중성암, C는 산성암이다.

오답 피하기 ㄷ. 밝은색 광물의 함량은 SiO_2 함량이 많은 C가 B보다 많다.

01 ⑤	02 ④	03 ⑤	04 ④	05 ④	06 ④
07 ③	08 ②	09 ⑤	10 ②	11 ④	12 ②
13 ④	14 해설 참조		15 ③	16 ②	17 ①

01 대륙 이동의 증거에는 해안선 모양과 지질 구조의 연속성, 고생물 화석 분포의 연속성, 빙하의 분포와 이동 방향 등이 있다.

02 ㄴ. 해령에서 멀어질수록 해양 지각의 나이가 많아지고 해저 퇴적물의 두께가 두꺼워진다.

ㄷ. 중앙 해령 부근의 해양 지각의 암석 나이가 가장 적으므로, 해령은 판이 양쪽으로 이동하여 생긴 지형임을 알 수 있다. 해령으로부터의 거리에 따른 해양 지각의 나이 분포가 일정하지 않으므로 해저가 확장되는 속도가 일정한 것은 아니다.

오답 피하기 ㄱ. 중앙 해령은 해양 지각이 생성되는 판의 경계이다.

03 해령에서는 새로운 해양 지각이 생성되고, 해령을 중심으로 양쪽으로 멀어짐에 따라 해저가 확장된다. 그림 (나)에서 과거부터 현재까지 해저가 확장되는 동안 정자극기는 총 3번, 역자극기는 총 2번 있었다.

ㄱ. 해령에서 생성되는 해양 지각은 현무암질 마그마가 식어서 생성된 현무암질 지각이다.

ㄴ. 아이슬란드는 대서양 중앙 해령 부근의 축이 통과하는 곳이다. 따라서 발산형 경계에 위치한다.

ㄷ. 해령에서 생성된 해양 지각은 해령 축을 기준으로 양쪽으로 계속 이동해 간다. 이때 지각(암석) 속에는 지각이 생성될 당시의 지구 자기장 방향이 기록된다.

문제 속 자료 대서양 중앙 해령의 고지자기 분포

 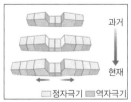

• 정자극기와 역자극기는 해령 축을 기준으로 양쪽으로 대칭적인 분포를 나타낸다.
• 대서양 중앙 해령은 발산형 경계이다. → 판이 생성된다.

04 문제의 그림에서 화살표가 이동하는 쪽으로 판의 섭입이 일어난다.

• 철수: C판이 B판 아래로 섭입해 들어가므로, 밀도는 C판이 B판보다 클 것이다.

• 민수: C판이 A판과 B판 쪽으로 섭입해 들어가고 있으므로 판의 밀도는 C판이 가장 크다.

오답 피하기 • 영희: A판과 B판의 경계는 수렴형 경계이다. 일본에서 동해 쪽으로 올수록 진원의 깊이가 깊어진다.

11 ㄴ. 열점은 판 아래의 고정된 곳이므로 현재 열점은 C 아래에 있고, 태평양판이 C에서 A 방향으로 이동함에 따라 화산섬은 A → B → C 순으로 생성되었다.

ㄷ. 열점이 있는 C의 지하에는 뜨거운 플룸이 존재한다.

오답 피하기 ㄱ. 열점은 고정된 위치로 이동하지 않는다.

12 ㄷ. A 지점의 암석은 온도가 상승하거나 압력이 감소하면 맨틀의 용융 곡선과 만나게 되므로 마그마가 생성될 수 있다.

오답 피하기 ㄱ. 지하의 온도 분포 곡선을 보았을 때 깊이가 깊어질수록 지하의 온도는 상승한다.

ㄴ. 해령 아래에서는 압력 감소로 현무암질 마그마가 만들어진다.

해설 클리닉	
ㄱ. 깊이에 따른 온도 분포 곡선을 이해해야 한다.	
✔ 그래프의 경사가 급하다. → 깊이에 따른 온도 증가율이 상대적으로 작다.	
✔ 그래프의 경사가 완만하다. → 깊이에 따른 온도 증가율이 상대적으로 크다.	
ㄴ. 깊이에 따른 지하의 온도 분포 곡선을 이해해야 한다.	
✔ 그래프의 가로축에서 오른쪽으로 갈수록 → 온도 증가	
✔ 그래프의 가로축에서 왼쪽으로 갈수록 → 온도 감소	
✔ 그래프의 세로축에서 위로 갈수록 → 깊이 감소	
✔ 그래프의 세로축에서 아래로 갈수록 → 깊이 증가	
ㄷ. 깊이에 따른 온도 분포 곡선으로 마그마가 생성되는 조건을 학습해야 한다.	
✔ A 지점에서 온도 상승 → 그래프의 가로축에서 우측으로 이동 → 물이 포함되지 않은 맨틀의 용융 곡선과 만남 → 마그마 생성	
✔ A 지점에서 압력 감소 → 그래프의 세로축에서 위쪽으로 이동 → 물이 포함되지 않은 맨틀의 용융 곡선과 만남 → 마그마 생성	

13 ㄴ. A는 현무암질 마그마, C는 유문암질 마그마이므로, 마그마의 생성 온도는 A가 C보다 높다.

ㄷ. B에서는 물의 공급으로 맨틀의 용융점이 낮아져 현무암질 마그마가 생성된다.

문제 속 자료 | 판의 운동과 마그마의 생성 장소

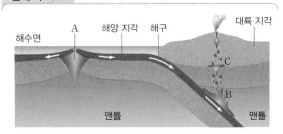

- 현무암질 마그마: 해령, 열점, 섭입대에서 생성
→ 해령, 열점: 맨틀 물질이 맨틀 대류나 플룸 상승류를 따라 상승하면서 압력이 감소하여 용융점이 낮아져 생성된다.
→ 섭입대: 맨틀 물질에 물이 공급되면 용융점이 낮아져 생성된다.
- 유문암질 마그마: 섭입대에서 생성
→ 상승하는 현무암질 마그마에 의해 대륙 지각 하부가 가열되어 부분 용융되면서 생성된다.
- 안산암질 마그마: 섭입대에서 생성
→ 현무암질 마그마와 유문암질 마그마가 혼합되어 생성된다.

오답 피하기 ㄱ. A는 맨틀 대류의 상승부인 해령이다. 해령에서는 압력이 감소하여 현무암질 마그마가 생성된다.

14 [모범 답안] 해령과 열점에서는 현무암질 마그마, 섭입대에서는 현무암질 마그마, 유문암질 마그마, 안산암질 마그마가 생성된다.

채점 기준	배점
모범 답안과 같이 옳게 서술한 경우	100%
두 지점에서 형성되는 마그마의 종류만 옳게 서술한 경우	50%

15 ㄱ. A는 수렴형 경계이고, B는 열점에 위치한 하와이섬이다.

ㄴ. (나)는 화산이 격렬하게 분출하였고, (다)는 화산이 조용하게 분출하였다. 용암의 점성은 (나)가 (다)보다 클 것이다.

오답 피하기 ㄷ. B는 태평양판의 내부에 위치한 하와이섬으로 판의 경계가 아니며, 현무암질 마그마가 분출된다.

문제 속 자료 | 화산 활동이 일어나는 지역

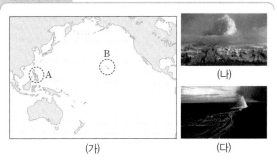

(가)   (나)   (다)

- (나)는 SiO_2 함량이 높고 점성이 크며, 온도가 낮고 유동성이 작은 마그마가 분출한다.
- (다)는 SiO_2 함량이 낮고 점성이 작으며, 온도가 높고 유동성이 큰 마그마가 분출한다.

16 ㄴ. 문제의 그림 (가)에서 현무암의 용융점이 화강암의 용융점보다 높으므로 현무암질 마그마는 유문암질 마그마보다 높은 온도에서 생성된다.

오답 피하기 ㄱ. 깊이가 깊어질수록 압력이 커지기 때문에 물을 포함한 화강암은 깊어질수록 용융점이 낮아진다.

ㄷ. 문제의 그림 (나)와 같은 해령 하부에서는 맨틀 물질이 상승하면서 압력 감소로 용융점에 도달하여 현무암질 마그마가 생성된다. 따라서 해령 부근에서는 P → B와 같은 과정으로 마그마가 생성된다. P → A와 같은 과정은 압력의 변화 없이 온도가 높아지면서 마그마가 생성되는 경우이다.

17 ㄱ. (가)에서 화산 가스의 대부분은 수증기이다. 그 외에 이산화 탄소, 이산화 황, 황화 수소 등이 포함되어 있다.

오답 피하기 ㄴ. A는 용암의 온도가 낮고 유동성이 작은 유문암질 용암의 성질이다. B는 용암의 온도가 높고 유동성이 큰 현무암질 용암의 성질이다. (나)에서 용암 속에 포함된 SiO_2 함량은 A가 B보다 많다.

ㄷ. 화산 (가)는 격렬하게 분출된 것으로 보아 용암의 성질은 (나)의 B보다 A에 가깝다.

II. 지구의 역사

04강 퇴적 구조와 지질 구조

01 ⑤	02 ④	03 해설 참조	04 ③	05 ①
06 ④	07 해설 참조	08 ②	09 ⑤	10 ④
11 ③	12 ③	13 ③	14 ④	15 ④
16 해설 참조		17 ④	18 ①	19 해설 참조
20 ③	21 ③	22 ③		

01 ㄱ. 석탄, 처트, 석회암은 각각 식물체, 규질 생물체, 석회질 생물체의 유해가 쌓여 생성된 유기적 퇴적암이므로 A는 유기적 퇴적암이다.

ㄴ. 역암, 사암, 셰일은 각각 자갈, 모래, 실트 또는 점토가 퇴적된 후 속성 작용으로 형성된 쇄설성 퇴적암이므로 B는 쇄설성 퇴적암이다. 응회암은 화산 쇄설물의 한 종류인 화산재가 퇴적되어 생성된 쇄설성 퇴적암의 한 종류이다.

ㄷ. 화학적 퇴적암인 암염은 해수가 증발하여 침전된 NaCl이 굳어져 만들어질 수 있다.

> **해설 클리닉**
> **ㄱ. 석탄, 처트, 석회암의 생성 과정을 이해해야 한다.**
> ✓ 유기적 퇴적암: 동식물이나 미생물의 유해가 쌓여 생성된 암석
> ✓ 식물체가 퇴적되어 석탄 형성
> ✓ 규질 생물체가 퇴적되어 처트 형성
> ✓ 석회질 생물체가 퇴적되어 석회암 형성
>
> **ㄴ. 응회암의 생성 과정을 정리해야 한다.**
> ✓ 응회암: 화산재가 퇴적되어 만들어진 암석으로, 지층에서 응회암이 발견되면 과거에 화산 활동이 있었을 것이다.
> ✓ 쇄설성 퇴적암은 암석이 풍화, 침식 작용을 받아 생긴 쇄설성 퇴적물이나 화산 쇄설물이 쌓여 형성되었다.
>
> **ㄷ. 암염의 형성 과정을 학습해야 한다.**
> ✓ 염화 나트륨 퇴적 → 암염 형성
> ✓ 화학적 퇴적암에는 암염, 처트, 석회암 등이 있다.

02 ㄴ. B는 해수의 증발에 의한 염류의 침전으로 형성되는 퇴적암이므로 화학적 퇴적암이다. B는 해수의 증발이 활발하게 일어나는 건조한 환경에서 형성된다.

ㄷ. C는 생물체 유해가 퇴적되어 형성되는 퇴적암이므로 유기적 퇴적암이다. 유기적 퇴적암에서는 생물체의 유해나 흔적인 화석이 발견될 수 있다.

오답 피하기 ㄱ. A는 화산 쇄설물로 이루어진 쇄설성 퇴적암으로 화산재로 이루어진 응회암이 A에 포함된다. 석회암은 해수에 녹아 있는 탄산 칼슘이 침전되거나 석회질 생물체의 유기물이 쌓여 형성되므로 B 또는 C에 포함된다.

03 A에서는 다짐 작용(압축 작용), B에서는 교결 작용이 발생한다.
[모범 답안] 퇴적물이 다짐 작용과 교결 작용을 받게 되면 공

극은 줄어들고 밀도는 커진다.

채점 기준	배점
모범 답안과 같이 옳게 서술한 경우	100%
밀도와 공극의 변화 중 한 가지만 옳게 서술한 경우	50%

04 ㄱ. (가)는 위로 갈수록 지층을 구성하는 입자가 점점 작아지므로 점이 층리이다.

ㄴ. (나)는 층리가 경사져 있는 사층리이다. 퇴적 구조를 보면 퇴적물이 왼쪽에서 오른쪽으로 공급되었음을 알 수 있다.

오답 피하기 ㄷ. 표면에 갈라진 모양이 나타나는 (다)는 건열이다. 문제의 그림에서 갈라진 부분이 위쪽에 나타나기 때문에 이 지층은 역전되지 않았다.

> **해설 클리닉**
> **ㄱ. 퇴적 구조의 종류와 특징을 비교하여 이해해야 한다.**
> ✓ 점이 층리: 수심이 비교적 깊은 곳에서 다양한 크기의 퇴적물이 한꺼번에 쌓일 때 형성
> ✓ 사층리: 바람이 불어가거나 물이 흘러가는 방향 쪽의 비탈면에 입자가 쌓일 때 형성
> ✓ 건열: 증발이나 융기로 습한 진흙이 건조한 대기에 노출되면서 균열이 발생
> ✓ 연흔: 수심이 얕은 물밑에서 흐르는 물이나 파도의 흔적이 퇴적물 표면에 남아 형성
>
> **ㄴ. 퇴적 구조로 알 수 있는 사실을 정리해야 한다.**
> ✓ 퇴적 당시의 환경을 유추   ✓ 지층의 상하 관계 파악
> ✓ 지층의 역전 여부 파악
>
> **ㄷ. 퇴적 구조를 통해 지층의 역전 여부를 학습해야 한다.**
> ✓ 점이 층리가 역전되지 않은 경우 위로 갈수록 입자의 크기가 작아진다.
> ✓ 사층리가 역전되지 않은 경우 층리면이 아래쪽으로 오목하다.
> ✓ 연흔이 역전되지 않은 경우 뾰족한 부분이 위로 향한다.
> ✓ 건열이 역전되지 않은 경우 위로 갈수록 틈이 넓어진다.

05 사층리는 바람이나 물의 흐름으로 지층이 비스듬하게 퇴적되어 형성된다.

오답 피하기 퇴적 구조는 지층이 퇴적될 당시 환경을 알려주며 퇴적 구조를 확인하여 지층의 역전 여부를 알 수 있다. 점이 층리는 한 지층 내에서 위로 갈수록 퇴적물 입자가 작아지는 퇴적 구조로, 퇴적물의 입자 크기에 따라 퇴적 속도가 다르기 때문에 형성된다. 연흔은 얕은 물밑에서 흐르는 물이나 파도의 흔적이 물결 모양으로 지층에 남은 퇴적 구조이다. 건열은 습한 지층이 건조한 대기에 노출되었을 때 증발이 일어나면서 지층에 틈이 벌어져 형성된다.

06 C는 건열, B는 사층리이다. 건열의 갈라진 부분, 사층리의 층리 간격이 넓은 부분이 모두 각 지층의 하부에서 나타나므로 이 지층은 역전되었다.

ㄴ. 사층리는 퇴적물의 공급 방향을 알 수 있으므로 퇴적물과 함께 움직인 유체(바람 또는 물)의 이동 방향을 알 수 있다.

ㄷ. 건열은 건조한 환경에서 나타나는 퇴적 구조이다.

오답 피하기 ㄱ. 지층이 역전되었으므로 지층은 C, B, A 순으로 형성되었다.

07 건열은 건조한 환경에 노출되어 퇴적물 표면이 V자 모양으로 갈라진 퇴적 구조이다. 사층리는 물이 흐르거나 바람이 부는 환경에서 퇴적물이 기울어진 상태로 쌓인 퇴적 구조이다.
[모범 답안] 지층 B는 사막이나 얕은 물밑에서 바람이나 물의 방향에 따라 층리가 기울어져 만들어진다. 지층 C는 건조한 환경에서 지표면이 수면 밖으로 노출되면서 만들어진다.

채점 기준	배점
모범 답안과 같이 옳게 서술한 경우	100%
지층 B와 지층 C 중 한 가지 퇴적 구조의 형성 과정이나 퇴적 환경만 옳게 서술한 경우	50%

08 ㄷ. 사층리로 과거에 물이 흐른 방향이나 바람이 불었던 방향 (즉, 퇴적물의 이동 방향)을 알아낼 수 있다.

오답 피하기 ㄱ. 건열은 점토질의 퇴적층에 포함된 수분이 증발된 후 건조되는 과정에서 지표면이 갈라진 자국이다.
ㄴ. 연흔은 얕은 물밑에서 물결 작용에 의해 퇴적물 표면에 생긴 물결 모양의 퇴적 구조이다.

09 ㄱ. (가)는 습곡으로, 위로 볼록한 부분인 배사 구조와 아래로 오목한 부분인 향사 구조가 나타난다.
ㄴ. (다)는 장력을 받아 상반은 단층면을 기준으로 아래로 내려가고, 하반은 단층면을 기준으로 위로 올라간다.
ㄷ. (가)와 (나)는 횡압력을 받아 형성된 지질 구조이다.

해설 클리닉
ㄱ. 습곡에 나타나는 지질 구조를 이해해야 한다.
✔ 습곡: 지층이 양쪽에서 미는 횡압력을 받아 휘어진 지질 구조이다.
✔ 습곡축: 가장 많이 휘어진 부분
✔ 습곡축면: 습곡축을 포함하는 면
✔ 습곡 날개: 습곡축 양쪽의 비교적 편평한 면
✔ 배사: 위로 볼록한 부분
✔ 향사: 아래로 오목한 부분

ㄴ. 정단층에 나타나는 지질 구조를 정리해야 한다.
✔ 정단층: 장력이 작용하여 상반이 아래로 이동한 단층
✔ 단층면: 단층 작용으로 지층이나 암석이 끊어진 면
✔ 상반: 단층면 위쪽에 놓인 부분
✔ 하반: 단층면 아래쪽에 놓인 부분

ㄷ. 습곡과 역단층에 작용한 힘의 방향을 학습해야 한다.
✔ 습곡: 양쪽에서 미는 횡압력이 작용하여 지층이 휘어진 구조
✔ 역단층: 양쪽에서 미는 횡압력이 작용하여 상반이 위로 이동한 구조

10 (가)~(다)는 모두 수평으로 퇴적된 지층이 횡압력을 받아 휘어진 습곡이다. (다)에서는 습곡축면이 수평에 가깝게 기울어져 있으므로 먼저 퇴적된 지층이 나중에 퇴적된 지층보다 위에 놓이는 부분이 나타난다.
ㄱ. (가)에서 A는 위로 볼록한 배사이고, B는 아래로 오목한 향사이다.
ㄴ. (나)는 습곡축면이 기울어져 있는 경사 습곡이다.

오답 피하기 ㄷ. (가)는 정습곡, (나)는 경사 습곡, (다)는 횡와 습곡이다.

문제 속 자료　습곡의 종류

(가)　　　　(나)　　　　(다)

• 정습곡: 습곡축면이 수평면에 대해 거의 수직인 습곡
• 경사 습곡: 습곡축면이 수평면에 대해 기울어진 습곡
• 횡와 습곡: 습곡축면이 거의 수평으로 누워 있는 습곡

11 ③ 습곡과 역단층이 형성될 때 지층에 작용한 힘은 양쪽에서 미는 힘인 횡압력으로 같다. 습곡은 온도가 높은 지하 깊은 곳에서 형성되고, 역단층은 상대적으로 온도가 낮은 지표 근처에서 형성된다. 정단층이 형성될 때 지층은 양쪽에서 잡아당기는 힘인 장력을 받는다.

오답 피하기 지층이 힘을 받아 휘어진 것을 습곡, 끊어진 것을 단층이라고 한다. 지층이 시간적 단절 없이 연속적으로 쌓인 것을 정합, 두 지층 사이에 오랜 기간의 시간적 단절이 있으면 부정합이라고 한다.

12 ㄱ. 습곡은 지층이 횡압력을 받아 형성되었다.
ㄷ. 건열이나 연흔 등의 퇴적 구조로 지층의 상하 관계를 판단할 수 있다.

오답 피하기 ㄴ. 연흔은 물결이나 바람의 작용에 의해 형성된 퇴적 구조이다.

13 ㄱ. (가)는 습곡이다. 습곡에서 A는 지층이 아래로 휘어진 향사에 해당한다.
ㄴ. (나)는 횡압력을 받아 상반이 위로 올라간 역단층이다.

오답 피하기 ㄷ. 습곡과 역단층은 횡압력을 받아 형성된 지질 구조이다. 횡압력은 판의 수렴형 경계에서 작용하므로 (가)와 (나)는 판의 발산형 경계에서 나타나지 않는다. 판의 발산형 경계에서는 장력이 작용하기 때문에 정단층이 잘 형성된다.

14 단층에서 어긋난 면을 단층면이라 하고, 단층이 경사져 있을 때 단층면 위에 놓인 부분을 상반, 아래에 놓인 부분을 하반이라고 한다.
ㄴ. 이 단층은 양쪽에서 잡아당기는 힘, 즉 장력에 의해 형성되었다.
ㄷ. 상반이 하반에 대해 아래쪽으로 내려가 있는 단층을 정단층이라고 한다.

오답 피하기 ㄱ. 상반은 단층면을 따라 아래로 이동하였다.

15 ㄴ. A층이 퇴적된 후 지반이 융기하여 침식 작용을 받았다. 지층은 퇴적이 중단되었다가 다시 침강하여 B층이 퇴적되었으므로 두 지층 사이에는 퇴적 시간의 간격이 크다.
ㄷ. A층은 횡압력을 받아 습곡이 형성되었으며, 위로 볼록한 배사 구조가 나타난다.

오답 피하기 ㄱ. A층의 단층은 상반이 아래로 이동한 정단층으로, 장력을 받아 형성되었다.

ㄱ. 지층 A의 형성 과정을 이해해야 한다.

✔ 지층 A는 '퇴적 → 습곡 → 화강암 관입 → 정단층'의 과정으로 형성되었다.

ㄴ. 지층 A와 지층 B의 형성 과정을 비교해야 한다.

✔ 지층 A와 지층 B 사이에 부정합이 발견된다.

✔ 부정합면이 발견되는 것으로 보아 상하 지층 사이에 긴 시간 차이가 있었음을 알 수 있다.

✔ 부정합면을 기준으로 상하 지층이 형성될 때 대규모 지각 변동이 있었을 것이다.

ㄷ. 지층 A에서 나타나는 지질 구조를 학습해야 한다.

✔ 지층 A에 나타나는 지질 구조에는 습곡, 정단층이 있다.

ㄱ. 지층 A와 지층 B의 형성 과정을 비교해야 한다.

✔ 지층 A와 지층 B 사이에 부정합이 발견되는 것으로 보아 상하 지층 사이에 긴 시간 차이가 있었음을 알 수 있다.

ㄴ. 지층 C가 형성되는 과정을 학습해야 한다.

✔ 지층 C에서 지층 D의 암석 조각이 발견 → 지층 D가 먼저 형성되고 지층 C가 나중에 형성 → 지층 C에 남아 있는 지층 D의 암석은 포획암

✔ 포획: 마그마가 관입할 때 주위의 암석이나 지층의 조각이 떨어져 나와 마그마에 포함되어 굳은 구조

ㄷ. 지층이 형성된 과정을 학습해야 한다.

✔ 지층은 A → B → D → C 순으로 형성되었다.

16 (1) (가)는 부정합면을 경계로 상층과 하층의 층리가 경사져 있는 경사 부정합이고, (나)는 부정합면을 경계로 상층과 하층의 층리가 나란한 평행 부정합이다.

(2) A는 지층이 해수면 위로 드러나는 융기의 과정이고, B는 지층이 해수면 아래로 가라앉는 침강의 과정이다. 지반이 융기하여 지표에 노출되면 침식 작용이 일어나고, 퇴적 작용은 중단된다. 따라서 A와 B 사이에 퇴적이 중단되는 현상이 나타난다.

[모범 답안] (1) (가) 경사 부정합 (나) 평행 부정합

(2) A: 융기, B: 침강

	채점 기준	배점
(1)	모범 답안과 같이 옳게 서술한 경우	50%
	(가), (나) 중 한 가지만 옳게 쓴 경우	25%
(2)	모범 답안과 같이 옳게 서술한 경우	50%
	A, B 중 한 가지만 옳게 쓴 경우	25%

17 오답 피하기 ① 지질 단면도에서 습곡과 역단층이 나타나므로 이 지역 지층에는 횡압력이 작용하였다.

② A층의 습곡 지형이 단층으로 끊어져 있고, 습곡 작용을 받지 않은 B층이 단층으로 끊어져 있다. 따라서 이 지역은 A층이 퇴적된 상태에서 습곡 작용을 먼저 받고, B층이 퇴적된 이후에 단층이 생겼다.

③ A층과 B층 사이에 기저 역암이 나타나므로 두 지층의 관계는 부정합이며 지층이 융기되어 침식이 일어나면서 퇴적이 오랫동안 중단된 시기가 있었다.

⑤ 지층에서 부정합면이 발견되므로 지표로 융기한 적이 있을 것이다.

18 ㄱ. A층과 B층 사이에는 기저 역암이 존재하므로 두 층의 관계는 부정합이고 퇴적이 중단된 시기가 있었다.

오답 피하기 ㄴ. C층에서 D층의 포획암이 나타나므로 C층이 생성될 때 D층이 존재했다. C층은 D층 아래로 관입하여 생성된 심성암이다.

ㄷ. 지층 D가 퇴적된 이후에 C층의 관입이 일어났으므로 C층이 가장 나중에 생성되었다.

19 C층에 D층의 암석 조각이 포함되어 있으므로 D층이 생성된 이후에 C층이 생성되었다.

[모범 답안] A → B → D → C

채점 기준	배점
모범 답안과 같이 옳게 나열한 경우	100%
지층의 생성 순서가 틀린 경우	0%

20 ㄱ. 이 지역의 지질 단면에는 습곡이 형성되어 있으므로 지층에 양쪽에서 미는 힘인 횡압력이 작용한 적이 있다.

ㄷ. 지질 단면에서 화성암이 아래쪽 부정합면을 관입하고 있다. 단층은 아래쪽 부정합면을 절단하고 있지 못하므로 관입은 부정합보다 나중에, 단층은 부정합보다 먼저 형성되었다.

오답 피하기 ㄴ. 이 지층에는 상반이 내려가 있고, 하반이 올라가 있는 정단층이 형성되어 있다. 지질 단면에서 역단층은 볼 수 없다.

21 ㄱ. (가)에서 화강암 내에 포획암(포획된 셰일)이 존재하는 것으로 보아 화강암이 관입하는 과정에서 이전에 존재하던 셰일이 포획되었다. 따라서 (가)에서 포획된 셰일은 화강암보다 먼저 생성되었다.

ㄷ. 마그마 관입이 나타나는 (가)에서 암석의 생성 순서는 셰일 → 화강암이고, 부정합이 나타나는 (나)에서 암석의 생성 순서는 화강암 → 셰일이다. (가)와 (나)의 화강암의 생성 시기가 같으므로 셰일의 퇴적 시기는 (가)가 (나)보다 빠르다.

오답 피하기 ㄴ. (나)에서 화강암의 침식물(기저 역암)이 셰일에 들어 있는 것으로 보아 화강암이 셰일보다 먼저 생성되었다.

22 ㄱ. (가)는 지표로 분출한 용암이 중심 방향으로 빠르게 식으면서 수축하여 생성되었다.

ㄴ. (나)는 지하 깊은 곳에서 형성된 심성암이 융기하여 지표로 노출되는 동안 암석을 누르는 압력 감소로 서서히 팽창하여 만들어졌다.

오답 피하기 ㄷ. (가)는 기둥 모양으로 형성된 주상 절리로 화산암에서 주로 관찰되고, (나)는 얇은 판 모양으로 형성된 판상 절리로 심성암에서 주로 관찰된다.

내신 기출   44~47쪽

01 ⑤   02 ③   03 해설 참조   04 ⑤   05 ③

06 ③   07 ③   08 ②   09 해설 참조   10 ③

11 ⑤   12 ①   13 ④   14 ③   15 ③

16 해설 참조   17 ②   18 ④   19 ①   20 ②

01 ㄱ. 지질 단면도에서 단층면을 기준으로 왼쪽의 상반이 올라가고 오른쪽의 하반이 내려가 있는 역단층이 관찰된다.

ㄴ. 층리가 휘어져 있는 습곡 구조가 나타난다. 문제의 그림에서는 습곡 중 위로 볼록한 부분인 배사 구조가 나타난다. 습곡이 단층면으로 끊어져 있으므로 습곡 형성 이후에 단층이 형성되었다.

ㄷ. 지층의 역전이 없었으므로 지층 누중의 법칙에 따라 아래에 있는 사암층이 셰일층보다 먼저 형성되었다.

> **해설 클리닉**
>
> ㄱ. 단층에 나타나는 지질 구조를 이해해야 한다.
> ✔ 단층: 암석에 힘이 작용하여 암석이 끊어지고, 끊어진 면을 경계로 양쪽의 암석이 다른 방향으로 이동하여 어긋난 지질 구조
> ✔ 역단층: 횡압력이 작용하여 상반이 위로 이동한 단층
>
> ㄴ. 습곡에 나타나는 지질 구조를 이해해야 한다.
> ✔ 배사: 위로 볼록한 부분
> ✔ 향사: 아래로 오목한 부분
>
> ㄷ. 지층이 형성된 과정을 학습해야 한다.
> ✔ 지층은 습곡과 역단층의 영향을 받았다.
> ✔ 지층의 형성 순서는 '사암 → 셰일 → 이암 → 석회암' 순이다.

02 ㄱ. A층은 습곡 구조가 나타나고 A층 위의 지층은 수평으로 퇴적되었으므로 두 층은 경사 부정합 관계에 있다. 따라서 A층이 퇴적된 후 지층이 융기하였고 오랫동안 퇴적이 중단되고 침식 작용이 일어났다.

ㄴ. A층에서는 습곡 구조와 역단층 $f-f'$가 나타난다. 두 지질 구조 모두 횡압력을 받아 형성되므로 A층은 퇴적된 후 횡압력을 받았을 것이다.

오답 피하기 ㄷ. 단층 $f-f'$는 화성암 B를 절단하지 못했고 화성암 B는 단층 $f-f'$의 단층면을 통과하여 관입하였다. 따라서 단층 $f-f'$가 먼저 형성되었고 이후에 화성암 B가 단층면을 관통하며 관입이 일어났다.

> **문제 속 자료** 지질 단면도 해석
>
>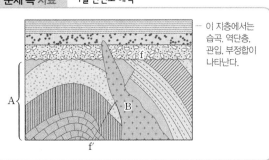
>
> -- 이 지층에서는 습곡, 역단층, 관입, 부정합이 나타난다.

03 지사학의 법칙에는 수평 퇴적의 법칙, 지층 누중의 법칙, 동물군 천이의 법칙, 관입의 법칙, 부정합의 법칙이 있다. 퇴적층에서 화석이 발견되지 않으므로 동물군 천이의 법칙을 이용하기는 어렵다.

[모범 답안] 지층 누중의 법칙, 수평 퇴적의 법칙, 관입의 법칙, 부정합의 법칙

채점 기준	배점
모범 답안과 같이 옳게 서술한 경우	100%
지사학의 법칙을 세 가지만 서술한 경우	50%
지사학의 법칙을 두 가지만 서술한 경우	30%

04 화성암 B와 화성암을 둘러싸고 있는 지층의 경계에서 바깥쪽으로 기저 역암이 존재하기 때문에 두 지층은 부정합 관계에 있다. 따라서 이 지층은 '화성암 B 생성 → 부정합 → 습곡 → A 관입 → 부정합 → 역단층' 순으로 지각 변동이 일어났다.

ㄱ. 화성암 A는 습곡된 지층을 모두 통과하고, 화성암 B는 습곡된 지층과 부정합 관계이므로 화성암 B가 A보다 먼저 관입하였다.

ㄴ. 단층면이 습곡된 지층을 지나고 있기 때문에 습곡이 단층보다 먼저 형성되었다.

ㄷ. 이 지역은 두 번의 부정합이 있었다. 부정합은 '융기 → 침식 → 침강 → 퇴적'의 과정으로 나타나므로 두 번의 부정합 형성 과정에서 융기 또한 두 번 있었을 것이다. 현재 이 지역은 지상에 식물이 있는 것으로 보아 최근에 융기가 일어났으므로 최소 세 번의 융기가 있었을 것이다.

> **문제 속 자료** 지질 단면도 해석
>
>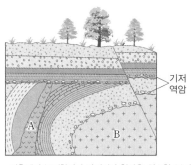
>
> 기저 역암
>
> • 지층에서 부정합면이 발견되면 침강은 최소한 부정합면의 수와 같고 융기는 최소한 '부정합면+1'의 수와 같다.
> • 지층이 우리 눈으로 관측되려면 융기 과정이 한 번 더 일어나야 한다.

05 지사학의 법칙에는 수평 퇴적의 법칙, 지층 누중의 법칙, 동물군 천이의 법칙, 관입의 법칙, 부정합의 법칙 등이 있으며, 이를 통해 지층의 선후 관계를 판단할 수 있다.

오답 피하기 • 학생 C: 지사학의 법칙을 통해 지층의 상대 연령을 구할 수 있다.

06 ③ 새로운 지층은 항상 기존에 존재하던 지층 위에 퇴적되므로 오래된 지층이 더 아래에 위치한다. 따라서 위쪽에 위치한 지층일수록 최근에 생성되었고 더욱 진화된 화석이 발견된다.

오답 피하기 지층은 중력의 영향으로 수평 방향으로 퇴적된다.

07 지층의 역전이 일어나지 않은 지역이므로 E, C, B 순으로 지층이 퇴적되었다. 이후 마그마의 관입으로 화성암 D가 생성되었으며 융기와 침식 작용을 거친 후 부정합면 위에 A가 퇴적되었다.

08 B와 C는 이웃한 두 지층으로 지층 누중의 법칙에 의해 아래에 있는 C가 위에 있는 B보다 먼저 퇴적되었음을 알 수 있다. 화강암 D는 B를 관입하였으므로, 관입의 법칙에 의해 관입당한 B가 먼저 생성되었고 이후 마그마의 관입으로 D가 생성되었음을 알 수 있다.

09 현재 지층이 지표에 노출되어 침식을 받고 있으므로 이 지층은 최소 2회 이상의 융기 과정이 있었을 것이다.
[모범 답안] 지질 단면도에서 부정합면이 1개 나타나므로 최소 2회 이상의 융기 과정이 있었을 것이다.

채점 기준	배점
모범 답안과 같이 옳게 서술한 경우	100%
융기가 2회 이상 있었다는 서술이 빠진 경우	0%

10 ① 부정합 아래의 지층은 'I → H → G → E → D' 순으로 퇴적되었다.
② 지층에서 부정합면이 발견되는 것으로 보아 퇴적이 중단된 시기가 있었을 것이다.
④ 지층에서 화석이 발견되지 않으므로 동물군 천이의 법칙을 적용할 수는 없다.
⑤ 부정합면 아래의 지층은 퇴적 후 기울어졌다.
오답 피하기 ③ 지층이 쌓인 후 화성암 F가 관입하였고, 이후 부정합이 형성되었다.

문제 속 자료 지질 단면도 해석

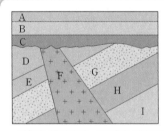

• 지층이 기울어져 있는 경사층은 퇴적물이 수평으로 퇴적된 후 지각 변동을 받아 지층이 휘어지거나 기울어졌다.
• 지층이 지표면과 나란한 수평층은 비교적 지각 변동을 받지 않은 지층이다.

11 • 영희: 부정합이 생성되기 위해서는 지층이 해수면 위로 노출되어 침식 작용을 받아야 한다. 따라서 이 지역은 지층이 융기하여 해수면이 부정합면보다 낮았던 적이 있다.
• 철수: 부정합면의 아래에 위치한 지층에서 습곡이 나타나므로 이 지역의 지층은 과거에 횡압력을 받았다.

• 민수: 부정합면 아래에 위치한 지층은 습곡 작용을 받기 전 A 지점에 접해 있는 지층이 B 지점에 접해 있는 지층보다 아래에 위치하였다. 따라서 지층 누중의 법칙에 의해 A 지점에 접해 있는 지층이 먼저 퇴적되었고 부정합면 바로 위에 위치한 지층의 나이는 동일하므로 부정합면을 경계로 이웃한 두 지층이 생성된 시간 차이는 A가 B보다 크다.

12 ㄱ. 표준 화석을 통해 (가)에서 A, B와 (나)에서 a, d가 각각 같은 시기에 생성된 지층임을 알 수 있다. (나)에서 b, c가 퇴적되는 동안 (가)에서는 퇴적이 일어나지 않았다. (가)에서 이 기간 동안 퇴적이 중단된 후 B가 나중에 퇴적되었다. 따라서 A와 B는 부정합 관계이다.
오답 피하기 ㄴ. (가)의 B와 (나)의 d가 같은 시기에 퇴적된 지층이므로, B는 d 아래에 있는 c보다 나중에 퇴적되었다.
ㄷ. (가)와 (나)에서 최상층과 최하층에서 산출되는 화석이 각각 같기 때문에 두 지층의 생성 시기가 같다. 따라서 두 지역의 지층이 모두 퇴적되는 데 걸린 시간은 거의 같다.

해설 클리닉

ㄱ. (가)의 형성 과정을 학습해야 한다.
✔ (가)에서 지층 A와 B 사이에는 (나)에서 지층 a와 d 사이에서 발견되는 b와 c 지층이 발견되지 않는다.
✔ 상하 지층 사이에 긴 시간 차이가 있었으므로 (가)에서 지층 A와 B는 부정합 관계이다.

ㄴ. (가)와 (나)의 형성 과정을 비교하여 정리해야 한다.
✔ (가)와 (나)를 종합하여 지층의 형성 과정을 파악한다.
✔ 지층은 'A(a) → b → c → B(d) → C → D(e)'의 순으로 형성되었다.

ㄷ. (가)와 (나)에서 지층의 아래와 위쪽에서 발견되는 화석을 비교하여 이해해야 한다.
✔ (가)에서 가장 아래층(A)과 가장 위층(D)에서 발견되는 화석과 (나)에서 가장 아래층(a)과 가장 위층(e)에서 발견되는 화석이 동일하다.
→ 지층이 퇴적되는 데 걸린 시간이 거의 같을 것이다.

13 (가), (나), (다) 지역의 지층 단면에서 방추충이 발견되는 지층이 동일하게 나타난다.
ㄴ. (가)와 (다)에는 방추충 화석을 포함한 지층의 아래에 동일한 지층이 나타난다. (나)에서는 이 지층이 나타나지 않고 삼엽충 화석을 포함한 지층이 존재한다. 따라서 (나)에서 방추충이 발견되는 지층과 삼엽충이 발견되는 지층은 부정합 관계에 있다.
ㄷ. (다)에서 고사리 화석이 발견되는 지층은 육지에서 형성된 육성층이다.
오답 피하기 ㄱ. 방추충은 고생대 표준 화석이다. A층은 방추충이 발견되는 지층보다 아래에 존재하므로 고생대 이전에 형성된 지층이다. 따라서 A층에서 중생대 표준 화석인 암모나이트 화석이 산출될 수 없다.

14 (가) 지역과 (나) 지역은 인접한 지역이므로 지질 단면에서 퇴적된 지층이 전체적으로 유사하다.
ㄱ. (나)에서 셰일층과 응회암층 사이에 존재하는 역암층이

(가)에는 존재하지 않는다. 따라서 (가)에서 셰일층과 응회암층은 부정합 관계에 있다. (나)에서 역암층이 형성될 당시에 (가)에서는 지층이 융기하여 침식 작용이 일어났고, 퇴적이 일어나지 않았다.

ㄷ. 두 지역 모두 화산재가 퇴적되어 형성된 응회암층이 존재하므로 화산 활동의 영향을 받았다.

오답 피하기 ㄴ. 석회암층에서 암모나이트 화석이 발견되므로 석회암층보다 위에 존재하는 지층은 중생대 이후에 형성된 지층이다. 삼엽충 화석은 고생대 표준 화석이므로 석회암층보다 위에 있는 A에서 삼엽충 화석이 발견될 수 없다.

15 ③ 암상에 의한 대비는 비교적 가까운 거리의 지층 대비에 이용되고, 화석에 의한 대비는 가까운 거리뿐만 아니라 멀리 떨어져 있는 지층의 대비에도 이용된다.

오답 피하기 지층이나 암석의 시간적인 선후 관계를 밝히는 것을 지층의 대비라고 한다. 지층의 대비에서 암석의 종류나 퇴적 구조 등을 이용하는 방법은 암상에 의한 대비이며, 표준 화석을 이용하는 방법은 화석에 의한 대비이다.

16 암상에 의한 대비는 지층을 구성하는 암석의 종류나 성분, 조직, 퇴적 구조 등을 파악하여 지층의 선후 관계를 파악하는 방법이다. 화석에 의한 대비는 특정한 시기의 지층에서만 발견되는 화석(표준 화석)을 이용하여 지층의 선후 관계를 파악하는 방법이다.

[모범 답안] (1) 암상에 의한 대비 (2) 화석에 의한 대비

채점 기준	배점
모범 답안과 같이 옳게 서술한 경우	100%
(1), (2) 중 한 가지 경우만 옳게 쓴 경우	50%

17 이 지역의 지층은 'C 퇴적 → P 관입 → 부정합 → B 퇴적 → $f-f'$ 단층 → Q 관입, 부정합 후 A 퇴적' 순으로 지각 변동이 일어났다.(Q 관입과 부정합 후 A 퇴적은 정확한 선후를 알기 어렵다.)

ㄴ. 지질 단면도에서 두 번의 부정합이 나타나고 현재 지층이 융기되어 육상에 존재하므로 이 지역은 최소한 3회 이상 융기했다.

오답 피하기 ㄱ. 화성암 Q는 지층 C를 지나 지층 B까지 관입하였으므로 지층 B 퇴적 이후 화성암 Q가 관입하였다.

ㄷ. 방사성 원소 X의 반감기가 약 7억 년이고 화성암 P와 Q에 포함된 방사성 원소 X의 양은 각각 암석이 생성될 당시의 25 %, 50 %이므로 화성암 P는 약 14억 년 전, 화성암 Q는 약 7억 년 전에 만들어졌다. 단층 $f-f'$는 화성암 P 관입 이후, 화성암 Q 관입 이전에 형성되었다. 고생대의 시작이 약 5.41억 년 전인데 비해 단층 $f-f'$는 최소 7억 년 전에 형성되었으므로 이 단층은 선캄브리아 시대에 형성된 단층이다.

ㄱ. (가)에서 지층의 생성 과정을 이해해야 한다.

✓ P는 단층면($f-f'$)이 형성되기 이전에 관입하였고, Q는 단층면($f-f'$)이 형성된 이후에 관입하였다.

ㄴ. 지층에서 부정합면이 발견되었을 때 지층의 융기와 침강 횟수를 정리해야 한다.

✓ (가)에서 부정합면은 2개 발견된다.
✓ 부정합면이 1개일 때 침강은 1회, 융기는 2회 이상이다. 부정합면이 2개 발견되므로 침강은 2회, 융기는 3회 이상일 것이다.

ㄷ. 방사성 원소의 반감기를 이용하여 지층의 생성 시기를 계산하고, 지질 시대의 상대적인 길이를 정리해야 한다.

✓ P에 포함된 방사성 원소의 양 → 생성 당시의 25 % → 암석은 약 14억 년 전에 형성
✓ Q에 포함된 방사성 원소의 양 → 생성 당시의 50 % → 암석은 약 7억 년 전에 형성

18 (가)에서는 모원소만 존재하고 (나)에서는 모원소와 자원소의 개수비가 1 : 1, (다)에서는 모원소와 자원소의 개수비가 1 : 3이다. 모원소의 개수가 감소한 (가) → (나) → (다) 순으로 붕괴가 진행되었을 것이다.

ㄱ. (나)는 반감기가 1번 지난 후의 상태이고, (다)는 반감기가 2번 지난 후의 상태이다. (가) → (나)의 시간 간격과 (나) → (다)의 시간 간격은 모원소의 반감기에 해당하므로 서로 같다.

ㄷ. (다)에서 모원소와 자원소의 개수비가 1 : 3이므로 모원소는 최초의 25 %로 감소했다.

오답 피하기 ㄴ. (다)에서 모원소는 최초의 25 %로 감소했으므로 반감기가 2번 지난 후의 모습이다.

19 ㄱ. 원소 ㉠의 반감기는 약 7억 년이므로 14억 년이 지나면 ㉠의 양은 처음의 $\frac{1}{4}$로 줄어든다.

오답 피하기 ㄴ. ㉡의 반감기는 약 14억 년이다.

ㄷ. 원소 ㉠의 반감기는 약 7억 년, 원소 ㉡의 반감기는 약 14억 년이므로 ㉠의 반감기는 ㉡의 절반이다.

20 이 지역의 지층은 'B 퇴적 → A 관입 → 부정합 → D 퇴적 → C 관입 → 부정합 후 퇴적' 순으로 생성되었다.

ㄴ. B와 D 사이에 기저 역암이 존재하므로 두 지층은 부정합 관계이다.

오답 피하기 ㄱ. (나)에서 방사성 원소 X의 함량이 반으로 줄어드는 데 걸리는 시간이 1억 년이므로 방사성 원소 X의 반감기는 1억 년이다. A와 C에 포함된 방사성 원소 X의 양은 각각 처음의 $\frac{1}{8}$, $\frac{1}{4}$이므로 A는 반감기 3회를 지났고, C는 반감기 2회를 지났다. 따라서 A의 절대 연령은 3억 년, C의 절대 연령은 2억 년이다.

ㄷ. D는 A 관입과 C 관입 사이에 퇴적된 지층이다. 따라서 2억 년 전과 3억 년 전 사이에 퇴적되었고 이때는 고생대 말부터 중생대 초까지의 시기이다. 화폐석은 약 6600만 년 전부터 시작된 신생대의 표준 화석이므로 D에서 발견될 수 없다.

06강 지질 시대의 환경과 생물

내신 기출					52~55쪽
01 ④	02 ④	03 ②	04 ①	05 ①	06 ②
07 ①	08 해설 참조		09 ①	10 ④	11 ②
12 ④	13 ②	14 ④	15 ⑤	16 ④	17 ⑤
18 해설 참조		19 ③	20 ⑤		

01 ㄴ. A의 예로는 삼엽충, 암모나이트, 화폐석 화석 등이 있고, B의 예로는 고사리나 산호 화석 등이 있다.

ㄷ. 생존 기간이 짧고 분포 면적이 넓은 A는 표준 화석이다. 생존 기간이 길고 환경 변화에 민감하여 분포 면적이 좁은 B는 시상 화석이다. 시상 화석은 지층의 퇴적 환경 추정에 적합하고, 지층의 대비에는 표준 화석이 더 적합하다.

오답 피하기 ㄱ. A는 표준 화석, B는 시상 화석이다.

해설 클리닉

ㄱ. 화석의 특징을 이해해야 한다.
- ✔ 표준 화석의 조건: 특정 시기에 서식, 짧은 생존 기간
- ✔ 시상 화석의 조건: 특정 환경에서 서식, 긴 생존 기간

ㄴ. 삼엽충과 암모나이트가 번성한 시기를 정리해야 한다.
- ✔ 삼엽충은 고생대에 번성한 해양 생물이다. → 고생대에만 번성하였으므로 표준 화석에 해당한다.
- ✔ 암모나이트는 중생대에 번성한 해양 생물이다. → 중생대에만 번성하였으므로 표준 화석에 해당한다.

ㄷ. 화석을 이용하여 지층을 대비하는 방법을 학습해야 한다.
- ✔ 표준 화석: 특정 시기에 출현하여 일정 기간 번성하다가 멸종된 생물의 화석 → 특정 시기에만 번성하였으므로 지층의 형성 시기를 유추할 수 있어 지층 대비에 이용
- ✔ 시상 화석: 환경 변화에 민감하여 특정한 환경에서만 번성하는 생물의 화석

02 ㄱ. 삼엽충 화석은 고생대 표준 화석, 암모나이트 화석은 중생대 표준 화석이다. 따라서 (가)는 (다)보다 먼저 생성되었다.

ㄷ. 암모나이트가 번성했던 중생대에는 기후가 대체로 온난하고 빙하기가 없었다.

오답 피하기 ㄴ. 고사리 화석은 시상 화석이다. 고사리 화석이 포함되어 있는 지층은 기후가 온난하고 습윤한 지역에서 형성되었다.

03 (가)의 화폐석, (나)의 삼엽충, (다)의 암모나이트는 각각 신생대, 고생대, 중생대의 표준 화석이다.

ㄷ. 화폐석, 삼엽충, 암모나이트 세 생물 모두 바다에서 서식한 해양 생물이다. 해양 생물의 화석은 바다에서 퇴적된 지층에서 발견된다.

오답 피하기 ㄱ. (가)의 화폐석은 신생대의 표준 화석, (나)의 삼엽충은 고생대의 표준 화석, (다)의 암모나이트는 중생대의 표준 화석이므로 (나)가 가장 오래되었고, (가)가 가장 최근에 형성되었다.

ㄴ. 화폐석, 삼엽충, 암모나이트 세 생물 모두 지질 시대를 구분할 수 있는 표준 화석이다.

04 ① 화석은 퇴적물에 생물의 유해나 활동 흔적이 남아 있는 것이므로 퇴적암에서 발견된다. 마그마의 냉각에 의해 생성된 화성암이나 암석이 열과 압력을 받아 변성되어 생성된 변성암에서는 거의 발견되지 않는다.

오답 피하기 생물의 유해뿐만 아니라 활동 흔적도 화석에 포함된다. 생물체의 단단한 부분이 지층에 빨리 매몰되어 형태가 잘 유지될수록 화석이 생성될 가능성이 높다.

05 ㄱ. 지층 A는 삼엽충 화석이 발견되므로 고생대 바다 환경에서 퇴적된 지층이다. 지층 B는 공룡알 화석이 발견되므로 중생대 육지 환경에서 퇴적된 지층이다. 따라서 지층 A가 지층 B보다 먼저 생성되었다.

오답 피하기 ㄴ. 양치식물은 고생대에 출현하여 번성하였으므로 삼엽충과 같은 시기에 생존하였다. 양치식물은 육지에서 서식한 육상 식물이므로 바다에서 퇴적된 지층 A에서는 양치식물 화석이 발견될 수 없다.

ㄷ. 공룡이 번성했던 중생대는 온난한 기후가 지속되었으며 빙하기가 없었다.

06 A는 고생대, B는 중생대, C는 신생대, D는 선캄브리아 시대이다.

ㄴ. 오존층이 형성되어 생물체가 육상으로 진출할 수 있었던 시기는 고생대(A)이다.

오답 피하기 ㄱ. 해양 무척추동물은 고생대 초에 번성하였으므로 이 시기는 A이다.

ㄷ. B는 중생대로, 이 시기에 육지에서는 공룡이 번성하고, 바다에서는 암모나이트가 번성하였다. 삼엽충은 고생대(A)에 번성하였고, 매머드는 신생대(C)에 번성하였다.

해설 클리닉

ㄱ. 지질 시대 생물이 번성한 시기를 정리해야 한다.
- ✔ 해양 무척추동물이 번성한 시기는 고생대 초이다.
- ✔ 고생대는 약 5.41~2.52억 년 전까지의 시기이다.

ㄴ. 오존층이 형성된 시기를 알고, A 시기를 정리해야 한다.
- ✔ 오존층이 형성된 시기는 고생대이다.

ㄷ. 지질 시대에 번성한 생물을 시기별로 정리하고, B가 차지하는 시기를 정리해야 한다.
- ✔ 고생대에 번성한 생물은 삼엽충, 방추충, 갑주어 등이다.
- ✔ 중생대에 번성한 생물은 공룡, 암모나이트 등이다.
- ✔ 신생대에 번성한 생물은 화폐석, 매머드 등이다.

07 ㄱ. 중생대는 3개의 '기'로 세분된다. A는 트라이아스기, B는 쥐라기, C는 백악기이다.

오답 피하기 ㄴ. 중생대 대멸종은 트라이아스기 말과 백악기 말에 일어났다.

ㄷ. 중생대 전 기간에 걸쳐 온난한 기후가 지속되었으며 빙하기는 나타나지 않았다.

08 선캄브리아 시대는 지구 탄생부터 시작되었으며 가장 오래된 지질 시대이다. 현재까지 많은 지각 변동을 받아 대부분의 지층이나 화석이 변형되거나 소실되었다.

[모범 답안] 선캄브리아 시대는 오랜 시간 동안 지층이 심한 지각 변동을 많이 받았으며, 지층에 남아 있는 화석이 거의 없어 지질 시대를 세분화하는 기준이 없기 때문이다.

채점 기준	배점
모범 답안과 같이 옳게 서술한 경우	100%
선캄브리아 시대의 시간적 특징, 지각 변동의 정도 중 한 가지만 포함하여 서술한 경우	50%

09 ㄱ. 고생대는 약 5억 4100만 년 전 캄브리아기를 시작으로 약 2억 5200만 년 전 페름기까지의 기간이다. 고생대 말기의 석탄기와 페름기에는 빙하기가 있었다.

[오답 피하기] ㄴ. 고생대에는 오르도비스기 말, 데본기 말, 페름기 말에 총 세 번의 대멸종이 일어났다.

ㄷ. 페름기(A)는 고생대 말기이고, 캄브리아기(B)는 고생대 초기이다.

문제 속 자료 고생대 구분

고생대	페름기	⋯ 판게아 형성, 대멸종
	석탄기	⋯ 최초의 파충류 출현
	데본기	⋯ 최초의 양서류 출현
	실루리아기	⋯ 최초의 육상 식물 출현
	오르도비스기	⋯ 어류 출현, 삼엽충 및 필석류 번성
	캄브리아기	⋯ 해양 무척추동물 번성

10 ④ 지진파를 조사하면 매질에 따른 지진파의 속도 차이로 지구 내부의 구조 등을 알아낼 수 있다.

[오답 피하기] 나무의 나이테, 꽃가루 화석, 빙하 및 빙하 속의 공기 방울, 화석 등을 분석하면 과거의 기온, 강수량, 서식 생물 등 지구의 환경 변화를 알 수 있다.

11 지질 시대를 구분하는 기준이 되는 표준 화석은 생존 기간이 짧고 분포 면적이 넓은 생물일수록 적합하다. 암모나이트는 중생대의 표준 화석이고, 화폐석은 신생대의 표준 화석이다. 고사리와 산호 화석은 지층 형성 당시의 환경을 알 수 있는 대표적인 시상 화석이다.

12 ㄴ. 매머드가 번성한 시기인 A는 신생대이다. 최초의 육상 식물은 고생대 중기에 출현하였으므로 B는 고생대이다. 판게아는 중생대 트라이아스기에 분리되기 시작하였으므로 C는 중생대이며, D는 선캄브리아 시대이다. 겉씨식물은 고생대에 출현하여 중생대에 번성하였으므로, B인 고생대와 C인 중생대 지층에서는 겉씨식물 화석이 발견될 수 있다.

ㄷ. 지질 시대의 길이는 선캄브리아 시대인 D가 가장 길다.

[오답 피하기] ㄱ. A는 신생대, B는 고생대, C는 중생대이다.

13 ㄷ. A 지역에서는 삼엽충, 필석 화석이 발견되고, 석회암, 셰일이 나타나는 것으로 보아 고생대 바다에서 퇴적된 지층이다. B 지역에서는 공룡 발자국, 민물조개 화석이 발견되고 사암, 셰일이 나타나는 것으로 보아 중생대 육지 환경에서 퇴적된 지층이다.

[오답 피하기] ㄱ. 단풍나무와 같은 속씨식물은 중생대에 출현하여 신생대에 번성하였다. A 지역의 지층은 속씨식물 출현 이전인 고생대에 퇴적되었다.

ㄴ. 암모나이트는 중생대 해양에서 번성했던 생물이다. B 지역의 지층은 육지 환경에서 퇴적되었으므로 해양 생물인 암모나이트 화석은 발견되지 않는다.

14 문제의 그림에서 해양 무척추동물 과의 수 변화로 지질 시대를 크게 A, B, C로 나눌 수 있다. A는 고생대, B는 중생대, C는 신생대이다.

ㄴ. 해양 무척추동물의 과의 수는 A 시기 말에 약 500이고 B 시기 말에는 그보다 많았다.

ㄷ. 화폐석은 신생대 표준 화석으로 C 시기인 신생대에 번성하였다.

[오답 피하기] ㄱ. 해양 무척추동물은 A 시기 초에 출현했고, 육상 식물은 A 시기 중기에 출현했다.

15 ㄱ. 판게아는 고생대 말인 페름기 말에 형성되었으며 판의 이동으로 서식지가 감소되어 당시 생물 종류의 수를 크게 감소시켰다.

ㄴ. 중생대는 트라이아스기부터 백악기까지의 기간이다. 따라서 중생대에만 생존했던 C가 중생대의 표준 화석으로 가장 적합한 생물이다.

ㄷ. 큰 변화 없이 꾸준하게 증가하는 육상 식물보다 각 지질 시대의 경계에서 생물 종의 수가 급격하게 변하는 해양 동물이 지질 시대를 구분하는 기준으로 더 적합하다.

16 ㄴ. 삼엽충은 고생대에 출현하여 고생대 말에 멸종하였다. 지질 시대는 생물의 대량 멸종이나 새로운 출현 시기를 기준으로 나눈다. 따라서 지질 시대를 구분하는 기준으로 ㉠이 가장 적합하다.

ㄷ. 고생대에 번성한 삼엽충 화석과 신생대에 번성한 매머드 화석은 같은 지층에서 발견될 수 없다.

[오답 피하기] ㄱ. A는 포유류와 같은 시기에 번성한 식물이다.

포유류는 중생대에 출현하여 신생대에 번성한 생물이다. 포유류와 같은 시기에 번성한 식물은 속씨식물이다.

17 ㄱ. (가)에서 지구에는 초대륙인 판게아가 존재한다. 판게아는 고생대 말에 형성되어 중생대 초에 분리되기 시작하였다.

ㄴ. 히말라야산맥은 신생대에 인도 대륙과 유라시아 대륙이 충돌하면서 형성되었다. 따라서 두 대륙이 떨어져 있는 (나) 시기와 두 대륙이 붙어 있는 (다) 시기 사이에 일어났다.

ㄷ. 육상 식물은 고생대에 최초로 출현하였고, 공룡은 중생대에 번성하였다. 따라서 지질학적 사건은 A → C → B 순으로 일어났다.

18 지질 시대 중 대멸종은 다섯 차례 발생하였다. 고생대에 세 번의 대멸종이 있었고, 중생대에 두 번의 대멸종이 있었다.

[모범 답안] 고생대와 중생대를 구분하는 대멸종이 페름기 말에 발생하였으며 중생대와 신생대를 구분하는 대멸종이 백악기 말에 발생하였다.

채점 기준	배점
모범 답안과 같이 옳게 서술한 경우	100%
대멸종이 일어난 지질 시대를 대 수준에서만 서술하거나 구분하는 지질 시대만 간략하게 서술한 경우	50%

19 ㄱ. 수륙 분포가 (가)에서 (나)로 변하면서 북아메리카판과 유라시아판, 남아메리카판과 아프리카판이 갈라졌고 대서양이 형성되기 시작했다.

ㄴ. 대륙이 갈라지면서 대륙 사이에 바다가 형성되고 해안선의 길이가 길어졌다.

오답 피하기 ㄷ. 대륙이 분리되어 새로운 해양으로 해류가 흘러가게 되면서 해류의 분포가 복잡해졌다.

20 문제의 그림에서 A는 고생대, B는 중생대, C는 신생대이다.

ㄱ. 평균 기온 그래프를 통해 평균 기온이 낮았던 빙하기를 확인할 수 있으며, 가장 길었던 빙하기는 A 시대 말기에 있었다.

ㄴ. B 시대에는 전체적으로 평균 기온이 현재 값보다 높고 온난하였다.

ㄷ. 신생대에는 속씨식물이 번성하였다.

---

01 ⑤	**02** ③	**03** ①	**04** ①	**05** ⑤	**06** ②
07 ②	**08** ②	**09** ⑤	**10** ⑤	**11** ①	**12** ③
13 ④	**14** ④	**15** 해설 참조		**16** ③	**17** ③

01 ㄱ. (가) → (나) 과정은 다짐 작용, (나) → (다) 과정은 교결 작용이다. 다짐 작용에서 퇴적물이 압축되고, 교결 작용에서 공극 사이에 물질이 채워지면서 공극이 감소한다.

ㄴ. (나) → (다)의 교결 작용은 공극 속의 물에 녹아 있는 탄산칼슘, 규산염 광물, 산화 철 등이 침전되면서 일어나고, 교결 물질이 퇴적물을 접착시킨다.

ㄷ. (가) → (나) → (다)는 퇴적암이 만들어지는 속성 작용이므로 쇄설성 퇴적암뿐만 아니라 유기적 퇴적암과 화학적 퇴적암에서도 일어난다.

> **문제 속 자료**   퇴적암이 형성되는 과정
>
> (가) → (나) → (다)
>
> • 다짐 작용(압축 작용): 두껍게 쌓인 퇴적물의 압력으로 입자들이 치밀하게 다져지는 작용 → 공극 감소, 밀도 증가
> • 교결 작용: 퇴적물 속의 수분이나 지하수에 녹아 있던 물질이 침전되면서 퇴적물 입자들을 단단히 접착시키는 작용

02 ㄱ. (가)는 수심이 얕은 물밑에서 형성된 연흔이다.

ㄷ. (가)는 뾰족한 부분이 위로 향할 때 역전이 일어나지 않은 지층이고, (나)는 위로 갈수록 퇴적물 입자가 작아질 때 역전이 일어나지 않은 지층이다. 따라서 두 퇴적 구조를 통해 지층의 역전 여부를 판단할 수 있다.

오답 피하기 ㄴ. (나)는 입자의 크기에 따라 퇴적물이 쌓여 형성된 점이 층리이다. 과거에 물이 흘렀던 방향이나 바람이 불었던 방향을 알려주는 퇴적 구조는 층리가 기울어져 있는 사층리이다.

03 ㄱ. (가)는 연흔, (나)는 사층리이다.

오답 피하기 ㄴ. 두 지층 모두 역전되지 않았다.

ㄷ. (나)에서 퇴적물의 이동 방향은 ⓛ이다.

> **해설 클리닉**
>
> ㄱ. 대표적인 퇴적 구조(점이 층리, 사층리, 연흔, 건열)를 학습해야 한다.
> ✓ 연흔: 지층에 물결 모양의 흔적이 남은 퇴적 구조
>
> ㄴ. 퇴적 구조를 통한 지층의 역전 여부를 판단해야 한다.
> ✓ 연흔이 역전되지 않은 경우 → 뾰족한 부분이 위로 향한다.
> ✓ 사층리가 역전되지 않은 경우 → 층리면이 아래쪽으로 오목하다.
>
> ㄷ. 퇴적 구조를 통한 지층의 퇴적 환경을 정리해야 한다.
> ✓ 사층리에서 퇴적물의 이동 방향 → 바람이 부는 방향 또는 물이 흘러가는 방향

04 ㄱ. (가)는 횡와 습곡으로 지층이 횡압력을 받았다.

ㄴ. (나)는 상반이 내려가 있고, 하반이 올라가 있는 정단층이다. 정단층은 장력을 받아 형성된다.

오답 피하기 ㄷ. (다)는 기둥 모양으로 나타나는 주상 절리이다. 주상 절리는 용암이 냉각되면서 수축되어 생긴 균열이다.

ㄹ. (라)는 부정합으로 융기된 지층이 침식 작용을 받고 침강하여 퇴적 작용을 받아 형성된다.

05 A는 태백시 구문소이고, B는 고성군의 덕명리 해안이다.

ㄱ. A 지역에는 건열 구조가 나타나므로 과거에 이 지역은 건조한 환경에 노출된 적이 있었다.

ㄴ. B 지역의 지층은 셰일과 사암으로 구성되어 있으므로 주로 쇄설성 퇴적암이 퇴적되었다.

ㄷ. A 지역은 삼엽충 화석이 발견되므로 고생대에 형성되었고, B 지역은 공룡 발자국 화석이 발견되므로 중생대에 형성되었다. A 지역의 지층이 B 지역의 지층보다 먼저 형성되었다.

06 (가)는 정합으로 지층이 순차적으로 수평면과 평행하게 퇴적된다. (나)와 (라)는 지반이 융기하여 지층이 해수면 위로 노출되고 침식 작용이 일어난다.

ㄴ. (나) → (다)에서 상하 지층의 층리가 나란한 평행 부정합이 형성된다.

오답 피하기 ㄱ. (가), (나), (라) 중 (나)와 (라)에서 침식 작용이 일어난다.

ㄷ. (라) → (마)에서 상하 지층의 경사가 다른 경사 부정합이 형성된다.

07 ㄴ. (나) 지역은 화강암 속에 사암 조각이 들어 있다. 사암이 퇴적된 후 화강암이 관입하면서 사암 조각 중 일부가 화강암 속에 포획되었다.

오답 피하기 ㄱ. (가) 지역은 사암 속에 화강암 조각이 들어 있으므로 이 지역은 화강암이 형성되고 그 위에 사암이 침식 작용을 받아 생긴 화강암 조각과 함께 퇴적되었다. 화강암은 심성암이므로 용암이 지표로 분출하여 생성된 것이 아니다.

ㄷ. 사암에 마그마의 열로 변성 작용이 일어날 수 있는 곳은 사암층 형성 이후 마그마의 관입이 일어난 (나) 지역이다.

08 ㄷ. (가)에서 ㉠과 지층 B 사이에 기저 역암이 존재하므로 두 층 사이 관계는 부정합이다. 따라서 ㉠ 생성 당시 지층 B는 존재하지 않았다. (나)에서 ㉡과 접하고 있는 지층 B에 변성 부분이 나타나므로 ㉡은 지층을 관입하여 생성되었다. ㉠은 생성 당시 대기에 노출되어 있었으므로 빠르게 냉각되었고, ㉡은 지하에서 천천히 냉각되었다.

오답 피하기 ㄱ. (가)에서 ㉠과 지층 B 사이에 기저 역암이 존재하므로 ㉠ 생성 당시 지층 B는 존재하지 않았다.

ㄴ. (나)에서 ㉡과 접하고 있는 지층 B에 변성 부분이 나타나므로 ㉡은 지층 B보다 나중에 생성되었다.

09 ㄱ. 지층 ㉠과 ㉢에서 발견되는 화석은 암모나이트로 중생대의 대표적인 표준 화석이다. 따라서 두 지층은 같은 지질 시대에 퇴적되었다.

ㄴ. (가)에서 ㉡과 ㉠ 사이에 퇴적된 지층은 1개로, (나)의 동일한 시기의 지층과 비교했을 때 지층의 개수가 적다. 따라서 (나)에는 존재하지만 (가)에는 존재하지 않은 지층이 퇴적될 때 (가)에서는 퇴적이 중단되었다.

ㄷ. 화석에 의한 대비를 통해 (가)에서 (나)보다 더 오래된 지층이 1개, 최근에 퇴적된 지층이 1개 더 있음을 알 수 있다. 따라서 (가)가 (나)보다 퇴적 기간이 길다.

10 ㄱ. 이 지역의 지층을 표준 화석을 이용해서 대비해 보면 화석이 산출되는 순서는 ◆ → □ → ▼ → ● → ▲ → ✴이다. 따라서 가장 오래된 표준 화석은 ◆이다.

ㄴ. (다) 지역에서는 가장 오래된 화석과 가장 최근의 화석이 모두 산출되므로 퇴적된 기간이 가장 길다.

ㄷ. □ 화석이 (가)와 (나)의 지층에서 산출되지만 (다)에서는 발견되지 않는 것으로 보아 이 시기에 (다) 지역은 융기로 인해 수면 위로 노출된 적이 있었을 것이다.

11 ㄱ. 남아 있는 모원소의 양이 처음 양의 50 %가 될 때까지 걸린 시간이 반감기이므로 이 방사성 동위 원소의 반감기는 5700년이다.

오답 피하기 ㄴ. 시간이 지남에 따라 모원소의 양은 줄어들고 자원소의 양은 늘어난다.

ㄷ. 반감기가 약 5700년인 방사성 원소는 ^{14}C이다. ^{14}C는 반감기가 매우 짧은 원소이므로 비교적 가까운 지질 시대의 절대 연령 측정에 유리하다.

12 ㄱ. 지질 단면도에서 나타난 지질학적 사건은 'C 퇴적 → Q 관입 → 융기 → 침식 → 침강 → B 퇴적(부정합) → A 퇴적 → P 관입'이다.

ㄷ. 방사성 원소 X가 반으로 줄어드는 데 걸리는 시간(반감기)은 7억 년이다.

오답 피하기 ㄴ. 방사성 원소 X의 붕괴 곡선을 통해 반감기가 7억 년임을 알 수 있다. 모원소 양이 처음의 $\frac{1}{4}$이 있는 Q는 반감기를 2번 지났고, 모원소 양이 처음의 $\frac{1}{2}$이 있는 P는 반감기를 1번 지났다. 따라서 Q의 절대 연령은 14억 년, P의 절대 연령은 7억 년이다. P와 Q 사이에 퇴적된 A와 B는 14억 년 전과 7억 년 전 사이에 퇴적되었다.

> 해설
> 클리닉
>
> ㄱ. 지층의 생성 과정을 이해해야 한다.
> ✔ 가장 아래쪽에 위치한 C가 가장 오래 전에 형성되었다.
>
> ㄴ. 지층의 생성 순서를 정리해야 한다.
> ✔ 화성암 P의 절대 연령 → 7억 년
> ✔ 화성암 Q의 절대 연령 → 14억 년
> ✔ 지층 A는 화성암 Q 관입 후, 화성암 P 관입 전에 형성 → 지층 A의 나이는 약 14억 년과 7억 년 사이
>
> ㄷ. 반감기의 개념을 학습해야 한다.
> ✔ 반감기: 방사성 원소의 양이 반으로 줄어드는 데 걸리는 시간

13 ㄴ. A 기간은 지구 탄생부터 삼엽충이 출현하기 이전까지의 기간으로 대부분 선캄브리아 시대이다. 따라서 A 기간 중 남세균의 광합성으로 대기 중 산소 농도가 증가하였다.

ㄷ. 오존층이 형성되면서 해양에서만 서식했던 생물들이 육상까지 서식지를 확장하였다. 따라서 육상 식물의 출현 이전인 B 시기에 오존층이 형성되었다.

오답 피하기 ㄱ. A는 지구 탄생부터 선캄브리아 시대를 포함한 고생대 초까지의 기간이므로 차지하는 지질 시대가 가장 길다.

14 ㄴ. 고생대 말에 생물의 대멸종이 일어났다.

ㄷ. (나)는 흩어져 있던 대륙들이 하나로 모여 초대륙인 판게아가 형성된 고생대 말의 수륙 분포이다. (가)는 판게아가 분리되고 있는 모습으로 중생대의 수륙 분포이고, (다)는 흩어진 대륙들이 현재와 비슷한 분포를 보이는 신생대의 수륙 분포이다. 히말라야산맥은 신생대에 인도 대륙이 북쪽으로 이동해 유라시아 대륙과 충돌하여 형성되었다.

오답 피하기 ㄱ. 수륙 분포는 (나) → (가) → (다) 순으로 변화하였다.

15 속씨식물과 대형 포유류가 번성한 시기는 신생대이다. 신생대에 영장류가 출현하였으며 매머드와 함께 화폐석이 번성하였다.

[모범 답안] (1) 신생대

(2) 대체로 온난하다가 제4기부터 빙하기와 간빙기가 반복되었다.

	채점 기준	배점
(1)	신생대라고 옳게 쓴 경우	30%
(2)	모범 답안과 같이 옳게 서술한 경우	70%
	빙하기와 간빙기가 반복된다는 서술이 빠진 경우	0%

16 ㄱ. 지질 시대 동안 대멸종은 다섯 번 일어났으며 세 번은 고생대에 일어났고, 두 번은 중생대에 일어났다. C는 고생대와 중생대의 경계인 페름기 말 대멸종이다. A, B, C 대멸종은 고생대에 일어났고, D, E 대멸종은 중생대에 일어났다.

ㄷ. 지질 시대 중 가장 마지막인 백악기 말에 일어난 대멸종은 중생대와 신생대를 구분하는 대멸종이다.

오답 피하기 ㄴ. (나)는 고생대에 번성했던 삼엽충이다. 삼엽충은 고생대 페름기 말에 사라졌으므로 C 시기에 멸종했다. 삼엽충은 고생대 전 기간에 걸쳐 번성한 생물이므로 C와 D 시기 사이에 번성하지 않았다.

17 ㄱ. 고생대 초기는 대체로 온난했으나 고생대 말기인 석탄기와 페름기에는 빙하기가 있었다. 따라서 고생대 초기보다 말기의 지층에서 빙하 퇴적물이 많이 발견된다.

ㄷ. 신생대 초기는 온난했으나 후기로 가면서 기온이 하강하여 빙하기와 간빙기가 반복적으로 나타났다.

오답 피하기 ㄴ. 중생대는 온난한 기후가 지속되었으며 빙하기가 없었다.

III. 대기와 해양의 변화

07강 기압과 날씨 변화

내신 기출   64~67쪽

01 ③	02 ②	03 해설 참조	04 ④	05 ①
06 ④	07 해설 참조	08 ⑤	09 ③	10 ④
11 ②	12 ③	13 ①	14 ③	15 ③	16 ①
17 ③	18 ④	19 해설 참조		

01 ㄱ. A는 지상으로 공기가 수렴하는 저기압으로 중심에 상승 기류가 있다. 공기가 단열 팽창하면 기온이 하강하고 수증기가 응결되어 구름이 생성된다.

ㄴ. B는 지상에서 공기가 발산하는 고기압이다.

오답 피하기 ㄷ. 전선은 따뜻한 공기와 찬 공기가 수렴할 때 형성되므로 공기가 발산하는 B에서는 형성되지 않는다.

해설 클리닉
ㄱ. 저기압의 개념과 중심에서 나타나는 기류를 정리해야 한다.
✔ 저기압: 주위보다 기압이 낮다.
 → 중심에 상승 기류 → 바람은 바깥쪽에서 중심으로 시계 반대 방향으로 회전(북반구)
✔ 저기압 중심 → 상승 기류 → 단열 팽창 → 기온 하강 → 수증기 응결 → 구름 형성 → 강수 현상 발생

ㄴ. 고기압의 개념과 중심에서 나타나는 기류를 이해해야 한다.
✔ 고기압: 주위보다 기압이 높다.
 → 중심에 하강 기류 → 바람은 중심에서 바깥쪽으로 시계 방향으로 회전(북반구)

ㄷ. 전선의 형성 과정을 이해해야 한다.
✔ 전선: 따뜻한 기단과 찬 기단이 만나 이루는 불연속적인 경계면(전선면)과 지표면이 만나는 경계선

02 ② 저기압 중심에서는 상승 기류로 구름이 잘 만들어지기 때문에 날씨가 흐리다.

오답 피하기 ① A는 주변보다 기압이 낮으므로 저기압이다.
③ 저기압 중심에서는 공기의 수렴이 일어난다.
④ 바람은 저기압 주변에서 중심으로 시계 반대 방향으로 회전하며 불어 들어오므로 B에서는 동풍 계열의 바람이 분다.
⑤ A의 기압은 1008 hPa보다 낮고, B의 기압은 1008 hPa과 1012 hPa 사이 값이다. 따라서 기압은 A가 B보다 낮다.

문제 속 자료   저기압 주변 풍향

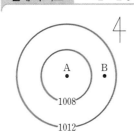

• 저기압 주변에서 바람은 시계 반대 방향(북반구)으로 회전하면서 불어 들어간다.
• 고기압 주변에서 바람은 시계 방향(북반구)으로 회전하면서 불어 나간다.

03 고기압의 중심부에서는 하강 기류가 발생하고, 저기압의 중심부에서는 상승 기류가 발생한다.

[모범 답안] 고기압 지역에서는 공기가 하강하면 단열 압축이 일어나고 수증기의 응결이 일어나지 않아 날씨가 맑다. 저기압 지역에서는 공기가 상승하면 단열 팽창이 일어나 수증기의 응결이 일어나므로 날씨가 흐려지고 강수 현상이 나타나기도 한다.

채점 기준	배점
모범 답안과 같이 옳게 서술한 경우	100%
고기압과 저기압의 날씨 변화 중 한 가지만 옳게 서술한 경우	50%
주어진 단어 중 세 가지만 선택하여 고기압과 저기압의 날씨 변화를 서술한 경우	50%

04 (가)는 찬 기단이 따뜻한 기단 아래를 파고드는 한랭 전선이고, (나)는 따뜻한 기단이 찬 기단 위로 타고 올라가는 온난 전선이다.

ㄴ. (나)는 전선의 전면에 층운형 구름이 넓게 형성된다. (가)는 전선의 후면에 적운형 구름이 좁게 형성된다.

ㄷ. (가)는 (나)보다 이동 속도가 빠르다. 한랭 전선이 온난 전선을 따라잡으면 폐색 전선이 형성된다.

오답 피하기 ㄱ. A는 찬 기단, B는 따뜻한 기단이다. 따라서 A는 B보다 기온이 낮다.

해설 클리닉
ㄱ. 한랭 전선의 형성 과정을 이해해야 한다.
✔ 한랭 전선은 찬 공기가 따뜻한 공기 아래를 파고들 때 형성된다. → A는 밀도가 큰 찬 공기, B는 밀도가 작은 따뜻한 공기이다.

ㄴ. 온난 전선의 앞쪽에서 나타나는 기상 현상을 정리해야 한다.
✔ 온난 전선은 따뜻한 공기가 찬 공기를 타고 오를 때 형성된다. → 전선 앞쪽으로 넓은 지역에 층운형 구름 발생 → 이슬비

ㄷ. 온난 전선과 한랭 전선의 이동 속도를 학습해야 한다.
✔ 한랭 전선은 온난 전선보다 이동 속도가 빠르다.
✔ 두 전선이 겹쳐져 폐색 전선이 형성된다.

05 ㄱ. A는 주위보다 기압이 낮은 저기압, B는 주위보다 기압이 높은 고기압, C는 정체 전선(장마 전선)이다.

오답 피하기 ㄴ. 이동 속도가 빠른 한랭 전선이 온난 전선을 따라가 겹쳐질 때 형성되는 것은 폐색 전선이다.

ㄷ. 우리나라는 고기압의 동쪽에 위치하고 있으므로 서풍 계열의 바람이 불 것이다.

06 우리나라는 봄철과 가을철에 온난 건조한 양쯔강 기단의 영향을 받고, 이동성 고기압의 영향으로 날씨가 자주 변한다. 여름철에는 고온 다습한 북태평양 기단의 영향으로 무더위가 발생하고, 겨울철에는 한랭 건조한 시베리아 기단의 영향으로 건조한 기후가 나타난다.

오답 피하기 • 민수: 초여름 저위도에서 발달하는 고온 다습한 북태평양 기단과 고위도에서 발달하는 한랭 다습한 오호츠크해 기단이 만나 장마 전선을 형성한다.

07 겨울철 일기도는 서고 동저의 기압 분포를 보인다.

[모범 답안] (나), 시베리아 고기압의 세력이 강해지고 등압선이 조밀하게 나타나기 때문이다.

채점 기준	배점
모범 답안과 같이 옳게 서술한 경우	100%
겨울철 일기도를 옳게 골랐지만 그 까닭을 타당하게 서술하지 못한 경우	50%

08 A 기단은 한랭 건조한 시베리아 기단, B 기단은 온난 건조한 양쯔강 기단, C 기단은 고온 다습한 북태평양 기단, D 기단은 한랭 다습한 오호츠크해 기단이다.

ㄱ. A 기단은 고위도에서 형성된 기단이므로 한랭한 성질을 가진다. A 기단의 영향을 받을 때 우리나라는 기온이 낮다.

ㄴ. B 기단은 대륙에서 형성된 기단이므로 건조한 성질을 가진다. B 기단은 주로 봄철과 가을철에 우리나라에 영향을 주므로, 이 기단의 영향을 받는 4월과 10월은 건조하고 강수량이 적다.

ㄷ. 초여름인 6월과 7월에는 장마 전선의 영향으로 강수량이 다른 시기보다 많다. 장마 전선은 고온 다습한 C 기단과 한랭 다습한 D 기단이 만나 형성된다.

09 A 지역은 5월 1일과 5월 2일 사이에 온난 전선이 통과하였고 5월 2일과 5월 3일 사이에 한랭 전선이 통과하였다.

ㄱ. 우리나라는 편서풍 지대에 위치하므로 온대 저기압도 서 → 동으로 이동한다.

ㄴ. 5월 2일에서 3일 사이에 A 지역에 한랭 전선이 통과하였으므로 기온이 낮아졌다.

오답 피하기 ㄷ. 5월 2일에 A 지역은 온난 전선과 한랭 전선 사이에 있으므로 남서풍이 분다.

해설 클리닉

ㄱ. 우리나라 부근에서 온대 저기압의 이동 방향을 이해해야 한다.

✓ 우리나라 주변에서 온대 저기압은 편서풍의 영향으로 동쪽으로 이동한다.

✓ 5월 3일 일기도에서 저기압 중심은 5월 2일보다 동쪽 지역에 위치한다.

ㄴ. 온대 저기압 주변 지역의 날씨 변화를 정리해야 한다.

✓ 한랭 전선이 통과하면 기온이 하강한다.

✓ 온난 전선이 통과하면 기온이 상승한다.

✓ 5월 2일과 3일 사이에 A 지역은 한랭 전선이 통과하였다.

ㄷ. 온대 저기압이 통과하는 지역의 풍향 변화를 학습해야 한다.

✓ 온난 전선이 통과할 때 풍향 변화: 남동풍 → 남서풍

✓ 한랭 전선이 통과할 때 풍향 변화: 남서풍 → 북서풍

10 온대 저기압은 찬 공기와 따뜻한 공기가 동서 방향 경계를 이루고 존재하다가(라) 시계 반대 방향으로 공기가 회전하면서 남동쪽에 온난 전선, 남서쪽에 한랭 전선을 형성하며 발달한다(다). 한랭 전선의 이동 속도가 온난 전선보다 빠르기 때문에 두 전선의 간격이 좁아지고(가), 한랭 전선이 온난 전선을 따라 잡아 폐색 전선을 이룬다(나).

11 ㄷ. 온대 저기압의 중심이 관측소의 남쪽으로 통과하면 풍향은 시계 반대 방향(북동풍 → 북풍 → 북서풍)으로 변하고, 관측소의 북쪽으로 통과하면 풍향은 시계 방향(남동풍 → 남서풍 → 북서풍)으로 변한다. (나)에서 온대 저기압이 관측소를 통과하는 동안 북풍과 북동풍 계열의 바람이 불지 않았으므로 온대 저기압의 중심은 관측소의 북쪽을 통과하였다.

오답 피하기 ㄱ. 온대 저기압이 관측소를 통과하는 동안 풍향은 시계 방향인 ⓒ 남동풍 → ⓑ 남서풍 → ㉠ 북서풍으로 변한다. 따라서 ⓒ은 6시, ⓑ은 12시, ㉠은 18시에 관측한 바람이다.

ㄴ. 온난 전선은 기온이 높아지기 시작하는 6시경에 통과하였다.

12 ㄱ. 세력이 작은 고기압과 저기압이 부분적으로 나타나므로 봄과 가을철에 이동성 고기압이 나타나는 일기도이다.

ㄴ. 우리나라의 대부분의 지역에서는 남해 상에 있는 이동성 고기압의 영향을 받고 있다.

오답 피하기 ㄷ. 편서풍은 서에서 동으로 불기 때문에 동해 상에 있는 온대 저기압은 이후 더 동쪽으로 이동하여 우리나라에 영향을 미치지 않는다.

13 • 영희: 온대 저기압은 우리나라 상공에서 편서풍의 영향을 받아 서에서 동으로 이동한다. 따라서 온대 저기압이 더 동쪽으로 이동해 있는 (가)가 (나)보다 24시간 후의 일기도이다.

오답 피하기 • 철수: 온대 저기압의 한랭 전선 후면 좁은 지역에서 적운형 구름이 발달하면서 소나기가 내릴 수 있다. 따라서 한랭 전선이 통과하고 있는 (가) 시기에 우리나라의 서울에서 소나기가 내릴 수 있다.

• 민수: (가)에서 서울에 한랭 전선이 통과하였으므로 기온은 하강하고, 저기압의 중심이 서울로부터 멀어지므로 기압은 상승한다.

14 ㄱ. B는 한랭 전선의 후면이므로 북서풍이 불 것이다.

ㄷ. C는 저기압 중심이므로 E보다 기압이 낮을 것이다.

오답 피하기 ㄴ. D는 온난 전선의 앞쪽에 있으므로 찬 공기의 영향을 받고 있는 관측소이고, A는 온난 전선과 한랭 전선 사이에 있으므로 따뜻한 공기의 영향을 받고 있는 관측소이다. 따라서 A 관측소가 D 관측소보다 기온이 높다.

15 (나)의 기온은 16 °C, 이슬점은 14 °C, 기압은 1004.5 hPa, 풍향은 남동풍, 풍속은 7 m/s, 날씨는 흐림이다. 풍향이 남동풍이므로 (나)는 C 지역의 일기 기호이다.

ㄱ. 온대 저기압의 강수 구역은 온난 전선 전면 넓은 지역, 한랭 전선 후면 좁은 지역이다. 따라서 A 지역에는 강수 현상이 나타난다.

ㄴ. A, B, C 지역 중에 A와 C 지역은 차가운 공기의 영향을 받는 지역이고 B 지역은 따뜻한 공기의 영향을 받는 지역이다. 따라서 B 지역의 기온은 C 지역의 기온인 16 °C보다 높을 것이다.

16 ㄱ. 1012 hPa 등압선을 기준으로 A는 안쪽에, B는 바깥쪽에 있다. 등압선 중심이 저기압이므로 A는 1012 hPa보다 기압이 낮고 B는 1012 hPa보다 기압이 높다.

오답 피하기 ㄴ. 온대 저기압 주변의 바람은 대체로 일정한 풍향으로 불기 때문에 A 지점에서는 북서풍, B 지점에서는 남서풍, C 지점에서는 남동풍이 분다. 풍향을 기준으로 그림 (나)에서 풍속을 살펴보면 C 지점의 풍속은 5 m/s보다 느리다.
ㄷ. C 지점은 현재 남동풍이 불고 있고 온난 전선이 통과하면 남서풍이 분다. 따라서 풍향은 시계 방향으로 바뀐다.

17 ㄱ. A는 적외 영상에서 밝게, 가시 영상에서 흐리게 나타나므로 높고 얇은 구름이다.
ㄴ. 강수 가능성이 큰 구름은 수직으로 높게 솟은 적운형 구름이다. 따라서 가시 영상과 적외 영상 모두에서 밝게 나타나는 C에서 강수 가능성이 가장 크다.

오답 피하기 ㄷ. 적외 영상에서 B는 흐리고, C는 밝게 나타난다. 구름 상부의 고도는 C가 B보다 더 높다.

해설 클리닉
ㄱ. 위성 영상에서 구름의 두께와 높이와의 관계를 이해해야 한다.
✔ 가시 영상: 두꺼운 구름은 밝게, 얇은 구름은 흐리게 표시
✔ 적외 영상: 고도가 높은 구름은 밝게, 고도가 낮은 구름은 흐리게 표시

ㄴ. 강수가 발생하는 구름의 유형을 정리해야 한다.
✔ 적란운에서 강수 확률이 높다.

ㄷ. 위성 영상에서 구름의 높이를 비교하여 이해해야 한다.
✔ A 지역: 가시 영상에서 흐리게, 적외 영상에서 밝게 나타난다.
  → 얇고 높은 구름
✔ B 지역: 가시 영상에서 밝게, 적외 영상에서 흐리게 나타난다.
  → 두껍고 낮은 구름
✔ C 지역: 가시 영상에서 밝게, 적외 영상에서 밝게 나타난다.
  → 두껍고 높게 발달한 구름

18 오답 피하기 ① 가시 영상은 물체에 반사된 햇빛을 통해 자료를 얻으므로 햇빛이 없는 밤에는 자료를 얻을 수 없다.
② 강수량을 예측할 수 있는 일기 자료는 레이더 영상이다.
③ A는 구름이 없는 맑은 지역이므로 고기압이 위치할 가능성이 높다.
⑤ 지표에서 상승 기류가 활발한 지역은 구름이 높게 발달한다. 따라서 두꺼운 구름이 존재하는 C가 A보다 상승 기류가 활발하다.

19 레이더 영상은 강수 입자에 부딪혀 되돌아오는 반사파를 분석하여 영상으로 나타내는 방법이다.
[모범 답안] 레이더 영상을 분석하면 강수 지역, 강수량, 강수를 일으키는 구름의 이동 경향을 알 수 있다.

08강 태풍과 우리나라 주요 악기상

01 ㄱ. 일기도에서 각 태풍의 위치는 12시간 간격으로 나타냈다. 8일 15시 이후 같은 시간 동안 태풍이 이동한 거리가 크게 증가했으므로 태풍의 이동 속도가 빨라졌다.
ㄴ. 8일 15시에 제주는 15 m/s로 북풍이 불고 있고 날씨는 흐리며 비가 내리고 있다.
ㄷ. 8일 15시 이후 부산은 태풍의 이동 경로 왼쪽에 있으므로 안전 반원의 영향을 받고 있으며 풍향이 시계 반대 방향으로 변한다.

해설 클리닉
ㄱ. 태풍이 전향점을 지날 때 이동 속도 변화를 이해해야 한다.
✔ 전향점: 무역풍의 영향을 받던 태풍이 편서풍의 영향을 받아 이동 방향이 변하는 지점 → 전향점을 지난 후 태풍의 이동 속도가 빨라진다.

ㄴ. 일기 기호를 해석해야 한다.
✔ 일기 기호에서 긴 깃은 5 m/s, 짧은 깃은 2 m/s를 나타낸다.
✔ 풍향은 바람이 불어오는 방향이다.

ㄷ. 태풍이 이동할 때 위험 반원과 안전 반원에서 풍향 변화를 학습해야 한다.
✔ 위험 반원 지역 → 태풍이 이동할 때 풍향은 시계 방향으로 회전
✔ 안전 반원 지역 → 태풍이 이동할 때 풍향은 시계 반대 방향으로 회전

02 • 철수: (나)는 온대 저기압의 이동 경로이다. 저기압의 중심이 A 지역의 북쪽으로 통과하므로 저기압 중심의 남쪽에 있는 A 지역에 온난 전선과 한랭 전선이 통과하였다.
• 민수: (가)와 (나) 모두 저기압이 이동하는 방향의 오른쪽에 A 지역이 위치하므로 풍향은 시계 방향으로 변한다.

오답 피하기 • 영희: (가)는 태풍의 이동 경로를 나타낸 것이다.

03 ㄱ. 12일 밤에 태풍은 A 지역 상공을 지났고 태풍의 영향으로 해수면 높이가 평소보다 상승하였을 것이다.

ㄴ. 11일 09시 이전까지 무역풍의 영향을 받아 북서쪽으로 이동했던 태풍이 11일 09시 이후 편서풍의 영향을 받아 북동쪽으로 이동한다.

ㄷ. 우리나라는 태풍 이동 경로의 왼쪽에 위치하고 있으므로 안전 반원의 영향을 받고, 풍향이 시계 반대 방향으로 변했을 것이다.

문제 속 자료 태풍의 이동 경로

• 태풍은 11일 09시를 전후로 이전에는 무역풍의 영향을 받았고, 이후에는 편서풍의 영향을 받았다.

04 ㄷ. 우리나라를 통과한 태풍은 육지를 통과하면서 수증기 공급량이 감소하고 고위도로 이동하면서 수온이 낮은 해상에 도달하여 태풍의 세력은 약해졌을 것이다.

오답 피하기 ㄱ. 4~6시에 기압이 가장 낮았지만 풍속이 빨랐으므로 태풍의 눈에 근접했고 태풍의 눈이 관측 지점 상공을 지나지는 않았다.

ㄴ. 태풍이 지나는 동안 풍향은 동풍(←), 북풍(↓), 서풍(→)으로 변했다. 풍향이 시계 반대 방향으로 변했으므로 관측 지점은 태풍 이동 경로의 왼쪽에 위치하였다.

해설 클리닉

ㄱ. 태풍의 눈에서 나타나는 기상 현상을 이해해야 한다.

✓ 태풍의 눈: 태풍의 중심으로 하강 기류가 나타나며 날씨가 맑고 바람이 약한 지역
→ 풍속: 급격히 느려진다.
→ 기압: 가장 낮다.

ㄴ. 태풍이 이동할 때 위험 반원과 안전 반원에서 풍향 변화를 학습해야 한다.

✓ 위험 반원 지역 → 태풍이 이동할 때 풍향은 시계 방향으로 회전한다.
✓ 안전 반원 지역 → 태풍이 이동할 때 풍향은 시계 반대 방향으로 회전한다.

ㄷ. 태풍의 세력이 약화되고 소멸하는 과정을 학습해야 한다.

✓ 고위도로 이동 → 주변 해역의 수온 하강 → 수증기 공급 감소 → 태풍의 세력 약화

05 ㄴ. 태풍은 열대 저기압이므로 중심 기압이 낮을수록 세력이 강하다. 태풍 발생 이후 세력이 가장 강한 시기는 중심 기압이 가장 낮았던 7일이었다.

ㄷ. 태풍이 남해상을 통과하는 동안 제주도는 태풍의 이동 경로 왼쪽에 있었다. 따라서 제주도의 풍향은 시계 반대 방향으로 변했다.

오답 피하기 ㄱ. 5일에는 태풍이 북서쪽으로 이동하고 있으므로 무역풍의 영향을 받았다.

문제 속 자료 태풍의 이동 경로와 기압, 풍속 변화

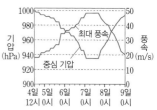

• 태풍의 눈이 통과할 때 중심 기압이 가장 낮다.
• 태풍의 눈벽에서 풍속이 가장 빠르다.

06 ㄱ. 태풍의 눈에서는 하강 기류가 나타나며 지상에 가까워질수록 기압이 높아져 공기의 부피가 줄어들면서 단열 압축이 일어난다.

ㄴ. 태풍의 중심에서 가장 낮은 값을 가지는 A는 기압이고, 태풍의 중심 부근에서 가장 높은 값을 가지고 중심에서 값이 감소하는 B는 풍속이다.

ㄷ. 풍속이 서쪽보다 동쪽에서 더 강하므로 위험 반원은 태풍의 중심을 기준으로 동쪽 부분이다. 따라서 태풍의 중심에서 동쪽으로 150 km 떨어진 지점은 위험 반원에 속한다.

07 ㄴ. 기압은 태풍의 중심인 태풍의 눈에서 가장 낮다. 따라서 기압은 B에서 가장 낮다.

오답 피하기 ㄱ. 태풍에서 바람은 중심을 향해 시계 반대 방향으로 불어 들어간다. 따라서 A에서는 서풍 계열의 바람이, C에서는 동풍 계열의 바람이 분다. A는 태풍의 진행 방향과 풍향이 반대이므로 안전 반원(가항 반원), C는 태풍의 진행 방향과 풍향이 같으므로 위험 반원이다. (나)에서 Y 방향의 태풍 중심 부근에서 풍속이 가장 강하게 나타나므로 C가 위험 반원임을 알 수 있다.

ㄷ. C 지역은 동풍 계열의 바람이 불고 있으므로 풍향이 북서풍인 일기 기호와 대응되지 않는다.

08 ㄱ. 태풍 중심으로부터 같은 거리에 있는 A와 C 중 풍속은 A에서 더 빠르다. 따라서 A는 위험 반원의 영향을 받는 태풍의 진행 방향 오른쪽에 위치해 있다. C는 안전 반원의 영향을 받는 태풍의 진행 방향 왼쪽에 위치해 있다.

오답 피하기 ㄴ. B는 태풍 중심으로 풍속이 느리게 나타나는 태풍의 눈이 있다. 태풍의 눈에서는 하강 기류가 나타나며 구름이 없는 맑은 날씨가 나타난다.

ㄷ. 태풍은 저기압이므로 기압은 태풍의 중심에 가까워질수록 낮아지고, 태풍의 중심(태풍의 눈)에서 가장 낮다. 따라서 B에서 기압이 가장 낮다.

09 위험 반원 지역은 저기압성 바람의 영향과 태풍의 이동 방향이 같기 때문에 풍속이 강하다. 안전 반원 지역은 저기압성 바람의 방향과 태풍의 이동 방향이 반대이기 때문에 상쇄되어 풍속이 약하다.

채점 기준	배점
모범 답안과 같이 옳게 서술한 경우	100%
위험 반원과 안전 반원 지역 중 한 지역만 옳게 찾은 경우	50%

10 (가)는 상승 기류로 구름이 발달하는 적운 단계, (나)는 상승 기류와 하강 기류가 동시에 나타나면서 강한 강수 현상이 있는 성숙 단계, (다)는 하강 기류만 나타나면서 구름이 사라지는 소멸 단계이다.

ㄱ. (가) 단계는 국지적으로 지표가 가열되어 지표 부근 공기가 불안정해진다. 하층이 불안정해진 공기는 상승 기류가 나타나고 구름이 발달한다.

ㄴ. (나) 단계에서 강한 강수 현상과 함께 돌풍, 소나기, 우박 등의 악기상이 동반될 수 있다.

ㄷ. (다) 단계에서 하강 기류가 나타나고, 약한 비가 내리면서 구름이 소멸한다.

> **해설 클리닉**
>
> ㄱ. 뇌우의 발달 단계 중 적운 단계에서 발생하는 기상 현상을 정리해야 한다.
> ✓ 적운 단계: 강한 상승 기류 → 적운 발달 → 적란운으로 성장
> ✓ 적운 단계에서는 강수 현상이 거의 없다.
>
> ㄴ. 뇌우의 발달 단계 중 성숙 단계에서 발생하는 기상 현상을 정리해야 한다.
> ✓ 성숙 단계: 상승 기류와 하강 기류 발생
> ✓ 성숙 단계에서는 돌풍, 소나기, 번개, 천둥, 우박 등이 발생한다.
>
> ㄷ. 뇌우의 발달 단계 중 소멸 단계에서 발생하는 기상 현상을 정리해야 한다.
> ✓ 소멸 단계: 상승 기류 소멸, 하강 기류만 존재
> ✓ 약한 비가 내리고 구름이 소멸된다.

11 뇌우는 상승 기류가 나타나는 (다), 상승 기류와 하강 기류가 동시에 나타나는 (나), 하강 기류만 나타나는 (가) 순으로 발달한다. 강한 상승 기류가 나타나는 (다)에서 구름이 수직으로 밀달하고, 상승 기류와 하강 기류가 동시에 나타나는 (나)에서 천둥과 번개가 동반될 수 있다. 뇌우는 지표가 가열되고 기단의 하층이 불안정해지는 한여름에 자주 나타난다.

오답 피하기 ·영희: 우박은 상승 기류와 하강 기류가 동시에 나타나는 (나)에서 내릴 수 있다.

> **문제 속 자료** 뇌우의 발달 단계
>
>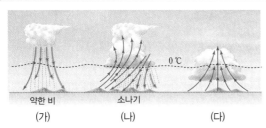
>
> 약한 비 소나기
> (가)   (나)   (다)
>
> · 뇌우의 발달 과정은 (다) → (나) → (가) 순이다.
> · 주로 한여름에 나타나는 과정이다.

12 ㄴ. 번개는 성숙 단계의 뇌우에서 나타난다. 성숙 단계의 뇌우에서는 상승 기류와 하강 기류가 동시에 나타난다.

ㄷ. 뇌우는 적운형 구름에서 나타나므로 이러한 현상이 관측될 가능성이 높은 곳은 한랭 전선 후면이다.

오답 피하기 ㄱ. 뇌우는 주로 강한 상승 기류로 높게 발달한 적운형 구름에서 나타난다.

13 ㄱ. 겨울철에 시베리아 기단이 황해를 지나면서 황해로부터 열과 수증기를 공급받는다.

오답 피하기 ㄴ. 황해로부터 열을 공급받은 시베리아 기단은 하층의 기온이 상승하여 불안정해진다.

ㄷ. 황해의 수온이 낮으면 증발량이 감소하여 대기 중으로 열과 수증기가 원활하게 공급되지 못한다. 따라서 시베리아 기단의 변질이 일어나지 않아 서해안에 폭설은 발생하지 않는다.

> **해설 클리닉**
>
> ㄱ. 우리나라에서 폭설이 내리는 과정을 이해해야 한다.
> ✓ 서해안 폭설 → 기단의 변질로 발생
> ✓ 영동 지방 폭설 → 지형적 영향으로 발생
>
> ㄴ. 기단의 변질 과정을 학습해야 한다.
> ✓ 따뜻한 기단이 한랭한 바다를 통과할 때 → 하층은 열을 빼앗겨 안정해진다.
> ✓ 차고 건조한 기단이 따뜻한 바다를 통과할 때 → 하층은 열과 수증기를 공급받아 불안정해진다.
>
> ㄷ. 서해안에서 폭설이 내리는 과정을 이해해야 한다.
> ✓ 시베리아 기단이 따뜻한 황해를 지나면서 서해안에 폭설이 내린다.
> ✓ 서해안에서 폭설은 차고 건조한 기단이 따뜻한 바다를 통과할 때 내리는 것이다.

14 ④ 문제의 그림은 시베리아 기단이 남동쪽으로 이동하면서 황해를 지날 때 구름이 발달한 모습이다. 한랭 건조한 시베리아 기단이 따뜻한 황해를 지나면서 열과 수증기를 공급받아 성질이 변한다.

오답 피하기 ① 우리나라는 황해를 지나면서 성질이 변한 시베리아 기단의 영향을 받는다.

② 시베리아 고기압의 세력이 확장되어 우리나라에 영향을 미치고 있다. 우리나라는 온대 저기압의 영향을 받고 있지 않다.

③ 동해안 지역에는 동풍이 불 때 폭설이 내린다. 문제의 그림에서는 북서풍이 불고 있다.

⑤ 문제의 그림에서 한반도 주변은 성질이 다른 공기가 만난 것이 아니라, 기단이 따뜻한 바다를 지나면서 변질되어 상승 기류가 발달한 것이다.

15 폭설은 짧은 시간 동안 많은 눈이 오는 현상이다.

[모범 답안] 시베리아 기단이 황해를 지나면서 열과 수증기를 공급받아 하층이 불안정해지면 기단의 변질이 일어난다. 이 과정에서 눈구름이 만들어지고 서해안에 폭설이 발생한다.

채점 기준	배점
주어진 단어를 모두 포함하여 서해안에 폭설이 내리는 과정을 옳게 서술한 경우	100%
주어진 단어 중 두 가지만 포함하여 옳게 서술한 경우	50%

16 ㄱ. 우리나라에 한파는 고위도에서 발달하는 시베리아 고기
압의 세력이 강해져 한랭한 기단의 영향을 받게 될 때 나타난다.

ㄴ. 한파가 발생했을 때 우리나라 주변 일기도는 등압선이 매
우 조밀하며 풍속이 강하다.

ㄷ. 황해의 수온이 높으면 황해 상공을 지나는 시베리아 기단
이 변질되어 서해안 지역에 폭설이 내릴 수 있다.

17 ㄴ. 황사는 편서풍을 타고 발원지에서 동쪽으로 이동한다. 우
리나라는 주로 우리나라의 서쪽에 있는 중국과 몽골에서 발
생한 황사의 영향을 받는다.

ㄷ. 우리나라에 고기압이 형성되면 하강 기류가 나타나고 높
은 고도에서 이동 중인 모래 먼지 입자가 지상으로 낙하하여
황사가 심해진다.

오답 피하기 ㄱ. 발원지 부근에 저기압이 형성되어 있으므로
상승 기류가 나타난다.

> **해설 클리닉**
>
> ㄱ. 황사의 발원지를 정리해야 한다.
>
> ✔ 황사 발원지: 중국 고비 사막, 내몽골 고원 등
>
> ㄴ. 황사의 이동 과정을 이해해야 한다.
>
> ✔ 황사 이동: 상승한 모래 먼지가 편서풍을 타고 동쪽으로 이동한다.
>   → 기압 배치에 따라 이동 방향과 속도가 달라질 수 있다.
>
> ㄷ. 우리나라에 황사가 심해지는 경우를 학습해야 한다.
>
> ✔ 사막화가 진행될수록 황사는 더 심각해진다.

---

18 ㄴ. 황사는 지권에 존재하는 모래, 먼지 입자들이 강한 바람이
나 상승 기류로 대기 중으로 유입되어 발생한다. 따라서 황사
는 지권과 기권의 상호 작용으로 발생한다.

오답 피하기 ㄱ. 봄철 황사 일수는 서울이 부산보다 많다.

ㄷ. 황사의 발원지는 우리나라의 서쪽에 위치하고 있으며 우
리나라 서쪽에 있는 양쯔강 기단의 영향력이 커질 때 황사가
관측된다. 따라서 온난 건조한 기단의 세력이 강해질 때 황사
가 주로 관측된다. 우리나라 주변의 기단 중 고온 다습한 기단
은 북태평양 기단이며 여름철에 세력이 강해진다.

문제 속 자료 황사 발생 빈도

- 황사는 봄철에 자주 발생한다.
- 편서풍을 타고 발원지에서 우리나라로 이동해 온다.
- 사막화가 진행되고 기후가 건조할수록 황사가 심해진다.

09강 해수의 성질

내신 기출					80~83쪽
01 ③	02 ②	03 ③	04 ⑤	05 ②	06 ④
07 ⑤	08 ③	09 해설 참조		10 ②	11 ④
12 ③	13 ⑤	14 ⑤	15 ④	16 ①	17 ③
18 해설 참조		19 ④			

01 A층은 수심에 따라 수온이 일정한 혼합층, B층은 수심이 깊
어질수록 수온이 급격하게 하강하는 수온 약층, C층은 심해
에서 수온이 일정한 심해층이다.

- 영희: 혼합층은 바람의 영향으로 해수가 혼합되어 수온이
일정한 층이다. 바람이 강하면 표층부터 해수의 혼합이 일어
나는 깊이가 깊어져 혼합층의 두께가 두꺼워진다.

- 철수: B층에서 수온은 수심이 깊어질수록 낮아진다. 해수
의 밀도는 수온이 낮을수록 크므로 수온 약층에서 해수의 밀
도는 반대로 수심이 깊어질수록 커진다.

오답 피하기 • 민수: 태양 복사 에너지는 대부분 표층에서 흡
수된다. C층은 태양 복사 에너지의 영향을 받지 않는 층이므
로 C층의 수온은 위도에 상관없이 거의 일정하다. 반면에 A
층의 수온은 태양 복사 에너지에 따라 결정되므로 단위 면적
당 태양 복사 에너지의 양이 적은 고위도에서는 수온이 낮게
나타난다.

> **해설 클리닉**
>
> 영희: 해수의 층상 구조 중 혼합층에서 나타나는 특징을 학습해야 한다.
>
> ✔ 혼합층: 표층부터 수심에 따라 수온이 거의 일정한 층
> ✔ 혼합층의 두께에 영향을 주는 요인은 바람이다.
> ✔ 바람이 강한 중위도 해역에서는 혼합층이 두껍게 발생한다.
>
> 철수: 해수의 층상 구조 중 수온 약층에서 나타나는 특징을 학습해야
> 한다.
>
> ✔ 수온 약층: 수심이 깊어질수록 수온이 급격히 낮아지는 층
> ✔ 표층의 수온이 높을수록 수온 약층이 뚜렷하게 나타난다.
> ✔ 표층과 심층의 수온 차가 크게 나타나는 저위도에서 수온 약층이
>   뚜렷하게 발달한다.
>
> 민수: 해수의 층상 구조 중 심해층에서 나타나는 특징을 정리해야 한다.
>
> ✔ 심해층: 수온이 낮고, 수심에 따른 수온 변화가 거의 없는 층
> ✔ 위도나 계절의 영향을 거의 받지 않는다.

---

02 ㄴ. 수온 약층은 혼합층 아래에서 깊이에 따라 수온이 급격하
게 낮아지는 층이다. 문제의 그림에서 수온 약층은 다른 해보
다 표층과 심층의 수온 차이가 가장 큰 2009년에 뚜렷하게
나타났다.

오답 피하기 ㄱ. 표층부터 수심에 따른 수온 변화가 거의 없
는 혼합층의 두께가 2005년에 가장 두꺼웠으므로 바람은
2005년에 가장 강하게 불었다. 혼합층의 두께에 영향을 미치
는 요인은 바람이다.

ㄷ. 수심 200 m는 수온이 낮은 물이 아래쪽에 있고 수온이
높은 물이 위쪽에 있으므로 혼합 작용이 잘 일어나지 않고, 상
하층 간의 물질과 에너지 교환이 활발하지 않다.

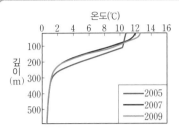

문제 속 자료 해수의 연직 수온 분포

온도(℃)

깊이(m)
— 2005
— 2007
— 2009

- 2005년에 혼합층이 두껍게 발달한다.
- 2009년에는 수온 약층이 다른 해보다 잘 발달한다.
- 2005년, 2007년, 2009년에 심해층이 나타나는 깊이는 큰 차이가 없다.

해설 클리닉

ㄱ. 염분이 높은 지역과 낮은 지역을 비교해야 한다.

✓ 표층 염분 분포는 (증발량－강수량) 값과 대체로 일치한다.
✓ 위도 30° 부근에서 가장 높다.
✓ 적도에서 가장 낮다.

ㄴ. 표층 염분에 영향을 주는 요인을 정리해야 한다.

✓ 표층 염분 증가: 강수량 감소, 증발량 증가, 결빙
✓ 표층 염분 감소: 강수량 증가, 증발량 감소, 해빙, 하천수 유입

ㄷ. 적도 지역에서 수온 분포와 염분 분포를 학습해야 한다.

✓ 수온 분포: 가장 높은 값을 가진다.
✓ 염분 분포: 비가 자주 오고 습한 날씨 때문에 중위도보다 증발량이 적어 염분이 높게 나타나지 않는다.

03 ㄱ. 표층 수온 변화에 영향을 주는 요인은 태양 복사 에너지이다. 중위도에서 등온선은 대체로 위도와 나란하다.

ㄴ. 표층 수온은 태양 복사 에너지를 많이 받는 저위도에서 높게 나타나고, 태양 복사 에너지를 적게 받는 고위도로 갈수록 대체로 낮아진다.

오답 피하기 ㄷ. A 해역에서 등온선 간격이 B 해역보다 좁으므로 위도에 따른 수온 변화가 B 해역보다 A 해역에서 더 크다.

04 ⑤ C층은 깊은 수심에서 수온이 일정한 심해층이다. 태양 복사 에너지는 표층에서 거의 흡수되고 심해층에는 태양 복사 에너지가 거의 도달하지 못한다. 심해층은 위도와 계절에 따른 수온 변화가 거의 없다.

오답 피하기 ① A층은 혼합층으로, 혼합층은 바람의 영향으로 수심에 따라 수온이 거의 일정한 층이다. 바람의 세기가 강해지면 혼합층의 두께는 두꺼워진다.
② B층은 수온 약층으로 수심이 깊어짐에 따라 수온이 급격하게 낮아지는 층이다. 수온이 낮은 해수가 아래에 있고 수온이 높은 해수가 위에 있으므로 수온 약층은 안정하여 해수의 연직 운동이 거의 일어나지 않는다.
③ B층은 해수의 연직 운동이 일어나지 않으므로 상하층의 열과 물질 교환을 차단한다.
④ 혼합층(A)은 표층에 해당하므로 태양 복사 에너지를 가장 많이 받는다.

05 해수의 표층 염분은 증발량이 많고 강수량이 적을 때 높아진다. 따라서 (증발량－강수량) 값의 변화 경향은 표층 염분의 변화 경향과 대체로 비슷하다.

06 ㄴ. 표층 염분은 강수량이 적을수록, 증발량이 많을수록 높게 나타난다. 따라서 (강수량－증발량) 값이 클수록 표층 염분은 낮다.

ㄷ. 대체로 저위도로 갈수록 증가하는 증발량이 적도에서 소폭 감소하는 까닭은 적도 상공 대기가 습하여 증발이 잘 일어나지 않기 때문이다.

오답 피하기 ㄱ. 표층 염분은 강수량이 적고 증발량이 많은 위도 30° 부근에서 가장 높다. 수온이 가장 높은 위도는 적도이다.

07 ㄱ. A는 한류인 캘리포니아 해류의 영향을 받는다.

ㄴ. (증발량－강수량)은 표층 염분을 결정하는 주요 요인으로 표층 염분이 높을수록 (증발량－강수량) 값이 크다. B 해역 표층 염분이 C 해역보다 낮으므로 (증발량－강수량) 값은 B가 C보다 작다.

ㄷ. A, B, C 각 해역에서 각각 염분은 다르지만 염분비 일정 법칙에 따라 주요 염류의 질량비는 일정하다. 염분비 일정 법칙에 따르면 각 해수의 염분은 달라져도 해수를 구성하는 염류의 질량비는 일정하다.

08 ㄱ. 표층부터 수심이 일정하게 나타나는 혼합층의 두께로 보아 혼합층의 두께가 더 두꺼운 2월이 8월보다 바람이 강하게 불었다.

ㄴ. 강수량이 많아지면 표층 염분이 낮아진다. 2월보다 8월에 표층 해수의 염분이 낮게 나타나므로 8월에 강수의 영향이 크게 나타난다.

오답 피하기 ㄷ. 수온 약층에서는 깊이에 따라 수온이 감소하고 염분이 증가한다. 따라서 수온 약층에서 해수의 밀도는 깊이에 따라 급격하게 증가할 것이다.

09 혼합층은 바람의 영향으로 해수가 혼합되는 층이고, 수온 약층은 수심이 깊어질수록 수온이 급격히 낮아지는 층이다.
[모범 답안] (1) 2월, 겨울철에 바람이 더 강하게 불기 때문이다.
(2) 8월, 표층 수온이 높아 표층과 심층의 수온 차가 더 크게 나타나기 때문이다.

	채점 기준	배점
(1)	모범 답안과 같이 옳게 서술한 경우	50%
	혼합층이 잘 발달하는 시기만 옳게 쓴 경우	20%
(2)	모범 답안과 같이 옳게 서술한 경우	50%
	수온 약층이 잘 발달하는 시기만 옳게 쓴 경우	20%

10 표층 염분은 증발량이 증가하면 높아진다. 강수량 증가, 증발량 감소, 하천수의 유입, 극지방 빙하 융해의 영향을 받으면 염분이 낮아진다. 해상에 고온 건조한 기단이 이동하면 해수의 증발량이 많아져 염분이 높아지기도 한다.

11 ㄷ. 구간 B에서 수심은 100 m 깊어졌고 밀도는 1.0255 g/cm³에서 1.0265 g/cm³로 0.001 g/cm³ 증가했다. 구간 C에서 수심은 구간 B와 동일하게 100 m 깊어졌고 밀도는 1.0265 g/cm³에서 약 1.0272 g/cm³로 약 0.0007 g/cm³ 증가했다. 따라서 밀도 변화는 구간 B보다 구간 C에서 작다.

[오답 피하기] ㄱ. 수온 염분도에서 가로축은 염분, 세로축은 수온을 나타낸다. 따라서 해수 표면의 수온은 20 ℃이며 염분은 33 psu이다.

ㄴ. 구간 A에서 염분은 33 psu에서 약 34.2 psu로 약 1.2 psu 증가하였고, 구간 B에서 염분은 약 34.2 psu에서 34 psu로 약 0.2 psu 감소하였다. 따라서 염분 변화는 구간 A보다 구간 B에서 작다.

> **해설 클리닉**
>
> ㄱ. 수온 염분도에서 수온 변화를 해석해야 한다.
> ✔ 그래프 세로축에서 아래로 갈수록 수온이 낮고, 위로 올라갈수록 수온이 높다.
>
> ㄴ. 수온 염분도에서 염분 변화를 해석해야 한다.
> ✔ 그래프 가로축에서 오른쪽으로 갈수록 염분이 높고, 왼쪽으로 갈수록 염분이 낮다.
>
> ㄷ. 수온 염분도에서 밀도 변화를 해석해야 한다.
> ✔ 그래프에서 등밀도선의 대각선 아래로 내려갈수록 밀도가 높고, 등밀도선의 대각선 위로 올라갈수록 밀도가 낮다.

12 ㄱ. 표층 해수의 용존 산소량은 중위도에서 대체로 위도와 나란하며 고위도로 갈수록 증가하는 경향을 보인다.

ㄴ. 표층 해수의 용존 산소량은 표층 수온이 높은 곳에서 낮다. 표층 수온은 표층 용존 산소량이 약 5.0 mL/L인 A 해역이 표층 용존 산소량이 약 5.5 mL/L인 B 해역보다 높을 것이다.

[오답 피하기] ㄷ. 쿠로시오 해류의 세력이 강해지면 A 해역은 난류가 유입되므로 용존 산소량은 감소할 것이다.

> **문제 속 자료** 표층 해수의 용존 산소량 분포
>
>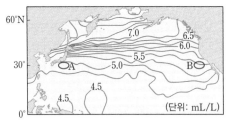
>
> • A 해역에는 난류가 흐른다. → 한류가 흐르는 지역보다 용존 산소량이 적다.
> • B 해역에는 한류가 흐른다. → 난류가 흐르는 지역보다 용존 산소량이 많다.

13 ㄱ. 표층과 심층의 수온 차이가 더 큰 저위도가 고위도보다 수온 약층이 뚜렷하게 나타난다.

ㄴ. 빛이 비교적 많이 도달하는 해수의 표층에서 광합성이 활발하게 일어난다. 따라서 혼합층에서 이산화 탄소 농도가 낮고 산소 농도가 높다.

ㄷ. 고위도에서 침강하여 형성된 심층 해수는 용존 산소가 풍부하다. 따라서 표층에서 수심이 깊어질수록 감소하던 용존 산소 농도가 심층으로 가까워지면 다시 증가한다.

14 ㄱ. A 해역의 표층 염분은 약 34 psu이고, B와 C 해역의 표층 염분은 약 32 psu이다. 따라서 표층 염분이 가장 높은 곳은 A이다.

ㄴ. 수심 50 m에서 수온은 C가 가장 높고 A, B로 갈수록 낮아진다.

ㄷ. 수온－염분도에서 세 해역의 등밀도선 값을 비교하면 해수 표층보다 수심 50 m에서 더 높게 나타난다. 따라서 해수의 밀도는 세 해역 모두 표층보다 수심 50 m에서 더 크다.

> **문제 속 자료** 수온 염분도
>
>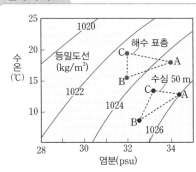
>
> • 해수 표층보다 수심 50 m에서 밀도가 더 크다.
> • 수온이 낮을수록, 염분이 높을수록 밀도가 크다.
> • 열대나 아열대 해역은 수심에 따른 수온 변화가 크므로 밀도 분포가 염분보다 수온의 영향을 크게 받는다.

15 • 철수: 표층 수온의 연교차는 해수의 깊이가 얕고 부피가 작은 황해가 동해보다 크다.

• 민수: 동해의 수온 범위를 살펴보면 2월에는 2~12 ℃, 8월에는 21~26 ℃이므로 위도별 표층 수온 차이는 2월이 8월보다 크다.

[오답 피하기] • 영희: 고위도로 갈수록 단위 면적당 태양 복사 에너지양이 감소하므로 표층 수온은 대체로 위도가 높아질수록 낮아진다.

> **해설 클리닉**
>
> 영희: 위도별 표층 수온 분포를 이해해야 한다.
> ✔ 동일한 경도에서 위도가 높아질수록 수온이 낮아진다.
> ✔ 표층 수온 분포에 가장 큰 영향을 주는 요인은 태양 복사 에너지양이다.
>
> 철수: 우리나라 주변 지역에서 표층 수온의 연교차를 정리해야 한다.
> ✔ 동해: 남북 간의 수온 변화가 크다.
> ✔ 황해: 수온의 연교차가 크다.
> ✔ 남해: 연중 수온이 가장 높다.
>
> 민수: 계절별 동해의 표층 수온 변화를 학습해야 한다.
> ✔ 위도가 다른 두 지역을 선정하여 2월과 8월의 수온 차이를 대략적으로 비교한다.

16 ㄱ. 황해의 표층 염분은 8월에 30.0~31.0 psu 사이의 값을 가지고 2월에 31.0~33.0 psu 사이의 값을 가지므로 대체로

2월의 표층 염분이 8월보다 높다.

오답 피하기 ㄴ. 염분비 일정 법칙에 따라 해수 1 kg에 녹아 있는 전체 염류에서 Cl^-이 차지하는 비율(성분비)은 A와 B에서 동일하다.

ㄷ. 표층 염분 분포 자료를 보면 육지에서 멀어질수록 표층 염분이 대체로 높아짐을 알 수 있다. 육지 근처 해역에서는 지속적으로 육지에서 하천수가 바다로 유입되기 때문에 표층 염분이 낮다.

17 수심이 깊어질수록 값이 낮아지는 (가)는 수온 분포이고, 나머지 (나)는 염분 분포이다. 수온 분포에서 표층 수온이 높은 붉은색 선이 8월, 표층 수온이 낮은 파란색 선이 2월 자료이다.

ㄷ. 해수의 밀도는 수온이 낮을수록, 염분이 높을수록 크다. 2월의 표층 해수는 8월의 표층 해수보다 수온이 낮고 염분이 높으므로 밀도가 크다.

오답 피하기 ㄱ. (가)는 수온 분포, (나)는 염분 분포이다.

ㄴ. 여름철이 겨울철보다 강수량이 많기 때문에 여름철 표층 해수의 염분이 겨울철보다 낮다. 강수량이 적은 겨울철 표층 해수의 염분은 심층 해수의 염분과 큰 차이를 보이지 않는다. 심층 해수의 염분은 연중 거의 변하지 않으므로 표층에서 수심 100 m까지 염분의 변화량은 8월이 2월보다 크다.

문제 속 자료 염분과 수온의 연직 분포

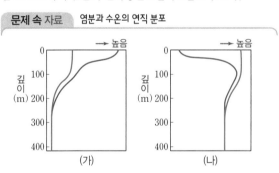

• 태양 복사 에너지를 많이 받는 여름철이 겨울철보다 표층 수온이 높다.
• 강수량이 많은 여름철은 겨울철보다 표층 염분이 낮다.

18 황해는 중국과 우리나라에서 하천수가 많이 유입된다.

[모범 답안] 우리나라와 중국에 있는 하천수는 주로 황해로 흘러 들어간다. 담수의 유입이 많을수록 표층 염분은 감소하므로 황해의 표층 염분은 동해나 남해보다 낮다.

채점 기준	배점
모범 답안과 같이 옳게 서술한 경우	100%
하천수 유입에 따른 염분 변화를 설명하지 않고 황해로 유입되는 하천수가 많다는 것만을 서술한 경우	50%

19 ④ 여름철 우리나라 주변 염분이 낮은 까닭은 강수량이 많기 때문이다. 우리나라는 강수량이 대부분 여름에 집중되어 있어 여름철에 표층 염분이 낮다.

오답 피하기 우리나라 주변 해역에서 황해는 수심이 얕고 해수의 부피가 작기 때문에 열용량이 작아 수온의 연교차가 크다. 남해는 연중 쿠로시오 해류의 영향을 받아 수온이 높고 동

해는 동한 난류와 북한 한류가 만나 조경 수역을 형성한다. 황해는 우리나라와 중국에서 흘러 들어오는 하천수의 영향 때문에 세 해역 중 가장 표층 염분이 낮다.

내신 마무리				84~87쪽	
01 ④	02 ⑤	03 ③	04 ①	05 ④	06 ③
07 ①	08 ①	09 ②	10 ⑤	11 ⑤	12 ②
13 ①	14 ③	15 ⑤	16 해설 참조		

01 ㄷ. (나) → (다)로 가면서 한랭 전선이 온난 전선보다 더 빠르게 이동하여 두 전선이 겹쳐지면서 폐색 전선을 형성한다.

ㄹ. 온대 저기압의 지상에서 따뜻한 구역은 온난 전선과 한랭 전선 사이의 구역이다. 폐색 전선을 형성하게 되면 지상에 따뜻한 구역이 감소한다. 이때 따뜻한 공기는 찬 공기의 위로 올라간다.

오답 피하기 ㄱ. (가)의 전선은 찬 공기와 따뜻한 공기가 만나 형성된다. 따라서 찬 공기가 존재하지 않는 열대 지방의 해상에서는 발생하지 못한다. (가)의 전선은 중위도 지방에서 발생한다.

ㄴ. A는 한랭 전선, B는 온난 전선, C는 폐색 전선을 나타낸다.

02 ㄱ. 기온이 08시경부터 급격하게 낮아지므로 이때 한랭 전선이 통과하였다.

ㄴ. 한랭 전선은 전선 후면에서 강한 소나기가 내릴 수 있으므로 한랭 전선이 통과한 08시 이후에 소나기가 내렸을 것이다.

ㄷ. 온대 저기압이 관측소의 북쪽 지역을 통과하는 동안 풍향은 남동풍 → 남서풍 → 북서풍으로 변하므로 시계 방향으로 변할 것이다.

해설 클리닉

ㄱ. 한랭 전선 통과 후 기상 변화를 이해해야 한다.

✓ 한랭 전선 통과 후 → 기온 하강

ㄴ. 한랭 전선 후면에서 나타나는 기상 현상을 정리해야 한다.

✓ 한랭 전선 후면 → 적운형 구름이 형성된다.
→ 소나기가 내린다.

ㄷ. 온대 저기압이 통과하는 동안 풍향 변화를 학습해야 한다.

✓ 온대 저기압 중심이 관측자의 북쪽 지역을 지날 경우 → 풍향은 시계 방향으로 변화

✓ 온대 저기압 중심이 관측자의 남쪽 지역을 지날 경우 → 풍향은 시계 반대 방향으로 변화

03 ㄱ. 겨울철에는 시베리아에서 발달한 고기압의 세력이 우리나라로 확장된다. 기단은 A에서 B로 이동하며 황해에서 열과 수증기를 공급받는다. 따라서 기단 하층부의 기온이 상승하고 불안정해진다.

ㄷ. 기단의 하층부가 불안정할 때 상승 기류가 잘 발달하고 적운형 구름이 생성되어 폭설이 내릴 가능성이 크다.

오답 피하기 ㄴ. 우리나라에서 폭설이 내릴 때는 차가운 시베리아 기단이 황해를 통과하는 경우이므로 기단은 A에서 B로 이동할 때 나타날 가능성이 크다.

문제 속 자료 폭설이 내리는 과정

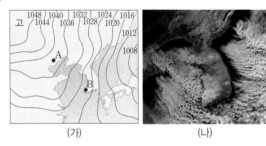

(가)　　　　　　(나)

- 서해안 폭설은 기단이 변질되어 나타나는 현상이다.
- 겨울에는 지표면이 냉각되기 때문에 따뜻한 바다를 통과하면서 상승 기류가 발생할 때 폭설이 내린다.

04 ㄱ. 세종은 한랭 전선 전면(한랭 전선과 온난 전선 사이)에 있다가 이 기간 중 한랭 전선이 세종을 통과하므로 세종의 기온은 낮아졌다.

오답 피하기 ㄴ. 서울의 풍향은 남서풍이 불다가 한랭 전선 통과 후 북서풍으로 변했다.

ㄷ. 온대 저기압은 편서풍의 영향으로 서쪽에서 동쪽으로 이동한다. 따라서 온대 저기압이 더 동쪽으로 이동해 있는 (나) 일기도가 더 나중에 작성되었다.

05 ㄴ. 문제의 그림에서 남반구보다 북반구에서 더 많은 열대 저기압이 발생한다.

ㄷ. 열대 저기압은 수온 27 ℃ 이상의 열대 해상에서 발생한다. 지구 온난화가 진행되어 수온 27 ℃ 이상의 해역이 고위도 쪽까지 확장된다면 열대 저기압의 발생 지역도 고위도 쪽으로 확장될 것이다.

오답 피하기 ㄱ. 적도 해역은 수온이 매우 높지만 이곳에서 열대 저기압이 발생하지 않는 까닭은 적도에 지구 자전 효과가 없어 공기의 회전이 일어나지 않기 때문이다.

06 ㄱ. 현재 제주도 남쪽에 위치한 태풍은 우리나라로 접근해 올 때 편서풍의 영향을 받아 이동 경로가 바뀐다.

ㄴ. 만조는 하루 중 해수면의 높이가 가장 높을 때이므로 태풍이 이동할 때 만조 시기와 겹치면 해수면의 높이가 더 상승할 것이다.

오답 피하기 ㄷ. 태풍이 동해로 진입한 이후 소멸 과정을 거친다. 태풍의 중심 기압은 태풍의 세기를 나타낸다. 중심 기압이 낮을수록 태풍의 세력이 강하다. 태풍은 소멸 직전에 세력이 가장 약하므로 이때 중심 기압은 가장 높다.

07 ㄱ. A와 C는 태풍의 중심으로부터의 거리가 동일하지만 풍속은 A가 C보다 빠르다. 따라서 풍속이 더 빠른 A는 위험

반원, C는 안전 반원이다.

오답 피하기 ㄴ. 기압은 태풍의 중심으로 갈수록 낮아지고 태풍의 중심에서 가장 낮으므로 B에서 기압이 가장 낮다.

ㄷ. 태풍의 중심인 B에서는 하강 기류가 나타나기 때문에 구름이 발달하지 못한다. 구름은 풍속이 빠르게 나타나는 A와 C에서 높게 발달한다.

08 ㄱ. 제주 지방은 태풍의 이동 방향을 기준으로 오른쪽에 위치하므로 위험 반원의 영향을 받았다.

오답 피하기 ㄴ. (가)에서 태풍의 중심 기압은 태풍이 발생할 때 1000 hPa이었다. 태풍의 중심 기압이 가장 낮은 때는 26일 15시로 이때 중심 기압은 920 hPa이었다.

ㄷ. 제주 지방은 위험 반원의 영향을 받으므로 태풍이 통과하는 동안 풍향이 시계 방향으로 변한다. 따라서 제주 지방의 풍향은 27일 15시 ㉠ → 28일 03시 ㉡ → 28일 15시 ㉢ 순으로 변했다.

해설 클리닉

ㄱ. 태풍이 통과하는 동안 위험 반원과 안전 반원의 위치를 이해해야 한다.

✔ 위험 반원 → 태풍 이동 방향을 기준으로 오른쪽 영역
✔ 안전 반원 → 태풍 이동 방향을 기준으로 왼쪽 영역

ㄴ. 태풍은 저기압 중 열대 저기압에 해당한다는 것을 학습해야 한다.

✔ 태풍 → 저기압 → 중심 기압이 낮을수록 태풍의 세력이 강하다.

ㄷ. 제주 지역에서 관측한 풍향과 풍속이 언제인지를 이해해야 한다.

✔ ㉠ → 27일 15시의 풍향과 풍속
✔ ㉡ → 28일 03시의 풍향과 풍속
✔ ㉢ → 28일 15시의 풍향과 풍속

09 태풍의 세력은 중심 기압을 통해 알 수 있다. 태풍의 중심 기압이 낮을수록 태풍의 세력은 강하다. 무역풍의 영향을 받아 북서쪽으로 이동하던 태풍은 북위 27° 부근을 통과한 후 편서풍의 영향을 받아 이동 방향이 북동쪽으로 변하였다.

ㄴ. 같은 기간에 태풍의 이동 거리가 2일보다 4일에 더 빠르다.

문제 속 자료 태풍의 이동 경로

- 태풍은 고위도로 이동하면 주변 해역 수온이 낮아져 수증기의 공급이 적어지므로 세력이 약해진다.
- 태풍이 육지로 상륙하면 수증기의 공급이 적어지고 지면과의 마찰이 일어나 세력이 약해진다.

오답 피하기 ㄱ. 7월 2일에 발생한 태풍 난마돌은 7월 4일 09

시에 육지에 도달한 후 세력이 점차 약화되어 7월 5일 03시에 소멸하였다. 태풍의 중심 기압은 세력이 약해질수록 높아진다.

ㄷ. 태풍 이동 경로의 오른쪽에 위치한 지역은 시계 방향으로, 왼쪽은 시계 반대 방향으로 풍향이 변했다.

10 ㄱ. 중국 내륙에서 발생한 황사가 4월 13일 미국 서부 지역까지 도달하여 영향을 주었다.

ㄴ. 황사는 중위도에서 부는 편서풍의 영향으로 동쪽으로 이동하여 영향을 준다.

ㄷ. 4월 7일과 4월 8일의 황사 분포 지역으로 보아 중부 지방이 남부 지방보다 황사의 영향을 더 많이 받았을 것이다.

11 ㄴ. 몽골과 중국 사막에서 발생한 모래 먼지는 편서풍의 영향으로 우리나라에 영향을 미친다.

ㄷ. 발원지인 중국과 몽골의 사막화가 진행될수록 황사 현상이 심해진다.

[오답 피하기] ㄱ. 황사는 주로 봄철에 발생한다.

12 ㄱ. 가시 영상은 낮에 관측 가능하다.

ㄹ. (가)에서 부산 상공에 높게 솟은 구름이 발달하였다.

[오답 피하기] ㄴ. (나)의 자료에서 부산 지역에 비는 비교적 짧은 시간인 7시와 10시 사이에 집중적으로 강하게 내렸다.

ㄷ. (가)에서 구름 분포를 보아 비는 경상남도 일부 지방에만 내렸을 것이다.

13 A 해역은 난류의 영향을 받아 동일 위도의 다른 해역보다 수온이 높고 B 해역은 한류의 영향으로 동일 위도의 다른 해역보다 수온이 낮다.

ㄱ. 염분은 난류의 영향을 받는 A 해역이 한류의 영향을 받는 B 해역보다 높다.

[오답 피하기] ㄴ. 해수의 기체 용해도는 수온이 낮을수록 증가하므로 한류의 영향을 받는 B 해역의 용존 산소량이 A 해역보다 많다.

ㄷ. 북태평양 아열대 해역의 표층 해류는 시계 방향으로 순환한다. B 해역의 표층 해류는 고위도에서 저위도로 흐른다.

문제 속 자료 **북태평양의 연평균 표층 수온 분포**

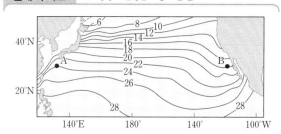

· A 해역에는 난류가 흐르고, B 해역에는 한류가 흐른다.
· 난류는 한류보다 수온과 염분이 높다.
· 난류는 한류보다 영양 염류와 용존 산소량이 적다.

14 ㄱ. A 지점의 표층 수온은 약 24 ℃, 표층 염분은 약 32.5 psu

이다. B 지점의 표층 수온은 약 26 ℃, 표층 염분은 약 33 psu이다. 따라서 표층 수온과 염분은 A 지점이 B 지점보다 낮다.

ㄴ. 수온 염분도에서 등밀도선은 염분이 높고 수온이 낮은 쪽인 오른쪽 아래에 있는 선일수록 밀도가 크다. 따라서 수심 40 m에서 해수 자료가 더 높은 등밀도선에 가까운 A 지점 해수가 B 지점 해수보다 밀도가 크다.

[오답 피하기] ㄷ. 혼합층은 해수 표면부터 수온이 일정한 부분이다. A, B 두 지점 모두에서 표층부터 수온이 감소하므로 혼합층이 발달해 있지 않다.

15 ㄱ. 수온 약층은 표층과 심층의 수온 차가 클수록 뚜렷하게 나타난다. A에서 C로 갈수록 표층 수온은 증가하는 반면 심층 수온은 거의 변하지 않으므로 수온 약층이 점점 뚜렷하게 나타난다.

ㄴ. 2000 m보다 깊은 곳에서는 세 지점 모두 수온과 염분이 거의 같다.

ㄷ. 해수의 밀도는 수온이 낮을수록, 염분이 높을수록 크다. 세 지점 모두 2000 m 해수가 1000 m 해수보다 수온이 낮고 염분이 높다. 따라서 1000 m 해수보다 2000 m 해수의 밀도가 크다.

16 동해는 남쪽에서 동한 난류가 흐르고 북쪽에서 북한 한류가 흐르기 때문에 남북 간 수온 차가 가장 크다.

[모범 답안] (1) 동해
(2) 연중 수온이 높은 쿠로시오 해류의 영향을 직접 받기 때문이다.

채점 기준		배점
(1)	동해라고 옳게 쓴 경우	30%
(2)	모범 답안과 같이 옳게 서술한 경우	70%
	쿠로시오 해류의 영향이라는 서술이 빠진 경우	0%

IV. 대기와 해양의 상호 작용

10강 해양의 표층 순환과 심층 순환

내신 기출   92~95쪽

01 ④	02 ④	03 ④	04 ③	05 ②	06 ⑤
07 ⑤	08 해설 참조		09 ⑤	10 ④	
11 해설 참조		12 ⑤	13 ③	14 ④	15 ⑤
16 ①	17 해설 참조		18 ③	19 ①	

01 ㄴ. 해들리 순환의 지상에는 무역풍, 페렐 순환의 지상에는 편서풍, 극순환의 지상에는 극동풍이 분다.

ㄷ. 극순환과 페렐 순환 경계의 지상에는 공기가 수렴하여 한대 전선대가 형성되어 있다.

오답 피하기 ㄱ. 30°N 부근은 대기 대순환의 영향으로 하강 기류가 우세한 지역이다. 지상의 기압이 대체로 높기 때문에 구름이 잘 형성되지 않고 건조한 기후가 나타난다. 따라서 강수량이 적고 증발량이 강수량보다 많다.

> **해설 클리닉**
> ㄱ. 30°N 부근에서 대기 대순환을 이해해야 한다.
> ✔ 30°N 부근에서는 아열대 고압대가 형성된다.
> ✔ 무역풍과 편서풍의 발산이 일어난다.
>
> ㄴ. 해들리 순환이 일어나는 위도와 지상 바람을 정리해야 한다.
> ✔ 위도: 0°~30°에서 발생
> ✔ 지상 바람(북반구): 무역풍(북동풍)
> ✔ 특징: 적도 지표면이 가열되어 발생하는 직접 순환이다.
>
> ㄷ. 페렐 순환과 극순환이 일어나는 위도대를 비교해야 한다.
> ✔ 페렐 순환: 30°~60°에서 발생
> ✔ 극순환: 60°~90°에서 발생
> ✔ 경계 지역인 위도 60°N 부근에서는 한대 전선대가 형성된다. → 편서풍과 극동풍이 수렴한다.

02 ㄴ. 적도에서 태양 복사 에너지 흡수량은 지구 복사 에너지 방출량보다 많다.

ㄷ. (나)에서 에너지 이동량은 약 38°N에서 최대이다.

오답 피하기 ㄱ. 고위도에서는 태양 복사 에너지 흡수량보다 지구 복사 에너지 방출량이 더 많으므로 에너지 부족(㉠)이 생기고, 저위도에서는 지구 복사 에너지 방출량보다 태양 복사 에너지 흡수량이 더 많으므로 에너지 과잉량(㉡)이 생긴다.

> **문제 속 자료**   위도별 복사 에너지 분포와 위도에 따른 에너지 이동량
>
>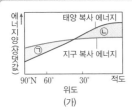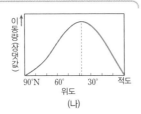
>
> • 저위도의 남는 에너지(㉡)는 에너지가 부족(㉠)한 고위도로 이동한다.

03 ㄴ. 사막은 하강 기류가 우세하여 건조한 기후가 나타나는 30°N 지역에 더 많이 분포한다.

ㄷ. A는 페렐 순환으로 간접순환이다. 지구가 자전하지 않았다면 페렐 순환이 나타나지 않고, 해들리 순환과 극순환이 연결되어 하나의 순환만 나타날 것이다.

오답 피하기 ㄱ. 대류권의 두께는 적도에서 약 16 km이고 고위도로 갈수록 두께가 얇아져 북극에서는 약 9 km이다.

> **문제 속 자료**   북반구에서의 대기 대순환
>
>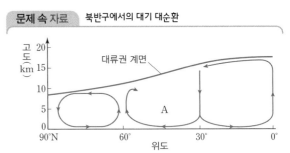
>
> • 위도 0°~30°에서는 해들리 순환이, 위도 30°~60°에서는 페렐 순환이, 위도 60°~극에서는 극순환이 나타난다.

04 • 영희: 해양의 표층 순환은 대기 대순환의 지상 바람과 해수면의 마찰로 형성된다. 대기 대순환으로 위도별 지상에 우세하게 부는 바람이 생기고 바람과 해수면의 마찰로 위도별 일정한 방향으로 표층 해류가 흘러 표층 순환을 형성한다.

• 철수: 북반구와 남반구의 해수 순환은 적도를 기준으로 대칭으로 나타난다.

오답 피하기 • 민수: 아열대 순환과 아한대 순환 모두에서 고위도에서 저위도로 흐르는 한류와 저위도에서 고위도로 흐르는 난류가 나타나므로 두 순환은 한류와 난류로 이루어져 있다.

05 ㄴ. 북태평양의 아열대 순환은 시계 방향으로 회전하고, 남태평양의 아열대 순환은 시계 반대 방향으로 회전한다.

오답 피하기 ㄱ. 용존 산소량은 수온이 낮을수록 높게 나타난다. A에는 저위도에서 고위도로 난류가 흐르고, B에는 고위도에서 저위도로 한류가 흐른다. 따라서 한류의 영향을 받아 수온이 더 낮은 B 부근의 해수가 A 부근의 해수보다 용존 산소량이 많다.

ㄷ. 남반구에 아한대 순환이 나타나지 않는 까닭은 남반구의 수륙 분포 때문이다. 남극 대륙 주변의 해류는 다른 대륙에 가로막히지 않으므로 순환하지 않고 일정한 방향으로만 흐른다.

> **해설 클리닉**
> ㄱ. 난류와 한류가 흐르는 지역에서 용존 산소량을 비교해야 한다.
> ✔ 난류가 흐르는 지역: 용존 산소량이 적다.
> ✔ 한류가 흐르는 지역: 용존 산소량이 많다.
>
> ㄴ. 전 세계 표층 해류 분포를 정리해야 한다.
> ✔ 북태평양: 아열대 순환은 시계 방향
> ✔ 남태평양: 아열대 순환은 시계 반대 방향
>
> ㄷ. 남반구에서 표층 해류가 발생하는 과정을 학습해야 한다.
> ✔ 남반구는 남극 순환 해류를 막는 대륙이 없다.
> → 아한대 순환이 나타나지 않는다.

06 ㄱ. A는 북적도 해류, B는 쿠로시오 해류, C는 북태평양 해류, D는 캘리포니아 해류이다.

ㄴ. 쿠로시오 해류는 저위도에서 고위도로 흐르며 수온과 염분이 높은 난류이고, 캘리포니아 해류는 고위도에서 저위도로 흐르며 수온과 염분이 낮은 한류이다.

ㄷ. 북적도 해류는 무역풍의 영향으로 형성되어 동에서 서로 흐르는 해류이다. 북태평양 해류는 편서풍의 영향으로 형성되어 서에서 동으로 흐르는 해류이다.

07 ㄱ. A에는 쿠로시오 해류, B에는 북태평양 해류, C에는 캘리포니아 해류가 흐른다.

ㄴ. B에 흐르는 북태평양 해류는 편서풍의 영향을 받아 동쪽으로 흐른다.

ㄷ. C에 흐르는 캘리포니아 해류는 고위도에서 저위도로 흐르는 한류이다. A에 흐르는 쿠로시오 해류는 저위도에서 고위도로 흐르는 난류이다.

08 동안 경계류는 대륙의 동안을 흐르는 해류이고, 서안 경계류는 대륙의 서안을 흐르는 해류이다. 아열대 순환에서 동안 경계류는 한류, 서안 경계류는 난류이다.

[모범 답안] A는 서안 경계류이고 B는 동안 경계류이다. 동안 경계류는 서안 경계류보다 해류의 폭이 넓고 유속이 느리다.

채점 기준	배점
모범 답안과 같이 옳게 서술한 경우	100%
A, B 해류를 구분하거나 해류의 특징만 옳게 서술한 경우	50%

09 ㄱ. ㉠은 북적도 해류, ㉡은 남적도 해류이다. 두 해류 모두 서쪽으로 흐르며 각각 북동 무역풍과 남동 무역풍의 영향을 받아 형성된다.

ㄴ. A 해역에는 저위도에서 고위도로 난류가 흐르고, B 해역에는 고위도에서 저위도로 한류가 흐른다.

ㄷ. 열대 저기압은 수온이 높은 해역에서 많은 수증기를 공급받아 발생한다. 한류의 영향을 받는 C 해역보다 난류의 영향을 받는 A 해역의 수온이 더 높으며 A 해역에서 열대 서기압이 더 자주 발생한다.

문제 속 자료 해수의 표층 순환과 대기 대순환

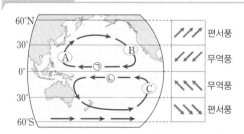

- 북반구에서는 ㉠ → A → B로 이루어지는 순환이 발생한다.
  → 시계 방향으로 순환이 이루어진다.
- ㉠과 ㉡은 무역풍의 영향을 받아 흐른다.
- 남극 대륙 주변에서는 동서 방향의 해류 순환이 대륙에 막히지 않으므로 남북 방향 해류가 나타나지 않는다.

10 ㄱ. 북반구 아열대 순환의 서쪽에서는 저위도에서 고위도로 난류가 흐르고, 동쪽에서는 고위도에서 저위도로 한류가 흐른다.

ㄴ. C와 D는 북대서양 아열대 순환이 형성되는 해역으로 C에서는 저위도에서 고위도로 멕시코 만류(난류)가 흐르고, D에서는 고위도에서 저위도로 카나리아 해류(한류)가 흐른다. 북반구 아열대 순환의 서쪽에서는 저위도에서 고위도로 난류가 흐르고, 동쪽에서는 고위도에서 저위도로 한류가 흐른다.

ㄷ. A 해역은 아열대 순환과 아한대 순환의 경계로, 이 해역에는 두 순환을 이루는 북태평양 해류가 흐른다.

오답 피하기 ㄱ. A 해역에는 편서풍의 영향으로 형성된 북태평양 해류가 흐르고 B 해역에는 무역풍의 영향으로 형성된 북적도 해류가 흐른다. 북태평양 해류와 북적도 해류는 동서 방향으로 흐르는 해류로 위도별 열 수송이 활발하게 일어나지 않는다. 난류가 흐르는 지역에서는 위도별 열 수송이 활발하게 일어난다.

11 해류는 연안 지역 기후에 영향을 미친다. 동일한 위도의 다른 지역보다 난류의 영향을 받는 지역은 평균 기온이 높고, 한류의 영향을 받는 지역은 평균 기온이 낮다.

[모범 답안] 멕시코 만류(난류)가 북대서양 해류로 이어져 유럽의 북서쪽 해안을 따라 흐르기 때문에 유럽의 북서쪽 지역은 다른 지역보다 따뜻한 기후가 형성된다.

채점 기준	배점
모범 답안과 같이 옳게 서술한 경우	100%
멕시코 만류에 대한 서술이 없는 경우	0%

12 ㄱ. 30°N 부근에는 해들리 순환과 페렐 순환의 영향으로 하강 기류가 우세한 고압대가 형성된다. 지상에서는 공기의 발산이 일어나 고위도로 편서풍이 불고 저위도로 무역풍이 불게 된다.

ㄴ. A 해역에는 편서풍의 영향을 받아 북태평양 해류가 동쪽으로 흐른다.

ㄷ. B 해역에는 저위도에서 고위도로 쿠로시오 해류(난류)가 흐르고, C 해역에는 고위도에서 저위도로 캘리포니아 해류(한류)가 흐른다. 해류가 수송하는 열량은 수온이 높을수록 많으므로 난류가 흐르는 B 해역이 한류가 흐르는 C 해역보다 많다.

13 ㄱ. A는 쿠로시오 해류로 북태평양 해류, 캘리포니아 해류, 북적도 해류와 이어져 시계 방향으로 흐르는 북태평양 아열대 표층 순환을 형성한다.

ㄴ. B는 쿠로시오 해류에서 분리되어 나온 동한 난류로 수온이 높다. 따라서 겨울에 해수가 대기보다 온도가 높고 해수에서 대기로 열이 이동한다.

오답 피하기 ㄷ. 용존 산소량은 수온이 낮은 해역에서 높다. C는 고위도에서 저위도로 흐르는 북한 한류로 동한 난류인 B보다 수온이 낮다. 따라서 용존 산소량은 한류인 C가 난류인 B보다 많다.

ㄱ. A 해류의 특징을 이해해야 한다.

✔ 쿠로시오 해류: 고온 고염분의 난류이다.
✔ 동한 난류와 황해 난류의 근원이 되는 해류이다.

ㄴ. B 해류의 특징을 정리해야 한다.

✔ 동한 난류: 쿠로시오 해류에서 갈라져 나와 동해안을 따라 북상하
는 해류이다.

ㄷ. B 해류와 C 해류의 특징을 비교하여 학습해야 한다.

✔ B 해류 → 동한 난류 → 용존 산소량이 적다.
✔ C 해류 → 북한 한류 → 용존 산소량이 많다.

14 ④ 남극 순환 해류는 편서풍의 영향으로 흐르는 해류이다.

오답 피하기 ① 아열대 해역의 표층 순환(아열대 순환)은 북
반구에서 시계 방향, 남반구에서 시계 반대 방향으로 나타나
므로 북반구와 남반구가 대칭적이다.
② 우리나라 해역의 동한 난류와 황해 난류는 쿠로시오 해류
에서 분리되어 나온 해류이다.
③ 동해에는 한류와 난류가 만나 조경 수역이 형성된다.
⑤ 캘리포니아 해류는 고위도에서 저위도로 흐르는 차가운
한류이다.

15 ㄱ. 해류 C와 B가 D에서 뻗어 나왔음을 알 수 있다.

ㄴ. A는 고위도에서 저위도로 남하하는 한류이고, B는 저위
도에서 고위도로 북상하는 난류이다. 두 해류가 만나는 곳에
서는 한류와 난류가 만나는 조경 수역이 형성된다.

ㄷ. (가)의 표층 염분 분포에서 우리나라 연안은 C를 따라 등
염분선이 올라가 있고, 중국 앞바다에서는 중국 연안류를 따
라 등염분선이 내려와 있다. 따라서 남해의 염분은 중국 연안
해수보다 C가 시작되는 해역의 해수와 더 유사한 경향을 보
인다. 남해의 염분 분포는 C의 영향을 크게 받고 있다.

16 ㄱ. 해수의 연직 분포에서 밀도가 더 큰 수괴가 아래에 위치한
다. 따라서 해수는 더 깊은 곳에 있는 A<B<C 순으로 밀
도가 크다.

오답 피하기 ㄴ. B는 북대서양 심층수로 북위 60° 부근의 그
린란드 해역에서 침강하여 남쪽으로 흐른다.

ㄷ. 전체 해수 중 일부가 표층 순환을 이루고 있고, 대부분의
해수는 심층 순환을 이루고 있다.

ㄱ. 북대서양 심층 해수를 구분하고 각 해수의 특징을 정리해야 한다.

✔ A: 남극 중층수 → 표층 해수가 침강하여 형성
✔ B: 북대서양 심층수 → 그린란드 해역에서 냉각된 표층 해수가 침
강하여 형성
✔ C: 남극 저층수 → 웨델해에서 해수가 침강하여 형성

ㄴ. 북대서양 심층수의 특징을 정리해야 한다.

✔ 대서양의 중층과 심층에서 남대서양까지 흐른다.

ㄷ. 심층 순환과 표층 순환의 특징을 비교하여 학습해야 한다.

✔ 심층 순환은 표층 순환과 연결되어 전 지구 해양을 흐르는 하나의
거대한 순환을 형성

17 대서양의 심층 순환을 형성하는 해류에는 북대서양 심층수,
남극 저층수, 남극 중층수 등이 있다. 남극 저층수는 전 해양
에서 밀도가 가장 높은 해수로, 남극 대륙 주변의 웨델해에서
겨울철 해수의 결빙으로 표층 해수의 염분이 증가하고 밀도
가 커져 침강하며 형성되었다.

[모범 답안] A: 남극 중층수, B: 북대서양 심층수, C: 남극 저
층수, 가장 밀도가 높은 해수: C

채점 기준	배점
모범 답안과 같이 옳게 서술한 경우	100%
A, B, C 해수의 이름만 옳게 쓴 경우	50%
가장 밀도가 높은 해수만 옳게 고른 경우	50%

18 • 영희: 수온 염분도에서 등밀도선은 오른쪽 아래에 있을수
록(수온이 낮을수록, 염분이 높을수록) 밀도 값이 크다. 따라
서 밀도가 가장 큰 수괴는 남극 저층수(E)이다.

• 철수: 지중해 중층수(B)는 북대서양 중앙 표층수보다는 밀
도가 크고 북대서양 심층수보다는 밀도가 작다. 해수는 밀도
가 큰 수괴일수록 깊은 곳에 존재하므로 지중해 중층수는 북
대서양 중앙 표층수(A)와 북대서양 심층수(D) 사이에서 흐
를 것이다.

오답 피하기 • 민수: 북대서양 수괴에서 염분이 34.1 psu인
해수는 남극 중층수(C)이다.

수온 염분도

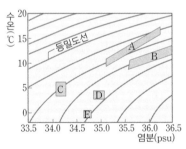

• A는 북대서양 중앙 표층수, B는 지중해 중층수, C는 남극 중층수, D
는 북대서양 심층수, E는 남극 저층수이다.
• A, B 해수보다 D, E 해수의 밀도가 상대적으로 크다. → 수온 염분도
에서 아래로 갈수록 밀도가 크다.

19 ㄱ. 전 지구적인 해수의 순환은 표층 순환과 심층 순환이 이어
져 흐른다. 이 순환은 저위도의 에너지를 고위도로 수송하여
위도 간 에너지 불균형을 해소하는 역할을 한다.

오답 피하기 ㄴ. 인도양과 태평양에서는 심층수가 표층수로
변화한다.

ㄷ. A 해역에서 침강이 약화되면 심층 순환이 약해지고 심층
순환과 이어져 있는 표층 순환도 약해진다.

11강 엘니뇨와 남방 진동

내신 기출   99~101쪽

01 ①	02 ②	03 해설 참조	04 ②	05 ③
06 ②	07 ③	08 해설 참조	09 ①	10 ①
11 ③	12 ②	13 ⑤	14 해설 참조	15 ⑤

01 ㄱ. 무역풍의 영향으로 적도 지역에서 해수는 북반구에서 북쪽으로, 남반구에서는 남쪽으로 이동하며 해수의 발산이 일어난다.

오답 피하기 ㄴ. 해수의 발산이 일어나는 적도에서는 심층 해수가 올라오는 용승이 일어난다.

ㄷ. 무역풍이 강해지면 해수의 발산이 더 많이 일어나고 용승이 강화된다. 용승이 강화되면 수온 약층이 형성되는 깊이가 얕아진다.

해설 클리닉

ㄱ. 해수의 발산과 수렴이 일어나는 과정을 학습해야 한다.
✔ 표층 해수의 발산이 일어날 때 용승이 발생한다.
✔ 표층 해수의 수렴이 일어날 때 침강이 발생한다.

ㄴ. 표층 해수의 침강과 용승 과정을 학습해야 한다.
✔ 해수의 침강: 표층 해수가 심층으로 가라앉는 현상
✔ 해수의 용승: 심해의 찬 해수가 표층으로 올라오는 현상

ㄷ. 수온 약층이 형성되는 과정을 학습해야 한다.
✔ 용승이 일어나면 수온 약층은 평상시보다 수심이 얕은 곳에서 나타난다.

02 • 철수: A 해역은 수온이 높아 기층 하부가 가열되고 상승 기류가 나타나면서 저기압이 형성된다. B 해역은 수온이 낮아 기층 하부가 냉각되고 하강 기류가 나타나면서 고기압이 형성된다.

오답 피하기 • 영희: 평상시 남적도 해류가 따뜻한 해수를 서쪽으로 이동시키고 동태평양 연안에서 용승이 일어나면서 B 해역의 수온은 낮아진다.

• 민수: 상승 기류가 나타나는 A 해역에서는 구름이 형성되고 강수량이 많다. 하강 기류가 나타나는 B 해역에서는 맑고 건조한 기후가 나타난다.

03 용승은 심해의 찬 해수가 표층으로 올라오는 현상으로 표층 해수의 발산이 일어날 때 발생한다.
[모범 답안] ㉠ 하강, ㉡ 안정, ㉢ 증가

채점 기준	배점
모범 답안과 같이 옳게 서술한 경우	100%
㉠~㉢ 중 두 가지만 옳게 쓴 경우	50%
㉠~㉢ 중 한 가지만 옳게 쓴 경우	30%

04 (가)는 평상시보다 무역풍이 약하게 나타나는 엘니뇨 시기, (나)는 평상시보다 무역풍이 강하게 나타나는 라니냐 시기에 해당한다.

ㄴ. 라니냐 시기에는 페루 연안에서 찬 해수가 더 많이 상승하여 표층에 용존 산소량이 많아진다.

오답 피하기 ㄱ. 라니냐 시기에는 인도네시아 연안의 표층 수온은 상승하고, 기층 하부가 불안정해지면서 저기압이 형성되어 강수량이 많아진다.

ㄷ. 남적도 해류가 따뜻한 해수를 서쪽으로 수송해 인도네시아 연안에서 따뜻한 해수층이 두껍게 나타난다.

해설 클리닉

ㄱ. (가), (나)가 나타나는 시기를 비교하여 정리해야 한다.
✔ (가) 엘니뇨 발생 시 → 동태평양: 상승 기류 발생
                   → 서태평양: 하강 기류 발생
✔ (나) 라니냐 발생 시 → 동태평양: 하강 기류 발생
                   → 서태평양: 상승 기류 발생

ㄴ. (가), (나) 시기의 용존 산소량을 비교하여 정리해야 한다.
✔ (가) 엘니뇨 발생 시: 무역풍이 약하므로 찬 해수의 용승도 약하다.
       → 용존 산소량이 적어진다.
✔ (나) 라니냐 발생 시: 무역풍이 강하므로 찬 해수의 용승도 강하다.
       → 용존 산소량이 많아진다.

ㄷ. (가), (나) 시기의 특징을 비교하여 정리해야 한다.
✔ (가) 엘니뇨 발생 시: 용승이 약하므로 동서 태평양의 수온 차이가 작다. → 따뜻한 해수층은 두꺼워진다.
✔ (나) 라니냐 발생 시: 용승이 강하므로 동서 태평양의 수온 차이가 크다. → 따뜻한 해수층은 얇아진다.

문제 속 자료   태평양 적도 부근 해수의 연직 단면 해석

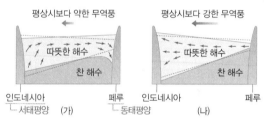

• (가) 시기에 무역풍이 약하고, (나) 시기에 무역풍이 강하다.
• (가) 시기에 용승이 약하고, (나) 시기에 용승이 강하다.

05 ③ 무역풍의 세기는 평상시보다 엘니뇨 시기에 약화된다. 따라서 (가) 시기의 무역풍 세기가 엘니뇨가 발생한 (나) 시기보다 강하다.

오답 피하기 ① (가)는 서태평양 해역에서 상승 기류가 나타나고 동태평양 해역에서 하강 기류가 나타나는 평상시 대기 순환 모습이다.

② (나)는 서태평양 해역에서 하강 기류가 나타나고 동태평양 해역에서 상승 기류가 나타나는 엘니뇨 발생 시 대기 순환 모습이다.

④ 평상시에는 따뜻한 해수가 서쪽으로 이동하고 동태평양 해역에서 차가운 해수의 용승이 일어나 A 해역은 수온이 높고 B 해역은 수온이 낮다. 엘니뇨 발생 시 따뜻한 해수가 동쪽으로 이동하고 동태평양 해역에서 용승이 약화되어 A 해역 수온은 하강하고 B 해역 수온은 상승하면서 두 해역의 표층 수온 차이는 평상시보다 작아진다.

⑤ 엘니뇨 시기에는 페루 연안의 용승이 약해진다.

06 ㄴ. 엘니뇨가 발생하면 페루 연안에서 용승이 약화되어 수온 약층이 나타나는 깊이가 깊어진다.

[오답 피하기] ㄱ. 엘니뇨가 발생하면 평상시보다 무역풍이 약하게 불고 인도네시아로 향하는 남적도 해류가 약해지면서 인도네시아 연안에서 해수면의 높이가 낮아진다.

ㄷ. 표층 해수의 용존 산소량은 표층 수온이 낮을수록 높게 나타난다. 엘니뇨가 발생하면 페루 연안의 표층 수온이 상승하고 용존 산소량은 감소한다.

07 ㄱ. 엘니뇨 시기에 서태평양으로 향하는 남적도 해류의 흐름이 약해지므로 서태평양의 해수면은 낮아지고 동태평양의 해수면은 높아진다.

ㄴ. 엘니뇨 시기에 평상시보다 동태평양 용승이 약화되므로 동태평양의 수온 약층 깊이가 깊어진다.

[오답 피하기] ㄷ. 엘니뇨 시기에 동태평양 연안 용승이 평상시보다 약화되고 동태평양 연안 해수의 수온이 상승한다.

08 엘니뇨는 동태평양에서 표층 수온이 평년보다 높은 상태로 지속되는 현상이고, 라니냐는 동태평양에서 표층 수온이 평년보다 낮은 상태로 지속되는 현상이다.

[모범 답안] 엘니뇨 시기에는 무역풍이 약해지고, 라니냐 시기에는 무역풍이 강해진다.

채점 기준	배점
모범 답안과 같이 옳게 서술한 경우	100%
엘니뇨와 라니냐 중 한 시기의 풍속 변화만 옳게 서술한 경우	50%

09 ㄱ. A 시기에는 동태평양 적도 부근 해역의 수온 편차가 양의 값을 가지므로 엘니뇨가 발생한 시기이다. B 시기에는 동태평양 적도 부근 해역의 수온 편차가 음의 값을 가지므로 라니냐가 발생한 시기이다.

[오답 피하기] ㄴ. 엘니뇨 시기에는 평년보다 무역풍이 약하고 라니냐 시기에는 평년보다 무역풍이 강하다. 따라서 A 시기보다 B 시기에 무역풍이 강하게 불었다.

ㄷ. 동태평양 페루 해역의 강수량은 엘니뇨 시기에 증가한다. 따라서 라니냐가 발생한 B 시기에 페루 해역의 강수량은 평년보다 적었을 것이다.

문제 속 자료 동태평양 적도 부근 해역의 수온 편차

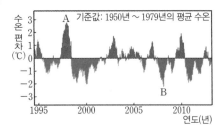

• 수온 편차가 (+) → 평년보다 수온이 높았다. → 엘니뇨가 발생한 시기이다. → 무역풍이 약하게 불었다.
• 수온 편차가 (−) → 평년보다 수온이 낮았다. → 라니냐가 발생한 시기이다. → 무역풍이 강하게 불었다.

10 관측 해역의 수온 편차는 A 기간에 음의 값, B 기간에 양의 값을 가지므로 A 기간은 라니냐가 발생한 시기이고, B 기간은 엘니뇨가 발생한 시기이다.

ㄱ. 동태평양 해역의 해수면 수온은 수온 편차가 음의 값인 A 기간(라니냐 시기)보다 수온 편차가 양의 값인 B 기간(엘니뇨 시기)에 높았다.

[오답 피하기] ㄴ. 무역풍의 세기는 평년보다 엘니뇨 시기에 약하고 평년보다 라니냐 시기에 강하다. 따라서 A 기간보다 B 기간에 무역풍의 세기는 약했다.

ㄷ. A 기간은 동태평양 페루 해역의 수온이 평소보다 낮은 라니냐가 발생한 시기이다.

11 ㄱ. 동태평양 연안 용승은 엘니뇨 시기에 약화된다. 연안 용승은 (나)보다 (가)일 때 약했다.

ㄴ. 무역풍은 평년보다 라니냐 시기에 강해진다. 따라서 (나)일 때 평년보다 무역풍이 강했을 것이다.

[오답 피하기] ㄷ. 적도 부근 서태평양의 강수량은 수온이 높아져 증발량이 증가하는 라니냐 시기에 더 많다. 따라서 적도 부근 서태평양의 강수량은 (나) > (가)이다.

문제 속 자료 해수면 수온 편차 해석

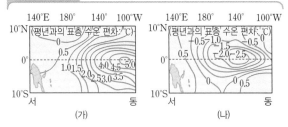

• 동태평양의 수온 편차가 (+)인 경우
→ 동태평양 지역의 수온이 평년보다 높았다.
→ 엘니뇨가 발생하였다.
→ 연안 용승이 약했다.
• 동태평양의 수온 편차가 (−)인 경우
→ 동태평양 지역의 수온이 평년보다 낮았다.
→ 라니냐가 발생하였다.
→ 연안 용승이 강했다.

12 ㄴ. 평상시에는 남적도 해류가 따뜻한 해수를 서쪽으로 수송하고 동태평양에서 용승이 일어난다. 남적도 해류와 용승의 영향으로 서태평양의 수온은 높고 동태평양의 수온은 낮다. 엘니뇨가 발생하면 무역풍이 약해져 남적도 해류가 약화되고 동태평양에서 용승이 잘 일어나지 않게 되면서 서태평양 수온은 하강하고, 동태평양 수온은 상승한다. 따라서 A와 B 지역의 표층 수온 차이는 감소한다.

[오답 피하기] ㄱ. A 지역은 표층 수온이 하강하여 기층 하부의 가열이 약해진다. 기층이 안정해지고 하강 기류가 나타나면서 기압이 상승한다.

ㄷ. 엘니뇨가 발생하면 전 지구적 대기와 해양의 성질에 변화가 일어나면서 태평양 지역을 포함한 전 세계의 기후 변화가 초래된다.

해설 클리닉

ㄱ. 엘니뇨가 발생했을 때 동서 태평양의 기압 차이를 비교하여 정리해야 한다.

✓ 엘니뇨 시기 → 동태평양 → 저기압 발생

✓ 엘니뇨 시기 → 서태평양 → 고기압 발생

ㄴ. 표층 수온 변화와 기압 분포 변화를 비교하여 정리해야 한다.

✓ 수온 상승 → 대기의 하층 기온 상승 → 기층 불안정화 → 상승 기류 발생 → 저기압 형성

✓ 수온 하강 → 대기의 하층 기온 하강 → 기층 안정화 → 하강 기류 발생 → 고기압 형성

ㄷ. 엘니뇨가 우리 생활에 주는 영향을 학습해야 한다.

✓ 엘니뇨와 라니냐의 발생은 대기와 해양의 상호 작용으로 나타난다.

13 엘니뇨는 무역풍의 약화로 해류의 세기와 수온이 변하여 적도 부근 해역의 기후가 변하는 현상이므로 기권과 수권의 상호 작용으로 발생한다.

오답 피하기 ① 엘니뇨 발생 시 무역풍이 평상시보다 약해지고 남적도 해류가 약화된다.

② 평상시 따뜻한 표층 해수가 서쪽으로 흐르고 동태평양 페루 해역에서 표층 해수의 발산으로 차가운 심층 해수의 용승이 일어난다. 해류의 영향으로 수온은 A 지역이 B 지역보다 높다.

③ 엘니뇨 시 A 지역의 수온이 낮아져 하강 기류가 나타나고, B 지역의 수온이 높아져 상승 기류가 나타난다. 따라서 A 지역의 기압이 B 지역보다 높다.

④ 엘니뇨 시 A 지역에 하강 기류가 나타나기 때문에 고기압이 형성된다. 고기압 지역에는 맑고 건조한 날씨가 지속되어 가뭄이 발생한다.

14 라니냐는 동태평양에서 표층 수온이 평년보다 낮은 상태로 지속되는 현상이다.

[모범 답안] 동태평양에 고기압이 형성되고 대기가 안정해진다.

채점 기준	배점
모범 답안과 같이 옳게 서술한 경우	100%
라니냐 시기의 기압과 대기 안정화 중 한 가지 경우만 옳게 서술한 경우	50%

15 • 영희: 문제의 그림에서 페루 연안에 이상 건조 기후가 나타나므로 이곳의 강수량 편차는 (−)이고, 이때는 라니냐 시기이다.

• 철수: 라니냐 시기에 무역풍이 더 강하게 불어 남적도 해류가 강화되면서 서태평양으로 수송되는 따뜻한 해수의 양이 많아진다. 남적도 해류의 영향으로 서태평양의 따뜻한 해수층이 두꺼워지고 수온은 상승한다.

• 민수: 서태평양의 높은 수온은 기층 하부를 가열해 기층을 불안정한 상태로 만들고 서태평양에는 저기압이 형성된다.

12강 기후 변화

내신 기출   106~109쪽

01 ④   02 ②   03 ⑤   04 ⑤   05 ④

06 해설 참조   07 ④   08 ⑤   09 ⑤   10 ⑤

11 ①   12 ④   13 ⑤   14 ④   15 ⑤

16 해설 참조   17 ④   18 ②

01 ㄴ. 과거 40만 년 동안 이산화 탄소 농도는 대체로 현재보다 낮았다. 따라서 전체 기간 동안 평균값은 현재 이산화 탄소 농도보다 낮다.

ㄷ. 기온이 낮을 때 육상 빙하의 면적이 증가하면서 전체 수권 중 육수가 차지하는 비율이 높아진다. 35만 년 전은 현재보다 기온이 낮았던 시기이므로 전체 수권 중 육수가 차지하는 비율은 35만 년 전이 현재보다 높았을 것이다.

오답 피하기 ㄱ. 먼지 농도는 기온 편차가 낮을 때 높게 나타난다. 따라서 시간에 따른 기온 편차와 먼지 농도는 비례하지 않는다.

ㄱ. 기온 편차와 먼지 농도 그래프를 해석하는 방법을 알아야 한다.

✓ 기온 편차와 먼지 농도 사이에 일정한 비례 관계가 나타나지 않는다.

✓ 기온 편차와 이산화 탄소 농도 사이에는 대체로 일정한 비례 관계가 나타난다.

ㄴ. 이산화 탄소 농도 그래프를 해석하는 방법을 알아야 한다.

✓ 이산화 탄소 농도가 높을수록 기온이 높다.

✓ 현재 기온 편차는 과거 평균보다 높은 편이다.

✓ 현재 이산화 탄소 농도는 과거보다 높은 편이다.

ㄷ. 육수가 차지하는 비율과 빙하 면적 분포 변화와의 관련성을 이해해야 한다.

✓ 육수 중 빙하가 차지하는 양이 가장 많다.

✓ 지구의 평균 기온이 하강하면 빙하 면적이 증가한다.

✓ 35만 년 전의 평균 기온은 현재보다 낮다. → 빙하 면적이 현재보다 컸을 것이다. → 수권 중 육수가 차지하는 비율이 현재보다 높다.

02 해양 생물 화석의 산소 동위 원소비$\left(\frac{^{18}O}{^{16}O}\right)$는 해양 생물이 살아 있을 당시 해수의 산소 동위 원소비와 같다. 지구의 평균 기온이 높을수록 상대적으로 무거운 ^{18}O가 잘 증발하여 해수의 산소 동위 원소비는 낮아진다.

ㄷ. 해수면 높이는 지구의 평균 기온이 높을수록 높다. B 시기는 현재보다 해양 생물 화석의 산소 동위 원소비가 더 낮으므로 평균 기온은 더 높다. 따라서 해수면 높이는 현재가 B 시기보다 낮을 것이다.

오답 피하기 ㄱ. 극지방의 빙하는 증발한 수증기가 눈으로 내려 형성한다. 따라서 극지방 빙하의 산소 동위 원소비는 해양 생물 화석의 산소 동위 원소비와 반대 경향이 나타난다. 해양 생물 화석의 산소 동위 원소비는 A 시기가 B 시기보다 높으므로 극지방 빙하의 산소 동위 원소비는 A 시기가 B 시기보다 낮을 것이다.

ㄴ. 해양 생물 화석의 산소 동위 원소비가 더 낮은 B 시기가 A 시기보다 온난했을 것이다.

03 ㄱ. 기온 편차 그래프에서 과거 12만 년 동안 기온 편차 값은 대체로 음의 값을 보인다. 따라서 과거 12만 년 동안의 평균 기온은 현재보다 낮았다.

ㄴ. A 시기가 B 시기보다 기온이 높았으므로 상대적으로 무거운 ^{18}O를 포함한 물 분자의 증발이 더 잘 일어났다. 해수에서 증발되는 물 분자와 대기의 산소 동위 원소비도 높았을 것이다.

ㄷ. B 시기는 현재보다 평균 기온이 낮았던 시기이다. 빙하의 면적은 기온이 낮을수록 넓어지므로 B 시기가 현재보다 넓었을 것이다.

문제 속 자료 기온 편차와 산소 동위 원소비와의 관계

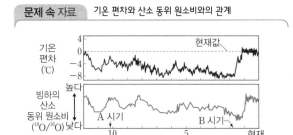

• 물 분자의 산소 동위 원소비는 기온이 높은 시기에 더 크고, 기온이 낮은 시기에 더 작다.

---

04 ㄴ. 지구 공전 궤도가 타원 궤도에서 원 궤도로 변하면 남반구는 여름에 태양까지 거리가 멀어지고, 겨울에 태양까지의 거리가 가까워진다. 따라서 여름철 평균 기온은 하강하고, 겨울철 평균 기온은 상승한다.

ㄷ. 우리나라는 북반구에 위치하고 있다. 지구 공전 궤도가 타원 궤도에서 원 궤도로 변하면 겨울에 태양까지 거리가 멀어지고, 여름에 태양까지 거리가 가까워진다. 따라서 여름철 평균 기온은 상승하고, 겨울철 평균 기온은 하강한다.

오답 피하기 ㄱ. 북반구는 여름에 더 더워지고, 겨울에 더 추워지므로 기온 연교차는 커진다.

해설 클리닉

ㄱ. 타원 궤도에서 원 궤도로 바뀔 때 북반구에서의 계절 변화를 이해해야 한다.

✔ 태양이 지구 적도의 아래쪽을 비추면 겨울, 지구 적도의 위쪽을 비추면 여름이다.

✔ 태양과의 거리가 가까워지면 더 더워지고, 태양과의 거리가 멀어지면 더 추워진다.

ㄴ. 지구 공전 궤도에서 북반구와 남반구의 기온을 비교해야 한다.

✔ 북반구 겨울철에 지구는 태양에서 더 멀어지므로 평균 기온은 하강할 것이다.

✔ 남반구 겨울철은 북반구 여름철에 해당하므로 지구는 태양에 더 가까워져 평균 기온은 상승할 것이다.

ㄷ. 지구 공전 궤도에서 우리나라 여름철에 나타나는 현상을 정리해야 한다.

✔ 우리나라 여름철에는 태양에 더 가까워진다. → 현재보다 더 더워질 것이다.

---

05 지구 자전축 방향이 변하면 근일점과 원일점에서 계절이 변한다.

ㄴ. 북반구 기준 (가)에서는 A에서 여름, B에서 겨울이다. (나)에서는 C에서 겨울, D에서 여름이다. 따라서 여름은 태양과 거리가 더 가까운 (나)에서 평균 기온이 높고, 겨울은 태양과 거리가 더 먼 (나)에서 평균 기온이 낮다. 기온 연교차는 (나)가 (가)보다 크다.

ㄷ. A~D 중 우리나라에서 하루 동안 태양 복사 에너지를 가장 많이 받는 위치는 근일점이면서 계절이 여름인 D이다.

오답 피하기 ㄱ. 우리나라는 북반구에 위치하고 있고 북반구에서 태양 복사 에너지 입사각이 작을 때 겨울이다. 따라서 B와 C의 위치에서 우리나라는 겨울철에 해당한다.

06 지구 자전축 방향이 변하면서 근일점과 원일점에서의 계절이 변한다.

[모범 답안] 우리나라는 A와 D에서 겨울이고, B와 C에서 여름이다.

채점 기준	배점
모범 답안과 같이 옳게 서술한 경우	100%
여름과 겨울에 해당하는 위치 중 한 계절만 옳게 쓴 경우	50%

07 지구 자전축 경사각이 변하면 위도별 태양 복사 에너지의 입사각이 변한다.

• 철수: A 시기에는 지구 자전축의 기울기가 현재보다 작다. 따라서 중위도에서 여름철에 태양 복사 에너지 입사각이 작아지고 현재보다 여름철의 평균 기온은 낮아진다.

• 민수: B 시기에는 지구 자전축의 기울기가 현재보다 크다. B 시기에 중위도는 여름철 태양 복사 에너지 입사각은 커지고, 겨울철 태양 복사 에너지 입사각은 작아진다. 따라서 우리나라의 여름철 평균 기온은 현재보다 높아지고 겨울철 평균 기온은 현재보다 낮아져 기온의 연교차가 커질 것이다.

오답 피하기 • 영희: 우리나라가 여름일 때 지구 자전축의 기울기가 커지면 태양 복사 에너지의 입사각이 커지면서 태양의 남중 고도가 높아진다.

08 ㄴ. 현재 우리나라는 원일점에서 여름, 근일점에서 겨울, A 부근에서 가을이다. 지구 자전 방향은 시계 반대 방향이므로 약 6500년 후에는 지구의 자전축이 시계 방향으로 $90°$ 회전한다. 따라서 A 부근에서 겨울, 근일점에서 봄, 원일점에서 가을로 변한다.

ㄷ. 약 13000년 후에는 지구의 자전축이 시계 방향으로 $180°$ 회전한다. 따라서 우리나라는 원일점에서 겨울, 근일점에서 여름으로 계절이 변한다. 여름철 태양과의 거리가 더 가까워지고, 겨울철 태양과의 거리가 더 멀어지므로 여름철 기온은 상승하고, 겨울철 기온은 하강하여 기온 연교차는 현재보다 더 커진다.

오답 피하기 ㄱ. 낮의 길이는 여름철에 가장 길다. 우리나라가 있는 북반구는 현재 지구가 원일점에 위치할 때 여름이므

로 이때 낮의 길이가 가장 길다.

세차 운동(북반구 기준)

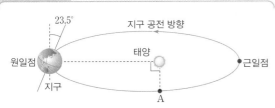

- 북반구 여름철: 13000년 후 원일점에서 근일점으로 변하면 지구 — 태양 사이의 거리가 감소하고, 평균 기온은 상승한다.
- 북반구 겨울철: 13000년 후 근일점에서 원일점으로 변하면 지구 — 태양 사이의 거리가 증가하고 평균 기온은 하강한다.

09 ㄱ. (가)만을 고려할 때, 1만 년 전에는 지구 자전축의 기울기가 현재보다 컸다. 따라서 북반구 중위도는 여름에 태양 남중 고도가 높아지고, 겨울에 태양 남중 고도가 낮아져 기온의 연교차는 현재보다 컸을 것이다.

ㄴ. (나)만을 고려할 때, 1만 년 후의 여름은 태양과 지구 사이의 거리가 현재보다 가까워진다. 따라서 여름 기온은 현재보다 높아질 것이다.

ㄷ. (가)와 (나)를 모두 고려하면 3만 년 후에는 여름철 태양과의 거리가 가까워지고, 태양의 남중 고도가 높아져 기온이 상승한다. 반대로 겨울철 태양과의 거리가 멀어지고, 태양의 남중 고도가 낮아져 기온이 하강한다. 기온의 연교차가 커지면서 현재보다 계절 변화가 뚜렷해질 것이다.

10 ㄱ. (가)에서 태양 상이 작은 B는 지구와 태양 사이 거리가 먼 원일점에 지구가 위치할 때 촬영한 것이다. 북반구는 지구가 원일점에 위치할 때 여름이므로 B를 촬영할 때 북반구는 여름이다.

ㄴ. P는 지구와 태양 사이 거리가 가까운 근일점이다. (가)에서 태양 상이 큰 A는 지구가 P에 위치할 때 촬영한 것이다.

ㄷ. 현재 북반구는 근일점에서 겨울, 원일점에서 여름이다. 지구의 공전 궤도가 타원에서 원으로 변하면 여름에 태양과의 거리가 더 가까워져 기온이 상승하고 겨울에 태양과의 거리가 더 멀어져 기온이 하강한다. 따라서 북반구 기온의 연교차는 커진다.

지구 공전 궤도 이심률 변화

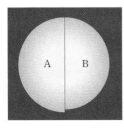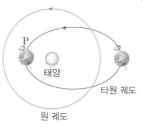

- 지구가 태양에 가까워지면 태양 상이 크게 보인다.
- 지구가 태양에서 멀어지면 태양 상이 작게 보인다.
- 지구의 공전 궤도가 타원 궤도에서 원 궤도로 변하면 평균 기온 변화와 기온의 연교차 변화가 나타난다.

11 ㄱ. 자전축 경사각이 작아지면 중위도는 여름철에 태양 복사 에너지의 입사각이 작아지고 우리나라 지표면에 도달하는 일사량은 현재보다 적어진다. 반대로 겨울철 태양 복사 에너지의 입사각은 커지고 일사량은 증가한다.

오답 피하기 ㄴ. 자전축 경사각이 커지면 여름철에 우리나라 지표면에 도달하는 일사량은 현재보다 많아지고, 겨울철에 우리나라에 도달하는 일사량은 현재보다 적어진다. 따라서 여름철 기온은 상승하고, 겨울철 기온은 하강해 기온 연교차가 커진다.

ㄷ. 자전축 경사각이 커지면 중위도에서 여름철에 받는 태양 에너지가 많아지고, 겨울철에 받는 태양 에너지가 더 적어져 기온 연교차가 커진다. 지구 전체가 받는 연간 태양 복사 에너지양은 지구와 태양 사이 거리와 태양 활동에 따라 달라진다. 지구 자전축 경사각이 달라지더라도 지구 전체가 받는 연간 태양 복사 에너지양은 변하지 않는다.

12 • 철수: (가)에서 북반구가 여름일 때 태양과의 거리가 가까워져 기온이 상승하고, 북반구가 겨울일 때 태양과의 거리가 멀어져 기온이 하강한다. 따라서 북반구의 연교차는 증가한다.

• 민수: (나)에서 지구 자전축의 경사각이 23.5°에서 21.5°로 작아졌으므로 우리나라의 여름철 태양의 남중 고도는 낮아지고, 겨울철 태양의 남중 고도는 높아진다.

오답 피하기 • 영희: 우리나라가 여름인 위치는 태양이 북반구를 비추는 면적이 더 넓을 때인 B와 C이다.

지구 기후 변화 요인

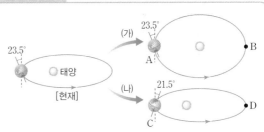

- (가) 지구 공전 궤도의 모양이 변한 경우(지구 공전 궤도의 이심률이 작아지는 경우)
  → 북반구에서는 기온의 연교차가 커진다.
  → 남반구에서는 기온의 연교차가 작아진다.
- (나) 지구 자전축 경사각이 감소(23.5° → 21.5°)하는 경우
  → 태양 복사 에너지의 입사각이 변해 기온의 연교차가 작아진다.

13 ㄱ. 지구의 평균 기온은 상승과 하강을 반복하고 있지만 전반적으로는 상승하는 경향을 보인다.

ㄴ. 이산화 탄소는 대표적인 온실 기체이므로 지구의 온실 효과를 강화하고 지구의 평균 기온을 상승시킨다. 최근 100년간 평균 기온과 이산화 탄소 농도는 시간에 따라 대체로 상승하고 있다.

ㄷ. 화석 연료 사용량이 증가하면 이산화 탄소 배출량과 대기 중 이산화 탄소의 농도가 증가하면서 지구의 평균 기온이 상승한다.

**해설
클리닉**

ㄱ. 지구의 평균 기온 그래프를 해석해야 한다.

✔ 최근 100년 간 지구의 평균 기온 그래프는 전반적으로 완만하게 상승하는 경향을 나타낸다.

ㄴ. 지구의 평균 기온과 이산화 탄소 농도 그래프를 비교하여 관련성을 이해해야 한다.

✔ 이산화 탄소 농도가 상승하는 경향과 지구의 평균 기온이 상승하는 경향이 대체로 일치한다.

ㄷ. 지구의 평균 기온을 높이는 요소를 학습해야 한다.

✔ 지구 온난화는 자연적 요인보다 인위적 요인에 큰 영향을 받는다.

14 ㄱ. A는 지표면에서 반사되는 태양 복사 에너지이다. 빙하는 반사율이 높은 지표의 상태이므로 빙하 면적이 넓어지면 A 과정이 활발해진다.

ㄷ. C 과정은 지구 복사 에너지 중 대기가 흡수하는 에너지를 나타낸 것이다. 따라서 C 과정이 활발해지면 대기가 지표로 에너지를 재복사하는 온실 효과가 강해지므로 지표면의 온도가 상승한다.

오답 피하기 ㄴ. B 과정은 태양 복사 에너지 중 대기가 흡수하는 에너지를 나타낸 것이다. 이산화 탄소는 지구 복사 에너지를 잘 흡수하고 태양 복사 에너지를 통과시키는 온실 기체이다. B 과정은 이산화 탄소에 의해 일어나지 않는다.

15 ⑤ 대기가 지표로 방출하는 에너지양은 88이고 우주 공간으로 방출하는 에너지양은 66이므로 대기가 지표로 방출하는 에너지양이 더 많다.

오답 피하기 ① 지구 복사 에너지양(70)과 지구가 반사하는 에너지양(A)의 합은 지구에 도달하는 태양 복사 에너지양(100)과 같아야 한다. 따라서 지표와 대기에서 반사되는 양(A)은 30이다.

② 지표가 흡수하는 복사 에너지의 총량은 지표가 흡수하는 태양 복사 에너지양(45)과 대기의 재복사로 지표가 흡수하는 에너지양(88)의 합인 133이다. 지표가 흡수하는 복사 에너지의 총량은 지표가 방출하는 에너지양과 같다.

③ 지표는 태양으로부터 45의 에너지를 흡수하고 대기로부터 88의 에너지를 흡수한다. 따라서 태양보다 대기로부터 에너지를 많이 흡수한다.

④ 대기는 태양으로부터 25의 에너지를 흡수하고 지표로부터 129의 에너지를 흡수하므로 총 129+25=154의 에너지를 흡수한다. 지표가 직접 우주로 방출하는 에너지양이 133−129=4이고, 대기가 우주로 방출하는 에너지가 70−4=66이며, 대기에서 지표로는 88의 에너지를 방출하므로 대기가 지표와 우주 공간으로 총 66+88=154의 에너지를 방출한다. 따라서 대기는 흡수하는 에너지와 방출하는 에너지가 평형을 이룬다.

16 온실 효과는 복사 에너지의 파장에 따라 온실 기체의 에너지 흡수율이 다르기 때문에 발생한다.

[모범 답안] 대기 중 온실 기체의 농도가 증가하면 지표에서 방출하는 에너지 중 대기가 흡수하는 양이 증가하고 대기가 더 많은 에너지를 지표로 재복사하므로 지구의 평균 기온이 상승한다.

채점 기준	배점
모범 답안과 같이 옳게 서술한 경우	100%
주어진 단어 중 두 가지만 포함하여 옳게 서술한 경우	50%

17 ㄴ. 평균 기온이 상승하면 육상 빙하의 면적이 좁아진다. 빙하는 반사율이 높은 지표 상태이므로 육상 빙하의 면적이 좁아지면 극지방의 반사율은 감소할 것이다.

ㄷ. 대기 중 온실 기체인 이산화 탄소의 농도가 증가하면 온실 효과가 강화되어 지구의 평균 기온이 상승하고 평균 해수면 높이가 높아진다.

오답 피하기 ㄱ. 평균 해수면의 높이 편차는 1900년에 약 −6 cm였고, 2000년에 약 6 cm로 상승하였다. 따라서 이 기간 동안 평균 해수면은 약 12 cm 상승하였다.

18 ㄴ. 태양 복사 에너지 반사율이 감소하면 지구가 흡수하는 태양 복사 에너지가 증가하여 북극권의 온난화가 강화된다. 메테인은 이산화 탄소와 더불어 대표적인 온실 기체이므로 메테인이 대기 중으로 방출되면 온실 효과로 북극권의 온난화가 강화된다.

오답 피하기 ㄱ. 빙하는 반사율이 높은 지표 상태이다. 따라서 빙하의 면적이 감소하면 지표면의 반사율이 감소한다.

ㄷ. (다)에서 온실 기체 중 가장 많은 양을 차지하는 것은 이산화 탄소이다.

문제 속 자료 지구 온난화의 영향

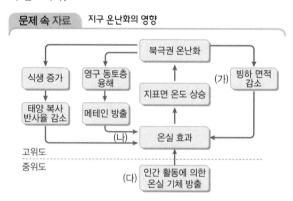

• 해수의 온도가 상승하면 해수에서 대기로 이산화 탄소가 방출되고, 대기 중 이산화 탄소 농도가 더 높아지면서 지구 온난화가 더 심해진다.

• 극지방 빙하가 녹으면서 해수의 염분이 낮아지고 심층 해수의 침강이 약화된다.

• 심층 해수 생성이 약화되면서 심층 순환이 약화되고 위도별 에너지 불균형이 심화된다.

01 ①	02 ①	03 ⑤	04 ④	05 ④	06 ④
07 ①	08 해설 참조		09 ⑤	10 ①	11 ③
12 ③	13 ③	14 ②	15 ②	16 ①	17 ⑤

01 A는 해들리 순환, B는 페렐 순환, C는 극순환이다. 적도와 60°N은 저압대, 북극과 30°N은 고압대이다.

ㄱ. A 순환은 적도의 가열로 상승 기류가 나타나고 상승한 공기가 전향력의 영향으로 위도 30°에서 지표로 하강하여 다시 적도로 돌아오면서 형성된다. 위도 30°에서 적도로 공기가 이동할 때 부는 바람은 북반구에서는 북동 무역풍, 남반구에서는 남동 무역풍이다.

오답 피하기 ㄴ. 적도의 가열로 상승 기류가 나타나 형성되는 A 순환과 극의 냉각으로 하강 기류가 나타나 형성되는 C 순환은 열대류인 직접 순환이다. B 순환은 전향력의 영향을 받아 A 순환에서 나타나는 하강 기류와 C 순환에서 나타나는 상승 기류가 이어져서 형성된 간접순환이다.

ㄷ. 30°N 지역은 하강 기류가 우세하게 나타나고 60°N 지역은 상승 기류가 나타난다. 상승 기류가 나타나는 지역에서 구름이 잘 발생하고 강수량이 많으므로 60°N 지역은 30°N 지역보다 강수량이 많다.

해설 클리닉	ㄱ. 대기 대순환이 일어나는 과정과 지상에서 부는 바람의 종류를 이해해야 한다.

✓ 해들리 순환 → 지상 바람은 무역풍
✓ 페렐 순환 → 지상 바람은 편서풍
✓ 극순환 → 지상 바람은 극동풍

ㄴ. 대기 대순환 중 직접 순환과 간접순환이 일어나는 지역을 정리해야 한다.

✓ 직접 순환 → 해들리 순환, 극순환
✓ 간접순환 → 페렐 순환

ㄷ. 위도별 고압대와 저압대가 나타나는 지역을 학습해야 한다.

✓ 위도 0° → 적도 저압대
✓ 위도 30° → 아열대 고압대
✓ 위도 60° → 한대 전선대
✓ 위도 90° → 극고압대

02 ㄱ. A~C 중 태양의 고도가 가장 높은 지역은 가장 저위도인 A 지역이다. 지구가 둥근 형태이므로 위도별로 입사하는 태양 복사 에너지양이 다르다.

오답 피하기 ㄴ. P는 지구가 방출하는 지구 복사 에너지양이고 Q는 태양으로부터 지구가 흡수하는 태양 복사 에너지양이다. Q보다 P가 큰 고위도에서는 흡수하는 에너지양은 적고 방출하는 에너지양이 많으므로 에너지가 부족하다. 반면 P보다 Q가 큰 저위도에서는 흡수하는 에너지양은 많고 방출하는 에너지양이 적으므로 에너지가 남는다.

ㄷ. P와 Q 모두 고위도로 갈수록 에너지양이 감소한다. 따라서 Q는 A에서 가장 크다.

문제 속 자료   **위도별 에너지 불균형**

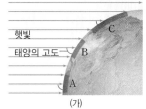

- 단위 면적 당 입사하는 태양 복사 에너지양이 고위도로 갈수록 감소한다.
- 저위도 → 에너지 과잉
- 고위도 → 에너지 부족

(가)

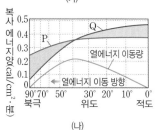

(나)

03 ㄱ. A는 쿠로시오 해류로 저위도에서 고위도로 흐르는 난류이다. C는 페루 해류로 고위도에서 저위도로 흐르는 한류이다. 따라서 수온은 난류인 A가 한류인 C보다 높다.

ㄴ. B와 D는 모두 편서풍의 영향을 받아서 서에서 동으로 흐르는 해류이다.

ㄷ. 북반구 아열대 순환은 시계 방향으로 형성되고, 남반구 아열대 순환은 시계 반대 방향으로 형성된다. 해양의 표층 순환은 적도를 기준으로 북반구와 남반구가 대칭을 이룬다.

04 ㄱ. A는 난류이고, B는 한류이다. 용존 산소량은 수온이 낮은 한류에서 더 많으므로 A는 B보다 용존 산소량이 적다.

ㄴ. C는 북동 무역풍의 영향을 받아 형성된 북적도 해류이다.

오답 피하기 ㄷ. C는 쿠로시오 해류, 북태평양 해류, 캘리포니아 해류와 함께 북태평양 아열대 순환을 형성하고, 적도 반류와 이어질 때는 북태평양 열대 순환을 형성한다.

문제 속 자료   **태평양 아열대 순환과 대기 대순환**

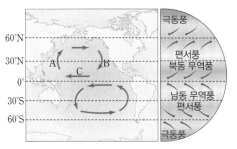

- 해류 A는 고온 고염분의 난류로, 우리나라 주변을 흐르는 난류의 근원이 된다.
- 해류의 표층 순환은 대기 대순환의 영향을 크게 받는다.

05 ㄴ. 쿠로시오 해류는 우리나라 주변을 흐르는 난류의 근원인 해류이다. 쿠로시오 해류의 세력이 강해지면 황해를 포함한 우리나라 주변 해역의 평균 수온이 상승한다.

ㄹ. 동해의 조경 수역은 동한 난류와 북한 한류가 수렴하여 형성된다. 쿠로시오 해류의 세력이 강해지면 쿠로시오 해류에

서 뻗어 나온 동한 난류의 세력도 강해져 조경 수역이 북쪽으로 이동한다.

오답 피하기 ㄱ. 쿠로시오 해류의 세력이 강해지면 북한 한류의 세력은 상대적으로 약해진다.

ㄷ. 남해의 여름철 염분이 겨울철보다 낮은 까닭은 여름철 강수량이 겨울철보다 훨씬 많기 때문이다. 쿠로시오 해류의 세력이 강해져도 계절별 염분 차이는 변하지 않는다.

06 ㄴ. A는 북대서양 심층수보다 위에 있고, B는 북대서양 심층수보다 아래에 있다. 따라서 A의 밀도는 북대서양 심층수보다 작고 B의 밀도는 북대서양 심층수보다 크다.

ㄹ. 전 해양에서 남극 저층수의 밀도가 가장 높다.

오답 피하기 ㄱ. A는 남극 중층수로 남극 대륙 주변에서 형성되어 북쪽으로 흐른다.

ㄷ. B는 대양 가장 아래에서 흐르는 남극 저층수로 북대서양에서는 표층으로 올라오지 않지만 인도양, 태평양까지 순환하며 표층으로 올라온다.

문제 속 자료 대서양의 심층 순환

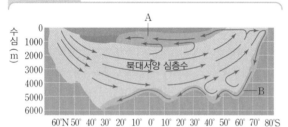

- A는 남극 중층수, B는 남극 저층수이다.
- 심해층에서는 위치별로 수온 차이가 거의 없기 때문에 해수의 밀도에 영향을 미치는 요인은 수온보다 염분이 더 크다.

07 ㄱ. (나)에서 북대서양은 기온이 낮아졌고, 남대서양은 기온이 높아졌다.

오답 피하기 ㄴ. 고위도에서 기온이 하강하고 저위도에서 기온이 상승한 까닭은 심층 순환이 약해져 위도 간 에너지 수송량이 줄고 위도별 에너지 불균형이 심해졌기 때문이다. 따라서 대서양의 심층 해류는 약해졌다.

ㄷ. 심층 해류와 표층 해류는 이어져 있으므로 심층 해류가 약해졌다면 B에서 A로 흐르는 표층 해류도 약해졌을 것이다.

08 [모범 답안] 수온과 염분 변화로 해수의 밀도 차이가 생겨 발생한다.

채점 기준	배점
모범 답안과 같이 서술한 경우	100%
수온과 염분 변화라고만 서술한 경우	50%

09 ㄱ. 그림은 남반구이므로 바람이 부는 방향의 왼쪽 90° 방향으로 해수가 이동한다. 서쪽 해안에서 남풍이 불면 해수가 서쪽으로 이동하여, 연안 용승이 발생한다.

ㄴ. 연안 용승이 발생하면 수온이 낮아진다. 낮은 수온의 표층 해수가 기층 하부를 냉각시키면 대기가 안정해진다.

ㄷ. 수온이 낮으면 날씨가 서늘해지고, 안정한 기단이 서늘한 지역에 머무르면 안개가 자주 발생한다.

10 ㄱ. A 해역은 적도 부근 동태평양 해역으로 이곳의 관측 수온이 평균 수온보다 높은 2010년 1월은 엘니뇨가 발생한 시기이다.

ㄴ. 엘니뇨가 발생하면 A 해역의 날씨는 습해지고 강수량이 증가한다.

오답 피하기 ㄷ. 엘니뇨가 발생하면 무역풍 약화로 따뜻한 해수를 서쪽으로 수송하는 남적도 해류가 약해진다. 페루 연안은 해수의 발산이 일어나지 않아 연안 용승이 억제된다.

ㄹ. 엘니뇨가 발생하면 적도 부근의 동태평양 해역은 수온이 상승하고, 적도 부근의 서태평양 해역은 수온이 하강한다. 하지만 동태평양의 수온이 서태평양보다 항상 높다고 할 수 없다. 두 해역의 수온을 비교하려면 적도 부근 서태평양 해역의 수온 자료가 필요하다.

해설 클리닉	
ㄱ. 엘니뇨가 발생한 시기의 표층 수온 변화를 학습해야 한다.	
✓ 엘니뇨는 동태평양에서 표층 수온이 평년보다 높은 상태로 지속되는 현상이다.	
ㄴ. 엘니뇨가 발생했을 때 기층 변화를 이해해야 한다.	
✓ 엘니뇨 발생 → 동태평양 수온 상승 → 대기의 하층 기온 상승 → 기층 불안정화 → 상승 기류 발생 → 저기압 형성	
ㄷ. 엘니뇨가 발생했을 때 용승과 침강 현상을 정리해야 한다.	
✓ 엘니뇨 발생 → 무역풍 약화 → 용승 약화	
✓ 라니냐 발생 → 무역풍 강화 → 용승 강화	
ㄹ. 엘니뇨가 발생했을 때 표층 수온 변화를 학습해야 한다.	
✓ 엘니뇨 발생 → 남적도 해류 약화 → 동태평양 용승 약화 → 표층 수온 상승	
✓ 라니냐 발생 → 남적도 해류 강화 → 동태평양 용승 강화 → 표층 수온 하강	

11 ㄱ. 동태평양 적도 부근 해역에서 A 시기는 관측 수온이 평균 수온보다 높으므로 엘니뇨 시기이다.

ㄷ. 엘니뇨 발생 시 동태평양 적도 부근 해역은 평년보다 수온이 높고, 따뜻한 해수층이 두꺼워진다. 용승이 약해져 수온이 급격히 하강하는 수온 약층이 나타나는 깊이가 깊어진다.

오답 피하기 ㄴ. 엘니뇨가 발생한 시기에는 남적도 해류가 약하고, 적도 반류가 강하다.

12 ㄱ. 빙하 내 공기 방울에는 과거 공기가 포함되어 있다. 빙하 속 공기 방울을 분석하면 대기 중 이산화 탄소의 농도를 알 수 있다. 문제의 그래프를 보면 기온 편차 변화 경향과 이산화 탄소 농도 변화 경향은 비슷하게 나타난다.

ㄴ. 기온 편차가 높은 시기에 이산화 탄소 농도가 높았고, 기온 편차가 낮은 시기에 이산화 탄소 농도가 낮았다.

오답 피하기 ㄷ. 빙하의 면적은 기온이 높을수록 좁아지고 기온이 낮을수록 넓어진다. 현재는 5만 년 전보다 평균 기온이 높으므로 빙하의 면적이 더 좁을 것이다.

13 ㄱ. 지구 자전축 경사각이 감소하면 우리나라는 여름에 태양의 남중 고도가 낮아져 기온이 하강한다. 반대로 겨울에 태양의 남중 고도가 높아져 기온이 상승한다. 따라서 기온의 연교차는 (가)보다 (다)일 때 작다.
ㄴ. (가)는 북반구가 여름일 때 지구가 원일점에 위치한다. (나)는 세차 운동으로 지구 자전축 경사 방향이 180° 회전하였으므로 지구가 근일점에 위치할 때 북반구가 여름이다. 따라서 태양과의 거리가 더 가까운 (나)의 경우에 북반구 중위도 여름 기온이 더 높다.
(오답 피하기) ㄷ. 지구 전체가 하루 동안 받는 태양 복사 에너지양은 태양과 지구 사이 거리에 따라 결정된다. A, B, C에서 태양과 지구 사이 거리가 같으므로 지구 전체가 하루 동안 받는 태양 복사 에너지양도 같다.

문제 속 자료 지구 자전축 변화

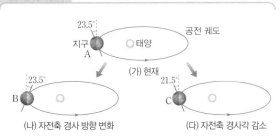

- 현재 지구 A는 근일점(북반구 겨울)에 위치한다.
- 지구가 (가) → (나)로 변하면 여름철 기온이 더 높아진다.
- 지구가 (가) → (다)로 변하면 기온의 연교차가 더 작아진다.

14 ㄷ. 지구의 자전축 경사각이 현재보다 커지면 중위도 지역에서 태양의 남중 고도가 여름에 높아지고, 겨울에 낮아져 남·북반구 기온의 연교차가 모두 커진다.
(오답 피하기) ㄱ. 지구의 자전축 경사각이 변하면 태양 복사 에너지의 입사각이 변하기 때문에 태양의 남중 고도가 변한다.
ㄴ. 지구 자전축 경사각이 현재보다 작아지면 우리나라의 겨울철 태양의 남중 고도가 높아져 기온이 상승한다.

15 ㄷ. 하루 동안 지구가 받는 태양 복사 에너지양은 지구와 태양 사이의 거리가 가까울수록 많다. A보다 B에서 지구와 태양 사이의 거리가 더 가까우므로 하루 동안 지구가 받는 태양 복사 에너지양은 A보다 B에서 많다.
(오답 피하기) ㄱ. A 위치에서 태양은 남반구보다 북반구를 비추는 면적이 더 넓으므로 북반구는 여름이다.
ㄴ. (나) 시기에는 지구의 공전 궤도가 원 궤도이므로 원일점과 근일점이 없어진다. 반면에 지구의 자전축은 여전히 기울어져 있으므로 우리나라는 계절 변화가 없어지지 않는다.

16 ㄱ. (가)에서 북극의 빙하 면적은 감소하고 있다. 빙하는 반사율이 높은 지표 상태이므로 빙하 면적이 감소하면 북극의 평균 반사율은 감소한다. 따라서 북극에서 A의 값이 감소한다.

(오답 피하기) ㄴ. 지표는 복사 평형을 이루므로 지표가 흡수하는 에너지양과 방출하는 에너지양이 같아야 한다. C가 증가하면 지표가 받는 에너지양이 증가한 것이므로 지표가 방출하는 B의 양도 증가한다.
ㄷ. 지구가 태양으로부터 흡수한 에너지양과 방출하는 에너지양은 같다. 1980년과 2010년에 우주 공간에서 오는 태양 복사 에너지양에 변화가 없으므로 지구 반사와 지구 복사의 합도 같다.

17 ㄱ. 이 기간 동안 지구의 평균 기온은 남반구와 북반구에서 전반적으로 상승하는 경향을 보인다.
ㄴ. 북반구의 기온은 약 −0.2 ℃에서 약 0.8 ℃로 1.0 ℃ 정도 상승하였고, 남반구의 기온은 약 −0.2 ℃에서 약 0.5 ℃로 0.7 ℃ 정도 상승하였다. 따라서 이 기간 동안의 기온 변화는 남반구보다 북반구에서 더 크다.
ㄷ. 1960년 이후 기온은 대체로 상승했으므로 극지방의 빙하가 녹았을 것이다. 빙하는 반사율이 높은 지표의 상태이므로 극지방의 반사율은 대체로 감소하였을 것이다.

문제 속 자료 지구 온난화

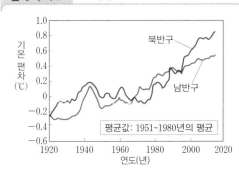

- 지구 전체적으로 기온이 상승하고 있다.
- 빙하의 반사율은 높은 편이다.
- 빙하 형성 → 지표 반사율 증가 → 태양 복사 에너지 흡수량 감소 → 평균 기온 하강

정답과 해설

V. 별과 외계 행성계

13강 별의 물리량과 H-R도

내신 기출				118~121쪽
01 ⑤	02 ⑤	03 ①	04 해설 참조	05 ③
06 ③	07 ⑤	08 ⑤	09 ④	10 ②	11 ②
12 ⑤	13 해설 참조	14 ③	15 ⑤	16 ①
17 ③	18 ②	19 ①	20 ⑤	21 해설 참조

01 ㄱ. 표면 온도가 높을수록 최대 에너지를 방출하는 파장이 짧아진다. (가)는 최대 에너지 세기를 갖는 파장이 (나)보다 짧으므로 표면 온도가 (나)보다 높다.

ㄴ. B 필터를 통과한 에너지는 (가)가 (나)보다 많으므로 B 등급은 (가)가 (나)보다 작다(밝게 보인다).

ㄷ. (나)는 B 필터보다 V 필터를 통과한 빛이 더 많으므로 등급은 V 등급이 더 작다. 따라서 (나)는 $(B-V)$ 색지수가 $(+)$이다.

> **해설 클리닉**
>
> ㄱ. 별의 표면 온도와 최대 에너지를 방출하는 파장과의 관계를 이해해야 한다.
>
> ✓ 표면 온도가 높을수록 방출하는 에너지 파장이 짧아진다.
> → 빈의 법칙
> ✓ 별이 방출하는 에너지 파장은 (나)가 (가)보다 길다.
>
> ㄴ. 빛의 세기와 등급과의 관계를 이해해야 한다.
>
> ✓ 에너지 세기가 클수록 별은 밝게 보인다.
> → 등급이 낮을수록 밝은 별이다.
>
> ㄷ. 별 (나)의 $(B-V)$ 색지수를 해석해야 한다.
>
> ✓ 별 (나)는 B 필터보다 V 필터에서 에너지 세기가 크다.
> → V 등급이 B 등급보다 낮다.
> → $(B-V)$ 색지수는 $(+)$이다.

02 주계열성은 절대 등급이 작을수록 많은 에너지를 방출하고 별의 질량과 반지름이 크다.

ㄱ. 별의 에너지는 절대 등급이 가장 작은 (가)가 가장 크다.

ㄴ. (나)는 분광형이 A형이므로 분광형이 G형인 태양보다 표면 온도가 높다.

ㄷ. (다)는 분광형이 F형으로, (가), (나)보다 표면 온도가 낮게 나타난다.

03 • 영희: A는 최대 에너지 세기를 갖는 파장이 B의 2배이므로 표면 온도는 B의 $\frac{1}{2}$배이다. 표면 온도는 A가 B보다 낮다.

오답 피하기 • 철수: 광도 $L=4\pi R^2 \cdot \sigma T^4$이므로, 광도는 A가 B의 $\frac{1}{4}$배이다. 광도는 A가 B보다 낮다.

• 민수: 단위 시간 동안 단위 면적에서 별이 방출하는 에너지양은 표면 온도의 4제곱에 비례하므로 A가 B의 $\frac{1}{16}$배이다.

> **문제 속 자료** 흑체 복사와 에너지양
>
>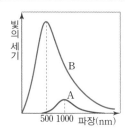
>
> | 별 | 반지름 (태양=1) |
> |---|---|
> | A | 10 |
> | B | 5 |
>
> • 흑체 복사의 파장에 따른 에너지 세기 그래프는 표면 온도에 의해서만 결정된다.
> • 흑체가 방출하는 복사는 연속 스펙트럼으로 나타난다.

04 색지수를 나타낼 때는 $(B-V)$ 또는 $(U-B)$를 사용한다.

[모범 답안] 표면 온도가 10000 K보다 높은 별은 색지수가 음$(-)$의 값을 가지고, 표면 온도가 10000 K보다 낮은 별은 색지수가 양$(+)$의 값을 가진다.

채점 기준	배점
모범 답안과 같이 옳게 서술한 경우	100%
표면 온도가 10000 K보다 높은 별과 낮은 별 중 한 가지만 옳게 서술한 경우	50%

05 ㄱ. A는 C보다 5등급 작다. 5등급 간의 밝기비는 100배이므로 A는 C보다 100배 밝다.

ㄷ. 표면 온도는 A가 C보다 2배 높고, 광도는 A가 C보다 100배 크다. 반지름은 A가 C보다 2.5배 클 것이다.

오답 피하기 ㄴ. 세 별의 겉보기 등급이 모두 같으므로 광도가 작은 별이 가까운 별이다. 별의 거리는 C가 가장 가깝다.

06 온도가 높고 밀도가 작은 기체의 스펙트럼에서는 방출선이 관측된다.

ㄱ. 백열등 빛을 파장에 따라 분해하면 (가)와 같은 연속 스펙트럼이 나타난다.

ㄷ. 형광등 빛을 간이 분광기로 관찰하면 (다)와 같은 방출 스펙트럼이 관측된다.

오답 피하기 ㄴ. 흑체는 모든 파장의 빛을 방출하므로 (가)와 같은 연속 스펙트럼이 나타난다.

> **해설 클리닉**
>
> ㄱ. 연속 스펙트럼의 특징을 학습해야 한다.
>
> ✓ 연속 스펙트럼: 모든 파장에 걸쳐 복사 에너지를 방출하는 빛이 연속적인 띠로 나타나는 스펙트럼
> → 백열등, 흑체 등에서 나타난다.
>
> ㄴ. 흡수 스펙트럼의 특징을 학습해야 한다.
>
> ✓ 흡수 스펙트럼: 연속 스펙트럼을 나타내는 빛을 온도가 낮은 저밀도의 기체에 통과시킬 때 관측되는 스펙트럼
> → 어두운 선으로 나타난다.
> → 태양의 흡수선이 대표적이다.
>
> ㄷ. 방출 스펙트럼의 특징을 학습해야 한다.
>
> ✓ 방출 스펙트럼: 온도가 높은 저밀도의 기체가 방출하는 빛이 관측되는 스펙트럼
> → 형광등의 방출선이 대표적이다.

07 ㄴ. 고온의 별인 O형과 B형 별에서 헬륨 흡수선이 뚜렷하게 나타난다.

ㄷ. 분자 흡수선은 붉은색 별인 M형 별에서 잘 나타난다.

오답 피하기 ㄱ. O형에서 M형으로 갈수록 표면 온도가 낮다.

08 ㄱ. (가)는 분광형이 B형이므로 청백색 별, (나)는 분광형이 M형이므로 붉은색 별, (다)는 분광형이 G형이므로 노란색 별이다.

ㄴ. 별의 표면 온도는 분광형이 B형인 (가)에서 가장 높고, M형인 (나)에서 가장 낮다. 즉 (가) → (다) → (나)로 갈수록 별의 표면 온도가 낮다.

ㄷ. 태양의 분광형은 G형이므로 스펙트럼형은 세 별 중 (다)와 가장 비슷하며, 노란색으로 보인다.

09 ㄴ. 태양 스펙트럼을 보면 어두운 흡수선들이 보인다.

ㄷ. 태양 스펙트럼에서 많은 흡수선을 관찰할 수 있는데, 이 선들은 태양의 대기층과 지구의 대기층에서 형성된 것이다.

오답 피하기 ㄱ. 태양의 흡수 스펙트럼을 나타낸 것으로, 태양의 분광형은 G형이다.

10 흑체는 입사된 모든 복사 에너지를 흡수하고, 흡수한 에너지를 완전히 방출하는 이상적인 물체이다. 흑체와 가장 유사한 천체는 별이다.

오답 피하기 ① 흑체는 반사율이 0 %인 물체이다.

③ 흑체는 모든 파장의 빛을 흡수하고, 다시 방출한다.

⑤ 흑체가 방출하는 복사 에너지양은 표면 온도의 4제곱에 비례한다.

11 별의 광도를 이용하여 별의 반지름을 구할 수 있다. 별의 광도를 L, 표면 온도를 T, 반지름을 R라고 하면, $L = 4\pi R^2 \times \sigma T^4$이다.

해설 클리닉

ㄱ. 별의 광도 개념을 학습해야 한다.
✓ 광도: 별의 밝기를 나타내는 양이다.
→ 별의 전 표면적을 통해 방출하는 복사 에너지의 양을 의미한다.

ㄴ. 별의 크기를 구하는 방법을 학습해야 한다.
✓ ① 별이 단위 시간 동안 단위 면적에서 방출하는 에너지양
✓ ② 별의 겉넓이
✓ ①×②=광도($L = 4\pi R^2 \times \sigma T^4$)
✓ 별의 크기 $R = \dfrac{\sqrt{L}}{\sqrt{4\pi\sigma} \cdot T^2}$

ㄷ. 별의 에너지양과 표면 온도와의 관계를 정리해야 한다.
✓ 슈테판·볼츠만 법칙: 흑체가 단위 시간 동안 단위 면적에서 방출하는 복사 에너지양은 표면 온도의 4제곱에 비례한다.

12 ⑤ 절대 등급이 작은 별일수록 광도가 크다.

13 슈테판·볼츠만 법칙은 단위 시간, 단위 면적에서 방출되는 에너지와 관련된 법칙으로 $E = \sigma T^4$이다. 광도는 단위 시간, 단위 면적에서 방출되는 에너지양에 표면적을 곱하면 된다.

따라서 광도 $L = 4\pi R^2 \cdot \sigma T^4$이다.

[모범 답안] 슈테판·볼츠만 법칙 $E = \sigma T^4$,
별의 광도 $L = 4\pi R^2 \cdot \sigma T^4$

채점 기준	배점
모범 답안과 같이 옳게 서술한 경우	100%
슈테판·볼츠만 법칙과 별의 광도를 나타낸 수식 중 한 가지만 옳게 쓴 경우	50%

14 A와 C는 주계열성, B는 거성, D는 백색 왜성이다. H−R도에서 절대 등급이 낮을수록 별의 광도가 크고 반지름이 크다. O형으로 갈수록 표면 온도가 높고, M형으로 갈수록 표면 온도가 낮다.

③ 거성인 B는 표면 온도는 낮지만 A~D 중 절대 등급이 가장 작으므로 반지름이 가장 크다.

오답 피하기 ① 진화가 가장 많이 진행된 별은 D이다.

② 질량은 A가 C보다 크다.

④ 표면 온도가 가장 높은 별은 A이다.

⑤ 광도가 가장 큰 별은 B이다.

15 별 A는 주계열성, 별 B는 거성에 포함된다. 별 A와 비교할 때 별 B는 더 붉은 색깔을 띤다.

오답 피하기 ① 거성은 별이 팽창하여 반지름이 커진 별이므로 반지름은 A < B이다.

② 절대 등급이 작을수록 광도가 크므로 광도는 A < B이다.

③ 색지수가 작을수록 표면 온도가 높고 파란색이 강하며, 색지수가 클수록 표면 온도가 낮고 붉은색이 강하다. 별의 표면 온도는 A > B이다.

④ 별의 평균 밀도는 거성보다 주계열성이 크므로 A > B이다.

문제 속 자료　H−R도 해석

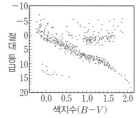

• 색지수 ($B-V$)가 양의 값이면 표면 온도가 상대적으로 낮은 별이다.
→ 표면 온도가 10000 K보다 낮은 별이다.
• 색지수 ($B-V$)가 음의 값이면 표면 온도가 상대적으로 높은 별이다.
→ 표면 온도가 10000 K보다 높은 별이다.

16 (가)는 백색 왜성, (나)는 적색 거성, (다)는 주계열성, (라)는 초거성이다. 별의 평균 크기는 초거성 > 적색 거성 > 주계열성 > 백색 왜성 순이다. 별의 약 90 %는 주계열성에 속한다.

17 H−R도에서 왼쪽 아래로 갈수록 반지름이 작고, 평균 밀도가 크다. 별의 평균 밀도는 초거성 < 적색 거성 < 주계열성 < 백색 왜성 순으로 크다.

오답 피하기 ① 오른쪽에 위치한 별일수록 표면 온도가 낮다.

② 위쪽으로 갈수록 별의 광도가 크고 절대 등급이 작다.

④ H-R도에서 오른쪽 상단에 위치한 별일수록 반지름이
크다.

⑤ 별이 가장 많이 분포하는 영역은 왼쪽 위에서 오른쪽 아래
로 이어지는 대각선 영역이다. 이 영역에 주계열성이 분포한다.

18 초거성 (가)는 질량이 큰 별이 진화한 것이고, 백색 왜성 (라)
는 태양 정도의 질량을 가진 별이 진화하여 형성된 것이다.

• 민수: 질량이 클수록 진화 속도가 빠르다. 별의 나이는 초
거성인 (가) 집단보다 백색 왜성인 (라) 집단이 많다.

[오답 피하기] • 영희: 태양은 주계열성이므로 (다) 집단에 속
한다.

• 철수: 별의 반지름은 적색 거성인 (나) 집단보다 주계열성
인 (다) 집단이 작다.

19 문제익 H-R도에서 a, 태양, d는 주계열성, b는 초거성, c
는 백색 왜성에 해당한다.

ㄱ. 별의 표면 온도는 H-R도의 왼쪽에 위치할수록 높다.

[오답 피하기] ㄴ. 주계열성은 H-R도에서 왼쪽 상단에서 오
른쪽 하단으로 대각선 상에 분포한다. a, d, 태양은 주계열성
이다.

ㄷ. H-R도에서 왼쪽 아래로 갈수록 별의 밀도가 크므로 밀
도는 b<태양<c이다.

20 (가)는 초거성, (나)는 적색 거성, (다)는 주계열성, (라)는 백
색 왜성이다.

ㄱ. 별들 중에는 주계열성인 (다)가 가장 많다.

ㄴ. 질량은 (가) 초거성이 (나) 적색 거성보다 크다.

ㄷ. 별의 크기는 백색 왜성인 (라)가 가장 작다.

21 H-R도에서 가로축은 왼쪽에서 오른쪽으로 갈수록 표면 온
도가 낮아진다. H-R도에서 세로축은 아래에서 위로 갈수
록 광도가 높다.

[모범 답안] • 가로축 물리량: 별의 표면 온도, 스펙트럼형(분
광형), 색지수

• 세로축 물리량: 별의 광도, 절대 등급

채점 기준	배점
모범 답안과 같이 옳게 서술한 경우	100%
H-R도의 가로축과 세로축 물리량 중 한 가지만 옳게 서술한 경우	50%

14강 별의 진화와 별의 내부 구조

내신 기출				126~129쪽
01 ③	02 ④	03 ①	04 ④	05 해설 참조
06 ②	07 ⑤	08 ④	09 ①	10 ⑤ 11 ②
12 ②	13 ②	14 ①	15 ①	16 ④ 17 ④
18 해설 참조				

01 원시별은 저온, 고밀도의 성운(성간 물질)이 중력 수축하여
별이 형성될 수 있을 만큼의 상태로 변한 기체 덩어리이다. 원
시별의 밀도는 높은 편이고 형태는 둥근 모양에 가깝다.

ㄱ. 원시별의 질량이 클수록 주계열에 도달했을 때 절대 등급
이 더 작아지므로 광도가 큰 별(주계열성)이 된다.

ㄷ. 원시별이 주계열에 도달하는 동안 중력 수축으로 내부 온
도가 상승하고, 주계열에 도달하면 내부에서 수소 핵융합 반
응이 일어난다.

[오답 피하기] ㄴ. 원시별(질량=$1M_\odot$)이 주계열에 도달하는
동안 절대 등급이 대체로 커지므로 광도는 대체로 작아지고
표면 온도는 점차 높아진다.

해설 클리닉	ㄱ. 질량이 큰 별의 진화 과정을 이해해야 한다.
	✔ 질량이 큰 원시별은 표면 온도가 높고, 광도가 큰 주계열성이 된다.
	ㄴ. 질량이 $1M_\odot$인 별의 진화 과정을 정리해야 한다.
	✔ 원시별 단계에서는 중력 수축하여 반지름이 감소 → 중심부 온도는 상승
	ㄷ. 원시별의 진화 과정을 학습해야 한다.
	✔ 원시별: 온도가 낮고 밀도가 높은 성운에서 성간 물질이 중력 수축하여 생성

02 ㄱ. 태양은 절대 등급이 약 4.8등급이고 표면 온도가 약 5800
K인 주계열성이다. 태양의 진화 단계는 현재 (나)에 해당한다.

ㄴ. 태양의 진화 단계 중 절대 밝기가 가장 밝을 때는 광도가
가장 큰 (다) 단계이다.

[오답 피하기] ㄷ. (가)에서 (나)까지 진화하는 동안 원시별의
내부에서는 중력 수축이 일어나고, 중력 수축으로 형성된 중
력 수축 에너지는 원시별의 주요 에너지원이다. 중력 수축 에
너지 발생으로 중심부의 온도가 충분히 높아지면 수소 핵융
합 반응이 일어나 주계열성이 된다.

문제 속 자료 태양의 진화 경로

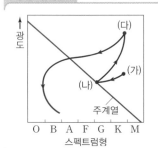

• 별은 (가) → (나) → (다)로 진
화하는데, 주계열 단계에 머
무는 (나)는 주계열성이다.

03 • 영희: 적색 거성인 (가) 단계에서 헬륨으로 이루어진 중심핵의 수축이 일어난다. 이때 온도가 충분히 상승하면 헬륨 핵융합 반응이 시작된다. 이후 별이 불안정해져 팽창과 수축을 반복하여 (나) 단계에서 행성상 성운이 형성된다. 별의 중심부는 고밀도로 수축하여 (다)의 백색 왜성이 된다.

오답 피하기 • 철수: (나) 단계에서 행성상 성운이 형성된다.
• 민수: (다) 백색 왜성에서는 핵융합 반응이 일어나지 않는다.

04 H−R도는 가로축에 별의 표면 온도, 세로축에 별의 광도를 나타낸 것이다. H−R도를 이용하면 여러 가지 별의 분광형, 색지수, 절대 등급, 반지름 등을 비교할 수 있다. 대부분의 별들은 일생의 90 % 이상을 주계열 단계에 머무른다.

④ A, B는 같은 주계열성이지만, B는 A보다 광도가 작으므로 질량이 작다. 별의 질량이 작을수록 에너지 소모가 적으므로 주계열에 머무는 기간은 B가 A보다 길다.

오답 피하기 ① A가 C보다 표면 온도가 높으므로 색지수는 작다.

② B가 A보다 표면 온도가 낮고 광도가 작으므로 별의 질량도 작다.

③ D가 B보다 광도가 크므로 절대 등급은 작다.

⑤ B는 광도와 표면 온도가 태양과 비슷하므로 중심핵에서 수소 핵융합 반응이 일어날 것이다.

문제 속 자료 주계열성의 진화 과정

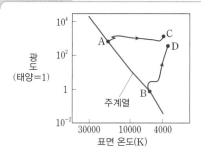

• 현재 주계열성에 위치하는 별 A와 B는 각각 C와 D로 진화한다.
• 주계열성에서 거성으로 진화하면 반지름과 광도가 증가한다.

05 질량이 큰 주계열성은 광도와 표면 온도가 높아 H−R도에서 왼쪽 위에 위치하고, 질량 작은 주계열성은 오른쪽 아래에 위치한다.

[모범 답안] 별은 일생의 대부분을 주계열 단계에서 보내기 때문에 관측되는 별들도 대부분 주계열성이다.

채점 기준	배점
모범 답안과 같이 옳게 서술한 경우	100%
일생의 대부분을 주계열 단계에서 머문다는 서술이 빠진 경우	50%

06 ㄷ. 주계열성의 에너지원은 수소 핵융합 반응에 의한 에너지이다. 수소 핵융합 반응은 중심부의 온도가 1000만 K 이상인 주계열성에서 일어난다.

오답 피하기 ㄱ. 질량이 가장 작은 별의 진화 과정은 A(주계열성 → 적색 거성 → 행성상 성운 → 백색 왜성)이다.

ㄴ. 철(Fe)보다 무거운 원소는 대부분 무거운 별의 내부에서 합성된 것으로 초거성에서 초신성 폭발 단계에 이를 때 만들어진다. B 과정이나 C 과정에서 만들어진다.

07 ㄱ. 이 별은 초신성 폭발을 일으키므로 질량이 태양보다 크고, 수명은 태양보다 짧다.

ㄴ. 중심부에서 수소 핵융합 반응이 일어나는 시기는 주계열 단계인 B이다.

ㄷ. 초신성 폭발 후 중심부는 급격하게 수축하여 중성자별 또는 블랙홀이 된다.

08 ㄱ. 질량이 작은 별의 마지막 단계에서는 백색 왜성이 만들어지고 질량이 큰 별의 마지막 단계에서는 중성자별이나 블랙홀이 만들어진다.

ㄷ. 질량이 큰 별일수록 중심부에서는 연속적인 핵융합 반응이 일어나 더 무거운 원소가 만들어진다.

오답 피하기 ㄴ. 태양 정도의 질량을 가진 별의 진화 단계는 원시별 → 주계열성 → 적색 거성 → 행성상 성운 → 백색 왜성으로 (나) 과정에 해당한다.

09 ㄱ. 이 별은 주계열성으로 중심핵에서 수소 핵융합 반응이 일어나고 있다.

오답 피하기 ㄴ. (가)는 수소 원자핵 4개의 질량이고, (나)는 헬륨 원자핵 1개의 질량이다. 핵융합 반응이 일어날 때 질량 결손에 의해 에너지가 발생하므로 (가)의 질량이 (나)의 질량보다 크다.

ㄷ. 온도가 높을수록 수소 핵융합 반응(P−P 반응, CNO 순환 반응)의 효율이 높아진다.

해설 클리닉

ㄱ. 주계열성의 에너지원이 생성되는 과정을 이해해야 한다.
✓ 원시별의 에너지원 → 중력 수축 에너지
✓ 주계열성의 에너지원 → 수소 핵융합 반응

ㄴ. 4개의 원자핵이 반응하여 1개의 헬륨 원자핵이 만들어지는 과정을 정리해야 한다.
✓ 아인슈타인의 질량−에너지 등가 원리에 따라 $E=\Delta mc^2$의 에너지가 발생한다.
✓ 반응이 일어나는 동안 약 0.7 %의 질량 결손이 에너지로 전환된다.

ㄷ. 수소 핵융합 반응이 잘 일어나기 위한 조건을 정리해야 한다.
✓ 핵융합 반응은 온도가 높을수록 잘 일어난다.
→ 온도가 1000만 K 이상이 되어야 한다.
✓ 거리가 가까워질수록 척력이 매우 강해지기 때문에 원자핵이 빠른 속도로 충돌해야 한다.

10 중심부의 온도가 더 높은 별에서 탄소·질소·산소 순환 반응이 더 우세하다.

ㄱ. ㉠은 양성자·양성자 반응, ㉡은 탄소·질소·산소 순환 반응이다.

ㄴ. 태양에서는 ㉠이 더 우세하며, 질량이 큰 주계열성에서는 ㉡이 우세하게 일어난다.

ㄷ. ㉡이 우세한 별의 중심부에서는 온도 차이가 커져 대류핵이 형성된다.

문제 속 자료 수소 핵융합 반응

• 양성자·양성자 반응은 수소 원자핵 6개가 차례로 반응하여 헬륨 원자핵 1개가 생성되고, 2개의 수소 원자핵이 방출되는 반응이다.

• 탄소·질소·산소 순환 반응은 수소 원자핵 4개가 핵융합하여 헬륨 원자핵 1개를 만드는 반응으로, 반응 과정에 탄소, 질소, 산소가 촉매 작용을 한다.

11 ㄴ. 이 반응은 탄소, 질소, 산소가 촉매 역할을 하면서 일어나는 수소 핵융합 반응으로, CNO 순환 반응이라고 한다.

오답 피하기 ㄱ. CNO 순환 반응은 수소 핵융합 반응이다.

ㄷ. CNO 순환 반응은 태양 질량의 약 2배 이상인 주계열성의 중심부에서 우세하게 일어나는 반응이다.

12 주계열성의 주요 에너지원은 수소 핵융합 반응에 의해 생성된 에너지이다. 원시별의 주요 에너지원은 중력 수축 에너지이다. 헬륨 핵융합 반응은 거성 단계의 별에서 일어난다.

• 민수: 헬륨 핵융합 결과 적색 거성 내부에 탄소핵이 형성된다.

오답 피하기 • 영희: A는 (나) 수소 핵융합 반응이다.

• 철수: B는 (가) 중력 수축 에너지, C는 (다) 헬륨 핵융합 반응이다.

13 ㄷ. C층의 중심에는 수소 핵융합 반응에 의해 생성된 헬륨 원자핵이 쌓인다. C층은 B층보다 무거운 원소의 비율이 높다.

오답 피하기 ㄱ. A층은 대류층으로, 주로 대류에 의해 에너지가 전달된다.

ㄴ. B층은 복사의 형태로 중심핵에서 생성된 에너지가 전달된다. 온도가 1000만 K보다 높은 영역은 수소 핵융합 반응이 일어나고 있는 C층이다.

해설 클리닉

ㄱ. 태양의 내부 구조 중 대류층에서 나타나는 현상을 이해해야 한다.

✔ 태양 질량의 2배 이하인 별의 내부는 중심핵, 복사층, 대류층으로 이루어져 있다.

✔ 태양 질량의 2배 이상인 별의 내부는 중심핵(대류핵)과 복사층으로 이루어져 있다.

ㄴ. 태양의 내부 구조 중 복사층에서 나타나는 현상을 이해해야 한다.

✔ 중심핵의 온도는 1000만 K보다 높다.

ㄷ. 태양의 내부 구조 중 중심핵에서 나타나는 현상을 이해해야 한다.

✔ 중심핵 → 수소 핵융합 반응 → 헬륨 원자핵 생성

14 ㄱ. 원시별에서 주계열성으로의 진화 속도는 질량이 클수록 빠르다. A가 B보다 광도가 크므로 질량이 더 크다. 주계열성이 되기까지 걸린 시간은 A가 B보다 짧다.

오답 피하기 ㄴ. P−P 연쇄 반응은 수소 원자핵인 양성자 6개가 연쇄적으로 반응하여 1개의 헬륨 원자핵과 2개의 수소 원자핵으로 바뀌는 과정이다. CNO 순환 반응은 탄소핵과 수소핵의 반응을 시작으로 질소핵과 산소핵을 거쳐 헬륨핵과 탄소핵이 만들어지는 과정이다. 질량이 큰 A는 중심에 대류핵, 주변으로 복사층이 나타나고 핵에서는 CNO 순환 반응이 우세하다.

ㄷ. 문제의 그림 (나)는 대류핵과 복사층으로 된 별의 내부 구조이다. 이러한 별은 태양 질량의 2배 이상인 주계열성으로, A의 내부 구조에 해당한다.

15 ㄱ. (가)와 (나)는 모두 중심부로 갈수록 온도가 높아지고, 더 무거운 원자핵의 핵융합 반응이 일어난다.

오답 피하기 ㄴ. (가)는 (나)보다 질량이 더 작은 별이다. (나)는 초거성의 내부 구조로, 진화 단계에서 초신성 폭발을 일으킨다.

ㄷ. 온도가 높을수록 더 무거운 원자핵이 생성된다. 중심부의 온도는 (가)보다 (나)가 높다.

16 ㄱ, ㄴ. 주계열성은 중력 B와 기체 압력 차에 의한 힘 A가 평형을 이루고 있으며, 이를 정역학 평형 상태라고 한다.

ㄹ. 주계열성의 내부는 중력과 기체 압력 차로 발생한 힘이 평형을 이루고 있으므로 별의 크기가 일정하게 유지된다.

오답 피하기 ㄷ. 힘 B보다 힘 A보다 커지면 중력 수축이 일어나 별의 크기가 감소한다.

17 ㄴ. 적색 거성은 태양보다 반지름과 광도가 크다.

ㄷ. 중심부에서 헬륨 핵융합 반응이 진행되므로 중심부의 온도가 태양보다 높다.

오답 피하기 ㄱ. 이 별은 중심부에서 헬륨 핵융합 반응이 일어나 탄소핵이 생성되는 적색 거성이다.

18 주계열성은 팽창하려는 기체 압력 차에 의한 힘과 기체 자체의 중력이 평형을 이루어 일정한 크기를 유지한다.

[모범 답안] 중력과 기체 압력 차에 의한 힘이 평형을 이룬다.

채점 기준	배점
모범 답안과 같이 옳게 서술한 경우	100%
서술이 틀린 경우	0%

15강 외계 행성계 탐사

내신 기출
132~135쪽

01 ⑤	**02** ⑤	**03** ③	**04** ③	**05** 해설 참조
06 ②	**07** ①	**08** ③	**09** ④	**10** ③	**11** ③
12 ⑤	**13** ③	**14** ④	**15** 해설 참조	**16** ③
17 ③	**18** ⑤			

01 공통 질량 중심을 중심으로 별과 행성이 동일한 방향으로 공전할 때 별은 미세한 떨림이 일어나면서 도플러 효과가 생긴다.

ㄱ. 공통 질량 중심에 가까운 B가 A보다 질량이 더 큰 중심별이다.

ㄴ. 비교 스펙트럼과 중심별 스펙트럼을 비교할 때 적색 편이가 일어났다. 중심별은 지구로부터 멀어지고 있으며 중심별과 행성은 시계 반대 방향인 ⓛ 방향으로 공전하고 있다.

ㄷ. 행성의 질량이 작을수록 공통 질량 중심은 별에 가까워지고, 행성의 질량이 클수록 공통 질량 중심은 별에서 멀어진다.

> **해설 클리닉**
>
> **ㄱ. 중심별의 위치를 이해해야 한다.**
> ✔ 중심별의 회전으로 시선 속도가 변한다.
> → 도플러 효과가 나타난다.
>
> **ㄴ. 적색 편이가 나타날 때 외계 행성의 위치를 이해해야 한다.**
> ✔ 중심별 스펙트럼에서 적색 편이가 나타났다.
> → 지구로부터 멀어지고 있는 중이다.
>
> **ㄷ. 공통 질량 중심과 행성의 질량과의 관계를 학습해야 한다.**
> ✔ 행성의 질량이 클수록 중심별의 시선 속도 변화가 크게 나타난다.

02 ㄱ. 행성과 별은 공통 질량 중심을 중심으로 동일한 방향으로 공전한다. 행성의 공전 방향은 A이다.

ㄴ. 현재 별은 지구 방향으로 접근하고 있다. 지구에서는 별빛의 청색 편이가 관측될 것이다.

ㄷ. 같은 조건에서 행성의 질량만 커진다면 행성의 중력이 커지므로 별빛의 편이량은 현재보다 커질 것이다. 공통 질량 중심은 현재보다 별에서 멀어지고 별의 회전 속도기 증가하여 공전 주기는 짧아진다.

> **문제 속 자료** 외계 행성 탐사 방법
>
>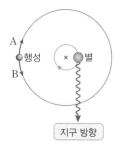
>
> • 도플러 효과는 관측자와 파원의 상대적인 운동에 따라 파동의 파장이 달라지는 효과이다. → 서로 가까워질 경우에는 관측된 파장이 원래의 파장보다 짧아지고, 멀어질 경우에는 원래의 파장보다 길어진다.

03 ㄷ. 행성의 질량이 클수록 공통 질량 중심은 별에서 멀어진다. 이로 인해 별의 흔들림이 더 커져 별빛의 편이량도 커진다.

> **오답 피하기** ㄱ. 행성이 A에 있을 때 별은 관측자로부터 멀어진다. 이때 지구에서는 적색 편이가 관측된다.

ㄴ. 별빛의 파장 변화는 지구에서 별까지의 거리와는 상관없이 별이 다가오거나 멀어지는 속도의 영향을 받는다.

04 • 영희: 공통 질량 중심에 가까운 천체의 질량이 더 크다. A는 별, B는 행성이다.

• 민수: 행성의 질량이 클수록 중심별의 시선 속도 변화가 크게 나타난다. 이로 인해 스펙트럼에 나타나는 파장 변화량이 크다.

> **오답 피하기** • 철수: 별과 행성은 공통 질량 중심을 중심으로 같은 주기로 회전한다.

05 시선 속도 변화를 이용하여 외계 행성을 탐사할 때는 도플러 효과를 이용한다. 관측자와 파원의 상대적인 운동에 따라 파동의 파장이 달라지는 효과를 도플러 효과라고 한다.

[모범 답안] 중심별이 지구로 접근할 때 청색 편이가 나타나고, 멀어질 때 적색 편이가 나타난다.

채점 기준	배점
모범 답안과 같이 옳게 서술한 경우	100%
중심별이 지구로 접근할 때와 멀어질 때 중 한 가지만 옳게 서술한 경우	50%

06 ㄷ. c 구간은 중심별의 겉보기 밝기 변화를 나타낸다. 행성의 크기가 클수록 식 현상에 의해 중심별을 가리는 면적이 커지므로 c의 크기도 커진다.

> **오답 피하기** ㄱ. a 구간은 중심별의 겉보기 밝기 변화가 크게 나타나는 곳이다. 이 구간은 행성의 반지름이 클수록, 공전 속도가 느릴수록 길어진다.

ㄴ. b 구간은 중심별의 겉보기 밝기 변화가 일정하게 나타나는 곳이다. 이 구간은 행성과 중심별이 시선 방향에 나란하게 위치하므로 스펙트럼 편이량은 나타나지 않는다.

> **문제 속 자료** 외계 행성 탐사 방법
>
> • 관측자의 시선 방향과 행성의 공전 궤도면이 거의 나란해야 식 현상이 관측된다.
> • 행성의 반지름이 클수록 중심별의 밝기 변화가 크므로 행성의 존재를 확인하기 쉽다.

07 ㄱ. 관측자에게서 멀어지거나 가까워지는 시선 방향이 행성

의 공전 궤도면과 나란할 경우, 행성이 중심별 주위를 공전할 때 중심별의 일부가 가려지는 식 현상이 나타나게 된다. 식 현상이 일어날 때 별의 겉보기 밝기는 (나)와 같이 감소하는 구간이 나타난다.

오답 피하기 ㄴ. 겉보기 밝기가 최소일 때 행성 전체가 별을 가리게 되므로 별과 행성은 관측자의 시선 방향에 나란하게 위치한다. 이때 공통 질량 중심을 중심으로 회전하는 별과 행성의 운동 방향은 관측자의 시선 방향과 거의 수직이다. 중심별의 별빛 스펙트럼에는 파장 변화가 나타나지 않을 것이다.

ㄷ. 행성의 반지름이 2배가 되면 행성의 면적은 2^2이므로 4배가 되고, 행성에 의해 가려지는 별의 면적도 4배가 된다. 감소한 별의 겉보기 밝기의 양 a는 처음의 4배로 커진다.

08 ㄱ. 행성이 중심별 주위를 공전하면서 중심별 앞을 지나게 되면 식 현상이 일어난다. 식 현상은 한 천체가 다른 천체를 가려서 전체가 보이지 않거나 일부가 가려지는 현상이다.

ㄷ. 행성의 반지름이 클수록 중심별 주위를 공전할 때 행성이 별을 가릴 수 있는 면적이 커진다. 이때 중심별의 밝기 변화는 더 커질 것이다.

오답 피하기 ㄴ. 행성이 중심별 주위를 1회 공전할 때마다 별의 밝기 변화는 1회 나타난다. 문제의 그림에서 행성이 중심별 앞쪽을 지날 때는 1일과 약 3.2일이다. 행성의 공전 주기는 약 2.2일이다.

문제 속 자료 중심별의 밝기 변화

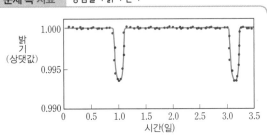

- 중심별의 밝기가 최소로 될 때는 외계 행성에 의해 별이 가려졌을 때이다.
- 중심별 주위를 공전하는 행성이 중심별 앞면을 지날 때 식 현상이 일어난다. → 중심별의 밝기가 감소한다.

09 ㄱ. 행성이 별 주위를 공전하면 별을 가리게 되므로 관측되는 별의 밝기가 달라진다. 행성이 별의 일부분이라도 가리게 되면 별의 밝기는 감소한다.

ㄴ. 지구에서 별을 관측할 때 별이 지구에 가까이 올 때와 지구에서 멀어질 때 관측되는 별빛의 파장이 달라진다. 이러한 도플러 효과를 이용하여 별빛의 스펙트럼을 분석할 수 있다.

오답 피하기 ㄷ. 관측자의 시선 방향(다가오는 방향과 멀어지는 방향)과 행성의 공전 궤도면이 수직이면 별빛의 밝기나 파장 변화가 일어나지 않는다.

10 (가)는 도플러 효과를 이용한 외계 행성 탐사 방법이고, (나)는 식 현상을 이용한 외계 행성 탐사 방법이다.

ㄱ. (가)에서 별은 관측자의 시선 방향으로 접근하므로 청색 편이가 나타난다.

ㄴ. (가)에서는 별빛의 도플러 효과가 나타나는 주기를 이용하여 행성의 공전 주기를 구할 수 있다. (나)에서는 식 현상에 의한 별빛의 밝기 변화 주기를 이용하여 행성의 공전 주기를 구할 수 있다.

오답 피하기 ㄷ. 행성의 공전 궤도면이 시선 방향과 수직일 때는 별의 미세한 떨림을 관측하기 어렵고 중심별의 밝기 변화를 관측하기 어렵다. 이때는 도플러 효과와 식 현상이 나타나지 않으므로 (가)와 (나) 모두 이용할 수 없다.

11 ㄱ. (가)에서 행성의 반지름이 클수록 행성에 의해 가려지는 중심별의 면적이 넓으므로 중심별의 밝기 변화가 크게 나타난다. 행성이 별을 가리지 않으면 별의 밝기가 가장 밝게 관측되고, 행성의 일부가 별의 일부를 가리면 별의 밝기가 감소한다. 행성 전체가 별의 일부를 가리면 별의 밝기가 가장 어둡게 관측된다.

ㄴ. (나)에서 A는 행성의 중력에 의해 굴절되어 미세하게 나타나는 배경별의 밝기 변화이다. 시선 방향 앞뒤로 2개의 별이 놓여 있을 때 뒤쪽 별에서 오는 빛은 앞쪽 별의 중력 때문에 굴절되어 우리 눈에 보인다.

오답 피하기 ㄷ. 외계 행성을 탐사하는 방법 중 (가)는 행성에 의한 중심별의 밝기 변화를 이용한 것이고, (나)는 중심별과 행성에 의한 배경별의 밝기 변화를 이용한 것이다.

문제 속 자료 외계 행성 탐사 방법

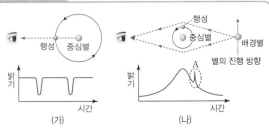

- (가)는 식 현상을 이용하여 외계 행성을 탐사하는 방법이다.
- (나)는 미세 중력 렌즈 현상을 이용하여 외계 행성을 탐사하는 방법이다.

12 ㄱ. 생명 가능 지대보다 안쪽에 위치한 A보다 생명 가능 지대보다 바깥쪽에 위치한 D 행성의 평균 표면 온도는 낮을 것이다.

ㄴ. 행성 B와 C는 생명 가능 지대에 위치하므로 물은 액체 상태로 존재할 수 있다.

ㄷ. 중심별의 질량이 클수록 표면 온도가 높고, 광도가 커지므로 생명 가능 지대는 중심별로부터 멀어진다. 생명 가능 지대는 중심별의 질량의 영향을 받는다.

해설 클리닉

ㄱ. 행성의 위치와 표면 온도와의 관계를 이해해야 한다.

✓ 중심별에 가까울수록 → 행성의 표면 온도가 높다.
✓ 중심별에서 멀어질수록 → 행성의 표면 온도가 낮다.

ㄴ. 행성에 액체 상태의 물이 존재할 수 있는 조건을 정리해야 한다.

✓ 행성이 표면 온도가 적절하게 유지될 수 있는 영역에 위치해야 액체 상태의 물이 존재한다.

ㄷ. 별의 질량과 생명 가능 지대의 위치와의 관계를 학습해야 한다.

✔ 별의 질량이 클수록 → 생명 가능 지대는 별로부터 먼 곳에 형성된다.
✔ 별의 질량이 작을수록 → 생명 가능 지대는 별에서 가까운 곳에 형성된다.

13 ㄱ. 별의 둘레에서 물이 액체 상태로 존재할 수 있는 범위를 생명 가능 지대라고 한다.

ㄷ. 태양계에서 생명 가능 지대는 금성과 화성 사이에 있다. 태양계 행성 중에서 물이 액체 상태로 존재할 수 있는 행성은 지구뿐이다.

오답 피하기 ㄴ. 별의 질량이 클수록 별의 광도가 증가하므로 생명 가능 지대는 별에서 멀어지고 그 폭이 넓어진다.

14 생명 가능 지대에 있으면서 태양으로부터 거리가 1 AU인 행성은 지구이다. 지구보다 안쪽에 있고 생명 가능 지대에 포함되지 않은 A는 태양계 행성이고, B는 어느 주계열성을 공전하는 외계 행성이다.

ㄱ. 중심별의 질량이 클수록(표면 온도가 높을수록, 광도가 클수록) 생명 가능 지대의 거리는 중심별에서 멀어진다. 태양의 질량은 B의 중심별보다 크다.

ㄴ. 중심별의 질량이 클수록 생명 가능 지대의 폭이 넓어진다. 생명 가능 지대의 폭은 태양이 B의 중심별보다 넓다.

오답 피하기 ㄷ. B는 생명 가능 지대에 위치하고, A는 생명 가능 지대보다 안쪽에 위치한다. 물이 액체 상태로 존재하려면 행성이 생명 가능 지대에 위치해야 하므로, 물이 액체 상태로 존재할 가능성은 B가 A보다 높다.

문제 속 자료 생명 가능 지대

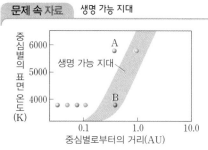

• 생명 가능 지대는 별 주변에 물이 액체 상태로 존재할 수 있는 영역이다.
• 행성에 액체 상태의 물이 존재할 수 있는지 여부는 행성의 대기 조건이나 반사율 등에 따라 달라질 수 있다.

15 주계열성은 질량이 클수록 광도가 크고, 표면 온도가 높다.
[모범 답안] 질량, 광도

채점 기준	배점
모범 답안과 같이 옳게 서술한 경우	100%
질량과 광도 이외의 물리량을 쓴 경우	0%

16 ㄱ. 문제의 그림에서 시간이 지날수록 생명 가능 지대가 태양에서 멀어지고 있으므로 태양의 광도는 커진다.

ㄴ. 별의 광도가 클수록 생명 가능 지대의 폭이 넓어진다. 문제의 그림에서 시간이 지날수록 태양의 광도가 커지므로 태양계 생명 가능 지대의 폭은 넓어진다.

오답 피하기 ㄷ. 현재로부터 40억 년 후에 1 AU 거리는 생명 가능 지대보다 안쪽 지역이다. 이때는 물이 증발하여 기체 상태로 존재할 것이다.

17 ㄱ. 태양계에서 생명 가능 지대는 금성과 화성 사이에 있는데, 이 영역에 속하는 행성은 지구뿐이다.

ㄷ. 태양의 복사 에너지 방출량이 현재의 절반이 된다면 별의 광도가 지금의 절반이 된다. 이때 생명 가능 지대는 현재보다 태양에 가까워질 것이다.

오답 피하기 ㄴ. 금성은 생명 가능 지대보다 태양에 가까워 물이 모두 증발하므로 기체 상태로 존재할 수 있다.

18 • 영희: A의 중심별에서 생명 가능 지대까지의 거리는 1 AU보다 가까운 곳에 위치한다. A의 중심별은 태양보다 광도가 작다.

• 철수: 액체 상태의 물이 존재할 수 있는 영역을 생명 가능 지대라고 한다. B에서 생명 가능 지대는 1 AU보다 멀리 위치하므로 생명 가능 지대의 폭도 태양계보다 넓다.

• 민수: 행성 ㉠은 생명 가능 지대에 위치하고, 행성 ㉡은 생명 가능 지대보다 중심별에 가깝게 위치한다. 중심별에서 행성의 단위 면적에 입사되는 에너지양은 행성 ㉠보다 ㉡이 많다.

문제 속 자료 생명 가능 지대와 행성의 위치

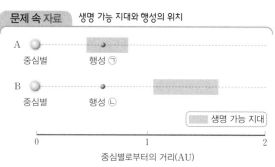

• 행성이 중심별에 너무 가까이 있거나 너무 멀리 떨어져 있으면 물이 액체 상태로 존재하기가 어렵다.
• 중심별로부터 1 AU 거리의 위치에 지구가 있다. → 태양계 행성 중 물이 있는 행성이다.

내신 마무리				136~139쪽
01 ③	**02** ②	**03** ③	**04** ④	**05** ③ **06** ④
07 해설 참조	**08** ①	**09** ⑤	**10** ①	**11** ②
12 ⑤	**13** ⑤	**14** ③	**15** ②	**16** ③
17 해설 참조	**18** ①	**19** ④		

01 ㄱ. 흑체는 입사된 모든 복사 에너지를 흡수하고, 흡수한 에너지를 완전히 방출하는 이상적인 물체이다. 흑체가 방출하는 복사 에너지는 표면 온도에 의해서만 결정된다.

ㄷ. B는 A보다 최대 에너지 세기를 갖는 파장이 짧으므로 표면 온도가 더 높다. A는 B보다 표면 온도가 더 낮으므로 별의 색깔은 A가 B보다 붉게 보인다.

〔오답 피하기〕 ㄴ. 별의 표면 온도는 A가 B보다 낮다.

> **해설 클리닉**
>
> ㄱ. 플랑크 곡선을 해석해야 한다.
> ✔ 흑체가 방출하는 복사 에너지의 파장에 따른 분포 곡선이다.
> ✔ 흑체가 방출하는 복사는 연속 스펙트럼으로 나타난다.
> ㄴ. 별의 표면 온도와 파장과의 관계를 이해해야 한다.
> ✔ 표면 온도가 높은 별 → 짧은 파장에서 많은 에너지를 방출
> ✔ 표면 온도가 낮은 별 → 긴 파장에서 많은 에너지를 방출
> ㄷ. 별의 표면 온도와 별의 색깔과의 관계를 이해해야 한다.
> ✔ 표면 온도가 높은 별 → 상대적으로 파란색으로 보인다.
> ✔ 표면 온도가 낮은 별 → 상대적으로 붉은색으로 보인다.

02 ㄴ. 최대 에너지 세기를 갖는 파장은 표면 온도에 반비례한다. A는 B보다 최대 에너지 세기를 갖는 파장이 $\frac{1}{2}$배이므로 표면 온도는 2배이다.

〔오답 피하기〕 ㄱ. 색지수는 표면 온도가 높을수록 작은 값을 가진다. A~C 중 색지수가 가장 큰 것은 표면 온도가 가장 낮은 C이다.

ㄷ. 슈테판·볼츠만 법칙에 의해 별이 단위 시간 동안 단위 면적에서 방출하는 에너지양은 표면 온도의 4제곱에 비례한다. B는 C보다 표면 온도가 3배 높으므로 단위 시간 동안 단위 면적에서 방출하는 에너지양은 81배 많다.

03 ㄱ. ㉠은 수소에 의해 형성된 흡수선이고, ㉡은 이온화된 칼슘에 의해 형성된 흡수선이다. 별은 표면 온도에 따라 흡수선의 세기가 달라진다. O형 별은 표면 온도(약 28000 K 이상)가 가장 높아 파란색을 띠고, M형 별은 표면 온도(약 3500 K 이하)가 낮아 붉은색을 띤다.

ㄷ. 붉은색 별은 표면 온도가 낮다. 붉은색 별의 스펙트럼에서는 수소 흡수선 ㉠보다 칼슘 흡수선 ㉡이 상대적으로 더 뚜렷하다.

〔오답 피하기〕 ㄴ. 수소 흡수선이 가장 강한 분광형은 A형이며, 표면 온도가 높아짐에 따라 수소 흡수선이 점점 약해진다. ㉠은 표면 온도가 가장 높은 O형보다 B형 별에서 상대적으로 강하다.

> **문제 속 자료** 흡수선의 상대적인 세기 변화
>
>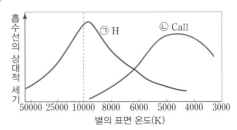
>
> • 흡수선을 나타낼 때 사용하는 로마 숫자 'I'은 중성 상태, 'II'는 +1가의 이온화된 상태, 'III'은 +2가의 이온화된 상태를 의미한다.
> • O형 별에서는 이온화된 헬륨의 흡수선이, A형 별에서는 수소의 흡수선이, M형 별에서는 분자 흡수선이 강하다.

04 ㄴ. A는 B보다 표면 온도가 2배 높으므로 슈테판·볼츠만 법칙에 의해 단위 시간 동안 단위 면적에서 방출되는 에너지양은 A가 B의 16배이다.

ㄷ. 별의 반지름 R는 $L=4\pi R^2 \cdot \sigma T^4$, $R=\frac{\sqrt{L}}{\sqrt{4\pi\sigma}\cdot T^2}$을 이용하여 구할 수 있다. 광도($L$)는 A가 B보다 100배 크고, 표면 온도(T)는 2배 높으므로, 반지름은 2.5배 크다.

〔오답 피하기〕 ㄱ. 절대 등급은 별의 실제 밝기를 나타낸 것이다. A와 B는 절대 등급이 5등급 차이 나므로 밝기는 100배 차이 난다. 별의 광도는 A가 B보다 100배 크다.

> **문제 속 자료** 별의 표면 온도와 절대 등급과의 관계
>
>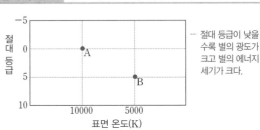
>
> ─ 절대 등급이 낮을수록 별의 광도가 크고 별의 에너지 세기가 크다.
>
> • 별의 광도는 단위 시간 동안 단위 면적에서 방출하는 에너지양과 별의 전체 표면적을 곱한 값이다.

05 ㄱ. 가장 밝게 보이는 별은 겉보기 등급이 가장 작은 (가)이다.

ㄴ. 가장 많은 에너지를 방출하는 별은 절대 등급이 가장 낮은 (나)이다.

〔오답 피하기〕 ㄷ. 별의 반지름은 광도가 높을수록, 표면 온도가 낮을수록 크다. (나)는 광도가 가장 높고, 색지수가 가장 커서 표면 온도가 가장 낮으므로 반지름이 가장 크다.

> **문제 속 자료** 별의 물리량 비교
>
> | 별 | 겉보기 등급(m) | 절대 등급(M) | 색지수($B-V$) |
> |---|---|---|---|
> | (가) | −1.5 | 1.4 | 0.00 |
> | (나) | −0.1 | −0.3 | 1.23 |
> | (다) | 0.4 | 2.6 | 0.42 |
>
> • 겉보기 등급은 별을 눈으로 관측했을 때 나타나는 등급이다.
> • 절대 등급은 별을 10 pc의 거리에 두었을 때 나타나는 실제 밝기이다.

06 ㄴ, ㄷ. (가)와 (나) 과정에서 모두 중력 수축이 일어나면서 온도가 상승한다.

ㄱ. (가)는 주로 온도가 낮고 밀도가 높은 곳에서 잘 일어난다. 원시별은 저온, 고밀도 성운의 성간 물질이 중력 수축하여 별이 형성될 수 있을 만큼 밀도가 높은 기체 덩어리이다.

07 현재 태양은 주계열성이다. 태양의 탄생 후 약 100억 년이 지나 적색 거성이 되면 표면 온도가 현재보다 낮아진다.

[모범 답안] (1) 태양은 '원시별 → 주계열성 → 적색 거성 → 행성상 성운 → 백색 왜성'으로 진화한다. (2) 적색 거성

	채점 기준	배점
(1)	모범 답안과 같이 옳게 서술한 경우	70%
	그 외의 경우	0%
(2)	적색 거성이라고 옳게 쓴 경우	30%

08 ㄱ. 태양은 주계열성이다. 주계열성은 질량이 클수록 광도가 커지고 절대 등급이 작아진다.

ㄴ. 주계열성의 질량이 클수록 표면 온도가 높고, 진화 속도가 빨라 주계열 단계에서 머무는 시간이 짧다.
ㄷ. 별의 질량이 클수록 진화 속도가 빠르다.

해설 클리닉 ㄱ. 별(주계열성)의 질량과 광도와의 관계를 학습해야 한다.
✓ 별의 크기(질량)가 클수록 별의 전 표면적에서 방출하는 에너지의 양도 많다.
ㄴ. 별의 질량과 표면 온도와의 관계를 학습해야 한다.
✓ 별의 크기(질량)가 클수록 표면 온도가 높다.
ㄷ. 별의 질량과 별의 진화와의 관계를 학습해야 한다.
✓ 별의 크기(질량)가 크다.
→ 별의 진화 속도가 빠르다.
→ 별이 주계열 단계에서 머무는 시간이 짧다.

09 A는 적색 거성을 거쳐 행성상 성운과 백색 왜성으로 진화하고, B는 초거성 단계를 거쳐 초신성 폭발을 일으킨 후 중성자별로 진화한다.

ㄱ. A는 적색 거성, B는 초거성 단계를 거치므로 별의 질량은 B가 A보다 크다. 별의 질량이 A가 B보다 작으므로 수명은 A가 B보다 길다.
ㄴ. 주계열성이 (가)를 거쳐 적색 거성이 되거나 (나)를 거쳐 초거성 단계로 진화하면 반지름이 증가한다.
ㄷ. A별은 질량이 태양 정도인 별이 진화하는 단계로 주계열성 → 적색 거성 → 행성상 성운 → 백색 왜성의 단계를 거친다. B별은 태양보다 질량이 큰 별이 진화하는 단계로 주계열성 → 초거성 → 초신성 폭발 → 중성자별 또는 블랙홀의 단계를 거친다.

10 ㄱ. A는 H−R도에서 왼쪽 위에서 오른쪽 아래 영역에 분포하므로 주계열성이다. A는 분광형이 B형에 가까우므로

A~D 중 표면 온도가 가장 높다.
ㄷ. C는 태양보다 절대 등급이 10등급 작다. 5등급의 밝기 차는 100배이므로 C는 태양보다 10000배 밝은 별이다.

ㄴ. B와 C는 광도가 같고, 표면 온도는 C가 더 낮다. 반지름은 표면 온도가 낮은 C가 B보다 크다.
ㄹ. D는 백색 왜성이다. 백색 왜성에서는 핵융합 반응이 일어나지 않는다.

해설 클리닉 ㄱ. H−R도에 위치하는 별의 종류를 정리해야 한다.
✓ H−R도에서 별 A~D는 주계열성, 적색 거성, 초거성, 백색 왜성 중 어디에 해당하는지 알아본다.
ㄴ. 별(주계열성)의 크기와 표면 온도와의 관계를 이해해야 한다.
✓ 별의 크기(질량)가 클수록 표면 온도가 높다.
ㄷ. 별의 밝기와 등급과의 관계를 학습해야 한다.
✓ 1등급인 별이 6등급인 별보다 100배 더 밝다.
→ 1등급 사이에는 2.5배의 밝기 차가 있다.
ㄹ. 별의 종류와 중심부에서 일어나는 핵융합 반응을 정리해야 한다.
✓ 주계열성 → 중심부에서 수소 핵융합 반응이 발생
✓ 적색 거성 → 중심부에서 수소 핵융합 반응이 발생
→ 중심부의 온도가 1억 K 이상으로 높아지면 헬륨 핵융합 반응이 발생
✓ 초거성 → 중심부에서 수소 핵융합 반응이 발생
→ 중심부의 온도가 1억 K 이상으로 높아지면 헬륨 핵융합 반응이 발생
→ 온도가 더 높아지면 탄소 핵융합 반응 등이 발생

11 태양과 비슷한 질량의 별은 주계열성 단계 이후 적색 거성으로 진화한다. 적색 거성의 중심부에서는 헬륨 핵융합 반응이 일어나며, 중심부를 둘러싼 수소 외곽층에서 수소 핵융합 반응이 일어난다.

ㄷ. H−R도에서 적색 거성은 주계열성인 태양보다 위쪽에 위치한다.
ㄱ. 이 별은 적색 거성이므로 태양보다 표면 온도가 낮다.
ㄴ. 광도는 태양보다 크다.

12 별의 색지수가 작을수록 표면 온도가 높은 별이다. 주계열성은 질량이 클수록 광도가 크고, 색지수가 작고, 수명이 짧다.

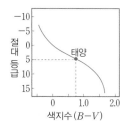

문제 속 자료 별의 물리량 해석
• 색지수가 (+)값이면 별의 표면 온도가 낮다. → 절대 등급이 높다.
• 색지수가 (−)값이면 별의 표면 온도가 높다. → 절대 등급이 낮다.

13 이 반응은 별 내부의 온도가 1000만 K 이상인 영역에서 일어날 수 있는 수소 핵융합 반응이다. 수소 핵융합 반응이 일어날 때 질량 결손이 일어나며, 이때 감소된 질량만큼 에너지로 바뀐다.

14 ㄱ. 베텔게우스는 초거성이고, 알데바란A는 적색 거성이다. 레굴루스와 태양은 주계열성이고, 프로키온B는 백색 왜성이다.

ㄴ. 초거성은 중심으로 갈수록 더 무거운 원소로 이루어져 있어서 양파껍질 같은 구조를 이룬다.

오답 피하기 ㄷ. 적색 거성은 진화의 최후 단계에서 백색 왜성이 된다.

15 ㄴ. X 주변에 행성이 없을 경우 별 Y의 시간에 따른 밝기 변화는 대체로 규칙적으로 나타난다. 하지만 X 주변에 행성이 존재할 경우에는 Y의 밝기 변화에 행성에 의한 변화가 추가되어 불규칙하게 나타난다.

오답 피하기 ㄱ. ⓒ일 때 굴절된 빛이 관측자에게 가장 많이 입사되므로 Y의 밝기는 최대가 된다.

ㄷ. 별빛의 굴절량은 X의 질량에 따라 달라진다. X와 Y의 거리는 별빛의 굴절량에 거의 영향을 미치지 않는다.

> 해설 클리닉
>
> ㄱ. 빛의 굴절과 밝기와의 관계를 이해해야 한다.
> ✔ 굴절된 빛이 많이 입사될수록 별은 밝게 관측된다.
> ㄴ. 미세 중력 렌즈 현상의 개념을 정리해야 한다.
> ✔ 미세 중력 렌즈 현상은 배경별의 별빛이 앞쪽 별의 중력에 의해 미세하게 굴절되어 휘어지는 현상이다.
> ㄷ. 앞쪽 별의 질량과 별빛의 굴절량과의 관계를 학습해야 한다.
> ✔ 앞쪽 별의 질량이 클수록
> → 별빛의 굴절량이 크다.
> ✔ 앞쪽 별의 질량이 작을수록
> → 별빛의 굴절량이 작다.

16 ㄱ, ㄴ. 태양이 진화함에 따라 광도가 조금씩 증가한다. 이로 인해 생명 가능 지대는 태양에서 멀어지고, 폭은 넓어진다.

오답 피하기 ㄷ. 앞으로 20억 년 후에 태양계의 생명 가능 지대는 1 AU보다 먼 곳에 위치한다. 따라서 지구는 생명 가능 지대에 위치하지 않을 것이다.

문제 속 자료 생명 가능 지대

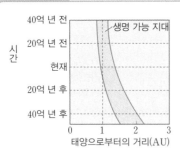

• 태양으로부터 1 AU의 거리에 지구가 있다.
• 현재 지구(1 AU)는 생명 가능 지대에 위치한다.

17 [모범 답안] 태양계에서 생명 가능 지대는 금성과 화성 사이이다.

채점 기준	배점
모범 답안과 같이 옳게 서술한 경우	100%
그 외의 경우	0%

18 ㄱ. 지금까지 발견된 외계 행성들의 질량은 대부분 지구보다 크다. 지구의 질량은 목성 질량의 약 $\frac{1}{300}$이다.

오답 피하기 ㄴ. 시선 속도 변화로 발견된 행성들은 도플러 효과를 이용한 것이다. 도플러 효과를 이용하여 발견된 행성의 수가 가장 많다.

ㄷ. 식 현상에 의해 발견된 행성들의 공전 궤도 반지름이 작으므로 공전 주기도 짧다.

19 ㄴ. 행성 A는 생명 가능 지대에 위치하므로 액체 상태의 물이 존재할 수 있다.

ㄷ. 생명 가능 지대의 거리를 보면 태양이 별 S보다 질량이 크다는 것을 알 수 있다. 별 S는 태양보다 진화 속도가 느리므로 행성 A는 지구보다 생명 가능 지대에 오래 머문다.

오답 피하기 ㄱ. 생명 가능 지대의 거리는 별 S가 태양보다 가깝다. 별의 표면 온도는 별 S가 태양보다 낮다.

VI. 외부 은하와 우주 팽창

16강 외부 은하의 종류와 특징

내신 기출   143~145쪽

01 ④	02 ①	03 ②	04 ①	05 해설 참조
06 ⑤	07 ①	08 ⑤	09 ⑤	10 ⑤ 11 ②
12 ②	13 ①	14 ①	15 ③	16 해설 참조

01 ㄴ. 타원 은하는 성간 물질이 거의 없거나 적고, 주로 나이가 많은 붉은색 별들로 이루어져 있다.

ㄷ. 나선 은하(정상 나선 은하, 막대 나선 은하)의 나선팔에서는 새로운 별들이 활발하게 탄생한다. 나선팔에는 나이가 젊은 파란색 별들과 성간 물질이 풍부하다.

오답 피하기 ㄱ. 허블은 은하를 진화 과정과 상관없이 모양(겉보기 형태)에 따라 타원 은하, 정상 나선 은하, 막대 나선 은하, 불규칙 은하로 분류하였다. 타원 은하보다 나선 은하가 더 진화된 단계의 은하라고 생각하지 않도록 한다.

해설 클리닉

ㄱ. 외부 은하의 분류 기준을 정리해야 한다.

✔ 외부 은하를 분류한 것은 은하의 진화 과정과는 상관이 없다는 사실을 기억한다.

✔ 외부 은하는 형태에 따라 분류한다.

ㄴ. 타원 은하의 특징을 학습해야 한다.

✔ 타원 은하: 타원 모양의 은하

→ 비교적 나이가 많은 붉은색의 별들로 이루어진 은하

✔ 편평도에 따라 E0에서 E7까지 나눈다.

✔ E0에서 E7으로 갈수록 편평도가 커진다.

ㄷ. 나선 은하의 특징을 학습해야 한다.

✔ 나선 은하: 은하의 중심에서 나선팔이 뻗어 나온 은하

→ 막대 구조의 유무에 따라 정상 나선 은하와 막대 나선 은하로 구분

✔ 나선팔이 감긴 정도와 은하핵의 크기에 따라 a, b, c로 다시 나눈다.

→ a형은 나선팔이 팽팽하게 감겨 있고 은하핵이 크다.

→ c형은 나선팔이 느슨하게 감겨 있고 은하핵이 작다.

02 A는 불규칙 은하, B는 타원 은하, C는 정상 나선 은하, D는 막대 나선 은하이다.

ㄱ. A는 모양이 규칙적이지 않으므로 불규칙 은하이다. 은하가 타원이나 나선 등 일정한 모양이나 규칙적인 구조가 나타나지 않을 경우 불규칙 은하로 분류한다. 불규칙 은하는 타원 은하보다 성간 물질이 많다.

오답 피하기 ㄴ. B는 모양이 규칙적이지만 나선팔이 없으므로 타원 은하이다. 우리 은하는 막대 나선 은하이므로 D에 해당한다.

ㄷ. D는 모양이 규칙적이고 나선팔과 중심부에 막대 구조가 있으므로 막대 나선 은하이다. 나선 은하는 나선팔이 감긴 정도에 따라 a, b, c로 분류한다. 편평도에 따라 세분되는 은하는 타원 은하이다.

문제 속 자료   은하를 분류하는 방법

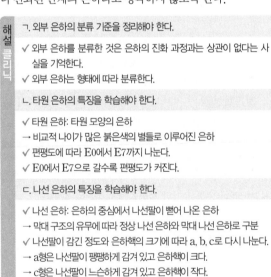

- 은하의 모양과 은하의 진화 사이에는 관련이 없다.
- 현재까지 관측된 은하들은 약 77 %가 나선 은하, 약 20 %가 타원 은하, 약 3 %가 불규칙 은하이다.

03 A는 정상 나선 은하, B는 막대 나선 은하, C는 타원 은하에 해당한다.

ㄴ. 타원 은하는 성간 물질이 거의 없고, 나선 은하의 나선팔에는 성간 물질이 주로 분포한다. 나선 은하 B는 타원 은하 C보다 젊은 별과 성간 물질이 많다.

오답 피하기 ㄱ. A와 C는 막대 구조가 없다. 막대 구조는 B에서만 나타난다.

ㄷ. 우리 은하는 막대 나선 은하이므로 허블의 은하 형태 분류에 따라 B에 해당한다.

04 • 영희: (가)는 정상 나선 은하, (나)는 막대 나선 은하로 두 은하 모두 나선팔이 존재한다.

오답 피하기 • 철수: (다)는 불규칙 은하로 일정한 모양이나 형태가 없다.

• 민수: (라)는 타원 은하로, 나선 은하나 불규칙 은하와 비교할 때 성간 물질이 거의 없다.

05 허블은 외부 은하를 모양에 따라 크게 타원 은하, 나선 은하, 불규칙 은하로 분류하였다. 허블의 은하 분류 체계에서 은하들은 모양(형태)에 따라 분류한 것이지 은하의 진화와는 관계가 없다.

[모범 답안] 외부 은하를 은하의 모양(형태)에 따라 분류하였다.

채점 기준	배점
모범 답안과 같이 옳게 서술한 경우	100%
모양이나 형태에 따른 분류라는 서술이 빠진 경우	0%

06 외부 은하는 형태에 따라 타원 은하, 나선 은하, 불규칙 은하로 분류할 수 있다. 이러한 은하의 분류는 은하의 진화 정도와는 관계가 없다. 나선팔은 나선 은하에만 나타난다.

ㄱ. (가)는 타원 은하, (나)는 나선 은하이다.

ㄴ. 타원 은하는 대부분 늙은 별로 이루어져 있어 붉은색으로 보인다.

ㄷ. 나선 은하의 나선팔에는 성간 물질이 많이 분포하고 있어 새로운 별의 형성이 활발하고 파란색 별이 많다.

07 타원 은하에서 나타나는 특징을 설명한 것이다.

오답 피하기 ②, ③은 정상 나선 은하, ④는 불규칙 은하, ⑤는 행성상 성운이다.

08 나선 은하는 납작한 원반 형태로 중앙 팽대부에는 나이가 많은 붉은색 별들이 분포하고, 나선팔에는 성간 물질이 많이 존재한다.

오답 피하기 ①, ③ 나선 은하의 나선팔에는 성간 물질이 많이 존재하며, 새로운 별들이 많이 태어난다.

② 편평도에 따라 은하를 E0에서 E7까지 분류하는 것은 타원 은하이다. 나선 은하는 나선팔이 감긴 정도와 은하핵의 크기에 따라 다양하게 세분된다.

④ 나선 은하의 크기는 다양하다.

09 • 영희: (가)는 타원 은하, (나)는 막대 나선 은하이다.

• 철수: 우리 은하는 형태적으로 분류할 때 막대 나선 은하에 속한다.

• 민수: A는 나선팔, B는 헤일로이다. 나선팔에는 주로 젊은 별과 성간 물질이 많고, 헤일로에는 별들이 적고 성간 물질이 거의 없다.

10 ㄱ. 세이퍼트은하는 크기는 작지만 강한 방출선을 내는 중심핵을 가지고 있다.

ㄴ. 세이퍼트은하의 스펙트럼에서는 넓은 방출선이 나타나는데, 방출선은 세이퍼트은하의 중심핵 부근에 뜨거운 성운이 있다는 것을 의미한다.

ㄷ. 세이퍼트은하의 방출선의 폭이 넓다는 것은 세이퍼트은하 내의 성운이 빠른 속도로 회전하고 있다는 뜻이다. 세이퍼트은하의 중심부에는 블랙홀이 있을 것으로 추정한다.

> **해설 클리닉**
>
> ㄱ. 세이퍼트은하의 개념을 정리해야 한다.
> ✓ 세이퍼트은하: 보통의 은하들과 비교했을 때 아주 밝은 핵과 넓은 방출선을 보이는 은하
> ㄴ. 방출선의 폭이 넓게 나타나는 까닭을 학습해야 한다.
> ✓ 중심부에서 방출되는 물질이 매우 빠른 속도로 움직이고 있다.
> ㄷ. 세이퍼트은하의 중심에서 넓은 방출선이 관측되는 까닭을 이해해야 한다.
> ✓ 세이퍼트은하의 중심부에 블랙홀이 있을 것으로 추정한다.

11 ② 제트로 연결된 로브가 핵의 양쪽에 대칭적으로 나타나는 특이 은하는 전파 은하이다.

오답 피하기 은하의 중심 영역에서 보통의 광도를 넘어서는 에너지가 방출되는 은하를 특이 은하라고 한다. 특이 은하에는 전파 은하, 퀘이사, 세이퍼트은하가 있다.

12 ㄷ. 퀘이사가 방출하는 에너지는 우리 은하의 수백~수천 배에 이른다.

오답 피하기 ㄱ. 퀘이사는 수많은 별들로 이루어진 거대한 은하이지만 너무 멀리 있어 하나의 별처럼 보인다.

ㄴ. 퀘이사는 우주 탄생 초기의 천체로, 매우 큰 적색 편이가 나타난다.

문제 속 자료 퀘이사

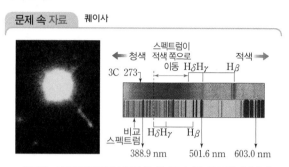

• 퀘이사는 별처럼 보이지만 보통의 별과는 달리 매우 큰 적색 편이가 나타나는 은하로, 후퇴 속도가 매우 빠르다.
• 퀘이사의 중심부에는 블랙홀이 있을 것으로 추정된다.

13 ① 전파 은하에서 관측되는 제트는 회전하는 원반에서 수직으로 뿜어져 나오는 물질 흐름이다.

오답 피하기 거대 블랙홀로 물질이 공급되면 블랙홀의 강한 중력 때문에 물질이 빠르게 가속되어 원반을 형성하고 막대한 양의 에너지를 방출하는데, 이러한 은하를 특이 은하라고 한다. 충돌 은하는 은하끼리의 충돌과 병합 과정으로 형성되었다.

14 ㄱ. 세이퍼트은하는 다른 은하들보다 밝은 핵과 넓은 방출선을 보인다. 스펙트럼에서 넓은 방출선을 보인다는 것은 방출 원인 가스가 매우 빠른 속도로 움직이고 있음을 의미한다.

오답 피하기 ㄴ. 세이퍼트은하는 선 스펙트럼의 폭이 넓은 영역에서 나타난다.

ㄷ. 세이퍼트은하는 중심부에 블랙홀이 있을 것으로 추정되는 특이 은하(활동 은하)이다.

15 ㄱ. 전파 은하는 강한 전파를 방출하는 은하이다.

ㄴ. 중심의 핵과 양쪽의 로브 사이는 제트로 연결되어 있다.

오답 피하기 ㄷ. 전파 은하는 특이 은하에 속한다.

16 충돌 은하는 은하와 은하의 상호 작용으로 서로 충돌하는 과정에서 생겨났다. 충돌하고 병합하는 과정에서 두 은하는 서로 작용하는 중력 때문에 형태가 변하기도 한다.

[모범 답안] 거대한 가스 및 먼지 구름들이 충돌하면 그 속에서 기체가 압축되므로 많은 별들이 한꺼번에 탄생할 수 있다.

채점 기준	배점
모범 답안과 같이 옳게 서술한 경우	100%
기체가 압축되어 많은 별이 탄생한다는 서술이 빠진 경우	0%

내신 기출				151~155쪽
01 ①	02 ①	03 ④	04 ④	05 해설 참조
06 ①	07 ④	08 ④	09 ④	10 ②	11 ③
12 ③	13 ①	14 해설 참조	15 ③	16 ③
17 ③	18 ③	19 ③	20 ①	21 ④	22 ③
23 ③	24 ③	25 해설 참조

01 ㄱ. 기준 스펙트럼과 은하 A의 스펙트럼의 흡수선을 비교해 보면, 은하 A의 스펙트럼에서는 흡수선들이 기준 스펙트럼보다 파장이 긴 쪽(붉은색 쪽)으로 치우치는 적색 편이가 나타난다.

오답 피하기 ㄴ. 외부 은하의 후퇴 속도는 적색 편이가 크게 나타날수록 빠르다. 후퇴 속도는 은하 A가 B보다 작다.

ㄷ. 적색 편이가 크게 나타나는 은하일수록 우리 은하로부터의 거리가 멀어진다. 우리 은하로부터의 거리는 은하 B가 A보다 멀다.

해설 클리닉

ㄱ. 적색 편이가 나타날 때 스펙트럼의 변화를 이해해야 한다.

✓ 적색 편이: 외부 은하의 스펙트럼을 조사했을 때 흡수선의 위치가 원래의 위치보다 파장이 긴 쪽으로 이동한 현상

✓ 적색 편이가 관측된다면 외부 은하가 멀어지고 있다는 것을 알 수 있다.

ㄴ. 외부 은하의 적색 편이와 후퇴 속도와의 관계를 정리해야 한다.

✓ 적색 편이 정도가 클수록 후퇴 속도가 빠르다.

→ 우리 은하로부터 더 빨리 멀어지고 있다.

ㄷ. 후퇴 속도와 은하 사이의 거리와의 관계를 학습해야 한다.

✓ 후퇴 속도가 빠르다.

→ 은하 사이의 거리가 더 빨리 멀어진다.

02 ㄱ. A와 C에서는 별과 거리 변화가 없으므로 별빛 스펙트럼 흡수선의 파장 변화도 없다. A와 C에서 관측되는 별빛 흡수 스펙트럼의 파장은 같을 것이다.

오답 피하기 ㄴ. (나)는 흡수선의 파장이 길어지므로 흡수 스펙트럼 파장 변화는 적색 편이이다.

ㄷ. 지구가 C → D로 이동하는 동안에는 지구가 별 쪽으로 접근하므로 흡수선에서는 청색 편이가 나타날 것이다.

문제 속 자료 흡수 스펙트럼의 파장 변화

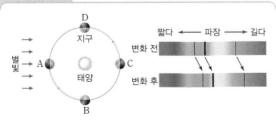

• 흡수선의 파장이 길어진다. → 적색 편이가 나타난다.
• 흡수선의 파장이 짧아진다. → 청색 편이가 나타난다.
• 흡수선 파장의 변화량으로 후퇴 속도를 알 수 있다.

03 ㄱ. 우리 은하에서 거리가 가장 먼 은하 C가 거리가 가장 가까운 은하 A보다 후퇴 속도가 빠르다.

ㄴ. 은하 A의 흡수 스펙트럼은 b, 은하 B의 흡수 스펙트럼은 a, 은하 C의 흡수 스펙트럼은 c이다.

오답 피하기 ㄷ. 모든 은하가 서로 멀어지므로 팽창하는 우주에 특별한 중심은 없다.

04 • 철수: 후퇴 속도가 가장 빠른 은하 C에서 적색 편이가 가장 크게 나타난다.

• 민수: 거리가 먼 은하일수록 더 빠르게 후퇴하므로 적색 편이가 더 크게 나타난다.

오답 피하기 • 영희: 멀리 있는 은하일수록 후퇴 속도가 빠르므로 후퇴 속도가 가장 빠른 은하는 C이다.

문제 속 자료 외부 은하의 적색 편이

은하	사진	거리(Mpc)	스펙트럼
A		17	
B		210	
C		560	

• 외부 은하의 거리는 A<B<C 순이다.
  → 적색 편이는 A<B<C 순이다.

05 은하의 후퇴 속도는 외부 은하까지의 거리에 비례한다.

[모범 답안] 외부 은하의 후퇴 속도는 빨라진다.

채점 기준	배점
모범 답안과 같이 옳게 서술한 경우	100%
후퇴 속도가 빨라진다는 서술이 빠진 경우	0%

06 은하의 거리(r)에 따른 후퇴 속도(v)는 A가 B보다 크다.

ㄱ. 허블 상수 $\left(H = \dfrac{v}{r} \right)$는 A>B이다.

오답 피하기 ㄴ. 우주의 나이는 허블 상수의 역수 $\left(\dfrac{1}{H} \right)$이므로 A<B이다.

ㄷ. 우주의 팽창 속도는 A>B이다.

문제 속 자료 허블 법칙

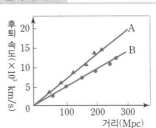

• 허블 법칙에 따라 후퇴 속도가 클수록 거리가 멀고 적색 편이가 크게 나타난다. 거리가 먼 은하일수록 후퇴 속도가 커지는 것은 우주가 팽창하고 있음을 의미한다.

07 ④ 멀리 있는 은하일수록 더 빨리 멀어지므로 적색 편이 값이 크게 나타난다.

[오답 피하기] 은하의 후퇴 속도와 거리의 관계 그래프에서 기울기는 허블 상수를 의미한다. 허블 상수의 역수는 우주의 나이에 해당한다. 팽창하는 우주에서 특별한 중심은 없다.

08 ㄴ. 은하 B에서 관측할 때 은하 A와 은하 C는 각각 멀어지고 있으므로 적색 편이가 나타난다.

ㄷ. 은하 C에서 관측하면 은하 A는 은하 C와 반대 방향으로 멀어지고, 은하 C의 이동 속도와 은하 A의 멀어지는 속도를 합친 만큼 은하 A는 후퇴하고 있다. 은하 C에서 관측하면 은하 A의 후퇴 속도는 4000 km/s이다.

[오답 피하기] ㄱ. A, B, C 중 어느 은하를 기준으로 해도 다른 은하는 서로 멀어지고 있다. 즉 팽창하는 우주에 특정한 중심 은하는 없다.

09 ㄱ. 문제의 그림에서 은하 A나 은하 B에서 관측자의 위치를 중심으로 외부 은하들은 모두 멀어지고 있다. 관측자의 위치를 우주의 중심이라고 생각하지 않도록 한다.

ㄴ. 은하들의 후퇴 속도는 거리에 비례한다. 관측자로부터 멀리 떨어진 은하일수록 후퇴 속도가 빠르다.

[오답 피하기] ㄷ. 은하 A와 은하 B에서 관측했을 때 두 위치 모두에서 은하들은 모두 멀어져 간다. 우주가 팽창하는 데 기준이 되는 은하는 없다.

10 ㄴ. 우주는 하나의 점으로부터 대폭발하여 생성되었고, 계속 팽창하면서 냉각되었다. 우주의 팽창 과정에서 우주의 밀도는 작아지고 있다.

[오답 피하기] ㄱ. 팽창하는 우주에서 특정한 중심은 없다. 우리 은하는 우주의 중심이 아니다.

ㄷ. 은하의 후퇴 속도는 거리에 비례하여 빨라진다. 멀어지는 천체에서 방출된 빛은 적색 편이 현상이 나타난다.

> **해설 클리닉**
>
> ㄱ. 우주 팽창과 우주 중심과의 관계를 이해해야 한다.
>
> ✔ 우주 팽창: 우주 공간이 팽창하여 은하 사이의 거리가 멀어지고 있다.
> ✔ 우주 팽창의 중심: 없다.
>
> ㄴ. 빅뱅 우주론에서 우주의 크기와 밀도를 정리해야 한다.
>
> ✔ 우주의 크기: 점점 커진다.
> ✔ 우주의 밀도: 점점 줄어든다.
>
> ㄷ. 우주 팽창과 후퇴 속도와의 관계를 학습해야 한다.
>
> ✔ 우리 은하로부터 멀리 있는 은하 → 후퇴 속도가 빠르다.
> ✔ 우리 은하로부터 가까이 있는 은하 → 후퇴 속도가 느리다.

11 • 영희: 은하 A~D에서는 적색 편이가 나타나는 것으로 보아 우리 은하로부터 멀어지고 있다.

• 철수: 멀리 있는 은하일수록 적색 편이량이 크고 후퇴 속도가 빠르다.

[오답 피하기] • 민수: 멀리 있는 은하일수록 더 빠른 속도로 멀어져 간다. x로부터 멀어지는 속력은 z가 y보다 크다.

> **문제 속 자료** 우주 팽창
>
> | 은하 | 거리 (Mpc) | 적색 편이량 ($\times 10^{-4}$) |
> |---|---|---|
> | A | 10.1 | 17 |
> | B | 12.9 | 22 |
> | C | 22.1 | 37 |
> | D | 30.1 | 57 |
>
>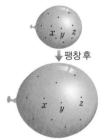
> 팽창 후
>
> • A → B → C → D로 갈수록 적색 편이량이 커진다. → 점점 더 빠른 속도로 멀어져 간다.
> • 우주가 팽창할 때 특별한 중심은 없다. → 우주 어디에서나 다른 은하가 후퇴하는 것으로 관측되므로 팽창의 중심은 없다.

12 ㄷ. (나)에서 2.7 K의 우주 배경 복사는 대폭발 후 우주 나이 약 38만 년에 방출된 빛이 우주 팽창으로 낮은 온도의 복사 에너지로 변한 것으로 우주의 모든 방향에서 관측된다.

[오답 피하기] ㄱ. (가)에서 우주가 팽창하여 부피가 증가하므로 우주의 밀도는 감소한다.

ㄴ. 우주는 고온 고밀도의 상태에서 폭발과 함께 팽창하였다.

13 ㄱ. 우주 배경 복사는 대폭발 이후 우주의 온도가 약 3000 K으로 식었을 때 우주를 채우고 있던 복사 에너지이다. 복사 강도가 최대인 파장은 우주 탄생 초기보다 현재가 더 길다.

[오답 피하기] ㄴ. 우주 배경 복사가 방출되었던 시기는 빅뱅 이후 약 38만 년이었고, 이 시기에 우주의 온도는 약 3000 K이었다.

ㄷ. 우주 배경 복사는 대폭발 우주론(빅뱅 우주론)의 가장 강력한 증거이다.

14 우주 팽창에 특별한 중심은 없다.

[모범 답안] 우주 공간 자체가 팽창하기 때문에 어떤 은하에서 관측해도 다른 은하가 자신이 속한 은하로부터 멀어지는 것처럼 관측된다.

채점 기준	배점
모범 답안과 같이 옳게 서술한 경우	100%
우주 공간 자체가 팽창한다는 서술이 빠진 경우	0%

15 (가)는 펜지어스와 윌슨이 지상 망원경으로 전파 영역을 관측한 것이고, (나)는 WMAP 위성이 전파 영역을 관측한 것이다.

ㄱ. 우주 배경 복사는 현재 약 2.7 K의 파장으로 관측된다.

ㄴ. 우주 배경 복사는 초기 우주 상태를 유추하는 데 결정적인 단서를 제공하였다.

[오답 피하기] ㄷ. (나)는 (가)보다 더 정밀하게 관측되었다.

16 ㄱ. 빅뱅 이후 우주가 팽창하는 동안 크기는 커졌고 우주 물질의 양은 일정하므로 밀도는 감소한다.

ㄷ. 빅뱅 이후 약 38만 년 후에 우주의 온도가 약 3000 K이었을 때 방출된 우주 배경 복사는 현재 약 2.7 K으로 관측된다.

오답 피하기 ㄴ. 우주의 팽창으로 우주의 온도가 감소되어 우주 배경 복사의 파장은 점점 길어졌다.

문제 속 자료 대폭발 우주론(빅뱅 우주론)에서 팽창하는 우주

- 우주는 초고온, 초고밀도 상태에서 폭발과 함께 팽창하였다.
- 빅뱅 이후 우주 팽창으로 우주의 온도가 낮아지면서 기본 입자들이 나타났다.

17 외부 은하들의 거리와 후퇴 속도 사이에는 비례 관계가 성립한다는 것이 허블 법칙이다.

오답 피하기 ① 멀리 있는 은하일수록 더 빠르게 멀어진다.

② 팽창하는 우주에서 특별한 중심은 없다.

④ 빅뱅 우주론에서 예측하는 수소와 헬륨의 질량비는 약 3:1이다.

⑤ 급팽창 우주론은 기존의 빅뱅 우주론이 설명하지 못하는 지평선 문제와 편평선 문제를 설명하고 있다. 우주 배경 복사는 대폭발 우주론(빅뱅 우주론)의 가장 확실한 증거이다.

18 ㄱ. 그림에서 보면 우주의 크기는 점점 커지고 있다. 현재 시점에서 우주는 가속 팽창하고 있다.

ㄴ. A일 때 암흑 에너지의 비율은 1 %이고, 현재 암흑 에너지의 비율은 73 %이다. 암흑 에너지의 비율은 현재가 A 시점보다 크다.

오답 피하기 ㄷ. 우주가 팽창하면 부피는 커지므로 우주의 부피는 A 시점보다 현재가 크다. 같은 질량일 때 A 시점과 현재의 평균 밀도를 비교하면, 우주의 평균 밀도는 현재보다 A 시점에서 더 크게 나타난다.

해설 클리닉

ㄱ. 우주의 팽창 속도에 영향을 미치는 요소를 학습해야 한다.

✔ 암흑 에너지: 우주의 팽창을 가속시키는 우주 성분

ㄴ. 우주가 팽창하는 동안 암흑 에너지의 비율을 비교해야 한다.

✔ 암흑 에너지가 없다면 우주의 물질 때문에 우주는 수축해야 하지만 우주는 현재 가속 팽창하고 있다.

ㄷ. 우주가 팽창하는 동안 우주의 평균 밀도를 비교해야 한다.

✔ 우주 팽창 → 부피 팽창 → 밀도 감소

19 • 영희: Ia형 초신성을 관측한 자료는 우주가 가속 팽창을 하고 있다는 것을 보여준다. (가)의 A는 가속 팽창 우주, B는 감속 팽창 우주이다.

• 민수: 우주의 팽창을 가속시키는 우주의 성분은 암흑 에너

지이다.

오답 피하기 • 철수: (나)에서 우주는 빅뱅 이후 급팽창하였고 이후 감속 팽창하였으며 이어서 현재까지는 가속 팽창하고 있다.

20 ㄱ. 현재 우주는 암흑 에너지가 73 %, 암흑 물질이 23 %, 보통 물질이 4 %를 차지한다.

오답 피하기 ㄴ. 우주의 팽창으로 우주의 물질 밀도는 점점 작아질 것이다.

ㄷ. 115억 년 후에는 현재보다 암흑 에너지가 많아지므로 (73 % → 95 %) 우주의 팽창 속도가 빨라질 것이다.

21 ㄱ. 우주를 구성하는 요소 중 가장 많은 비율을 차지하는 (가)는 암흑 에너지이다.

ㄴ. 암흑 물질은 보통 물질보다 우주에서 차지하는 양이 많다. 우주를 구성하는 물질은 암흑 에너지 > 암흑 물질 > 보통 물질의 순으로 분포한다.

오답 피하기 ㄷ. 우주가 중력을 가진 물질로만 되어 있다면 우주 자체는 물질들의 중력에 의해 수축되어야 하지만, 우주는 중력과 반대로 가속 팽창하고 있다. 이렇게 중력과 반대로 작용하면서 우주의 팽창을 가속시키는 우주의 물질을 암흑 에너지라고 한다.

22 ③ 우주는 초기에 팽창 속도가 느려지다가 약 70억 년이 지나면서 현재까지 가속 팽창하고 있다.

오답 피하기 ② Ia형 초신성은 거의 일정한 질량에서 폭발하기 때문에 절대 밝기가 일정하다. Ia형 초신성의 겉보기 밝기를 구하면 멀리 있는 은하까지의 거리를 구할 수 있다.

④ 우주의 밀도와 임계 밀도가 같을 때를 평탄 우주, 우주의 밀도가 임계 밀도보다 작을 때를 열린 우주, 우주의 밀도가 임계 밀도보다 클 때를 닫힌 우주라고 한다.

23 ㄷ. (다)는 평탄 우주로 우주의 밀도가 임계 밀도와 같다.

오답 피하기 ㄱ. (가)는 열린 우주로 우주는 계속 팽창한다.

ㄴ. (나)는 닫힌 우주로 먼 미래에 우주는 다시 수축한다.

24 ㄱ. Ia형 초신성의 겉보기 밝기를 이용하여 거리 지수를 나타낸 것이다. 적색 편이가 클수록 멀리 있는 천체이므로 거리 지수가 크게 나타난다.

ㄴ. 초신성에 대한 관측 값은 가속 팽창하는 우주에 적당하다.

오답 피하기 ㄷ. 우주가 팽창할수록 중력과 반대 방향으로 작용하는 암흑 에너지의 역할이 증가할 것이다.

25 [모범 답안] 우주의 밀도, 우주의 밀도는 물질과 에너지의 양에 따라 결정되기 때문이다.

채점 기준	배점
모범 답안과 같이 옳게 서술한 경우	100%
우주의 밀도만 옳게 고른 경우	30%

내신 마무리   156~158쪽

01 ①	02 ⑤	03 ④	04 ③	05 ①	06 ⑤
07 ②	08 ④	09 해설 참조		10 ③	11 ⑤
12 ⑤	13 ④				

01 (가)는 정상 나선 은하, (나)는 막대 나선 은하, (다)는 불규칙 은하, (라)는 타원 은하이다.

ㄱ. 타원 은하는 내부에 성간 물질이 거의 없어 별이 거의 탄생하지 않는다.

오답 피하기 ㄴ. 허블의 은하 분류 체계는 은하의 진화 순서와는 상관이 없는 형태적인 분류이다.

ㄷ. 우리 은하와 가장 유사한 은하는 (나)이다.

ㄹ. A는 (다), B는 (라), C는 (나), D는 (가)이다.

02 은하는 형태에 따라 타원 은하(A), 정상 나선 은하(B), 막대 나선 은하(C), 불규칙 은하로 분류한다.

ㄱ. 타원 은하의 경우 편평도에 따라 E0에서 E7까지 구분한다. 숫자가 커질수록 편평도가 크다.

ㄴ. 나선 은하에서 a형은 나선팔이 팽팽하게 감겨 있고, c형은 나선팔이 느슨하게 감겨 있다.

ㄷ. 우리 은하는 막대 나선 은하에 속한다.

03 (가)는 타원 은하, (나)는 막대 나선 은하, (다)는 불규칙 은하이다.

ㄱ. (가)는 모양이 규칙적이지만 나선팔이 없으므로 타원 은하이다.

ㄴ. 타원 은하는 나이가 많은 은하로, 내부에 성간 물질이 거의 없다.

ㄹ. 우리 은하는 막대 나선 은하이므로 (나)에 해당한다.

오답 피하기 ㄷ. (다)는 모양이 규칙적이지 않으므로 불규칙 은하이다. 은하가 타원이나 나선 등 일정한 모양이나 규칙적인 구조가 나타나지 않을 경우 불규칙 은하로 분류한다. 편평도에 따라 세분되는 은하는 타원 은하이다.

> **해설 클리닉**
>
> ㄱ. 은하를 분류하는 기준을 이해해야 한다.
> ✔ 허블의 은하 분류 → 모양(형태)에 따른 분류
> ✔ 은하의 분류는 은하의 진화 과정과는 관계 없다.
>
> ㄴ. 타원 은하의 특징을 정리해야 한다.
> ✔ 타원 은하: 나이가 많은 붉은색의 별로 구성, 내부에 성간 물질이 거의 없어 별이 거의 생성되지 않는다.
>
> ㄷ. 불규칙 은하의 특징을 이해해야 한다.
> ✔ 불규칙 은하는 특정한 모양을 나타내지 않는 은하이다.
> ✔ 편평도에 따라 은하를 분류하는 것은 타원 은하이다.
>
> ㄹ. 우리 은하의 특징을 정리해야 한다.
> ✔ 옆에서 본 모습 → 중앙 팽대부, 은하 원반, 헤일로가 존재
> ✔ 위에서 본 모습 → 나선팔과 은하 중심부를 가로지르는 막대 구조가 나타난다.

04 ㄷ. C의 적색 편이량은 0.3, B의 적색 편이량은 0.2이므로 C가 B보다 1.5배 멀리 떨어져 있다.

오답 피하기 ㄱ. 모든 은하는 특정 은하를 중심으로 멀어지는 것이 아니므로 팽창하는 우주에 특정한 중심이 있는 것은 아니다.

ㄴ. 지구에서 거리가 먼 은하일수록 더 빠른 속도로 지구로부터 멀어지고, 적색 편이량(z)도 커진다.

> **해설 클리닉**
>
> ㄱ. 우주가 팽창하는 원리를 이해해야 한다.
> ✔ 우주는 공간 자체가 팽창하는 것 → 팽창하는 우주에 특정한 중심은 없다.
>
> ㄴ. 후퇴 속도와 적색 편이량의 관계를 정리해야 한다.
> ✔ 후퇴 속도가 빠르다.
> → 적색 편이량이 크게 관측된다.
>
> ㄷ. 은하까지 떨어진 거리와 후퇴 속도와의 관계를 학습해야 한다.
> ✔ 우리 은하로부터 멀리 있는 은하 → 후퇴 속도가 빠르다.

05 ㄱ. 문제의 그림에서 기울기는 허블 상수를 나타낸다. 허블 상수는 B보다 A에서 크게 계산된다.

오답 피하기 ㄴ. 우주의 나이는 허블 상수의 역수이기 때문에 B보다 A에서 구한 값이 더 작다.

ㄷ. 같은 거리에 있는 외부 은하의 경우 A에서 관측한 후퇴 속도가 B에서 관측한 것보다 빠르므로 A의 적색 편이의 정도(적색 편이량)가 B보다 더 크다.

> **문제 속 자료**   허블 법칙
>
>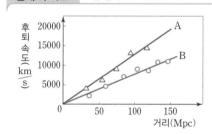
>
> • 기울기 → 허블 상수
> • $\dfrac{1}{기울기} = \dfrac{1}{허블 상수} = 우주 나이$

06 ㄱ. 이 실험에서 풍선 표면은 우주를 나타내고, 풍선이 커지는 것은 우주 팽창을 나타낸다. 팽창하는 우주에 중심이 없듯이 풍선 표면의 팽창에서 팽창의 중심이 없다.

ㄴ. 어떤 은하를 기준으로 하더라도 한 은하를 기준으로 다른 은하는 서로 멀어져 간다. 가까이 있는 은하보다 멀리 있는 은하일수록 더 빠른 속도로 멀어져 간다.

ㄷ. 허블 법칙에 따라 외부 은하들의 거리와 후퇴 속도는 비례 관계에 있다. 멀리 있는 은하일수록 더 빠른 속도로 멀어지므로 우주는 팽창한다.

07 ㄷ. 허블 법칙에 따르면 은하의 후퇴 속도와 거리는 비례 관계에 있다.

오답 피하기 ㄱ. 팽창하는 우주에서 중심은 없다. A는 우주의 중심이라고 할 수 없다.

ㄴ. B에서 C를 관측하면 적색 편이가 관측된다.

08 ㄴ. 대폭발 우주론에서 우주의 총 질량은 일정하게 유지되면서 크기가 증가하므로 우주의 밀도는 감소한다. 정상 우주론에서는 새로운 은하가 계속 생성되므로 우주의 질량은 증가하고, 밀도는 일정하다.

ㄷ. 대폭발 우주론에서 우주의 온도는 우주가 팽창함에 따라 점점 낮아진다.

오답 피하기 ㄱ. (가)는 은하의 개수 밀도가 일정하므로 정상 우주론이고, (나)는 은하의 개수 밀도가 감소하므로 대폭발 우주론(빅뱅 우주론)이다.

문제 속 자료 우주의 팽창

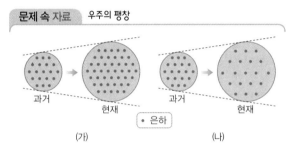

과거 → 현재 / 과거 → 현재

• 은하

(가) (나)

• (가)는 정상 우주론, (나)는 대폭발 우주론(빅뱅 우주론)이다.
• (가)는 우주가 팽창하는 동안 크기는 커지고 밀도는 일정하다.
• (나)는 우주가 팽창하는 동안 크기는 커지고 밀도는 작아진다.

09 우주 배경 복사는 우주 나이가 약 38만 년일 때 우주가 투명해지면서 우주 전체에 퍼진 복사 흔적이다.

우주를 채우고 있던 복사가 우주 팽창으로 파장이 길어져 현재 2.7 K 복사로 관측된다. 현재 우주를 구성하는 물질 대부분은 수소와 헬륨이며 질량비는 약 3 : 1이다.

[모범 답안] 우주 배경 복사, 수소와 헬륨의 질량비

채점 기준	배점
모범 답안과 같이 옳게 서술한 경우	100%
두 가지 중 한 가지만 옳게 서술한 경우	50%

10 ㄱ. 허블 법칙에 따르면 은하의 후퇴 속도(V)는 그 은하까지의 거리(r)에 비례한다.

$$V = H(\text{허블 상수}) \times r \quad \therefore H = \frac{V}{r}$$

ㄴ. 천문학자 A보다 B가 구한 허블 상수가 작으므로 우주의 크기는 B가 구한 값이 더 크다. 우주의 나이는 허블 상수의 역수이므로 천문학자 A보다 B가 구한 우주의 나이가 많다.

오답 피하기 ㄷ. B의 허블 상수가 A보다 작으므로 지구에서 같은 속도로 멀어지는 외부 은하까지의 거리는 A보다 B가 더 멀다.

11 현재 우주의 구성 물질은 암흑 에너지가 가장 많고, 그 다음으로 암흑 물질 > 보통 물질 순이다.

ㄱ. A는 현재 두 번째로 많으므로 암흑 물질이다.

ㄴ. 우주가 팽창하고 있는데 암흑 에너지인 C의 밀도는 일정하므로, 암흑 에너지의 총량은 시간에 따라 증가했을 것이다.

ㄷ. 문제의 그림에서 보통 물질인 B가 차지하는 비율은 시간에 따라 감소하고 있다.

문제 속 자료 우주 구성 물질

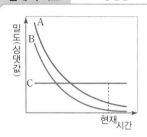

밀도(상댓값) / 현재 시간

• A는 암흑 물질, B는 보통 물질, C는 암흑 에너지이다.
• 우주의 구성 성분은 보통 물질 < 암흑 물질 < 암흑 에너지 순으로 많다.

12 멀리 있는 Ia형 초신성일수록 적색 편이량이 크고 겉보기 등급이 더 크게 관측된다. 절대 등급이 같은 경우 겉보기 등급은 거리가 멀어질수록 더 어둡게 보인다.

ㄱ. 멀리 있는 Ia형 초신성일수록 허블 법칙으로 구한 겉보기 등급보다 더 큰 값을 나타내므로 더 어둡게 보일 것이다.

ㄴ. Ia형 초신성 관측 결과 우주의 팽창 속도는 점점 빨라지고 있다.

ㄷ. 우주의 팽창 속도가 점점 빨라지기 위해서는 중력과 반대로 작용하는 암흑 에너지의 존재가 필요하다. Ia형 초신성 관측 결과로 우주를 가속 팽창시키는 물질을 암흑 에너지로 설명할 수 있게 되었다.

13 ㄹ. 빅뱅 이후 우주는 팽창하고 있다.

오답 피하기 ㄱ. A는 가속 팽창 우주, B는 열린 우주, C는 평탄 우주, D는 닫힌 우주이다.

ㄷ. 현재 우주는 C 모형에 가깝다.

문제 속 자료 우주의 상대적 크기

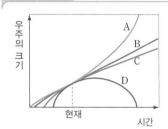

우주의 크기 / 현재 / 시간

• 열린 우주에서 우주는 계속해서 팽창한다.
• 평탄 우주에서 우주는 팽창 속도가 계속 감소하지만 팽창이 완전히 멈추지는 않는다.
• 닫힌 우주에서 우주는 팽창 속도가 점점 감소하다가 결국 수축한다.
• B는 우주의 평균 밀도가 임계 밀도보다 작고, D는 우주의 평균 밀도가 임계 밀도보다 크다.

MEMO

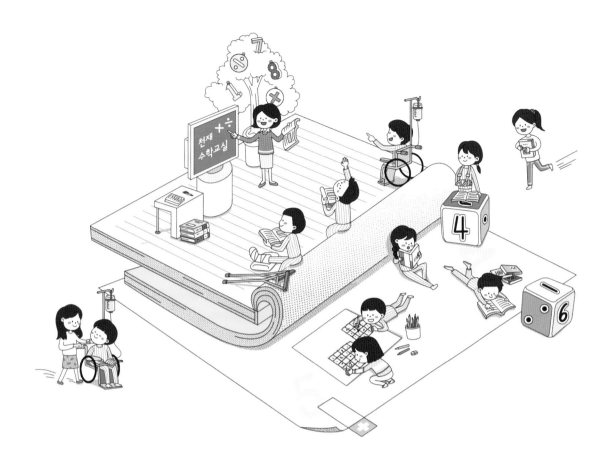

"공부를 넘어 희망을 나눕니다"

몸이 아파서 학교에 갈 수 없는 아이들도
공평하게 배움의 기회를 누려야 합니다.
공부를 하고 싶고
책을 읽고 싶어도
맘껏 할 수 없는 아이들을 위해
병원으로 직접 찾아가는 천재교육의 학습봉사단.

혼자가 아니라는 작은 위안이
미래의 꿈을 꿀 수 있는
큰 용기로 이어지길 바라며
천재교육은 앞으로도 꾸준히 나눔의 뜻을 실천하며
세상과 소통해 나가겠습니다.

천재교육

🔍 **<꿈이 자라는 천재 수학교실>이 환아들의 꿈을 응원합니다.**
가톨릭중앙의료원 산하 서울성모병원 어린이학교에서
주 1회 <꿈이 자라는 천재 수학교실> 수업 진행

🔍 **착한 기업으로 가기 위한 동행, 천재교육이 함께하겠습니다.**
저소득층 자녀를 위한 학습교재 지원 / 장학금 후원 / 시각장애인을 위한
점자책 데이터 지원 / 고도 약시를 위한 교과서 및 학습교재 개발

내신

다:품

정답과 해설

고등 지구과학 Ⅰ

내신 다:품

나는 똑똑한 것이 아니라
단지 문제를 더 오래 연구할 뿐이다.

아인슈타인(Einstein, A.)

문제를 풀다 포기하는 사람보다
문제를 어떻게든, 끝까지 푸는 사람이
목표에 도달할 확률이 높다고 합니다.
오늘부터는 중간에 그만두지 말고
끝까지 꿈을 향해 달려보도록 해요.

* 천재교육과 함께 꽃길만 걸어요.